# KANE ET ABEL

Du même auteur aux Éditions First

*Seul contre tous,* 2009, prix Polar international du festival de Cognac

*Le Sentier de la gloire,* 2010, prix Relay du roman d'évasion

Jeffrey ARCHER

# KANE ET ABEL

Traduit de l'anglais par
Marianne Thirioux

**Kane et Abel**

Titre original : Kane and Abel

60, rue Mazarine
75006 Paris – France
Tél. : 01 45 49 60 00
Fax : 01 45 49 60 01
Courriel : firstinfo@efirst.com
Internet : www.editionsfirst.fr

ISBN : 978-2-7540-2076-3
Dépôt légal : 4e trimestre 2010
Imprimé en France
Chez Brodard et Taupin
Avenue Rhin et Danube
BP 40019
72201 La Flèche Cedex

Responsable éditoriale : Véronique Cardi
Édition : Mathilde Walton
Correction : Jacqueline Rouzet
Mise en page : ReskatoЯ
Conception couverture : Hokus Pokus Créations

*À Michael et Jane*

# PREMIÈRE PARTIE

# 1906-1923

# 1

*18 avril 1906, Slonim, Pologne*

Elle ne cessa de hurler que lorsqu'elle mourut. Ce fut à ce moment-là qu'il se mit à crier.

Le garçon qui chassait des lapins dans la forêt ignorait si c'était le dernier cri de la femme ou le premier de l'enfant qui avait alerté ses jeunes oreilles. Il se retourna, à l'affût d'un danger éventuel, cherchant des yeux un animal qui devait forcément souffrir. Mais il ne voyait pas de bête qui puisse beugler de la sorte. Il avança prudemment en direction du bruit. Le hurlement s'était depuis transformé en gémissement, mais ne ressemblait à celui d'aucune bête qu'il connaissait. Il espérait qu'il serait assez petit pour le tuer ; au moins, cela changerait du lapin pour le dîner.

Il marcha subrepticement vers la rivière, d'où provenait le bruit curieux, passa en flèche d'un arbre à un autre, sentant la protection de l'écorce sur ses omoplates, quelque chose à toucher. « Ne jamais se mettre à découvert », lui avait appris son père. Lorsqu'il parvint en lisière de la forêt, il put bénéficier d'une ligne de visée claire sur toute la vallée, jusqu'au cours d'eau ; malgré tout, il lui fallut du temps pour comprendre que le cri étrange ne venait pas d'un animal ordinaire. Il rampa vers le gémissement, bien qu'il fût désormais totalement à découvert.

Puis il avisa la femme, la robe remontée au-dessus de la taille, les jambes nues écartées. Il n'en avait jamais vue comme cela auparavant.

Il courut rapidement vers elle et fixa son ventre, trop effrayé pour le toucher. Entre ses membres gisait un tout petit animal rose, ensanglanté et relié à elle par une espèce de cordon. Le jeune chasseur fit tomber les lapins qu'il venait d'attraper et s'agenouilla à côté de la minuscule créature.

Il la regarda longuement, éberlué, avant de reposer les yeux sur la femme. Il regretta immédiatement sa décision. Elle était déjà bleue de froid ; son visage juvénile et fatigué semblait avoir une cinquantaine d'années, songea le garçon. Nul besoin de lui préciser qu'elle était morte. Il ramassa le petit corps glissant, étendu sur l'herbe entre ses jambes. Si on lui avait demandé pourquoi – et personne n'en prenait jamais la peine –, il aurait répondu que les minuscules doigts qui s'accrochaient à la figure froissée l'avaient inquiété.

La mère et l'enfant étaient attachés par le cordon visqueux. Le jeune garçon avait assisté à la naissance d'un agneau quelques jours auparavant, et il fouilla dans ses souvenirs. Oui, voilà ce que le berger avait fait. Mais oserait-il, avec un bébé ? Le gémissement cessa brusquement, et il sentit qu'une décision pressait. Il dégaina son couteau, celui avec lequel il dépouillait les lapins, l'essuya sur sa manche, et après avoir hésité un instant, il coupa le cordon près du corps du nourrisson. Le sang coula à flots des extrémités sectionnées. Qu'avait ensuite fait le berger lorsque l'agneau était né ? Un nœud pour arrêter l'hémorragie. Bien sûr, bien sûr. Le garçon arracha une longue herbe à côté de lui, et, à la hâte, noua grossièrement le cordon. Puis il prit le nouveau-né dans ses bras, qui se remit à crier. Il se releva lentement, laissant trois lapins morts derrière lui, et une défunte qui avait accouché de cet enfant. Avant de tourner définitivement le dos à la mère, il resserra ses jambes et tira sa robe sur ses genoux. Cela lui sembla la chose à faire.

— Dieu béni, dit-il à voix haute, comme toujours quand il avait accompli quelque chose de très bien ou de très mal.

Il ne savait pas encore si ce qu'il avait fait était bien ou mal.

Le jeune chasseur courut jusqu'à la chaumière où sa maman préparait le dîner, et n'attendait plus que les lapins : tout le reste serait prêt. Elle devait se demander combien il en avait pris aujourd'hui : avec huit bouches à nourrir, il lui en faudrait au moins trois. Parfois, il rapportait même un canard, une oie ou un faisan qui s'était échappé des terres du baron où son père travaillait. Ce soir, l'animal qu'il avait attrapé était différent.

Une fois arrivé à la chaumière, il n'osa pas lâcher sa prise, même d'une main, et tapa à la porte à l'aide de son pied nu jusqu'à ce que sa mère vienne ouvrir. En silence, il lui montra l'enfant. Elle ne tâcha pas de lui prendre immédiatement la créature, mais resta figée sur place, une main sur la bouche, à regarder fixement ce malheureux spectacle.

— Dieu béni ! s'exclama-t-elle, et elle se signa.

Le jeune homme chercha une trace de plaisir ou de colère sur son visage, et vit ses yeux briller d'une tendresse qu'il voyait pour la première fois. Il comprit alors qu'il avait fait ce qu'il fallait.

— C'est un petit garçon, constata-t-elle en prenant l'enfant dans ses bras. Où l'as-tu trouvé ?

— Près de la rivière, Matka, répondit-il.

— Et la maman ?

— Morte.

Elle refit le signe de croix.

— Vite, cours raconter à ton père ce qui s'est passé. Il trouvera Urszula Wojnak sur les terres et tu devras les conduire tous les deux à la mère. Il faut ensuite qu'ils reviennent ici.

Le garçon s'essuya les mains sur son pantalon, ravi de ne pas avoir fait tomber la créature glissante, et s'empressa d'aller chercher son paternel.

La mère ferma la porte à l'aide de son épaule et appela Florentyna, son aînée, pour qu'elle vienne mettre la marmite sur le feu. Elle s'assit sur un tabouret de bois, déboutonna son corset et présenta un mamelon fatigué au nouveau-né qui avançait les lèvres. Sophia, sa fille cadette de six mois seulement, devrait se passer de son dîner, ce soir. D'ailleurs, toute la famille aussi.

— À quoi bon, de toute façon ? fit la femme à voix haute en emmitouflant l'enfant dans son châle. Le pauvre petit sera mort demain matin.

Elle ne confia pas ce sentiment à Urszula Wojnak lorsque celle-ci arriva quelques heures plus tard. La sage-femme âgée lava le petit corps et soigna le bout de cordon entortillé. Le mari resta debout près du feu ouvert, sans rien dire, observant la scène.

— Qui s'invite à la maison amène Dieu à la maison, déclara la femme, citant le vieux proverbe polonais.

Son époux cracha.

— Et le choléra avec. Nous avons suffisamment d'enfants à nous.

La femme feignit de ne pas l'entendre et caressa les cheveux bruns et clairsemés du bébé.

— Comment pourrions-nous l'appeler ? demanda-t-elle.

Son époux haussa les épaules.

— Qu'est-ce que ça peut faire ? Qu'il meure donc sans nom.

# 2

*18 avril 1906, Boston, Massachusetts*

Le docteur souleva le nouveau-né par les chevilles et lui claqua les fesses. Le bébé se mit à pleurer.

À Boston, Massachusetts, il existe un hôpital qui s'occupe principalement de ceux qui souffrent des maladies de riches, et lors d'occasions choisies, s'autorise à accoucher les nouveaux riches. Les mères hurlent rarement et n'enfantent assurément pas tout habillées.

Un jeune homme faisait les cent pas devant la salle d'accouchement : à l'intérieur, deux gynécologues et le médecin de famille prodiguaient des soins. Le père ne désirait pas prendre de risques avec son premier enfant. Il verserait de gros honoraires aux obstétriciens, juste pour qu'ils se tiennent prêts et assistent aux événements. L'un d'eux, en tenue de soirée sous sa longue blouse blanche, était en retard pour un dîner, mais il ne pouvait pas manquer cette naissance particulière. Tous les trois avaient tiré à la courte paille pour savoir lequel mettrait le bébé au monde, et le docteur MacKenzie, le médecin de famille, avait gagné. Un individu solide et de confiance, songea le père en arpentant le couloir.

Non pas qu'il eût la moindre raison de s'inquiéter. Roberts avait conduit sa femme à l'hôpital dans leur fiacre, un peu plus tôt ce matin-là, qui, selon les calculs du docteur, était le vingt-huitième jour de son neuvième mois. Anne avait commencé le travail peu après le petit déjeuner, et il avait eu l'assurance que le bébé ne naîtrait pas avant la fermeture de sa banque pour la journée. Le père, un type discipliné, ne voyait pas pourquoi l'arrivée d'un enfant devrait interrompre sa vie bien ordonnée. Néanmoins, il continua à faire les cent pas. Des infirmières et des médecins passaient devant lui à vive allure, baissaient la voix lorsqu'ils s'approchaient, et la levaient une fois qu'il ne les entendait plus. Il ne s'en rendit pas compte, car tout le monde le traitait toujours ainsi. La majorité du personnel ne le connaissait pas personnellement, mais tous savaient qui il était. Quand son fils naîtrait – il ne lui vint jamais à l'esprit, même une seule seconde, que l'enfant puisse être une fille –, il bâtirait le nouveau service pédiatrique dont l'hôpital avait tant besoin. Son grand-père avait déjà construit une bibliothèque et son père, une école pour la communauté locale.

Le futur papa, impatient, tâchait de lire le journal du soir, il survolait les mots, mais sans en saisir le sens. Il était nerveux, pour ne pas dire angoissé. Ils ne comprendraient jamais – il parlait toujours des autres en disant « ils » – comme il était important que son premier-né soit un garçon, un garçon qui le remplacerait un jour au poste de président-directeur général de la banque. Il porta son attention sur les pages sportives de l'*Evening Transcript*. Les Boston Red Sox avaient battu les New York Highlanders – d'autres aussi feraient la fête. Puis il remarqua le titre à la une : le pire tremblement de terre dans l'histoire de l'Amérique. Scènes de dévastation à San Francisco, au moins quatre cents morts – d'autres se lamenteraient. Lui, ça l'insupportait. Cela diminuerait l'importance de la naissance de son fils ; on se souviendrait qu'autre chose s'était produit ce jour-là.

Il se consacra aux pages financières et consulta la Bourse : elle avait chuté de quelques points. Ce fichu séisme avait fait perdre près de cent mille dollars à son portefeuille à la banque, mais dans la mesure où sa fortune personnelle dépassait tranquillement les seize millions de dollars, il faudrait plus qu'un tremblement de terre en Californie pour s'inscrire sur son échelle de Richter. Après tout, il pourrait désormais vivre sur les intérêts de ses intérêts, et le capital de seize millions resterait intact, prêt pour son fils, pas encore né. Il continua à faire les cent pas tout en feignant de lire le *Transcript*.

Le gynécologue en tenue de soirée poussa les portes à tambour de la salle d'accouchement pour annoncer la nouvelle. Il estima qu'il fallait bien justifier ses gros honoraires, et qu'il était le mieux habillé pour cette déclaration. Les deux hommes se dévisagèrent un moment. Le médecin était lui aussi un peu nerveux, mais il ne laissa rien paraître devant le papa.

— Félicitations, monsieur, vous avez un fils. Un joli petit garçon.

« Ce que l'on peut faire des remarques idiotes quand un bébé naît ! » songea tout d'abord le père. Comment pourrait-il être autrement que petit ? Puis soudain, ça fit tilt : un fils. Il envisagea de remercier un dieu auquel il ne croyait pas. Le gynécologue s'aventura à poser une question pour briser le silence.

— Comment avez-vous décidé de l'appeler ?

Le père répondit sans hésiter :

— William Lowell Kane.

# 3

Longtemps après que l'excitation liée à l'arrivée du bébé se fut tassée et que le reste de la famille alla se coucher, la mère resta éveillée, le nouveau-né dans les bras. Héléna Koskiewicz croyait en la vie, et elle avait porté neuf enfants pour le démontrer. Bien qu'elle en eût perdu trois en bas âge, elle n'en avait laissé partir aucun facilement.

À trente-cinq ans, elle savait que son Jasio autrefois vigoureux ne lui donnerait plus de fils ni de filles. Si Dieu lui avait fait don de celui-ci, il devait sûrement être destiné à vivre. La foi de Héléna était simple, et c'était pour le mieux, car la destinée ne lui offrirait jamais rien de plus qu'une existence ordinaire. La petite trentaine seulement, une alimentation frugale et un travail pénible la faisaient paraître bien plus âgée. Mince, le teint gris, pas une fois dans sa vie elle n'avait porté de vêtements neufs. Il ne lui vint jamais à l'esprit de se plaindre de son sort, mais les rides sur son visage lui donnaient davantage l'aspect d'une grand-mère que d'une mère.

Elle eut beau appuyer bien fort sur ses seins et laisser de vilaines traces rouges autour des mamelons, seules quelques gouttes de lait giclèrent. À trente-cinq ans, à mi-chemin de notre contrat de vie, nous avons tous un savoir-faire utile à transmettre, et celui de Héléna Koskiewicz était désormais limité.

— Le tout petit chéri de Matka, murmura-t-elle tendrement à l'enfant, et elle passa le bout de sein laiteux sur ses lèvres pincées.

Ses paupières s'ouvrirent lorsqu'il essaya de téter. Enfin, la mère sombra à contrecœur dans un profond sommeil.

Jasio Koskiewicz, un homme terne et solidement charpenté, à la moustache somptueuse – le seul signe d'affirmation de sa personnalité dans une existence autrement servile –, découvrit son épouse et le bébé endormis dans le rocking-chair quand il se leva à cinq heures. Il n'avait pas remarqué son absence du lit hier soir. Il regarda fixement le bâtard qui, Dieu merci, avait cessé de geindre. Était-il mort ? Il s'en moquait. Que la femme se soucie donc de la vie et de la mort; pour lui, ce qui comptait le plus au monde, c'était d'arriver sur la propriété du baron aux premières lueurs du jour. Il avala quelques longues gorgées de lait de chèvre et essuya sa moustache sur sa manche. Il attrapa enfin un gros morceau de pain d'une main et ses pièges de l'autre, avant de sortir de la chaumière sans un bruit, de peur de réveiller l'enfant qui se remettrait à pleurnicher. Il se dirigea vers la forêt à grandes enjambées, sans penser davantage au petit intrus, à part pour supposer que c'était la dernière fois qu'il le voyait.

Florentyna fut la suivante à entrer dans la cuisine, juste avant que la vieille horloge qui, pendant de nombreuses années, avait indiqué l'heure qu'elle voulait, ne sonne six coups. Ce n'était rien de plus qu'une vague aide à ceux qui souhaitaient savoir si c'était l'heure de se lever ou d'aller se coucher. Ses devoirs quotidiens comptaient la préparation du petit déjeuner, une tâche mineure qui consistait tout simplement à partager la peau du lait de chèvre et un morceau de pain de seigle pour huit personnes. Toutefois, il fallait faire preuve de la sagesse de Salomon pour la mener à bien sans que personne ne râle à cause de la portion de l'autre.

La première chose qui frappait lorsque l'on voyait Florentyna, c'est que c'était une jolie jeune fille, frêle et pauvrement vêtue. Même si, depuis deux ans, elle n'avait qu'une seule robe à se mettre, ceux qui parvenaient à ne pas mélanger l'opinion qu'ils se faisaient de l'enfant et celle de son environnement comprenaient pourquoi Jasio était tombé amoureux de sa maman. Les longs cheveux blonds de Florentyna brillaient et ses yeux noisette étincelaient au mépris de sa naissance et de son éducation.

Elle se dirigea sur la pointe des pieds vers la chaise à bascule et regarda fixement sa mère et le petit garçon, qu'elle avait adoré sur-le-champ. En huit ans, elle n'avait jamais possédé de poupée. En vérité, elle n'en avait vu une qu'une seule fois, quand la famille avait été invitée pour fêter Saint-Nicolas au château du baron. Mais même là, elle n'avait pas osé toucher le magnifique objet, et à présent, elle ressentait l'envie inexplicable de tenir ce bébé dans ses bras. Elle se pencha, ôta lentement l'enfant de l'étreinte de sa maman, regarda fixement ses yeux bleus – de si beaux yeux bleus – et se mit à fredonner. Le changement de température, de la chaleur du sein de la mère au froid des mains de la petite fille, fit pleurer le nourrisson. Cela réveilla la mère, dont la seule réaction fut de culpabiliser de s'être endormie.

— Dieu béni, il est encore vivant, Florcia, déclara-t-elle. Tu dois préparer le petit déjeuner des garçons pendant que je réessaie de le nourrir.

Florentyna, la mort dans l'âme, lui rendit le bébé et l'observa quand elle se remit à vider ses seins douloureux. Elle était hypnotisée.

— Mets-toi au travail, Florcia ! Le reste de la famille doit aussi manger.

À contrecœur, la fillette obéit lorsque ses quatre frères surgirent un à un du grenier où ils dormaient tous. Ils embrassèrent les mains de leur mère pour lui dire bonjour et regardèrent l'intrus, pleins d'admiration. Tout ce qu'ils savaient, c'était que celui-là ne venait pas du ventre de Matka. Florentyna était trop excitée pour avaler son petit déjeuner ce matin, de fait les garçons se partagèrent sa portion sans hésiter, laissant la part de leur mère sur la table. Personne ne constata qu'elle n'avait rien mangé depuis l'arrivée du bébé.

Héléna Koskiewicz se réjouissait que ses enfants aient appris tôt dans leur vie à se débrouiller tout seuls. Ils savaient nourrir les animaux, traire les chèvres et s'occuper du potager sans qu'on les aide ni qu'on les y incite.

Quand Jasio rentra à la maison ce soir-là, Héléna ne lui avait pas préparé le dîner. Florentyna avait pris les trois lapins que Franck, son frère le chasseur, avait attrapés la veille, et s'était mise à les dépouiller. La fillette était fière qu'on lui ait confié la responsabilité du souper, ce qui arrivait uniquement lorsque sa mère était souffrante, et Héléna s'offrait rarement ce luxe. Leur père avait rapporté six champignons et trois pommes de terre : ce soir, ce serait un véritable festin.

Après manger, Jasio Koskiewicz s'assit dans sa chaise près du feu et observa attentivement l'enfant pour la première fois. Le prenant sous les aisselles, ses doigts écartés soutenant la tête impuissante, il jeta un œil de trappeur sur le nouveau-né. Seuls les beaux yeux bleus sauvaient le visage ridé et sans dents. Alors que l'homme portait son regard en direction du corps mince, quelque chose attira son attention. Il se renfrogna et frotta la poitrine délicate avec ses pouces.

— As-tu vu ça, femme ? s'enquit-il en tapotant le torse du bébé. Ce petit bâtard n'a qu'un téton.

Son épouse fronça les sourcils en frictionnant la peau avec le pouce, comme si ce geste allait faire miraculeusement sortir le téton manquant. Son mari avait raison : il y avait bien le gauche, incolore, mais à l'endroit où son image en miroir aurait dû apparaître sur la droite, la peau restait totalement lisse.

Ce qui éveilla immédiatement le naturel superstitieux de la femme.

— C'est Dieu qui nous l'a offert ! s'exclama-t-elle. Regarde Son empreinte sur lui.

L'homme, furieux, lui fourra le nourrisson dans les mains.

— Tu es une idiote, femme ! C'est un individu au sang impur qui a donné cet enfant à sa mère. *(Il cracha dans le feu avec d'autant plus de vigueur pour exprimer son opinion sur l'origine du bébé.)* De toute façon, je ne parierais pas une patate que ce petit bâtard survivra une nuit de plus.

Jasio Koskiewicz se moquait bien de savoir s'il allait s'en tirer. Ce n'était pas par nature un homme sans cœur, mais le garçon n'était pas le sien, et une bouche de plus à nourrir ne servirait qu'à aggraver ses problèmes. Mais ce n'était pas à lui de mettre le Tout-Puissant en doute et, sans plus penser à l'enfant, il sombra dans un profond sommeil.

Au fil des jours, même Jasio Koskiewicz se mit à croire que l'enfant pourrait survivre, et s'il avait été joueur, il aurait perdu une patate. Franck, son fils aîné, le chasseur, construisit un berceau avec du bois qu'il avait ramassé dans la forêt du baron. Florentyna coupa des petits morceaux de ses vieilles robes qu'elle cousit pour confectionner des vêtements de bébé multicolores. Ils l'auraient appelé Arlequin s'ils avaient connu la signification de ce mot. En vérité, lui donner un nom constitua le premier sujet de discorde dans la maison depuis des mois ; seul le père n'émit aucun avis. Enfin, ils tombèrent d'accord sur Wladek.

Le dimanche suivant, dans la chapelle de la grande propriété du baron, l'enfant fut baptisé Wladek Koskiewicz, la mère remercia Dieu de lui avoir sauvé la vie, et le père se résigna à avoir une autre bouche à nourrir.

Ce soir-là s'ensuivit un petit festin pour célébrer le baptême, auquel s'ajouta le cadeau d'une oie des terres du baron. Tous festoyèrent de bon cœur.

Depuis ce jour, Florentyna apprit à diviser par neuf.

# 4

Anne Kane avait dormi paisiblement toute la nuit. Après un petit déjeuner léger, on lui amena son fils William dans sa chambre individuelle. Elle était impatiente de le prendre dans ses bras.

— Bonjour, madame Kane, dit l'infirmière en blanc d'un ton enjoué. C'est l'heure du petit déjeuner du bébé.

Anne s'assit sur son lit, douloureusement consciente de ses seins gonflés. L'infirmière expliqua la procédure aux deux novices. Anne, qui savait que montrer sa gêne serait considéré comme peu maternel, fixa William dans ses yeux bleus, plus bleus même que ceux de son père. Elle sourit de contentement. À vingt et un ans, elle n'avait besoin de rien. Née Cabot, elle avait épousé une branche de la famille Lowell et venait de mettre au monde un fils qui perpétuerait la tradition, si succinctement résumée dans la carte que Millie Preston, sa vieille amie d'école, lui avait envoyée :

*Et voici le bon vieux Boston,*
*Foyer du haricot et de la morue,*
*Où les Lowell ne parlent qu'aux Cabot,*
*Et les Cabot ne parlent qu'à Dieu.*

Anne passa une demi-heure à parler à William, mais n'obtint que peu de réponses. L'infirmière en chef emporta ensuite le bébé à vive allure, avec la même efficacité que lorsqu'elle l'avait amené. Anne résista noblement aux fruits et aux friandises que des amis et admirateurs avaient apportés, bien déterminée à remettre toutes ses robes pour l'été et à retrouver la place qui lui revenait légitimement dans les pages des magazines de mode. Le prince de Garonne n'avait-il pas déclaré qu'elle était le seul bel objet de Boston ? Ses longs cheveux blonds, ses traits fins et sa silhouette mince avaient suscité l'admiration dans des villes qu'elle n'avait même jamais visitées. Elle se regarda dans le miroir et fut ravie de ce qu'elle y vit :

les gens auraient bien du mal à croire qu'elle était la mère d'un petit garçon en pleine santé. Dieu merci, c'est un garçon, songea-t-elle, comprenant pour la première fois ce qu'Anne Boleyn avait dû ressentir.

Elle savoura un déjeuner léger avant de se préparer pour accueillir les visiteurs qui apparaîtraient à intervalles réguliers tout l'après-midi. Ceux qui lui rendraient visite les premiers jours feraient partie de la famille, ou des meilleures de Boston ; on raconterait aux autres qu'elle n'était pas encore prête à les recevoir. Mais Boston étant la seule ville d'Amérique où chacun connaissait sa place sur le bout des doigts, il ne risquait pas d'y avoir d'intrus inopportuns.

La chambre qu'elle occupait aurait pu facilement accueillir cinq lits si elle n'avait pas été encombrée de fleurs. Celui qui passait par là aurait pu la prendre pour une exposition horticole, sans la présence de la jeune mère assise bien droite sur son lit. Anne alluma la lumière – encore une nouveauté à Boston. Son mari avait attendu les Cabot pour s'équiper, ce que Boston considérait alors comme un signe prophétique selon lequel l'induction électromagnétique était socialement acceptable.

La première visite d'Anne fut sa belle-mère, Mme Thomas Lowell Kane, le chef de famille, à la suite de la mort prématurée de son époux. La cinquantaine élégante, Mme Kane avait perfectionné sa technique d'entrée majestueuse dans une pièce, à sa plus grande satisfaction – et à la gêne indubitable de ses occupants. Elle portait une longue robe en soie qui cachait entièrement ses chevilles ; le seul homme à les avoir vues était mort. Elle avait toujours été mince. De son avis – qu'elle se privait rarement de donner –, une femme en surpoids était synonyme d'une mauvaise alimentation et d'une mauvaise éducation. Elle était désormais la Lowell la plus âgée, et la plus vieille Kane aussi, d'ailleurs. Elle se figurait donc – comme tout un chacun – qu'elle devait être la première à arriver à l'occasion de n'importe quel événement important. Après tout, n'avait-elle pas orchestré la première rencontre entre Anne et Richard ?

L'amour avait peu d'importance pour Mme Kane. La richesse, le statut et le prestige, elle comprenait. L'amour, c'était bien beau, mais s'avérait rarement un produit durable, alors que les trois autres, si, sans aucun doute.

Elle embrassa sa belle-fille sur le front d'un air approbateur. Anne toucha un bouton sur le mur et on entendit un bourdonnement discret. Le bruit surprit Mme Kane, car elle n'était pas encore convaincue que l'électricité deviendrait populaire un jour. L'infirmière réapparut, portant son fils et héritier. Mme Kane l'inspecta, renifla son approbation et chassa l'infirmière d'un geste.

— Bravo, Anne, dit-elle comme si sa belle-fille venait de remporter une petite rosette à une régate. Nous sommes tous très fiers de vous.

Mme Edward Cabot, la mère d'Anne, arriva quelques minutes plus tard. Son apparence différait si peu de celle de Mme Kane que ceux qui les observaient de loin avaient tendance à les confondre. Mais il faut reconnaître que Mme Cabot s'intéressait bien plus à son petit-fils et à sa fille que Mme Kane. L'inspection se porta ensuite sur les fleurs.

— Comme c'est aimable de la part des Jackson de ne pas avoir oublié, souffla Mme Cabot, qui eût été choquée si cela n'avait pas été le cas.

Mme Kane procéda à un examen plus hâtif. Elle parcourut rapidement des yeux les bouquets délicats avant de s'attarder sur les cartes des donateurs. Elle murmura les noms rassurants en elle-même : les Adam, Lawrence, Lodge, Higginson. Aucune grand-mère ne fit de commentaire sur ceux qu'elles ne reconnaissaient pas ; elles avaient toutes les deux passé l'âge de vouloir apprendre quelque chose ou de connaître quelqu'un de nouveau. Elles partirent ensemble, bien contentes : un héritier était né, et à première vue, il paraissait tout à fait satisfaisant. Toutes deux estimaient avoir rempli leur ultime obligation familiale, bien qu'indirectement, et elles pourraient endosser désormais le rôle de chœur.

Toutes deux se trompaient.

Les amis et relations proches d'Anne et Richard se succédèrent tout au long de l'après-midi, offrant des cadeaux et des bons vœux, les premiers en or ou en argent, les seconds avec des accents brahmanes saccadés.

Quand son mari arriva après la fermeture de la banque, Anne était épuisée. Richard paraissait un peu moins coincé que d'habitude. Il avait bu une coupe de champagne au déjeuner pour la première fois de sa vie – le vieil Amos Kerbes avait insisté, et comme tout le Somerset Club les regardait, il se serait mal vu protester. Un mètre quatre-vingt-cinq, en longue redingote noire et pantalon à fines rayures, il avait les cheveux bruns, coiffés d'une raie au milieu, qui brillaient à la lueur de la grosse ampoule électrique. Peu auraient deviné correctement son âge. La jeunesse n'avait jamais trop compté pour lui, certains plaisantins affirmaient même qu'il avait cinquante ans quand il est né. Cela ne l'inquiétait pas : le pouvoir et la réputation étaient les seules choses qui importaient. Une fois de plus, William Lowell Kane fut appelé et inspecté, comme si son père vérifiait un bilan financier à la fin d'une journée de travail. Tout semblait en ordre. Le garçon avait deux jambes, deux bras, dix doigts, dix orteils. Comme Richard ne voyait rien qui soit susceptible de l'embarrasser plus tard, on congédia William.

— J'ai envoyé un télégramme au proviseur de St. Paul's hier soir, informa-t-il son épouse. William est inscrit pour septembre 1918.

Anne se garda de tout commentaire. À l'évidence, Richard avait commencé à planifier l'avenir de leur fils longtemps avant sa naissance.

— Bien, ma chère, j'espère que vous avez récupéré, lança-t-il, alors qu'il venait de passer trois jours dans un hôpital pour la première fois de sa vie.

— Oui, non, je crois que oui, répondit timidement sa femme, réprimant toute émotion qui, selon elle, pourrait lui déplaire.

Il l'embrassa doucement sur la joue, et partit sans autre mot. Roberts le raccompagna en voiture à la Maison rouge, leur propriété de famille sur Louisburg Square. Avec un nouveau bébé, plus sa nourrice à ajouter au personnel existant, il y aurait désormais neuf bouches à nourrir. Richard n'y pensa plus.

William Lowell Kane reçut la bénédiction de l'Église à la cathédrale épiscopale protestante de St. Paul's, en présence de tous ceux qui comptaient à Boston et de quelques-uns qui ne comptaient pas. L'évêque William Lawrence officia tandis que J.P. Morgan et A.J. Lloyd, banquiers de grand renom, se tenaient aux côtés de Millie Preston, l'amie d'enfance d'Anne, en tant que parrain et marraine choisis. Son Excellence l'archevêque arrosa légèrement le crâne de William d'eau bénite, et murmura les mots : « William Lowell Kane. » Le garçon ne broncha pas. Il apprenait déjà à accepter l'approche brahmane de la vie. Anne remercia Dieu que son fils soit né sans problème alors que Richard baissait la tête – il considérait le Tout-Puissant comme rien d'autre qu'un comptable externe dont la fonction consistait à consigner les naissances et les morts dans la famille Kane. Toutefois, songea-t-il, peut-être valait-il mieux être sûr et avoir un deuxième garçon – comme la famille royale britannique, il aurait alors un héritier et un autre d'avance. Il sourit à sa femme, très content d'elle.

# 5

Wladek Koskiewicz grandit lentement. Sa mère adoptive comprit bien vite que sa santé poserait toujours problème. Il contractait toutes les infections et les maladies que les enfants en pleine croissance attrapent généralement, et beaucoup auxquelles la plupart échappent. Il les transmettait ensuite au reste de la famille, sans distinction.

Héléna traitait Wladek comme l'un des siens et le défendait vigoureusement chaque fois que Jasio commençait à reprocher au diable, et non à Dieu, la présence du garçon dans leur toute petite chaumière. Florentyna s'occupait aussi de lui comme de sa propre progéniture. Elle l'avait aimé à la minute où elle avait posé les yeux sur lui ; avec une intensité liée à la peur que personne ne veuille jamais l'épouser, elle, la fille d'un trappeur sans le sou : elle n'aurait donc pas d'enfant. Wladek était le sien.

Franck, l'aîné qui avait trouvé Wladek sur la rive, le traitait comme un jouet. Il n'avouerait jamais qu'il adorait le nouveau-né fragile, son père lui ayant affirmé que les gosses, c'étaient des affaires de femmes. Quoi qu'il en soit, en janvier prochain, il quitterait l'école pour commencer à travailler sur les terres du baron. Les trois frères cadets, Stefan, Josef et Jan, montraient peu d'intérêt pour Wladek, tandis que Sophia, le dernier membre de la famille, qui avait six mois de plus que lui, était ravie de le câliner. En revanche, Héléna n'avait pas été préparée à un caractère et à une intelligence totalement différents de ceux de ses propres enfants.

Nul ne manquait de remarquer les différences physiques ou intellectuelles. Les enfants Koskiewicz étaient tous grands, costauds, roux, et, excepté Florentyna, avaient les yeux gris. Wladek, petit et carré, avait les cheveux bruns et les yeux bleu vif. L'enseignement n'intéressait pas du tout les Koskiewicz qui quittaient l'école du village dès que leur âge ou le besoin l'exigeait. Wladek, au contraire, bien qu'il marchât à quatre pattes en retard, sut parler à dix-huit mois, lire avant son troisième anniversaire – mais pas s'habiller tout seul –, écrire des phrases cohérentes à cinq ans – mais continuait à mouiller son lit. Il devint le désespoir de son père et la fierté de sa mère. Ses quatre premières années sur cette terre furent mémorables, principalement en raison du nombre de tentatives qu'il fit de quitter ce monde à travers la maladie. Il y serait arrivé sans les efforts soutenus d'Héléna et de Florentyna. Il faisait le tour de la petite chaumière en bois en courant pieds nus, généralement vêtu de sa tenue d'Arlequin, un mètre derrière sa maman. Voyant Florentyna rentrer de classe, il changeait de bord et ne la lâchait plus jusqu'à ce qu'elle le mette au lit. Lorsqu'elle partageait la nourriture, elle sacrifiait souvent la moitié de sa part pour Wladek, ou, s'il était malade, sa portion entière. Celui-ci portait les vêtements qu'elle lui confectionnait, chantait les chansons qu'elle lui apprenait, et partageait avec elle les quelques jouets et cadeaux qu'elle possédait.

Florentyna étant en classe la majeure partie de la journée, Wladek voulut l'accompagner. Dès qu'il en eut la permission, il arpenta le chemin de dix-huit *wiorsta* à travers les bois de cyprès et de bouleaux recouverts de mousse, jusqu'à la petite école de Slonim, sans lâcher sa main jusqu'à ce qu'ils arrivent devant ses portes.

Contrairement à ses frères, Wladek apprécia l'école dès la première sonnerie. Pour lui, elle offrait une échappatoire à la minuscule masure qui avait jusque-là constitué son unique monde. Elle lui fit aussi prendre douloureusement conscience que les Russes occupaient sa patrie. Il apprit que l'on ne parlait le polonais, sa langue natale, que dans l'intimité de la chaumière, et qu'en classe, le russe deviendrait sa langue maternelle. Il sentit chez les autres élèves que leur langue et leur culture opprimées leur inspiraient une fierté ardente, qu'il vint à partager lui aussi.

À son étonnement, Wladek découvrit que M. Kotowski, son instituteur, ne le rabaissait pas constamment comme son père à la maison. Bien qu'il soit le plus jeune, comme chez lui, il ne tarda pas à surpasser ses camarades dans tous les domaines, à part la taille. Sa toute petite stature trompait ses contemporains qui le sous-estimaient : les enfants imaginent si souvent, que plus c'est grand, mieux c'est. À l'âge de cinq ans, Wladek était le premier de sa classe dans toutes les matières, hormis la menuiserie.

Le soir, dans la chaumière en bois, pendant que les autres s'occupaient des violettes qui fleurissaient et embaumaient leur jardinet de printemps, ramassaient des baies, coupaient du bois, chassaient des lapins ou confectionnaient des vêtements, Wladek lisait et lisait, jusqu'à ce qu'il attaque les livres non ouverts de son frère aîné puis ceux de sa sœur. Héléna commença alors à comprendre qu'elle n'avait pas compté endosser une responsabilité si lourde lorsque Franck avait ramené le petit animal à la maison à la place des trois lapins. Déjà, Wladek posait des questions dont elle ne connaissait pas la réponse. Elle s'aperçut que, bien vite, elle ne saurait plus comment le prendre, et elle se retrouva démunie. Mais elle croyait incontestablement au destin et ne fut donc pas surprise qu'on lui ôte la décision des mains.

Le premier grand tournant dans la vie de Wladek survint un soir de l'automne 1911. La famille avait fini son dîner habituel de soupe de betteraves et de lapin. Jasio ronflait près du feu et Héléna cousait pendant que les autres enfants jouaient. Wladek, assis aux pieds de sa mère, lisait, quand par-dessus le vacarme de Stefan et Josef qui se chamaillaient pour savoir à qui appartenaient les pommes de pin qui venaient d'être repeintes, ils entendirent quelqu'un taper bruyamment à la porte. Ils devinrent tous silencieux. Cela constituait toujours une surprise pour les Koskiewicz car les visiteurs étaient presque inexistants à la petite chaumière.

Toute la famille regarda vers l'entrée avec inquiétude. Comme si de rien n'était, ils attendirent que l'on frappe une deuxième fois. Ce qui se passa – mais un peu plus fort. Jasio, endormi, se leva de sa chaise, et ouvrit prudemment la porte. Quand ils virent qui se tenait là, ils se redressèrent tous d'un bond et inclinèrent la tête, excepté Wladek qui fixait la silhouette d'aristocrate chic et large d'épaules drapée d'un lourd manteau en peau d'ours, et dont la présence avait immédiatement fait naître la peur dans les yeux de son paternel. Mais le sourire cordial du visiteur dissipa toute angoisse. Et Jasio s'empressa de se mettre de côté pour laisser entrer le baron

Rosnovski. Personne ne parla. Comme celui-ci n'était jamais venu à la chaumière, ils ne savaient pas quoi faire.

Wladek reposa son livre, se leva, s'approcha de l'inconnu et lui tendit la main avant que son père ne puisse l'arrêter.

— Bonsoir monsieur.

Le baron lui serra la main et ils se fixèrent du regard. Quand il le relâcha, les yeux du garçon se posèrent sur un magnifique bracelet d'argent à son poignet, orné d'une inscription qu'il ne parvenait pas à lire.

— Tu dois être Wladek.

— Oui monsieur, répondit-il, visiblement surpris qu'il connaisse son nom.

— C'est à ton sujet que je suis passé voir ton père, expliqua-t-il.

Jasio signifia par un geste du bras que les autres enfants le laissent seul avec son maître ; deux firent donc une révérence, quatre un signe de tête, et tous les six montèrent au grenier en silence. Wladek resta, car personne ne lui avait suggéré de les rejoindre.

— Koskiewicz, commença le baron, toujours debout. *(Personne ne lui avait proposé de s'asseoir, premièrement parce qu'ils étaient tous effrayés et deuxièmement parce qu'ils avaient supposé qu'il était venu les réprimander.)* J'ai un service à vous demander.

— Tout ce que vous voudrez, monsieur, tout ce que vous voudrez, répondit le père en se demandant ce qu'il pourrait bien offrir à son patron que celui-ci ne possédât pas déjà au centuple.

Le baron poursuivit :

— Mon fils Léon a maintenant six ans, et deux tuteurs, un Polonais et un Allemand, lui donnent des cours privés au château. Ils me disent que c'est un enfant brillant, mais qu'il lui manque un émule, car il n'a personne contre qui se battre. M. Kotowski, de l'école du village, prétend que Wladek est le seul à la hauteur. Je suis venu vous demander si vous accepteriez que votre garçon rejoigne Léon et ses tuteurs au château.

Devant les yeux de Wladek apparut une vision merveilleuse de livres et de professeurs bien plus intelligents que M. Kotowski. Il jeta un coup d'œil sur sa mère. Celle-ci regardait fixement le baron, le visage rempli d'émerveillement et de chagrin. Son père se tourna vers elle, et la minute de communication silencieuse entre eux sembla durer une éternité à l'enfant.

Le trappeur s'adressa d'un ton bourru aux pieds de son employeur.

— Nous serions honorés, monsieur.

Le baron porta son attention sur Héléna.

— Que la Vierge bénie m'en préserve, je ne me mettrais jamais en travers le chemin de mon fils, dit-elle doucement, mais elle seule sait combien il me manquera.

— Soyez assurée, madame Koskiewicz, qu'il pourra rentrer quand il le souhaitera.

— Oui, monsieur. J'espère qu'il le fera, au début.

Elle allait lui demander autre chose, puis se ravisa.

Le baron sourit.

— Bien. C'est réglé, alors. Veuillez l'amener au château demain matin dès sept heures. Durant le trimestre scolaire, il vivra avec nous et, à Noël, il pourra retourner chez vous.

Wladek éclata en sanglots.

— Du calme, garçon, lui intima le trappeur.

— Je refuse de te laisser, déclara Wladek en se tournant vers sa mère, bien qu'en réalité, il désirât partir.

— Du calme, garçon, répéta le trappeur, cette fois un peu plus fort.

— Pourquoi ? voulut savoir le baron, de la compassion dans la voix.

— Je n'abandonnerai jamais Florcia, jamais.

— Florcia ?

— Mon aînée, monsieur, l'interrompit le trappeur. Ne vous embêtez pas avec elle, monsieur. Le garçon obéira.

Personne ne parla. Le baron garda le silence un moment pendant que Wladek continuait à verser des larmes contenues.

— Quel âge a la fille ? s'enquit-il enfin.

— Quatorze ans, répondit le trappeur.

— Pourrait-elle travailler en cuisine ? demanda le baron, soulagé de constater qu'Héléna Koskiewicz ne semblait pas sur le point d'éclater en sanglots à son tour.

— Oh oui, baron. Florcia sait cuisiner, coudre et...

— Bien, bien, alors elle peut venir. Je les attends tous les deux demain à sept heures.

Il se dirigea vers la porte, regarda le garçon et sourit. Cette fois, Wladek lui rendit son sourire. Il avait conclu son premier marché, et laissa sa mère l'étreindre très fort après le départ du baron. Il l'entendit murmurer :

— Ah, le tout petit chéri de Matka, que va-t-on donc faire de toi maintenant ?

Wladek avait hâte de le découvrir.

Ce soir-là, Héléna fit les bagages de Wladek et Florentyna avant d'aller se coucher, mais si elle avait dû s'occuper de ceux de toute la famille, c'eût de toute façon été rapide. À six heures le lendemain matin, les autres se postèrent sur le seuil d'où ils les regardèrent partir pour le château, chacun un paquet en papier sous le bras. Florentyna, grande et gracieuse, se retourna sans cesse, pleura et agita le bras, mais Wladek, petit et disgracieux, regarda droit devant lui. Florentyna tint fermement sa main pendant tout le voyage. Les rôles avaient été inversés : à partir de ce jour-là, elle dépendrait de lui.

Le majestueux domestique qui les attendait en livrée verte brodée et ornée de boutons dorés, répondit au coup timide qu'ils portèrent à la massive porte en chêne. Tous deux avaient souvent contemplé avec admiration les uniformes gris des soldats qui gardaient la frontière russo-polonaise non loin de là, mais ils n'avaient jamais rien vu d'aussi magnifique que le géant qui se dressait à côté d'eux, et qui, pensaient-ils, devait jouer un rôle capital. Un épais tapis vermeil moquettait le hall, et Wladek regarda fixement son motif rouge et vert, stupéfait par sa beauté, en se demandant s'il devait se déchausser. Il fut surpris de n'entendre aucun bruit quand il marcha dessus.

L'être éblouissant les conduisit dans leur chambre située dans l'aile ouest. Des chambres séparées – comment arriveraient-ils même à s'endormir ? Au moins, il y avait une porte communicante, de sorte qu'ils n'avaient jamais besoin d'être trop loin l'un de l'autre, et en fait, de nombreuses nuits, ils dormirent ensemble dans le même lit.

Une fois qu'ils eurent défait leurs affaires, Florentyna fut emmenée à la cuisine, et Wladek dans une salle de jeux dans l'aile sud du château, où on le présenta au fils du baron. Léon Rosnovski, un bel enfant, grand pour son âge, était si charmant et si accueillant que Wladek abandonna son attitude agressive peu après avoir lié connaissance. Il ne tarda pas à découvrir que c'était un enfant solitaire, sans personne avec qui jouer, hormis sa *niania*, la Lituanienne dévouée qui l'avait nourri au sein et satisfait à chacun de ses besoins depuis la mort prématurée de sa mère. Le garçon robuste de la forêt lui ferait de la compagnie. Et dans un domaine au moins, on les considérait comme des égaux.

Léon lui proposa immédiatement de visiter le château, dont chaque pièce était plus grande que la chaumière entière. L'aventure prit le reste de la matinée et Wladek fut stupéfait par la taille de la demeure, la richesse de ses meubles et tissus, et les tapis partout. Il admit qu'il n'était qu'agréablement impressionné. La partie principale du bâtiment, lui apprit Léon, était « gothique primitif », comme si Wladek savait forcément ce que signifiait *gothique*. Il opina. Ensuite, Léon entraîna son nouvel ami en bas d'un escalier de pierre, dans les immenses celliers composés de rangées de bouteilles de vin recouvertes de poussière et de toiles d'araignée. Mais la pièce préférée de Wladek était la vaste salle à manger, ornée de ses voûtes à piliers massifs, de son sol dallé et de la plus grande table qu'il ait jamais vue. Il contempla les têtes d'animaux empaillés accrochées aux murs. Léon lui apprit que c'étaient un bison, un ours, un élan, un verrat, et un glouton que son père avait tués au fil des années. Au-dessus de la cheminée trônaient les armoiries du baron. La devise de la famille Rosnovski disait : « La fortune sourit aux audacieux. »

À midi, un gong résonna et des serviteurs en livrée vinrent servir le déjeuner. Wladek mangea peu, observa attentivement Léon, tâcha de retenir quels instruments il utilisait parmi l'ensemble déconcertant de couverts en argent. Après le repas, il rencontra ses deux tuteurs, qui ne lui réservèrent pas le même accueil que Léon. Ce soir-là, il grimpa dans le lit le plus grand qu'il avait jamais vu et raconta toutes ses aventures à Florentyna. Ses yeux incrédules ne quittèrent pas une seule fois son visage et elle ne ferma pas une seule fois la bouche, bée d'émerveillement, surtout quand il évoqua les couteaux et les fourchettes.

Les cours débutèrent à sept heures précises le lendemain matin avant le petit déjeuner, et se poursuivirent toute la journée, interrompus par quelques courtes pauses pour les repas. Au début, Léon était largement en avance sur son camarade, mais Wladek se débattit vaillamment avec ses livres et à mesure que les semaines passaient, le fossé commença à se creuser. L'amitié et la rivalité entre les deux garçons se développa au même rythme. Les tuteurs avaient du mal à traiter leurs deux élèves – l'un, le fils d'un baron, l'autre, le fils illégitime de Dieu savait qui – en égaux, bien qu'ils concédassent à contrecœur au baron qu'il avait fait le bon choix académique. Leur intransigeance n'inquiéta jamais Wladek, car Léon le considérait toujours comme son égal.

Le baron ne cacha pas qu'il se réjouissait des progrès des garçons et il récompensait souvent Wladek en lui offrant des jouets et des vêtements. L'admiration initialement distante et détachée qu'il éprouvait pour le baron se transforma rapidement en respect.

Quand le moment vint pour Wladek de rentrer pour Noël à la cabane spartiate dans la forêt, il fut affligé de devoir quitter Léon. En dépit de son bonheur initial de revoir sa mère, les trois mois passés au château lui avaient permis de connaître un monde beaucoup plus excitant. Il aurait préféré être un domestique au château qu'un maître à la chaumière.

Alors que les vacances s'éternisaient, la petite masure l'étouffait, avec sa pièce unique et son grenier surpeuplé, sans compter la nourriture servie en quantités si frugales et mangée à mains nues : nul ne partageait les choses en neuf parts au château. Au bout de quelques jours, il mourait d'envie de retrouver Léon et le baron. Tous les après-midi, il parcourait les six *wiorsta* jusqu'au château, s'asseyait et contemplait les grands murs qui entouraient la propriété, dans laquelle il n'envisagerait pas de pénétrer sans autorisation. Florentyna, qui avait uniquement vécu en cuisine avec les domestiques, se réadapta plus facilement à la simplicité de son ancienne vie et ne parvint pas à concevoir que Wladek ne puisse plus jamais se sentir chez lui à la chaumière.

Jasio ignorait comment appréhender le petit garçon de six ans, à présent si chic, à l'élocution si parfaite et qui abordait des sujets auxquels son père ne comprenait rien de rien, et qu'il n'avait pas envie de comprendre. Pire, Wladek semblait ne rien faire à part perdre sa journée entière à lire. Qu'adviendrait-il donc de lui, se demanda le trappeur, s'il ne savait pas lever une hache ni prendre un lapin au piège ? Comment pourrait-il ne serait-ce qu'espérer gagner honnêtement sa vie ? Il pria lui aussi pour que les vacances passent vite.

Héléna était fière de son fils et, au début, contesta, même intérieurement, qu'un fossé se fût creusé entre les autres enfants et lui. Mais le sujet ne tarda pas à devenir incontournable. Quand ils jouaient aux soldats, un soir, Stefan et Franck, généraux d'armées adverses, refusèrent d'admettre Wladek dans leurs rangs.

— Pourquoi me met-on toujours de côté ? pleura Wladek. Je tiens à me battre moi aussi !

— Parce que tu n'es plus des nôtres, déclara Stefan. Et de toute façon, tu n'es pas notre vrai frère.

Un long silence s'ensuivit avant que Franck ajoute :

— Pour commencer Père n'a jamais voulu de toi, seule Matka a accepté que tu restes.

Wladek passa le cercle d'enfants en revue, cherchant Florentyna du regard.

— Qu'entend Stefan, par : « Je ne suis pas votre vrai frère ? » demanda-t-il.

Ce fut ainsi que le garçon apprit l'histoire de sa naissance, et comprit pourquoi il s'était toujours senti différent de ses frères et sœurs. Il fut secrètement ravi de découvrir que, épargné par la pauvreté du sang du trappeur, il venait d'une lignée inconnue renfermant le germe de l'esprit qui lui offrait tous les possibles.

Une fois les tristes vacances enfin terminées, Wladek retourna au château à la première heure, traînant une Florentyna réticente quelques pas derrière lui. Léon l'accueillit à bras ouverts : aussi isolé par la richesse de son père que Wladek l'était par la misère du trappeur, il n'avait pas eu grand-chose à fêter ce Noël. À partir de ce moment-là, les deux garçons devinrent les meilleurs amis du monde, inséparables.

Quand les vacances d'été arrivèrent, Léon supplia son père que Wladek reste au château. Le baron accepta, car il s'était lui aussi attaché à l'enfant. Wladek fut ravi. Il retournerait à la chaumière en bois une seule fois dans sa vie.

# 6

William Kane grandit rapidement et tous ceux qui le côtoyaient le considéraient comme un enfant adorable : les premières années de sa vie, il s'agissait généralement de proches fous d'amour ou de domestiques qui faisaient preuve d'une tendresse exagérée.

Le dernier étage de la demeure du XVIIIe siècle des Kane à Louisburg Square avait été transformé en nursery qui regorgeait de jouets, et une chambre à coucher ainsi qu'une salle de séjour furent réservées pour la toute nouvelle nourrice. La nursery se trouvait suffisamment loin de Richard Kane pour qu'il ne soit pas conscient de problèmes tels que les dents qui poussent, les couches mouillées ou les pleurs de faim, irréguliers et indisciplinés. Premier sourire, premières dents, premiers pas et premier mot : la mère de William les consignait tous dans un album de famille, ainsi que la courbe de sa taille et de son poids. Anne fut étonnée de découvrir que ces statistiques différaient de très peu de celles des autres enfants qu'elle rencontrait sur Beacon Hill.

La nourrice, qui venait d'Angleterre, fit suivre au garçon un régime qui aurait réjoui le cœur d'un officier de la cavalerie prussienne. Le père de William lui rendait visite chaque soir à six heures. Comme il refusait d'employer un langage de bébé avec son fils, il finit par ne plus lui adresser la parole du tout : tout deux se contentaient de se regarder d'un air interdit. Parfois, William attrapait l'index de son papa, celui avec lequel il vérifiait les bilans, et Richard s'autorisait un sourire.

À la fin de la première année, la routine fut légèrement modifiée, et on fit descendre le garçon pour qu'il voie son père. Richard s'asseyait dans son fauteuil à haut dosseret en cuir bordeaux et observait son premier-né se frayer un chemin à quatre pattes entre les pieds des meubles, pour réapparaître quand on s'y attendait le moins, ce qui conduisit Richard à conclure qu'il deviendrait sûrement un homme politique. William fit ses premiers pas à treize mois en s'accrochant aux basques du manteau de son père. Son premier mot fut *Dada*, ce qui ravit tout le monde, y compris les grands-mères Kane et Cabot, qui procédaient à des inspections régulières. Elles n'allèrent pas jusqu'à pousser le landau dans lequel leur petit-fils faisait le tour de Boston, mais elles daignèrent marcher un pas derrière la nourrice pendant les promenades des jeudis après-midi, foudroyant du regard les autres nouveau-nés à la routine moins rigide. Pendant que les enfants donnaient à manger aux canards dans les parcs publics, William réussit à charmer les cygnes au bord du lac du magnifique palais vénitien de M. Jack Gardner.

Quand deux années se furent écoulées, les grands-mères, à force d'allusions et de sous-entendus, insinuèrent qu'il était grand temps de penser à un nouveau descendant, un frère ou une sœur pour William. Anne leur rendit service en tombant enceinte, mais commença à se sentir mal lorsqu'elle entra dans son quatrième mois. Comme elle fit une fausse couche au bout de seize semaines, le docteur MacKenzie ne lui permit pas de sombrer dans la complaisance. Dans ses notes, il écrivit : « prééclampsie ? » et lui dit :

— Madame Kane, si vous avez eu des malaises, c'est parce que vous avez trop de tension, et vous en auriez probablement eu davantage si votre grossesse s'était poursuivie. Je crains que les médecins n'aient pas encore trouvé le remède contre une tension trop élevée ; en fait, nous connaissons très peu de choses sur le sujet, si ce n'est que c'est un état dangereux, surtout pour une femme enceinte.

Anne retint ses larmes en envisageant ce qu'impliquait un avenir sans enfanter de nouveau.

— Cela ne se reproduirait sûrement pas si je devais retomber enceinte ? demanda-t-elle en formulant sa question de sorte à pousser le docteur à lui donner une réponse positive.

— Franchement, je serais très surpris si ce n'était pas le cas, madame Kane. Je suis désolé de devoir vous annoncer cela, mais je vous déconseillerais fortement d'avoir un autre enfant.

— Mais je me moque bien de ne pas être dans mon assiette pendant quelques mois si pour cela…

— Je ne vous parle pas de ne pas être dans votre assiette, madame Kane. Mais de ne pas courir de risques inutiles pour votre vie.

Ce fut un coup terrible pour Anne, et également pour Richard, qui avait supposé qu'il engendrerait une famille suffisamment nombreuse pour assurer la survie du nom de Kane pour toujours. À présent, cette responsabilité venait d'être transmise à William.

Richard, après six ans au conseil d'administration, devint président de la Kane & Cabot Bank & Trust Company. La banque, qui dominait l'angle de State Street, était un bastion de solidité architecturale et financière et possédait des filiales à New York, Londres et San Francisco. Celle de San Francisco avait posé problème à Richard le jour de la naissance de William, quand, avec la Crocker National Bank, la Wells Fargo et la California Bank, elle s'était écroulée, pas financièrement, mais littéralement, lors du grand séisme de 1906. Richard, prudent par nature, était assuré tous risques auprès de la Lloyd's de Londres. Gentlemen, ils le remboursèrent jusqu'au moindre penny, et lui permirent de garder sa fortune intacte. Quoi qu'il en soit, ce dernier passa une année difficile à enchaîner les allers et retours chaotiques à travers l'Amérique, dans des voyages de quatre jours en train, entre Boston et San Francisco, pour superviser la reconstruction. Il ouvrit le nouveau bureau à Union Square en octobre 1907 juste à temps pour s'occuper de problèmes qui survenaient sur la côte Est. Un léger recul des dépôts bancaires se produisait à New York. Bon nombre des plus petits établissements furent incapables de faire face aux retraits étonnamment massifs, et dans certains cas durent fermer leurs portes. J.P. Morgan, le légendaire président de l'institution du même nom, invita Richard à intégrer un consortium pour collaborer pendant la crise. Richard accepta. La courageuse résistance porta ses fruits. Et la vie commença à reprendre son cours, mais pas avant que Richard n'ait passé quelques nuits blanches.

William, quant à lui, dormait comme un loir, inconscient de l'importance des tremblements de terre ou des banques qui s'écroulaient : après tout, il y avait des cygnes à nourrir, et des balades sans fin à Milton, Brookline et Beverley, pour que sa famille proche puisse l'admirer.

⁂

En octobre l'année suivante, Richard Kane acquit un nouveau jouet en échange d'un investissement prudent dans un certain Henry Ford, qui prétendait pouvoir fabriquer un véhicule automobile pour les hommes. La banque invita M. Ford à déjeuner, lequel convainquit Richard de se procurer un Model T pour le montant princier de huit cent vingt-cinq dollars. Ford l'assura que si l'établissement le soutenait, le coût finirait par tomber à trois cent cinquante dollars, et tout le monde voudrait acheter ses voitures, ce qui garantirait un bénéfice substantiel à ses mécènes. Richard accepta de le financer : c'était la première fois qu'il investissait une jolie somme chez quelqu'un qui espérait que son produit verrait son prix réduit de moitié.

Richard craignit tout d'abord que l'on ne considère pas son automobile, bien que noire et austère, comme un mode de transport suffisamment sérieux pour le président-directeur général d'une grosse banque, mais les regards admiratifs que la machine attira le rassurèrent. À dix miles par heure, elle faisait plus de bruit qu'un cheval, mais elle avait au moins le mérite de ne pas laisser de saletés en plein milieu de Mount Vernon Street. Son seul différend avec M. Ford survint lorsque celui-ci refusa d'écouter sa suggestion selon laquelle le Model T devrait être disponible en différentes couleurs. Ford insista pour que chaque véhicule soit noir, afin de ne pas augmenter les prix. Anne, plus sensible que son mari à l'approbation de la bonne société, ne voulut pas voyager sur la banquette arrière tant que les Cabot n'avaient pas acquis eux-mêmes leur propre voiture.

William, toutefois, adora « l'automobile », telle que la presse la décrivit, et supposa immédiatement qu'elle avait été achetée pour remplacer son landau non mécanisé et superflu. Il préférait aussi le chauffeur – avec ses lunettes et sa casquette à visière – à sa nourrice. Les grands-mères Kane et Cabot déclarèrent qu'elles ne se déplaceraient jamais dans un engin aussi infernal, et en effet, elles s'en gardèrent bien. Pourtant, de nombreuses années plus tard, ce fut une automobile qui conduisit grand-mère Kane à ses funérailles, mais elle n'en sut jamais rien.

⁂

Les deux années suivantes, la banque gagna en robustesse et en taille, comme William.

Les Américains se remirent à investir pour l'expansion, et de grosses sommes d'argent se frayèrent un chemin chez Kane & Cabot pour être réinvesties dans des projets tels que l'usine de cuir Lowell en plein essor à Lowell, Massachusetts. Richard observa la croissance de sa banque et de son fils avec une satisfaction effrénée.

Pour le cinquième anniversaire de William, il enleva l'enfant des mains féminines et engagea un certain M. Munro, à quatre cent cinquante dollars par an, pour qu'il devienne son tuteur personnel. Richard sélectionna personnellement Munro sur une liste de huit candidats que sa secrétaire avait auparavant passés au crible. Son unique objectif était de s'assurer que William serait prêt à entrer à St. Paul's à l'âge de douze ans. Le garçon se prit immédiatement de sympathie pour son tuteur, qu'il trouva très vieux et très intelligent. Âgé, en réalité, de vingt-trois ans, il était titulaire d'une licence d'anglais avec mention assez bien de l'université d'Édimbourg.

William apprit vite à lire et à écrire, mais les chiffres suscitaient un véritable enthousiasme chez lui. Son unique motif de plainte était que, sur les six cours quotidiens, un seul était consacré à l'arithmétique. Il ne tarda pas à faire remarquer à son père qu'un sixième de sa journée de travail ne suffirait peut-être pas à celui qui deviendrait un jour le président-directeur général d'une banque.

Pour compenser le manque de prévoyance de son tuteur, William ne lâcha pas d'une semelle chaque membre de sa famille accessible, à qui il réclamait de faire du calcul mental. Grand-mère Cabot, qui n'avait jamais été persuadée que la division d'un nombre entier par quatre produirait nécessairement la même réponse que sa multiplication par un quart, se retrouva rapidement surclassée par son petit-fils. Toutefois, grand-mère Kane, beaucoup plus érudite qu'elle voulait bien l'entendre, se débattit vaillamment avec les fractions ordinaires, les intérêts composés et le partage de huit gâteaux entre neuf enfants.

— Grand-mère, dit William gentiment, mais fermement, quand elle ne trouva pas de résultat à sa dernière énigme, tu pourrais m'offrir une règle à calcul, comme cela je n'aurais plus besoin de te déranger.

Grand-mère Kane, étonnée par la précocité de son petit-fils, lui en acheta tout de même une, en se demandant s'il saurait vraiment s'en servir.

Entre-temps, les problèmes de Richard se mirent à graviter plus à l'Est. Quand le directeur de la branche de Londres mourut d'une crise cardiaque à son bureau, on réclama Richard à Lombard Street. Il suggéra à Anne de l'accompagner avec William, sentant que voyager compléterait l'éducation de son fils. Après tout, il pourrait visiter tous les lieux dont M. Munro lui avait parlé. Anne, qui allait en Europe pour la première fois, fut excitée par cette perspective et remplit trois malles de nouveaux vêtements chics et chers, dans lesquels elle affronterait l'Ancien Monde. William trouva injuste qu'elle ne le laisse pas emporter cette aide au voyage tout aussi essentielle : sa bicyclette.

Les Kane se rendirent à New York en train où ils prirent l'*Aquitania* jusqu'à Southampton. Anne fut horrifiée par la vue des marchands ambulants immigrés qui vendaient leurs marchandises à la criée sur les trottoirs. William, quant à lui, fut frappé par la taille de New York ; jusqu'à cet instant, il avait imaginé que la banque de son père était le plus vaste immeuble d'Amérique, pour ne pas dire du monde entier. Il voulut acheter une glace rose et jaune à un homme avec un petit chariot à roulettes, mais son paternel refusa d'en entendre parler : de toute façon, il n'avait jamais de monnaie sur lui.

William adora le grand paquebot à la minute où il le vit et sympathisa rapidement avec le capitaine à la barbe blanche, qui partagea avec lui tous les secrets de la diva de la Cunard Line. Peu après que le bateau eut quitté l'Amérique, Richard et Anne, que l'on avait installés à la table du capitaine, se sentirent obligés de s'excuser pour le temps de l'équipage que leur fils accaparait.

— Pas du tout, répondit le capitaine. William et moi sommes déjà de bons amis. Je regrette simplement de ne pas connaître les réponses à toutes ses questions sur la météo, la vitesse et la distance. Tous les soirs, le chef mécanicien doit m'expliquer, dans l'espoir d'abord d'anticiper puis de survivre le lendemain.

Quand l'*Aquitania* entra dans le port de Southampton après une traversée de dix jours, William rechigna à la laisser, et les larmes eurent été inévitables sans la vision magnifique d'une Rolls-Royce Silver Ghost avec chauffeur, garée sur le quai, et prête à les conduire à Londres. Richard décida sans réfléchir qu'il ramènerait la voiture à New York, à la fin du voyage, une décision qui ne lui ressemblait pas du tout et qu'il ne reproduirait pas du reste de sa vie. Il informa Anne qu'il voulait la montrer à Henry Ford. Celui-ci ne la vit jamais.

Quand la famille venait à Londres, elle séjournait toujours au Savoy Hotel dans le Strand, bien situé par rapport au bureau de Richard à la City. Au cours d'un dîner avec vue sur la Tamise, Richard apprit de première main de son nouveau président, Sir David Seymour, un ancien diplomate, comment la filiale de Londres se débrouillait. Même s'il n'eût jamais décrit Londres comme une « filiale » de Kane & Cabot tant qu'il se trouvait de ce côté de l'Atlantique.

Richard fut en mesure d'entretenir une conversation discrète avec Sir David Seymour pendant que Lavinia Seymour expliquait à son épouse comment occuper leur temps au mieux quand elles seraient en ville. Anne fut enchantée de savoir que Lavinia avait aussi un fils, qui avait hâte de rencontrer son premier Américain.

Le lendemain matin, Lavinia réapparut au Savoy, accompagnée de Stuart Seymour. Une fois qu'ils se furent serré la main, Stuart demanda à William :

— Es-tu un cow-boy ?

— Seulement si tu es un soldat anglais, répondit immédiatement William.

Les deux garçons de six ans se serrèrent la main une seconde fois.

Ce jour-là, William, Stuart, Anne et Lady Seymour visitèrent la tour de Londres et observèrent la relève de la garde au palais de

Buckingham. William confia à Stuart qu'il trouvait que tout était « chouette », excepté son accent, qu'il avait du mal à comprendre.

— Pourquoi ne parles-tu pas comme nous ? s'enquit-il, et il fut étonné quand sa maman l'informa qu'il serait plus approprié qu'on lui retourne la question dans la mesure où « ils » étaient arrivés les premiers.

William aimait contempler les soldats dans leur uniforme rouge vif aux gros boutons de cuivre brillants, au garde-à-vous devant le palais de Buckingham. Il essaya de leur adresser la parole, mais ils se contentèrent de regarder dans le vide, sans jamais ciller.

— Peut-on en ramener un à la maison ? demanda-t-il à sa mère.

— Non, chéri, ils doivent rester à Londres pour garder le roi.

— Mais il en a tellement ! Je ne peux pas en avoir juste un ? Il serait si chouette devant chez nous, sur Louisburg Square.

Pour « les gâter » un peu – les paroles d'Anne –, Richard prit un après-midi de congé et amena William, Stuart et Anne dans le West End voir *Jack et le haricot magique*, un spectacle pour enfants traditionnel de Noël joué à l'Hippodrome. William adora Jack, bien qu'il ne sût que penser de ses longues jambes et de ses bas. Malgré cela, il voulait abattre tous les arbres sur lesquels il posait les yeux, imaginant qu'ils abritaient tous un géant malicieux. Quand le rideau tomba, ils allèrent prendre le thé chez Fortnum & Mason à Piccadilly, et Anne offrit deux petits pains au lait à la crème Chantilly à son fils, et quelque chose que Stuart appelait « doughnut ». Après cela, il fallut l'accompagner chaque jour au salon de thé Fortnum pour manger un nouveau « doughbun », comme il disait.

Le séjour à Londres passa beaucoup trop vite pour William et sa mère, mais Richard, satisfait que tout aille si bien sur Lombard Street et ravi de son tout nouveau directeur, élaborait déjà des plans pour rentrer en Amérique. Des télégrammes arrivaient tous les jours de Boston, ce qui décuplait son impatience de retrouver son propre conseil d'administration. Lorsqu'une telle missive l'informa que deux mille cinq cents ouvriers d'une filature de coton à Lawrence,

Massachussets, dans laquelle sa banque avait beaucoup investi, s'étaient mis en grève, il changea la réservation de son billet retour.

William était lui aussi impatient de rentrer à Boston pour raconter à M. Munro toutes les expériences merveilleuses qu'il avait faites en Angleterre, et pour revoir ses deux grands-mères. Il était sûr qu'elles n'avaient jamais rien accompli de plus excitant que visiter un vrai théâtre avec un vrai public. Anne se réjouissait également de revenir chez elle, bien qu'elle eût apprécié le voyage presque autant que son fils, car les Anglais, d'habitude si réservés, avaient admiré ses tenues et sa beauté.

Pour se faire un dernier plaisir, la veille de leur départ, Lavinia Seymour invita William et Anne à prendre le thé chez elle à Eaton Square. Pendant que les dames discutaient des dernières tendances à la mode à Londres, Stuart apprit le cricket à William qui tâcha d'expliquer le base-ball à son nouveau meilleur ami. Le goûter fut toutefois interrompu prématurément, lorsque Stuart commença à se sentir mal. William, par solidarité, annonça que lui aussi était malade et Anne et lui retournèrent au Savoy plus tôt que prévu. Cela ne contraria pas trop Anne car cela lui donnait un peu plus de temps pour superviser l'empaquetage des grandes malles remplies de toutes ses acquisitions flambant neuves, bien qu'elle fût convaincue que son fils jouait la comédie pour faire plaisir à Stuart. Mais quand elle le coucha ce soir-là, elle constata qu'il avait un peu de fièvre. Elle le fit remarquer à Richard au cours du dîner.

— Ça doit être l'excitation à l'idée de rentrer à la maison, lança-t-il, pas du tout inquiet.

— Je l'espère, répondit-elle, je ne voudrais pas qu'il tombe malade pendant le voyage.

— Demain il ira bien, répliqua Richard, tâchant de la rassurer.

Mais quand elle réveilla William le lendemain matin, elle le trouva couvert de petits boutons rouges et souffrant de 39,4 °C de fièvre. Le médecin de l'hôtel diagnostiqua une rougeole et insista poliment pour que le garçon n'entreprenne en aucun cas une traversée, non seulement pour lui, mais aussi par égard pour les autres passagers.

Richard n'était pas en mesure d'accepter un nouveau retard et, la mort dans l'âme, Anne consentit à ce que son fils et elle restent à Londres jusqu'à ce que le bateau revienne, dans trois semaines. William supplia son père de l'emmener, mais celui-ci ne céda pas et engagea une nourrice pour s'occuper de lui jusqu'à ce qu'il ait totalement récupéré. Anne accompagna Richard à Southampton dans la Rolls-Royce flambant neuve pour lui dire au revoir.

— Je vais me sentir seule sans vous à Londres, Richard, tenta-t-elle d'un ton peu assuré lorsqu'ils se séparèrent, de crainte qu'il désapprouve toute manifestation de sensiblerie.

— Eh bien, ma chère, je suppose que moi aussi, sans vous, à Boston, rétorqua-t-il, en pensant aux deux mille cinq cents ouvriers de la filature de coton en grève.

Anne rentra à Londres par le train, en se demandant comment elle pourrait bien s'occuper ces trois prochaines semaines.

William passa une meilleure nuit et le lendemain matin, les boutons étaient un peu moins épouvantables. Toutefois, le médecin et l'infirmière, unanimes, insistèrent pour qu'il reste alité. Anne consacra la majeure partie des quatre jours suivants à écrire de longues lettres à sa famille. Le cinquième jour, William se leva tôt et se faufila discrètement dans la chambre de sa mère. Il sauta au lit à côté d'elle, et ses mains froides la réveillèrent immédiatement. Elle fut soulagée de constater qu'il avait complètement récupéré et appela pour commander le petit déjeuner au lit pour eux deux, un petit plaisir que le père de William n'aurait jamais toléré.

Quelques minutes plus tard, on tapa doucement à la porte, et un homme en livrée rouge et or entra avec un grand plateau en argent : œufs, bacon, tomates, toasts et confiture – un véritable festin. Tandis que son fils dévorait la nourriture des yeux, comme s'il ne se souvenait pas de son dernier repas, Anne jeta un coup d'œil nonchalant au journal du matin. Richard lisait toujours le *Times* quand il était à Londres, et la direction de l'hôtel continuait à le lui livrer.

— Oh, regarde, dit William en fixant une photographie sur une page intérieure, une photo du bateau de papa. Qu'est-ce qu'une ca-la-mi-té, maman ?

# 7

Quand Wladek et Léon avaient terminé leur travail dans la salle de classe, ils passaient leur temps libre à s'amuser avant le souper. Leur jeu préféré était *chow anego*, une espèce de cache-cache, et comme le château comportait soixante-douze pièces, tout risque de répétition était minime. Les donjons constituaient la cachette favorite de Wladek, où la seule lumière filtrait à travers une petite grille hautement enchâssée dans le mur. Il fallait une bougie pour retrouver son chemin. Wladek ignorait à quoi ils servaient, et aucun domestique n'en parlait même jamais, vu qu'ils n'avaient pas été occupés depuis très longtemps.

La rivière Shchara, qui bordait les terres, agrandissait leur aire de jeu. Au printemps, ils pêchaient, en été, ils nageaient et en hiver, ils chaussaient leurs patins en bois et se pourchassaient sur la glace, pendant que Florentyna, assise sur la rive, morte d'angoisse, les mettait en garde contre la finesse de la surface. Wladek, qui ne tenait jamais compte de ses conseils, tombait toujours dedans le premier.

Léon devint grand et fort : il courait vite, nageait bien, paraissait ne jamais se fatiguer et n'était jamais malade. Wladek savait qu'il ne pourrait espérer rivaliser avec son ami dans aucun sport, même s'ils étaient égaux dans la salle de classe. Pire encore, ce que Léon appelait son « nombril » ne se remarquait presque pas, alors que celui de son camarade, épais et laid, formait une protubérance en plein milieu de son petit corps dodu. Wladek passa de longues heures dans l'intimité de sa chambre à se regarder dans le miroir et à se demander pourquoi il n'avait qu'un seul mamelon quand tous les garçons qu'il avait rencontrés possédaient les deux que la symétrie semblait exiger. Parfois, allongé dans son lit la nuit, il caressait sa poitrine nue et des larmes d'apitoiement inondaient l'oreiller. Il priait pour que lorsqu'il se réveillerait le matin, un second téton ait poussé. Ses prières ne furent pas entendues.

Chaque soir, Wladek consacrait du temps à l'exercice physique. Il n'autorisait personne à assister à ces exercices, même Florentyna. Grâce à une détermination absolue, il apprit à se tenir de sorte à paraître plus grand. Il muscla ses bras en faisant des pompes, et se suspendait par le bout des doigts à une poutre dans la chambre dans l'espoir que cela l'étire. Mais Léon continuait à grandir, et Wladek fut contraint d'accepter qu'il mesurerait toujours trente centimètres de moins que le fils du baron et que rien, *rien*, ne ferait jamais apparaître le téton manquant. Léon, qui adorait inconditionnellement Wladek, ne fit aucun commentaire sur leurs différences.

Le baron Rosnovski éprouvait de plus en plus d'affection pour le garçon brun et acharné du trappeur, qui avait remplacé le jeune frère que Léon avait perdu lorsque la baronne était morte en couches.

Une fois que Léon eut fêté son huitième anniversaire, les deux garçons se mirent à dîner chaque soir avec le baron dans la vaste salle aux murs de pierre. Des bougies tremblotantes projetaient les ombres menaçantes des têtes d'animaux empaillés. Des domestiques allaient et venaient sans bruit, présentant de grands plateaux en argent et des assiettes en or avec des oies, du jambon, des écrevisses, des fruits et parfois, des *mazureks*, désormais le plat préféré de Wladek. Une fois la table desservie, le baron congédiait les serviteurs et régalait les enfants d'anecdotes sur l'histoire polonaise, les laissait siroter une gorgée de vodka de Dantzig, dans laquelle de minuscules feuilles d'or étincelaient à la lueur de la chandelle. Wladek le suppliait aussi souvent qu'on le lui permettait de lui raconter encore l'histoire de Tadeusz Kosciuszko.

— Un grand patriote et un héros, répondait le baron. Le symbole même de notre lutte pour l'indépendance, formé en France...

— ... dont nous aimons et admirons le peuple autant que nous avons appris à détester les Russes et les Autrichiens, lança spontanément Wladek, dont le plaisir à écouter ce récit était plus grand du fait qu'il le connaissait par cœur.

— Qui raconte cette histoire ? Wladek ? plaisanta le baron. Puis, après que Kosciuszko combattit aux côtés de George Washington en Amérique pour la liberté et la démocratie, en 1792, il retourna dans son pays natal pour mener les Polonais au combat à Dubienka. Lorsque notre misérable roi, Stanislaw Augustus, déserta son peuple pour rejoindre les Russes, Kosciuszko rentra dans sa patrie qu'il aimait, pour se débarrasser du joug de Tsardom. Quelle bataille gagna-t-il, Léon ?

— Raclawice, papa, répondit Léon, et il alla ensuite libérer Varsovie.

— Bien, mon enfant. Mais hélas, les Russes réunirent de grandes armées à Maciejowice, où il finit par être vaincu et fait prisonnier. Mon arrière-arrière-arrière-grand-père s'est battu avec Kosciuszko ce jour-là, et plus tard, avec les légions de Dabrowski pour le puissant Napoléon Bonaparte.

— Pour les services rendus à la Pologne, il fut fait baron Rosnovski, un titre que votre famille portera toujours en souvenir de cette glorieuse époque, déclara Wladek.

— Oui, et quand Dieu le décidera, dit le baron, ce titre sera transmis à mon fils, qui deviendra le baron Léon Rosnovski.

À Noël, les paysans du domaine amenaient leur famille au château pour la veillée de prières. La veille, ils jeûnaient, les enfants regardaient la première étoile par les fenêtres, signe que le festin pouvait commencer.

Une fois que tout le monde avait pris place, le baron récitait le bénédicité de sa voix grave de baryton : « *Benedicite nobis, Domine Deus, et hic donis quae ex liberalitate tua sumpturi sumus.* » Wladek était gêné par l'omniprésence de Jasio Koskiewicz qui attaquait chacun des trente plats, depuis la soupe *barszcz* aux gâteaux et prunes, et qui serait sûrement, comme chaque année, malade dans les bois en rentrant chez lui.

Après le festin, Wladek aimait distribuer les cadeaux, disposés au pied d'un sapin de Noël chargé de bougies et de fruits, aux enfants du paysan impressionnés : une poupée pour Sophia, un couteau de forêt pour Josef, une nouvelle robe pour Florentyna – le premier présent que Wladek avait jamais réclamé au baron.

— Est-ce vrai, demanda Josef à sa mère quand il reçut un cadeau de Wladek, que ce n'est pas notre frère, Matka ?

— Non, répondit-elle, mais il sera toujours mon fils.

Les années passèrent et Léon grandit encore, tandis que Wladek devint plus fort, et les deux garçons s'assagirent. Mais en juillet 1914, sans mise en garde ni explication, le tuteur allemand quitta le château sans même leur dire adieu. Ils ne pensèrent jamais à faire le rapprochement entre leur départ et l'assassinat récent à Sarajevo de l'archiduc François-Ferdinand par un étudiant anarchiste, événement que leur autre tuteur leur décrivit d'un ton solennel. Le baron se renferma, mais sans qu'on ne leur donne aucune raison. Les plus jeunes domestiques, les préférés des enfants, commencèrent à disparaître un par un – et pourtant, aucun des garçons ne devina pourquoi.

Un matin d'août 1915 chaud et brumeux, le baron entreprit un long voyage à Varsovie, pour, comme il dit, régler ses affaires. Il fut absent pendant trois semaines et demie, vingt-cinq jours que Wladek cochait chaque soir sur un calendrier dans sa chambre. Le jour de son supposé retour, les deux garçons voyagèrent jusqu'à la gare de Slonim pour attendre le train quotidien avec ses trois wagons, et l'accueillir à son arrivée. Wladek fut étonné et inquiet de trouver le baron las et abattu, et bien qu'il voulût lui poser de nombreuses questions, tous les trois rentrèrent au château en silence.

La semaine suivante, ils le surprirent en train d'entretenir des conversations longues et intenses avec le domestique en chef, interrompues chaque fois que Léon ou Wladek pénétraient dans la pièce, ce qui les mettait mal à l'aise. Seraient-ils d'une façon ou d'une autre, et bien malgré eux, à l'origine de ce tourment ? Wladek craignait même que le baron ne le renvoie à la chaumière du trappeur – toujours parfaitement conscient qu'il n'était qu'un invité au château.

Un soir, il demanda aux deux garçons de le rejoindre dans la grande salle. Ils s'y faufilèrent sans bruit, redoutant cette rupture de la routine quotidienne. La brève conversation resterait gravée à jamais dans la mémoire de Wladek.

— Mes chers enfants, commença le baron d'un ton bas et hésitant, les bellicistes de l'empire d'Autriche-Hongrie et d'Allemagne ont repris le combat contre Varsovie et arriveront bientôt à nos portes.

Wladek se rappela une phrase qu'avait crachée son tuteur polonais après le départ inexpliqué de son collègue allemand.

— Cela signifie-t-il que l'heure des peuples submergés d'Europe approche enfin ? demanda-t-il.

Le baron regarda tendrement le visage innocent de Wladek.

— Notre nation n'a pas perdu courage en cent cinquante ans d'oppression, répondit-il. Peut-être l'avenir de la Pologne est-il en jeu, mais nous demeurons impuissants à influencer l'histoire. Nous sommes à la merci des trois puissants empires qui nous entourent, et nous devons, de ce fait, attendre notre destin.

— Nous sommes forts tous les deux, donc nous nous battrons, lança Léon.

— Nous avons des épées et des boucliers, ajouta Wladek. Nous n'avons pas peur des Allemands ni des Russes.

— Mes garçons, vos armes sont en bois, et vous n'avez que joué à la guerre. Ce ne sont pas des enfants qui combattront. Nous devons trouver un endroit plus calme où vivre, jusqu'à ce que l'histoire décide de notre destin. Nous devons partir le plus vite possible. Je prie simplement pour que ce ne soit pas la fin de votre enfance.

Les paroles du baron laissèrent Léon et Wladek perplexes. La guerre était pour eux une aventure excitante, qu'ils manqueraient à coup sûr s'ils quittaient le château.

Il fallut plusieurs jours aux domestiques pour empaqueter les affaires du baron, et l'on informa Wladek et Léon qu'ils s'en iraient pour la petite maison d'été de la famille dans le nord de Grodno le lundi suivant. Les deux garçons continuèrent, bien souvent sans surveillance, à travailler et à jouer parce que personne ne semblait disposé à répondre à leurs innombrables interrogations.

Le samedi, les cours n'avaient lieu que le matin. Ils traduisaient *Pan Tadeusz* d'Adam Mickiewicz en latin quand ils entendirent les fusils. Au début, ils crurent que ce n'était qu'un trappeur qui tirait sur les terres, et retournèrent donc au barde de Czarnolas. Une deuxième salve, plus proche cette fois, leur fit lever les yeux et ils écoutèrent des bruits provenant d'en bas. Les deux garçons se regardèrent fixement, confus, mais ils n'avaient toujours pas peur parce qu'ils n'avaient jamais rien vécu de tel dans leur courte vie pour éprouver de la peur. Le tuteur les laissa seuls et quand il ferma derrière lui, un autre tir retentit dans le couloir devant leur salle de classe. Maintenant terrorisés, les deux amis se cachèrent sous leur bureau, sans savoir que faire.

D'un seul coup, la porte s'ouvrit avec fracas, et un homme pas plus vieux que leur tuteur, en uniforme gris et casque de fer, armé d'un fusil, se dressa à côté d'eux de manière imposante. Léon s'accrocha à Wladek, tandis que celui-ci fixait l'intrus du regard. Il leur cria dessus en allemand, exigeant de connaître leur identité, mais aucun garçon ne répondit, même si tous deux maîtrisaient l'allemand autant que leur langue maternelle. Un autre soldat apparut, attrapa les deux amis par le cou comme des poulets, et les fit sortir dans le couloir. Ils furent traînés devant le cadavre de leur tuteur dans l'escalier de pierre qui menait dans le jardin, où ils trouvèrent Florentyna qui hurlait comme une hystérique. On allongeait dans l'herbe plusieurs rangées de corps sans vie, surtout des domestiques. Léon, incapable de regarder, enfouit sa tête dans l'épaule de Wladek. Celui-ci fut hypnotisé par la vue de l'un d'eux, un homme corpulent à la moustache luxuriante. C'était le trappeur. Wladek ne ressentit rien. Florentyna continuait de hurler.

— Papa est là ? demanda Léon. Papa est là ?

Wladek passa de nouveau la rangée de cadavres en revue. Il remercia Dieu qu'il n'y ait pas de trace du baron et allait annoncer la bonne nouvelle à Léon lorsqu'un soldat apparut à leur côté.

— *Wer hat gesprochen*[1] ? s'enquit-il férocement.
— *Ich*, répondit Wladek d'un ton de défi.

Le soldat brandit son fusil et enfonça la crosse dans le ventre du garçon. Ses jambes se dérobèrent sous lui et il tomba à genoux. Où était le baron ? Que se passait-il ? Pourquoi les traitait-on ainsi dans leur propre maison ?

Léon sauta rapidement sur son camarade, essayant de le protéger du deuxième coup que le soldat allait asséner sur sa tête, mais quand la crosse s'écrasa, elle atteignit la nuque de Léon de plein fouet. Les deux garçons restèrent étendus sans bouger ; Wladek parce qu'il était étourdi par le coup et le poids du corps de Léon sur lui, et Léon parce qu'il était mort.

Wladek entendit un autre soldat reprocher à leur bourreau de les avoir frappés. Ils tâchèrent de relever Léon, mais Wladek refusa de le lâcher. Les soldats durent se mettre à deux pour le dégager de force et le jeter sans cérémonie à côté des autres, face contre terre. Les yeux de Wladek ne quittèrent pas le corps immobile de son seul ami jusqu'à ce qu'on le fasse retourner dans le château puis, avec une poignée de survivants ébahis, on le conduisit dans les donjons.

Personne ne parla, de crainte de rejoindre la rangée de cadavres dans l'herbe, tant que les portes des donjons ne furent pas verrouillées et que les derniers mots des soldats n'eurent pas disparu dans le lointain. Puis Wladek murmura : « Dieu béni » en avisant dans un coin, affalé contre le mur, le baron, qui regardait dans le vide, vivant, sain et sauf, uniquement parce que les Allemands avaient besoin de lui pour s'occuper des prisonniers.

Wladek rampa près de lui, pendant que les domestiques s'asseyaient le plus loin possible de leur maître. Tous deux se fixèrent, comme le premier jour de leur rencontre. Wladek tendit de nouveau la main et le baron la prit. Il lui raconta ce qui était arrivé à Léon. Des larmes ruisselèrent sur le visage fier du baron. Personne ne parla. Tous deux venaient de perdre la personne qu'ils aimaient le plus au monde.

---

1. Litt. « *Qui a parlé ?* » « *Moi.* »

# 8

Lorsque Anne Kane lut une première fois l'article sur le naufrage du *Titanic* dans le *Times*, elle refusa simplement de le croire. Son mari devait être encore en vie.

Après qu'elle eut relu l'article une troisième fois, elle éclata en sanglots incontrôlables, ce que William n'avait jamais vu dans le passé et il ne sut pas comment réagir.

Avant qu'il ne puisse demander ce qui avait provoqué cet accès qui ne lui ressemblait pas, sa mère le prit dans ses bras et le serra très fort contre elle. Comment pourrait-elle lui annoncer qu'ils venaient de perdre la personne qu'ils aimaient le plus au monde ?

Sir David Seymour, accompagné de sa femme, arriva au Savoy quelques minutes plus tard. Ils attendirent dans l'entrée pendant que la veuve enfilait les seuls vêtements sombres de sa garde-robe. William s'habilla, sans trop savoir ce qu'était une calamité. Anne demanda à Sir David d'expliquer les conséquences de la tragédie à son fils.

Lorsqu'on lui raconta que le grand paquebot avait heurté un iceberg puis sombré, tout ce que dit William fut : « Je voulais prendre le bateau avec papa, mais on me l'a défendu ! »

Il ne pleura pas parce qu'il refusait de croire que quoi que ce soit puisse tuer son père. Il ferait sûrement partie des survivants.

Dans sa longue carrière de politicien, de diplomate et de nouveau directeur de Kane & Cabot, Londres, Sir David n'avait jamais vu une telle assurance chez un si jeune garçon. « La présence d'esprit est accordée à très peu, l'entendit-on dire quelques années plus tard. Elle fut accordée à Richard Kane avant d'être transmise à son fils unique. »

Le jeudi de la même semaine, William eut six ans, mais il n'ouvrit aucun cadeau.

Anne lut et relut les noms des survivants, énumérés dans le *Times* chaque matin, vérifia et contre-vérifia. Richard Lowell Kane était toujours porté disparu en mer, probablement noyé. Mais il fallut attendre encore sept jours avant que William cesse d'espérer que son père ait survécu. Le quinzième jour, il pleura.

Anne eut bien du mal à monter à bord de l'*Aquitania*, mais William semblait étrangement impatient de lever l'ancre. Heure après heure, il restait assis sur le poste d'observation à passer l'eau grise de l'océan en revue.

— Demain, je le retrouverai, promettait-il inlassablement à sa mère, au début avec beaucoup d'assurance, mais ensuite, d'une voix qui dissimulait à peine sa propre incrédulité.

— William, nul ne peut survivre pendant trois semaines dans l'Atlantique nord.

— Pas même mon père ?

— Pas même ton père.

Lorsque Anne et William furent de retour à Boston, les deux grands-mères les attendaient à la Maison rouge, soucieuses du devoir qui leur incombait. Anne accepta passivement leur possessivité. La vie ne lui avait pas laissé grand-chose à part William, dont les grands-mères semblaient désormais bien déterminées à contrôler le destin. William se montrait poli, mais peu coopératif. Le jour, il s'asseyait en silence pour ses cours avec M. Munro et la nuit, il tenait la main de sa mère, mais aucun des deux ne parlait.

— Ce qu'il lui faut, c'est fréquenter d'autres enfants, déclara grand-mère Cabot.

Grand-mère Kane acquiesça. Le lendemain, elles congédièrent M. Munro et la nourrice et envoyèrent leur petit-fils à Sayre Academy, dans l'espoir qu'un premier contact avec le vrai monde, ainsi que la compagnie constante de petits camarades, l'aiderait à redevenir lui-même.

Richard avait laissé le plus gros de sa fortune à William, administrée par fidéicommis jusqu'à son vingt et unième anniversaire. Un codicille était joint au testament. Richard tenait à ce que son fils devienne président-directeur général de Kane & Cabot au mérite. Ce fut la seule partie des dernières volontés de son père qui inspira William, car le reste n'était rien d'autre que son droit acquis à la naissance. Anne perçut un capital de cinq cent mille dollars et un salaire à vie de cent mille dollars par an après déduction, qui s'éteindrait uniquement si elle se remariait. Elle hérita également de la demeure de Beacon Hill, du manoir d'été sur le North Shore, d'une maison d'été dans les Hamptons, et d'une petite île au large du cap Cod, qui reviendrait à son fils à sa mort. Les deux grands-mères touchèrent deux cent cinquante mille dollars et des lettres les informant de leur responsabilité au cas où Richard mourrait avant elles. Le fidéicommis serait administré par la banque, les parrains et marraines de William étant coadministrateurs. Le revenu devait être réinvesti chaque année dans des entreprises classiques.

Il fallut une année entière pour que les grands-mères quittent le deuil, et bien qu'Anne n'ait que vingt-huit ans, elle paraissait bien plus âgée. Les grands-mères, contrairement à Anne, cachèrent leur chagrin à William jusqu'à ce qu'il finisse par le leur reprocher.

— Mon père ne vous manque-t-il pas ? demanda-t-il en regardant fixement grand-mère Kane.

Les yeux bleus du garçon firent ressurgir des souvenirs de son fils.

— Si, mon enfant. Mais il n'aurait pas souhaité que nous restions assises à nous apitoyer sur notre sort.

— Mais je veux que nous nous souvenions toujours de lui… toujours, dit-il, la voix tremblante.

— William, je vais te parler pour la première fois comme si tu étais un adulte. Nous garderons son souvenir à jamais en mémoire, et tu joueras ton propre rôle en te montrant à la hauteur de ce que ton père aurait attendu de toi. Tu es désormais le chef de famille, et héritier de sa fortune. Tu dois donc te préparer, en faisant preuve de beaucoup de zèle et en travaillant dur, à endosser une telle responsabilité, dans le même esprit que celui dans lequel ton père a accompli ses tâches.

William ne répondit pas, mais il suivit immédiatement ses conseils. Il apprit à vivre avec son chagrin sans jamais se plaindre, et à partir de là, il se jeta corps et âme dans son travail à l'école, uniquement satisfait s'il impressionnait grand-mère Kane. Il excellait dans toutes les matières et, en mathématiques, non seulement était-il au-dessus du niveau de sa classe, mais bien en avance pour son âge. Tout ce que son père avait réussi, il était déterminé à faire mieux. Il se rapprocha même de sa mère, et se méfia de quiconque ne faisait pas partie de sa famille, de sorte que ses contemporains le considéraient souvent comme un enfant solitaire, un sauvage et, injustement, un snob.

Le jour de son huitième anniversaire, les grands-mères décidèrent qu'il était temps que William apprenne la valeur de l'argent. Elles lui allouèrent donc un dollar par semaine en guise d'argent de poche, mais insistèrent pour qu'il tienne une comptabilité pour chaque dollar qu'il déboursait. Grand-mère Kane lui offrit un livre de comptes relié de cuir, au prix de quatre-vingt-quinze cents, qu'elle déduisit de sa première indemnité hebdomadaire. Dès lors, chaque samedi matin, les grands-mères lui donnèrent un dollar à tour de rôle. William pouvait placer cinquante cents, en dépenser vingt, léguer dix cents à une œuvre de charité, et en garder vingt en stock. À la fin de chaque trimestre, elles inspecteraient le livre de comptes et son rapport écrit sur toute transaction inutile.

Une fois les trois premiers mois passés, William était bien préparé à rendre des comptes tout seul. Il avait donné un dollar trente aux Scouts d'Amérique qui venaient d'être fondés, et investi cinq dollars cinquante-cinq, qu'il avait demandé à sa grand-mère Kane de déposer sur un compte épargne à la banque de J.P. Morgan, son parrain. Il avait dépensé deux dollars soixante pour un vélo, et gardé un dollar soixante en réserve. Le livre de comptes constituait une source de grande satisfaction pour les grands-mères, même si elles émettaient des réserves quant à l'acquisition de la bicyclette : nul doute, William était bien le fils de Richard Kane.

À l'école, William se fit peu d'amis, en partie parce qu'il était timide et avait peur de fréquenter d'autres personnes que des Cabot, Lowell ou des enfants de familles plus riches que la sienne. Cela limita quelque peu son choix, et il devint donc un garçon mélancolique, ce qui inquiéta sa mère. Elle n'approuvait pas le livre de comptes ni le programme d'investissement, et aurait préféré que William mène une vie bien plus normale : qu'il ait de nombreux jeunes camarades au lieu de deux conseillères d'un certain âge, qu'il se salisse et se fasse des contusions, qu'il ne soit pas toujours propre, qu'il collectionne les tortues et les crapauds et non les actions et les bilans – en résumé, qu'il soit comme n'importe quel petit garçon. Mais elle n'eut jamais le courage de formuler ses doutes aux grands-mères et, de toute façon, William était le seul petit garçon qui les intéressait.

Le jour de son neuvième anniversaire, William présenta le livre de comptes à ses grands-mères pour qu'elles procèdent à leur inspection annuelle. Le livre de cuir vert montrait une économie de plus de vingt-cinq dollars réalisée l'année passée. Il fut particulièrement fier de leur dévoiler une entrée intitulée « B6 », et de leur expliquer qu'il avait retiré son argent de la banque de J.P. Morgan aussitôt qu'il avait appris la mort du grand financier, parce qu'il avait constaté que les actions dans l'établissement de son père avaient perdu de la valeur une fois le décès annoncé. William avait réinvesti la même somme trois mois plus tard et généré un joli bénéfice.

Les grands-mères, plutôt impressionnées, autorisèrent leur petit-fils à mettre sa vieille bicyclette en vente et à en acheter une neuve. Sur sa demande, grand-mère Kane investit le capital qui lui restait dans la Standard Oil Company du New Jersey. Le prix du pétrole, supposa William, ne pouvait plus qu'augmenter, maintenant que M. Ford avait vendu plus d'un million de Model T. Il tint méticuleusement son livre de comptes à jour, jusqu'à son vingt et unième anniversaire. Si les grands-mères avaient été encore en vie à l'époque, elles auraient été fières de la dernière entrée dans la colonne droite, intitulée « Actif ».

En septembre 1915, après avoir passé des vacances d'été tranquilles dans la maison familiale des Hamptons, William repartit à Sayre Academy. Une fois de retour à l'école, il se mit à chercher à rivaliser avec des élèves plus âgés que lui. Quoi qu'il entreprît, il n'était jamais content tant qu'il n'y excellait pas, et battre ses contemporains lui permit de relever quelques défis. Il commença à se rendre compte qu'il manquait à la plupart de ceux qui venaient d'un milieu aussi privilégié que le sien la véritable motivation de monter au créneau et qu'il existait une concurrence plus acharnée chez des garçons qui n'étaient pas nés avec les mêmes privilèges que lui. Il se demanda même si ce n'était pas un avantage d'être défavorisé.

En 1915, collectionner des boîtes d'allumettes devint la nouvelle mode à Sayre Academy. William observa cette frénésie pendant plusieurs jours, mais sans y adhérer. Du jour au lendemain, des marques ordinaires changeaient de mains pour une pièce de dix cents, tandis que des boîtes plus rares pouvaient se marchander jusqu'à cinquante cents. William réfléchit à la situation une semaine supplémentaire, et bien qu'être collectionneur ne l'intéressât pas le moins du monde, il décida que le moment était venu de passer négociant.

Le samedi suivant, il se rendit chez Leavitt & Pierce, l'un des plus grands bureaux de tabac de Boston et pendant tout l'après-midi, il consigna les noms et adresses des principaux fabricants de boîtes d'allumettes dans le monde entier, avec mention spéciale de ceux dont les nations n'étaient pas en guerre. Il investit cinq dollars dans du papier, des enveloppes et des timbres, et écrivit au directeur ou président de chaque société répertoriée. Sa lettre, simple, allait à l'essentiel, bien qu'il l'eût réécrite plusieurs fois.

*Monsieur le Directeur,*

*Je suis un fervent collectionneur de boîtes d'allumettes, mais je n'ai pas les moyens de me les offrir toutes. Je ne touche qu'un dollar d'argent de poche par semaine, mais vous trouverez ci-joint un timbre de trois cents pour les frais d'envoi qui vous prouvera que ma passion n'est pas une toquade. Je suis désolé de vous déranger personnellement, mais votre nom est le seul que j'ai déniché.*

*Votre ami,*
*William Kane (9 ans)*

*P.-S. Vos allumettes font partie de mes préférées.*

En deux semaines, William avait reçu un pourcentage de cinquante-cinq pour cent de réponses, soit l'équivalent de soixante-dix-huit marques différentes. Presque tous ses correspondants lui renvoyèrent également le timbre de trois cents, comme il l'avait prévu.

William initia immédiatement un marché de boîtes d'allumettes à l'école, vérifiant systématiquement ce qu'il pourrait revendre avant même de faire un achat ou une rafle. Il constata que certains ne s'intéressaient pas à la rareté des marques, uniquement à leur aspect, et à eux, il offrit plusieurs échantillons afin de réserver les trophées rares aux collectionneurs les plus avisés. Après deux semaines supplémentaires à acheter et à vendre, il sentit que le marché avait atteint son apogée et que s'il n'était pas vigilant, il pourrait se retrouver avec un stock en surplus, à l'approche des fêtes de Noël. À grand renfort de publicité sous la forme d'un prospectus imprimé qui lui coûta un demi-cent la feuille – qu'il déposa sur le bureau de chaque élève –, William annonça qu'il organiserait une vente aux enchères de ses boîtes d'allumettes, deux cent onze en tout. Elle eut lieu dans les toilettes de l'école à l'heure du déjeuner, et attira beaucoup plus de monde que la plupart de leurs matchs de hockey.

Après l'adjudication, William avait généré un gain de cinquante-six dollars trente-deux, un bénéfice net de cinquante et un dollars trente-deux par rapport à son investissement original. Il versa vingt-cinq dollars sur un compte à la banque, à deux et demi pour cent d'intérêt, s'acheta un appareil photo pour dix dollars, en donna cinq à la Young Men's Christian Association, qui avait élargi ses activités et aidait les immigrés qui fuyaient l'Europe déchirée par la guerre pour se rendre en Amérique, offrit un bouquet de fleurs à sa mère et déposa les sept dollars restants sur son compte de caisse. Le marché des boîtes d'allumettes s'effondra quelques jours avant la fin du trimestre. William s'en était tiré alors que le marché connaissait son apogée. Les grands-mères opinèrent avec sagesse lorsqu'on les en informa : cela ne différait pas beaucoup de la façon dont leurs maris avaient fait fortune dans la panique de 1873.

Pendant les vacances, William tint absolument à découvrir s'il pouvait obtenir un meilleur retour sur capital que les deux et demi pour cent générés par son compte épargne. Les trois mois suivants, il investit – une fois de plus par l'intermédiaire de grand-mère Kane – dans des actions que le *Wall Street Journal* recommandait. Pendant cette période, il perdit plus que la moitié de l'argent qu'il avait gagné grâce aux boîtes d'allumettes. Il ne se reposa plus jamais uniquement sur le savoir-faire du *Wall Street Journal*. Si ses correspondants étaient si bien informés, pourquoi avaient-ils besoin de travailler pour un journal ? en conclut-il.

Ennuyé d'avoir gâché près de trente dollars, il décida qu'il devait les récupérer durant les vacances d'été. Après s'être renseigné sur les soirées et autres réceptions auxquelles sa mère souhaitait qu'il assiste, il découvrit qu'il ne lui restait plus que quatorze jours libres, juste assez de temps pour s'embarquer dans une nouvelle aventure. Il vendit toutes les actions recommandées par le *Wall Street Journal* encore en sa possession, ce qui ne lui rapporta que douze dollars. Avec, il acheta un morceau de bois plat, des roues de landau, un essieu et un morceau de corde, au prix, après marchandage, de cinq dollars. Il se coiffa d'une casquette en tissu, enfila un vieux costume trop petit pour lui et se rendit à la gare centrale. William se posta devant la sortie, l'air affamé et fatigué. Il informa des voyageurs triés sur le volet que les principaux hôtels de Boston se trouvaient près de la gare et que ça ne servait à rien qu'ils gâchent de l'argent dans un taxi ou une calèche survivante, car il pourrait transporter leurs bagages sur sa planche roulante pour vingt pour cent de ce que les taxis prenaient. Il ajouta que la marche leur ferait aussi du bien. En travaillant six heures par jour, il constata qu'il pouvait gagner quatre dollars environ.

Cinq jours avant le début du nouveau trimestre, William avait épongé toutes ses pertes initiales et généré un bénéfice supplémentaire de neuf dollars. Puis il rencontra un problème : il commençait à agacer les chauffeurs de taxi. Il leur assura qu'il prendrait sa retraite à l'âge de dix ans si chacun lui donnait cinquante cents pour couvrir le coût de son chariot fait maison. Ils acceptèrent et il gagna huit dollars cinquante de plus. En rentrant à Beacon Hill, il vendit le chariot à un camarade d'école pour deux dollars, lui promettant qu'il ne reprendrait pas son ancienne ronde à la gare. L'ami ne tarda pas à découvrir que les chauffeurs de taxi le guettaient, et comme il plut le reste de la semaine, cela n'aida pas. Le jour où il retourna en cours, William déposa son argent à la banque à deux et demi pour cent.

L'année suivante, il observa ses économies s'accroître régulièrement. La déclaration de guerre du président Wilson contre l'Allemagne en avril 1917 n'inquiéta pas William. Rien ni personne ne pourrait jamais battre l'Amérique, assura-t-il à sa mère. Il investit même dix dollars en Liberty Bonds[2] pour confirmer ses dires.

Pour les onze ans de William, la colonne « Crédit » de son livre de comptes affichait un bénéfice de quatre cent douze dollars. Il avait offert à sa mère un stylo à encre pour son anniversaire et des broches provenant d'une bijouterie locale à ses grands-mères. Le stylo était un Parker et les bijoux étaient emballés dans des boîtes Shreve, Crump & Low, qu'il avait trouvées en fouillant les poubelles derrière le célèbre magasin. Il n'avait pas voulu tromper ses grands-mères,

2. Titres d'emprunt de guerre vendus aux États-Unis pour soutenir la cause alliée durant la Première Guerre mondiale et symbole du devoir patriotique pour celui qui y souscrivait.

mais il avait déjà appris grâce à son expérience des allumettes qu'un beau paquet améliorait la qualité d'un produit.

Les grands-mères remarquèrent qu'il manquait le poinçon de Shreve, Crump & Low, mais portèrent tout de même leurs broches avec beaucoup de fierté. Elles avaient décidé depuis longtemps que William était plus que prêt à entrer à St. Paul's School à Concord, New Hampshire, en septembre. Comme si cela ne suffisait pas, il les récompensa en décrochant la bourse de mathématiques la plus prestigieuse et permit à la famille de réaliser une économie inutile de trois cents dollars par an. Il accepta la bourse, mais les grands-mères décidèrent de l'offrir à un « enfant moins fortuné ».

Anne ne supportait pas l'idée que son fils parte pour le pensionnat, mais les grands-mères insistèrent et surtout, elle savait que c'était ce que Richard avait souhaité. Elle cousit des étiquettes au nom de William, marqua ses bottes, vérifia ses vêtements et enfin, fit ses bagages, refusant toute aide des domestiques. Quand vint le moment pour lui de s'en aller, elle lui demanda de combien d'argent de poche il aurait besoin pour le trimestre à venir.

— Rien du tout, maman, merci, répondit-il sans autre explication.

William l'embrassa sur la joue et descendit le chemin d'un bon pas, vêtu de son tout premier pantalon, les cheveux courts et une petite valise à la main. Il ne se retourna pas. Sa mère agita inlassablement le bras, et sanglota plus tard. William avait envie de pleurer, mais il savait que son père aurait désapprouvé.

La première chose que William Kane trouva étrange dans sa nouvelle école privée, ce fut que les autres enfants n'avaient pas l'air de savoir qui il était. Les expressions d'admiration, le silence qui indiquait qu'on le connaissait n'étaient pas flagrants. Un garçon lui demanda même son nom, et pire, ne trahit aucune réaction quand il le lui donna. Certains le surnommèrent même « Bill », qu'il corrigea en expliquant que personne n'avait jamais appelé son père « Dick ».

Son nouveau palace se résumait à une petite chambre meublée d'étagères en bois, de deux tables, deux chaises, deux lits et un canapé en cuir agréablement miteux. Une chaise, une table et un lit étaient occupés par Matthew Lester, un garçon originaire de New York, dont le père était président de Lester & Company, une autre vieille banque familiale.

William s'habitua vite à la routine de l'école : lever à sept heures et demie, toilette, et petit déjeuner dans la salle à manger principale avec les autres élèves – deux cent vingt garçons qui avalaient du porridge, des œufs et du bacon. Ensuite, chapelle, puis trois cours de quarante-cinq minutes avant le déjeuner et deux après, suivis d'une leçon de musique, que William détestait parce qu'il était incapable de chanter une seule note juste et n'avait aucune envie d'apprendre à jouer d'un instrument. Il se retrouva au fond, au triangle. Football en automne, hockey et racquetball en hiver, aviron et tennis au printemps lui laissèrent très peu de temps libre. En tant que boursier en mathématiques, il avait des travaux dirigés trois fois par semaine, avec son professeur responsable, M.G. Raglan, que les garçons avaient surnommé Rags[3], en raison de son apparence débraillée.

La première année, William montra qu'il avait bien mérité sa bourse, figurant toujours parmi les rares premiers dans presque chaque matière, et d'un niveau inégalable en mathématiques. Seul Matthew Lester, son nouvel ami, représentait un réel rival, et ce, très certainement parce qu'ils partageaient la même chambre. William se forgea également une réputation de petit expert financier. Bien que son premier investissement en Bourse se fût soldé par un échec, il continuait à penser que pour gagner une somme considérable, une plus-value assez grosse sur le marché était essentielle. Il gardait un œil méfiant sur le *Wall Street Journal* et les bilans de sociétés, et se mit à expérimenter un portefeuille financier fantôme. Il consignait chacun de ses achats et ventes imaginaires, les bons et les moins bons, dans un livre de comptes d'une autre couleur, qu'il venait d'acquérir. À la fin de chaque mois, il comparait ses performances au reste du marché. Il ne s'encombra pas avec les valeurs vedettes et se concentra plutôt sur des entreprises plus obscures, dont certaines

3. *Rags* : loques, lambeaux.

actions ne se négociaient que sous le manteau, de sorte qu'il était impossible d'acheter plus que quelques titres à la fois. William cherchait à tirer quatre avantages de ses placements : un rapport cours-bénéfices bas, un taux de croissance élevé, une forte protection des actifs et une prévision commerciale favorable. Il ne trouva que quelques actions qui correspondaient à ces critères rigoureux, mais elles lui rapportèrent presque invariablement un profit.

À la minute où il eut prouvé qu'il dépassait régulièrement l'indice Dow Jones avec son programme d'investissement fantôme, William décida de placer son propre argent, pour de vrai. Il commença par cent dollars, et l'année suivante, il ne cessa d'améliorer son système. Il garantissait toujours les bénéfices et sauvait les meubles. Une fois qu'une action avait doublé en valeur, il vendait la moitié de son portefeuille, négociait les parts qu'il détenait encore en prime. Certaines de ses premières trouvailles, telles qu'Eastman Kodak ou Standard Oil, devinrent vite des valeurs vedettes sur le plan national. Il soutint aussi Sears, une maison de vente par correspondance, convaincu que la tendance allait prendre.

À la fin de la première année, il conseillait plusieurs professeurs, et même certains parents.

William Kane se plaisait bien à l'école.

# 9

Wladek était la seule personne encore vivante capable de se retrouver dans les donjons. Au cours de ces insouciantes parties de cache-cache avec Léon, il avait passé de nombreuses heures joyeuses caché dans les petites salles en pierre, sachant qu'il pourrait retourner dans le château dès qu'il le souhaiterait.

Il y avait quatre donjons en tout, dont deux au rez-de-chaussée. Le moins grand était faiblement illuminé par un mince éclat de soleil qui filtrait à travers une grille enchâssée bien haut dans le mur de pierre. En bas de cinq marches, il régnait une chaleur suffocante dans deux autres pièces en pierre, plongées dans une obscurité perpétuelle. Wladek conduisit le baron dans le petit donjon supérieur, où il s'affala immédiatement dans un coin, regardant fixement et silencieusement dans le vide. Le garçon désigna Florentyna pour s'occuper de lui.

Comme Wladek était le seul à oser demeurer dans la même pièce que le baron, les vingt-quatre domestiques restants ne remirent jamais son autorité en cause. Ainsi, à l'âge de neuf ans, il avait la responsabilité quotidienne de ses compagnons prisonniers. Les nouveaux occupants du donjon, réduits à une bien triste stupéfaction due à leur incarcération, ne trouvaient manifestement rien d'étrange à une situation qui avait mis les rênes de leur vie entre les mains d'un jeune garçon. Dans les donjons, Wladek devint leur maître. Il divisa les domestiques en trois groupes de huit, tâchant de ne pas séparer les familles quand cela était possible. Il les déplaçait régulièrement suivant un système de rotation : huit heures dans le donjon du haut pour la lumière, l'air, la nourriture et l'exercice ; huit heures à travailler dans le château pour leurs ravisseurs, et huit heures consacrées à somnoler dans l'un des donjons du bas.

Nul, excepté le baron et Florentyna, ne pouvait savoir quand Wladek dormait, car il était toujours là, à la fin de chaque roulement, pour surveiller les domestiques qui circulaient. On les nourrissait toutes les douze heures. Les gardes distribuaient une outre de lait de chèvre, du pain noir, du millet et, de temps en temps, des noisettes, que Wladek divisait en vingt-huit portions, en donnant deux au baron sans jamais le lui dire.

Une fois qu'il avait organisé la relève suivante, il retournait voir le baron dans le plus petit donjon. Au début, il avait espéré une aide de sa part, mais le regard fixe de son maître était aussi implacable et triste que les yeux froids des gardes allemands qui se succédaient en permanence. Le baron n'avait pas parlé depuis qu'il s'était fait capturer dans son propre château. Sa barbe emmêlée avait beaucoup poussé, et sa forte carrure commençait à décliner, à devenir frêle. L'expression autrefois fière avait été remplacée par de la résignation. Wladek se souvenait difficilement de son ton doux de baryton et s'accoutuma à l'idée qu'il ne l'entendrait plus jamais. Au bout d'un moment, il accepta ce qui semblait être les vœux tacites du baron, et garda toujours le silence en sa présence.

S'il avait vécu dans le château avant l'irruption des soldats allemands, Wladek était tellement occupé qu'il n'avait jamais le loisir de penser au passé. Il se trouvait désormais dans l'impossibilité de se rappeler même l'heure écoulée parce que rien ne changeait jamais. Des minutes désespérées devenaient des heures, des heures, des jours, et des jours, des mois. Seules les rotations des domestiques et l'arrivée de la nourriture, l'obscurité ou la lumière indiquaient que le temps passait, tandis que les jours raccourcissaient, et l'apparition de glace sur les murs des donjons annonçait le changement de saison. Durant les longues nuits, Wladek prit conscience de l'odeur fétide de la mort qui s'infiltrait jusque dans les coins les plus éloignés du donjon, et que seuls le soleil du matin, un vent frais ou le soulagement le plus béni de tous, le bruit des gouttes qui tombaient, amoindrissaient.

À la fin d'une journée de tempêtes ininterrompues, Wladek et Florentyna profitèrent de la pluie pour se laver dans une flaque qui s'était formée dans les fissures du sol de pierre. Aucun des deux ne remarqua le baron ciller lorsque Wladek ôta son T-shirt en lambeaux et aspergea son corps d'eau froide. Sans prévenir, le vieil homme parla :

— Wladek *(il était à peine audible)*, je ne te vois pas bien. *(Sa voix se cassa.)* Approche, mon enfant.

Après un si long silence, son ton le déconcerta et il craignait que cela ne précède la folie qui avait déjà pris deux des domestiques les plus âgés sous son emprise.

— Approche, mon enfant, répéta-t-il.

Il obéit craintivement et se tint devant le baron, qui plissa ses yeux affaiblis dans une concentration intense. Il avança à tâtons vers le garçon et passa un doigt sur sa poitrine, avant de l'interroger du regard.

— Wladek, peux-tu m'expliquer cette difformité ?

— Non, monsieur, répondit le garçon, gêné. Elle ne m'a pas quitté depuis ma naissance. Mon père m'a raconté que c'était l'empreinte du diable sur moi.

— Quel idiot ! Mais bon, ce n'était pas ton père, dit le baron d'un ton doux, avant de replonger dans le silence. *(Wladek resta debout devant lui, sans bouger un seul muscle. Quand il finit par reprendre la parole, sa voix était plus ferme.)* Assieds-toi, mon garçon.

En s'exécutant, Wladek remarqua de nouveau le lourd bracelet d'argent qui pendillait dorénavant autour du poignet du vieil homme. Un trait de lumière fit étinceler la gravure magnifique des armoiries des Rosnovski dans l'obscurité du donjon.

— J'ignore si les Allemands ont l'intention de nous garder enfermés longtemps ici, poursuivit le baron. J'ai cru au début que cette guerre serait terminée en quelques semaines, j'avais tort. Et nous devons désormais envisager l'éventualité qu'elle dure indéfiniment. Dans cette perspective, nous devons utiliser notre temps de manière plus constructive, car je sais que ma vie touche à sa fin.

— Non, non.

Wladek entreprit de protester, mais le baron poursuivit, comme s'il ne l'avait pas entendu.

— La tienne, mon enfant, ne fait que commencer. Je vais donc m'atteler à la suite de ton éducation.

Le baron n'ajouta rien de plus ce jour-là. On aurait dit qu'il réfléchissait aux implications de sa déclaration. Mais les semaines suivantes, Wladek constata qu'il avait gagné un nouveau tuteur.

Comme ils n'avaient rien pour lire ou écrire, ses cours consistèrent à répéter toutes les paroles du baron. Il retint de longs pamphlets, des poèmes d'Adam Mickiewicz et de Jan Kochanowski, et d'interminables passages de l'*Énéide*. Dans cette salle de classe austère, Wladek assimila la géographie et les mathématiques, de nouvelles langues – russe, allemand, français et anglais. Mais comme avant, ses moments de joie extrême furent les cours d'histoire. L'histoire de sa nation à travers cent ans de morcellement, les espoirs déçus d'une Pologne unifiée, le tourment de ses compatriotes lors de la défaite cuisante de Napoléon face aux Russes en 1812. Il apprit les beaux récits d'une époque plus heureuse, lorsque le roi Jean Casimir avait consacré la Vierge Marie reine de Pologne, après avoir repoussé les Suédois à Czestochowa, et que le puissant prince Radziwill, érudit, propriétaire terrien et amoureux de la chasse, était entouré de sa cour dans son château près de Varsovie.

Chaque jour, le dernier cours de Wladek portait sur l'histoire familiale des Rosnovski. Encore et encore, on lui raconta – sans qu'il ne s'en lasse jamais – que l'illustre ancêtre du baron qui avait servi en 1794 sous le général Dabrowski, puis en 1809 sous Napoléon en personne, avait été récompensé par l'Empereur qui lui avait offert de vastes portions de terres et un titre de baron. Il apprit que son grand-père avait fait partie du Conseil de Varsovie, et que son père avait joué son propre rôle dans la construction d'une nouvelle Pologne. Une fois de plus, le temps passa rapidement, en dépit du décor atroce de sa nouvelle salle de classe.

Le baron continua à lui donner des cours particuliers malgré une vue et une ouïe qui déclinaient. Chaque jour, Wladek devait s'asseoir plus près de lui.

Les gardes à l'entrée changeaient toutes les quatre heures, et la conversation entre eux et les prisonniers était *strengstenst verboten*[4]. Quand bien même, par bribes et fragments, Wladek se tenait au courant de l'évolution de la guerre, des actions de Hindenburg et Ludendorff, de la révolution de novembre en Russie, et de son retrait des hostilités après le traité de Brest-Litovsk.

---

4. Strictement interdit

Wladek commença à songer que le seul moyen de s'échapper, c'était de mourir. Il se demanda s'il ne s'équipait pas d'un savoir qui s'avérerait inutile dans la mesure où il ne retrouverait plus jamais la liberté.

Florentyna – la sœur, la mère et la plus proche amie de Wladek – s'engagea dans un combat sans fin en vue de garder la cellule du baron propre. De temps en temps, les gardiens lui fournissaient un seau de sable ou de paille, avec lequel recouvrir le sol souillé, et la puanteur devint un peu moins oppressante pendant quelques jours. La vermine qui grouillait dans l'obscurité accourait à la moindre miette de pain ou de pomme de terre qui tombait, apportant avec elle la maladie et une raison de ne pas dormir. L'odeur âcre d'excréments et d'urine humaine et animale pourrie agressait leurs narines et rendait régulièrement Wladek malade. Il mourait d'envie de redevenir propre et passait des heures à regarder par la petite fissure dans le mur, se rappelait les bains d'eau bouillante et le savon rêche et parfumé avec lequel la *niania* enlevait, pas si loin de là mais il y a si longtemps déjà, la crasse d'une journée de jeux, avec à peine une réprimande pour ses genoux boueux ou les ongles sales de Léon.

Au printemps 1918, seuls quinze prisonniers sur vingt-sept étaient encore vivants. Tous considéraient toujours le baron comme le maître, et Wladek, comme son assistant. Celui-ci était très triste pour Florentyna, sa bien-aimée, désormais âgée de vingt ans. Elle avait depuis longtemps cessé de croire en la vie. Wladek ne reconnut jamais en sa présence qu'il avait abandonné tout espoir, mais bien qu'il n'eût que douze ans, il commençait lui aussi à se demander si un avenir l'attendait véritablement à l'extérieur.

Un soir, au début de l'automne, Florentyna vint le retrouver dans le donjon supérieur, plus vaste.

— Le baron te réclame.

Wladek se leva à la hâte, confiant la distribution de nourriture à un domestique de confiance, et partit rejoindre le vieil homme. Le baron souffrait terriblement, et Wladek constata avec une terrible clarté d'esprit que la maladie avait rongé des parties entières de sa chair et laissé la peau marbrée de vert recouvrir un visage désormais squelettique. Il demanda à boire, et Florentyna récupéra de l'eau dans la tasse d'eau de pluie à moitié pleine suspendue à un bâton devant la grille dans le mur. Lorsque le baron eut fini, il parla lentement et avec une grande difficulté.

— Tu as vu tant de gens périr, Wladek, qu'un mort de plus ne devrait pas changer grand-chose. J'avoue que je n'ai plus peur de quitter ce monde.

— Non, ce n'est pas possible ! s'écria le garçon en s'accrochant au vieillard comme il ne l'avait jamais fait. N'abandonnez pas, baron. Nous serons bientôt libérés.

— On raconte cela depuis des mois, Wladek. Quoi qu'il en soit, je n'ai aucune envie de vivre dans le nouveau monde qu'ils sont en train de créer. *(Il marqua une pause quand le garçon se mit à sangloter pour la première fois depuis leurs trois années d'emprisonnement, puis reprit.)* Appelle mon intendant et mon premier valet de pied.

Il obéit immédiatement, sans savoir pourquoi il les convoquait.

Les deux domestiques, réveillés dans leur sommeil, se postèrent en silence devant leur maître, et attendirent qu'il parle. Ils portaient encore leur uniforme brodé, mais plus rien ne montrait qu'ils arboraient autrefois les fières couleurs des Rosnovski, vert et or.

— Sont-ils là, Wladek ?

— Oui, monsieur. Ne pouvez-vous pas les voir ?

Wladek comprit alors qu'il était devenu aveugle.

— Fais-les avancer pour que je puisse les toucher.

Wladek lui amena les deux hommes et il effleura leurs visages.

— Asseyez-vous, tous les deux. M'entendez-vous Ludwik, Alfons ?

— Oui, monsieur.

— Je suis le baron Rosnovski.

— Nous savons, monsieur, répondit l'intendant d'un ton innocent.

— Veuillez ne pas m'interrompre, lui intima le baron. Je vais mourir.

La mort était devenue si commune dans le donjon qu'aucun des deux ne fit mine de protester.

— Je ne suis pas en mesure de rédiger un nouveau testament, car je n'ai pas de papier, pas de plume ni d'encre. Je le ferai donc en votre présence, et vous pouvez agir comme mes deux témoins, en vertu de l'ancien droit de Pologne. Comprenez-vous ce que je vous dis ?

— Oui, monsieur, répondirent les deux individus à l'unisson.

— Mon premier-né, Léon, est mort. *(Le vieil homme marqua une pause.)* Et je laisse en conséquence toute ma fortune et mes terres au garçon connu sous le nom de Wladek Koskiewicz.

Wladek, qui n'avait pas entendu son patronyme depuis des années, ne saisit pas immédiatement l'importance des paroles du baron.

— Pour prouver ma résolution, poursuivit-il, je lui lègue le bracelet de famille.

Le vieillard leva lentement le bras droit, ôta le bijou en argent et le donna à un Wladek muet. Il l'étreignit bien fort contre lui.

— Mon fils et héritier, déclara-t-il en passant le bijou à son poignet.

Wladek resta dans ses bras toute la nuit jusqu'à ce qu'il n'entende plus son cœur battre et que ses membres deviennent froids et raides contre lui. Le matin, les gardes vinrent enlever le corps du baron, et autorisèrent Wladek à sortir du donjon pour l'enterrer au côté de son fils Léon dans le cimetière familial. Quand l'on descendit le cadavre dans la tombe peu profonde que Wladek avait creusée à mains nues, la chemise de soie en lambeaux du baron s'ouvrit. Wladek regarda fixement le torse nu du mort. Il n'avait qu'un seul mamelon.

En une journée douce et sèche, à la fin de l'automne 1918, les prisonniers entendirent plusieurs salves de tirs et le bruit d'une brève bagarre. Wladek était sûr que l'armée polonaise était venue les sauver, et qu'il pourrait revendiquer son héritage. Quand les gardes allemands désertèrent leur poste à l'entrée des donjons, les autres détenus restèrent blottis silencieusement, terrorisés, dans les pièces inférieures. Wladek demeura seul sur le pas de la porte. Il faisait tourner le bracelet d'argent autour de son poignet, attendant que leurs libérateurs viennent les relâcher et qu'il puisse réclamer ce qui lui revenait légitimement.

En fin de compte, les hommes qui avaient vaincu l'ennemi apparurent et s'entretinrent avec Wladek dans le slave grossier qu'il avait appris, depuis l'école, à détester encore plus que l'allemand. Les nouveaux conquérants ne semblaient pas savoir que ce garçon de douze ans était le propriétaire de la terre sur laquelle ils s'introduisaient sans autorisation. Ils ne parlaient pas sa langue. Leurs ordres étaient clairs et non contestables : tuer tous ceux qui n'acceptaient pas le traité de Brest-Litovsk, qui faisait sécession de cette région de la Pologne aux Russes ; et envoyer les autres dans le camp 201, en Sibérie. Les Allemands s'étaient retirés derrière leur nouvelle frontière, en opposant une résistance seulement symbolique, tandis que Wladek et sa suite attendaient, ignorants de leur destin imminent.

Après deux autres nuits, Wladek se résigna à croire qu'on les laisserait finir leur vie dans les donjons. Les nouveaux gardes ne lui adressaient pas la parole, et il commença à se dire que le purgatoire allemand avait simplement été remplacé par l'enfer russe.

Le troisième jour, les soldats russes entrèrent en trombe et traînèrent dans l'herbe devant le château quatorze corps émaciés et crasseux. Deux domestiques s'écroulèrent sous la lumière vive du soleil de midi et Wladek dut se protéger les yeux. Debout, ils attendaient en silence ce que les soldats allaient faire. Leur tirer dessus ou leur rendre leur liberté ?

Les gardes les firent se déshabiller et leur ordonnèrent de se laver dans le ruisseau. Wladek cacha le bracelet en argent sous ses vêtements avant de se diriger vers la rive. Ses jambes étaient faibles bien avant qu'il rejoigne la rivière. Il sauta dedans ; la froideur soudaine de l'eau lui coupa le souffle, bien que ce fût merveilleux de la sentir sur sa peau tannée et séchée. Les prisonniers l'imitèrent, tâchant d'enlever trois années de crasse et de saleté repoussante.

Pendant qu'il se lavait, il constata que les soldats montraient Florentyna du doigt en riant. Aucune autre femme ne semblait titiller leur intérêt de la sorte. L'un des Russes, un gros rustre difforme, l'attrapa par le bras quand elle le croisa en regagnant la rive. Il la jeta par terre et s'empressa de baisser son pantalon. Wladek contempla, incrédule, le pénis gonflé en érection de l'homme. Il sortit de l'eau d'un bond et courut vers le soldat, qui avait cloué Florentyna au sol.

Il donna des coups de tête dans son ventre et le martela de coups de poing. L'individu étonné relâcha sa sœur, mais un deuxième attrapa Wladek, le balança à terre et enfonça un genou en plein milieu de son dos. Le choc attira l'attention des autres qui vinrent regarder sans se presser. Celui qui avait capturé Wladek s'esclaffait, un gros rire bruyant et dépourvu d'humour.

— Entre, le grand protecteur, dit l'un.

— Venu défendre l'honneur de sa nation, lança l'autre.

— Donnons-lui au moins une place aux premières loges, ajouta celui qui le maintenait au sol.

D'autres rires ponctuèrent les remarques que Wladek ne comprit pas toujours. Il observa le soldat nu avancer lentement vers Florentyna, muette de peur. Il tâcha désespérément de se libérer, en vain. L'homme dénudé tomba lourdement sur sa sœur et se mit à la peloter. Quand il la gifla, elle essaya de se débattre et de se détourner, mais il finit par la pénétrer de force. Elle laissa échapper un hurlement, comme Wladek n'en avait jamais entendu de sa vie. Les autres soldats continuaient à rigoler et à parler entre eux, certains ne regardaient même pas.

— Fichue vierge, dit le soldat en retirant son pénis couvert de sang.

Ils rirent tous.

— Alors, tu m'as un peu facilité la tâche, lança un autre.

D'autres rires. Comme Florentyna fixait Wladek dans les yeux, celui-ci commença à avoir des haut-le-cœur. L'homme qui l'immobilisait se souciait juste du fait que le vomi du garçon n'atterrît pas sur son uniforme ou ses bottes brillantes. Le premier, le pénis toujours couvert de sang, courut jusqu'à la rivière, beuglant de triomphe quand il sauta dans l'eau. Le deuxième se mit à défaire sa ceinture, tandis qu'un autre maintenait Florentyna à terre. Le deuxième garde prit son temps et sembla ressentir un grand plaisir quand il la battit avant de la pénétrer. Elle hurla de nouveau, mais pas aussi fort.

— Allez Vladi, tu es resté assez longtemps.

Il laissa la jeune fille et partit rejoindre son frère d'armes dans l'eau. Wladek se força à regarder Florentyna. Elle était contusionnée et saignait entre les jambes. L'individu qui le tenait reprit la parole.

— Viens t'occuper de ce petit bâtard, Boris. C'est mon tour.

Le premier soldat retint fermement Wladek. Une fois de plus, il tâcha de lui envoyer un coup, mais cela ne servit qu'à les faire rire un peu plus fort.

— Maintenant nous connaissons la toute-puissance de l'armée polonaise.

Les rires insupportables continuèrent tandis qu'un autre garde violentait Florentyna, indifférente à ses charmes.

— Je pense que ça commence à lui plaire, dit-il une fois qu'il eut terminé.

Un quatrième s'approcha de Florentyna. Il la retourna et la força à écarter les jambes le plus possible, ses grosses mains bougeant rapidement sur son corps frêle. Quand il la pénétra, le hurlement se transforma en gémissement. Wladek compta : seize hommes violèrent sa sœur. Aussitôt que le dernier eut fini, il jura et cria : « Je crois que j'ai baisé une morte. » Ce qui les fit s'esclaffer encore plus fort.

Lorsque le garde relâcha enfin Wladek, il se rua au côté de Florentyna tandis que les autres soldats, allongés dans l'herbe, buvaient du vin et de la vodka pillés dans la cave du baron, et dévoraient du pain et de la viande des cuisines.

Avec l'aide de deux domestiques, Wladek porta sa sœur au bord de la rivière et sanglota en essayant de nettoyer le sang et la crasse. Il la recouvrit avec sa veste, la tint dans ses bras et l'embrassa doucement sur la bouche, la première femme qu'il ait jamais embrassée. Comme les larmes ruisselaient de son visage sur son corps contusionné, il sentit qu'elle s'affaissait. Il pleura de nouveau en transportant son corps mort jusqu'à la rive. Les soldats gardèrent le silence en l'observant marcher vers la chapelle. Il la déposa dans l'herbe à côté de la tombe du baron et se remit à creuser à mains nues. Le soleil qui se couchait projeta une longue ombre sur le caveau quand il eut fini de l'enterrer. Il constitua une petite croix avec deux bâtons, qu'il mit en tête de la tombe. Il s'effondra ensuite par terre et s'endormit immédiatement. Il se moquait bien de ne jamais se réveiller.

# 10

Anne Kane se sentait bien seule depuis que William était parti à St. Paul's, et qu'elle était entourée d'un cercle familial uniquement constitué de deux grands-mères qui vieillissaient inéluctablement.

Une fois qu'elle eut fêté son trentième anniversaire, elle commença à se rendre compte qu'elle ne faisait plus tourner les têtes. Avec de vieux amis, elle décida de reconstruire une vie qui s'était arrêtée à la mort de Richard. Millie Preston, la marraine de William, qu'elle connaissait depuis l'enfance, se mit à l'inviter dans des dîners et au théâtre, conviant systématiquement un homme en plus, dans l'espoir de trouver un nouveau partenaire pour Anne. Les choix de Millie s'avéraient presque toujours inappropriés et Anne s'habitua à rire ouvertement de ses tentatives de mariage jusqu'à un jour de janvier 1919 : William venait de repartir à l'école pour le trimestre d'hiver et elle était de nouveau conviée à un dîner à quatre. Millie lui confessa qu'elle n'avait encore jamais rencontré son autre invité, Henry Osborne, mais elle pensait qu'il avait fréquenté Harvard en même temps que John, son mari.

— En fait, avoua Millie au téléphone, John ne sait pas grand-chose de lui, chérie, sauf qu'il est plutôt bel homme.

Henry Osborne était assis au coin du feu lorsque Anne entra dans le salon. Il se leva immédiatement pour que Millie fasse les présentations. À peine plus d'un mètre quatre-vingts, les yeux foncés, quasi noirs, et les cheveux bruns ondulés, il était mince et athlétique. Anne ressentit une rapide bouffée de plaisir que son amie l'ait casée pour la soirée avec un cavalier aussi séduisant et énergique, tandis que Millie devrait se contenter d'un mari qui entamait la cinquantaine ventrue, contrairement à son fringant collègue d'université. Henry Osborne avait le bras en écharpe, qui cachait presque sa cravate de Harvard.

— Une blessure de guerre ? demanda Anne avec compassion.

— Non, un accident de ski. J'ai voulu aller un peu trop vite sur les pistes du Vermont, expliqua-t-il en riant.

C'était l'un de ces dîners, si rares ces derniers temps pour Anne, où elle ne vit pas le temps passer. Henry répondit à toutes ses questions indiscrètes. Après avoir quitté Harvard, il avait travaillé pour une société de gestion immobilière à Chicago, sa ville natale, mais quand la guerre fut déclarée, il ne put résister à s'engager et à s'essayer aux Allemands. Il possédait un stock d'histoires empreintes d'autodérision sur l'Europe et la vie qu'il avait menée en tant que jeune lieutenant, préservant l'honneur des Américains sur la Marne. Millie et John n'avaient pas vu Anne rire autant depuis la mort de Richard, et ils échangèrent un sourire entendu lorsque Henry proposa de la raccompagner chez elle.

— Qu'allez-vous faire maintenant que vous êtes rentré dans un pays bâti pour les héros ? demanda-t-elle quand il manœuvra sa Stutz dans Charles Street.

— Pas encore décidé, répondit-il. Par chance, comme j'ai un peu d'argent de côté, je n'ai pas besoin de me précipiter. Je pourrais même ouvrir ma propre société immobilière ici. Je me suis toujours senti chez moi à Boston depuis Harvard.

— Alors, vous ne retournerez pas à Chicago ?

— Non, rien ne m'attire là-bas. Mes parents sont tous les deux morts et je suis fils unique, je peux donc recommencer à zéro où je veux. Où dois-je tourner ?

— Oh, la première à droite. C'est la maison rouge au coin.

Henry se gara et accompagna Anne jusqu'à la porte d'entrée. Il lui dit bonsoir et disparut avant même qu'elle n'ait eu le temps de le remercier de l'avoir raccompagnée. Elle regarda sa voiture repartir lentement vers Beacon Hill, sachant qu'elle avait envie de le revoir.

Elle fut enchantée, bien que pas entièrement surprise, lorsqu'il l'appela le lendemain matin.

— Boston Symphony Orchestra, Mozart, sous la direction de leur nouveau maestro extravagant. Lundi prochain. Vous laisserez-vous tenter ?

Anne fut quelque peu prise au dépourvu quand elle s'aperçut qu'elle avait hâte de se rendre au concert. Cela faisait si longtemps qu'un homme séduisant ne l'avait pas courtisée !

Henry arriva à la Maison rouge peu avant l'heure prévue. Ils se serrèrent la main plutôt formellement, avant qu'elle lui offre un verre de whisky. Avait-il remarqué qu'elle se rappelait ce qu'il buvait ?

— Ça doit être agréable de vivre sur Louisburg Square. Vous en avez de la veine.

— Oui, j'imagine. Je n'y ai jamais vraiment réfléchi. Je suis née et j'ai grandi sur Commonwealth Avenue. Je dirais même que nous manquons de place ici.

— Je pourrais bien m'acheter une maison sur le Hill, si je décidais de m'installer à Boston.

— On n'en trouve pas très souvent sur le marché, répondit Anne, mais avec un peu de chance… Ne devrions-nous pas y aller ? Je déteste arriver en retard à un concert, et devoir piétiner des pieds dans le noir.

Henry consulta sa montre.

— Oui, j'en conviens – ça ne se ferait pas de manquer l'entrée du chef d'orchestre. Mais vous n'avez pas à vous inquiéter des pieds des autres, à part les miens. Nous sommes côté couloir.

Après le récital, il sembla tout à fait naturel à Henry de lui prendre le bras quand ils sortirent du théâtre et marchèrent jusqu'au Grand. La seule autre personne à avoir fait cela depuis la mort de Richard était William, et il lui avait fallu déployer des trésors de persuasion, car il trouvait cela ridicule. Une fois de plus, Anne ne vit pas le temps passer ; était-ce la musique magnifique, l'excellent repas ou simplement la compagnie de Henry ? Cette fois, il la fit rire avec des histoires de Harvard, et pleurer avec ses souvenirs de guerre. Quoiqu'elle eût pleinement conscience qu'il faisait beaucoup plus jeune que son âge, il avait accompli tant de choses dans son existence qu'elle se sentait délicieusement jeune et inexpérimentée à ses côtés. Elle lui parla de la mort de son époux, et versa quelques larmes. Il lui prit la main lorsqu'elle évoqua son fils avec un orgueil et une affection dithyrambiques. Il lui confia qu'il avait toujours voulu un garçon. Bien qu'il mentionnât rarement Chicago ou sa propre vie de famille, elle était sûre que les siens devaient lui manquer. Quand il la raccompagna à Louisburg Square ce soir-là, il resta pour boire un verre et l'embrassa délicatement sur la joue avant de partir. Elle se repassa la soirée minute par minute, espérant qu'il avait passé un aussi bon moment qu'elle.

Ils allèrent au théâtre mardi, visitèrent la résidence de vacances d'Anne sur le North Shore mercredi, se rendirent au fin fond de la campagne enneigée du Massachusetts jeudi, firent le tour des antiquaires vendredi et l'amour samedi. Après dimanche, ils se quittèrent rarement. Millie Preston était « aux anges » que son petit boulot d'entremetteuse ait enfin porté ses fruits, et raconta dans tout Boston qu'elle était à l'origine de leur rencontre.

L'annonce de ses fiançailles cet été ne fut une surprise pour personne, excepté William. Il avait intensément détesté Henry Osborne à la minute où sa mère, avec une appréhension bien compréhensible, les avait présentés. Leur première conversation prit la forme de questions ; Henry essayant de prouver qu'il voulait être son ami, et les réponses monosyllabiques de William, montrant qu'il ne le souhaitait pas. Anne imputa le ressentiment de celui-ci à une légitime jalousie : il avait été le centre de sa vie depuis la mort de Richard. De plus, il était parfaitement logique que, de l'avis de William, personne ne puisse jamais remplacer son père. Elle tâcha de convaincre son compagnon qu'avec le temps, son fils en viendrait à l'accepter.

Anne Kane devint Mme Henry Osborne en octobre de cette année. Elle prononça ses vœux à la cathédrale épiscopale de St. Paul alors que les feuilles rouge et or commençaient à tomber, un peu plus de neuf mois après avoir rencontré Henry. William feignit d'être malade pour éviter la cérémonie, et resta à l'école. Les grands-mères y assistèrent, en revanche, mais furent bien incapables de cacher qu'elles désapprouvaient le remariage d'Anne, surtout avec un homme qui semblait beaucoup plus jeune qu'elle.

— Ça ne peut que se terminer en larmes, prévit grand-mère Kane.

Les jeunes mariés prirent le bateau pour la Grèce le lendemain et ne retournèrent pas à la Maison rouge avant la deuxième semaine de décembre, juste à temps pour accueillir William pour les vacances de Noël. Ce dernier fut horrifié de découvrir que la demeure avait été redécorée, sans laisser presque aucune trace de son père. À Noël, son attitude envers son beau-père ne montra nul signe d'adoucissement, en dépit de la bicyclette qu'il lui offrit en cadeau – ou plutôt, de l'avis de William, en pot-de-vin. Henry accepta cette rebuffade avec une résignation grincheuse. Cela attrista Anne que son merveilleux nouveau mari fasse si peu d'efforts pour gagner l'affection de son fils.

William ne se sentait plus chez lui dans sa propre maison et comme Henry n'avait manifestement pas de travail où se rendre, le garçon disparaissait longtemps durant la journée. Chaque fois qu'Anne lui demandait où il allait, elle n'obtenait aucune explication satisfaisante ; ce n'était sûrement pas chez l'une des grands-mères, car toutes les deux se plaignaient aussi de ne pas le voir. Quand les vacances touchèrent à leur fin, William ne fut que trop content de retourner à St. Paul's et Henry peu triste de le voir partir.

Anne, quant à elle, commençait à s'inquiéter pour les deux hommes de sa vie.

# 11

— Debout, petit ! Debout, petit !

Un soldat enfonçait la crosse de son fusil dans les côtes de Wladek. Il s'assit en sursaut, jeta un coup d'œil sur les tombes de sa sœur et du baron qui venaient d'être creusées avant de se tourner vers l'homme.

— Je vivrai pour vous tuer, dit-il en polonais. C'est chez moi ici, et vous avez pénétré sur mes terres sans autorisation.

Le soldat lui cracha dessus et le poussa vers le château, où les domestiques survivants attendaient en rangs. Wladek fut choqué en les voyant douloureusement conscients de ce qui allait lui arriver. On le fit s'agenouiller par terre et pencher la tête. Il sentit un coup de rasoir peu tranchant sur son crâne lorsque ses épais cheveux bruns tombèrent dans l'herbe. En dix coups ensanglantés, comme la tonte d'un mouton, le boulot fut terminé. Crâne rasé, on lui ordonna d'enfiler son nouvel uniforme, une chemise et un pantalon gris *rubashka*. Wladek réussit à garder le bracelet d'argent caché dans son poing serré quand on le repoussa avec brutalité dans les rangs des prisonniers.

Alors qu'ils attendaient – des numéros, désormais, et non plus des noms – avec appréhension la suite des événements, Wladek prit conscience d'un bruit étrange au loin. Les grandes portes de fer s'ouvrirent et une machine entra, ne ressemblant à rien de ce que Wladek avait jamais vu auparavant. C'était un gros véhicule, mais qui n'était pas tiré par des chevaux ni par des bœufs. Tous les détenus contemplèrent, incrédules, l'objet roulant. Il s'arrêta et les soldats y traînèrent les prisonniers récalcitrants et les forcèrent à monter à bord. Puis la charrette fit demi-tour, reprit le chemin et passa le portail. Personne n'osait parler. Wladek, assis à l'arrière, regardait fixement le château, jusqu'à ce qu'il ne puisse plus voir son héritage.

Le char traversa tout seul, sans conducteur, le village de Slonim. Wladek aurait bien essayé de savoir comment le véhicule fonctionnait si deviner où il les emmenait ne l'inquiétait pas davantage. Il reconnut la route de ses années d'écolier, mais le temps passé dans les donjons avait émoussé sa mémoire et il ne se rappelait plus où elle menait. Après quelques kilomètres, le camion s'arrêta et ils furent tous poussés dehors, dans la gare. Wladek ne l'avait vue qu'une seule fois, lorsque Léon et lui étaient venus accueillir le baron après son voyage à Varsovie. Le garde les avait salués quand ils étaient passés devant le guichet. Cette fois, il n'y eut aucune salutation.

On ordonna aux prisonniers de s'asseoir sur le quai, où on leur distribua du lait de chèvre, de la soupe aux choux et du pain noir. Sur les vingt-cinq domestiques initialement emprisonnés dans les donjons, douze survécurent : dix hommes et deux femmes. Wladek les prit en charge et partagea soigneusement les portions entre eux. Il supposa qu'ils devaient attendre un train, mais le soleil se coucha et ils s'endormirent sous les étoiles. Le paradis, comparé aux donjons. Wladek remercia Dieu que le temps fût clément.

Ils passèrent le lendemain à attendre un train qui n'arrivait jamais, suivi d'une nouvelle nuit sans sommeil, plus froide que la précédente. Puis ce fut le matin et ils patientèrent encore. Enfin, un convoi entra en gare dans un nuage de fumée. Des soldats descendirent, mais il partit sans la pitoyable armée de Wladek. Ils dormirent une autre nuit sur le quai.

Wladek resta éveillé à se demander comment il pourrait s'enfuir, mais, pendant la nuit, l'un de ses douze protégés s'échappa en traversant la voie et un garde l'abattit avant même qu'il ne soit arrivé sur le quai opposé. C'était Ludwik, l'intendant du baron, l'un des témoins du testament et de l'héritage de Wladek. Son corps demeura sur les rails, comme pour mettre en garde quiconque tenterait la même chose.

Le soir du troisième jour, un autre train entra en gare en se traînant, une grande locomotive à vapeur, qui transportait des wagons de voyageurs et des fourgons de marchandises ouverts, le mot « Bétail » peint sur les côtés et le sol recouvert de paille. Plusieurs voitures étaient déjà remplies de prisonniers, mais de quelle origine,

Wladek l'ignorait. Son petit groupe et lui furent jetés dans l'une d'elles pour commencer leur périple – mais pour où ? Après une nouvelle attente de plusieurs heures, le train sortit de la gare, dans une direction que Wladek estimait être l'est, en se fiant au soleil qui se couchait.

Des gardes armés étaient assis en tailleur sur les toits des wagons de voyageurs. Durant l'interminable trajet, de temps en temps, des rafales de coups de feu éclataient et un autre corps était balancé sur la voie : il était évident que songer à s'échapper était futile.

Lorsqu'ils s'arrêtèrent à Minsk, on leur donna leur premier vrai repas : pain noir, eau, noisettes et millet, mais le voyage continua. Parfois, trois jours s'écoulaient sans gare à l'horizon. De nombreux voyageurs récalcitrants moururent de soif ou de faim et furent jetés du train en marche, faisant un peu plus de place à ceux qui restaient. Quand la rame s'arrêtait, ils attendaient souvent quelques jours pour laisser passer un train qui allait vers l'ouest. Ces convois qui leur faisaient prendre du retard étaient invariablement bondés de soldats et Wladek comprit sans tarder que les rames militaires étaient prioritaires sur tout autre transport.

S'échapper demeurait sa priorité, mais deux éléments l'empêchaient de courir ce risque. Premièrement, des kilomètres de désert s'étendaient de l'autre côté de la voie, et deuxièmement, ceux qui avaient survécu aux donjons dépendaient de lui. Il avait beau être le plus jeune, c'était lui qui organisait la distribution de nourriture et de boissons, et qui tâchait de soutenir leur volonté de vivre. Il était le seul à croire encore en l'avenir.

À mesure que les jours passaient et qu'on les emmenait plus à l'est, les températures se refroidirent, et tombèrent souvent à moins un. Ils s'allongeaient les uns contre les autres, en rang sur le sol de la voiture, chaque corps tenant chaud au suivant. Wladek récitait l'*Énéide* en lui-même, tout en essayant de dormir un peu. Il était impossible de se retourner sans que tout le monde soit d'accord, ainsi, de temps en temps, Wladek assénait un coup dans le wagon et ils se retournaient tous dans l'autre sens. Une nuit, l'une des femmes ne bougea pas. Wladek avertit le garde et quatre d'entre eux ramassèrent le corps et le balancèrent du train en marche. Les gardes la criblèrent de balles pour s'assurer qu'elle ne feignait pas d'être morte afin de s'enfuir.

Deux cents kilomètres au-delà de Minsk, ils arrivèrent dans la ville de Smolensk, où on leur donna de la soupe aux choux chaude et du pain noir. Un groupe de nouveaux prisonniers qui semblaient parler la même langue que les gardes furent jetés dans leur voiture. Leur chef était beaucoup plus vieux que Wladek. Celui-ci et ses dix compagnons restants, neuf hommes et une femme, se méfièrent immédiatement des nouveaux venus, et divisèrent donc le wagon en deux, chaque clan restant dans son coin.

Une nuit, alors que Wladek allongé, éveillé, regardait les étoiles en essayant de se réchauffer, il vit le chef des Smolenski ramper vers le dernier individu de sa propre ligne. Le Smolenski tenait une petite corde à la main, qu'il glissa autour du cou d'Alfons, le premier valet de pied du baron qui dormait. Wladek savait que s'il avançait trop vite, le jeune l'entendrait et filerait retrouver la protection de ses camarades. Il se traîna sur le ventre le long de la ligne que formaient les corps polonais. Des yeux le fixèrent lorsqu'il passa, mais personne ne parla. Une fois arrivé au bout de la ligne, il sauta sur l'agresseur, réveillant tout le monde dans le wagon. Chaque faction recula, à l'exception d'Alfons qui gisait devant eux sans bouger.

Le chef Smolenski était plus grand et plus agile que Wladek, mais cela changea peu de choses quand ils se bagarrèrent tous les deux par terre. La rixe dura plusieurs minutes, ce qui attira l'attention des gardes qui rirent et parièrent sur le résultat. L'un d'eux, que l'absence de sang ennuyait, jeta une baïonnette en plein milieu de la voiture. Les deux garçons se ruèrent vers la lame brillante, le Smolenski l'attrapa en premier. Son groupe l'acclama quand il la planta dans la jambe de Wladek, ressortit la lame ensanglantée et l'enfonça de nouveau. Cette fois, l'arme se logea fermement dans le sol de bois du wagon cahotant, juste à côté de l'oreille de Wladek. Tandis que le Smolenski tâchait de l'arracher, Wladek lui asséna un coup de pied dans l'entrejambe avec toute l'énergie qu'il pouvait trouver, et son adversaire tomba en arrière, lâchant la baïonnette. Wladek s'en empara, sauta sur le Smolenski, et fourra la lame dans sa bouche. Le garçon laissa échapper un cri de douleur, qui réveilla le train entier. Wladek ressortit la lame, tout en la tournant, et l'enfonça encore et encore, longtemps après que le Smolenski eut cessé de bouger. Enfin, Wladek s'agenouilla au-dessus de lui en soufflant bruyamment, ramassa le cadavre et le jeta hors du wagon. Il entendit le bruit sourd quand il heurta le remblai, suivi des coups de feu des gardes qui le criblaient inutilement.

Wladek rejoignit Alfons en boitant, et tomba à genoux, brusquement conscient d'une douleur froide dans sa jambe. Il secoua le corps sans vie : son second témoin était mort. Qui croirait à présent qu'il était l'héritier désigné de la fortune du baron ? Restait-il des raisons de vivre ? Il ramassa la baïonnette des deux mains et colla la lame contre son ventre. Immédiatement, un garde sauta dans le wagon et lui arracha l'arme.

— Oh que non, grommela-t-il. Nous avons besoin de fringants comme toi pour les camps. Tu n'imagines tout de même pas que nous allons nous coltiner tout le boulot !

Wladek enfouit sa tête entre ses mains. Il avait perdu son héritage, en échange d'une douzaine de Smolenski sans le sou.

Le wagon entier était devenu le domaine de Wladek, et il devait désormais s'occuper de vingt prisonniers. Il les sépara, pour qu'un Polonais dorme toujours à côté d'un Smolenski, ce qui, espérait-il, réduirait la probabilité d'une nouvelle guerre entre les gangs rivaux.

Il passa une grande partie de la journée à apprendre la langue étrange des Smolenski. Il lui fallut plusieurs jours pour se rendre compte que c'était du russe, tant elle différait de celle, classique, que lui avait enseignée le baron. Mais il comprit la véritable importance de sa découverte lorsqu'il réalisa où le train se dirigeait.

Le jour, Wladek demandait à deux Smolenski à la fois de lui donner des cours, et dès qu'ils se fatiguaient, ils en choisissaient deux autres, et ainsi de suite jusqu'à ce qu'ils soient tous épuisés. Bien vite, il put s'entretenir couramment avec ses nouveaux protégés. Certains, apprit-il, étaient des soldats russes, faits prisonniers après rapatriement pour le crime de s'être fait capturer par les Allemands.

Les autres étaient des Russes blancs – fermiers, mineurs, ouvriers – tous amèrement hostiles à la Révolution.

Le train traversa des terrains stériles comme Wladek n'en avait jamais vu, et des villes dont il n'avait jamais entendu parler – Omsk, Novosibirsk, Krasnoyarsk : les noms résonnaient de façon inquiétante à ses oreilles. Enfin, au bout de deux mois et plus de trois mille kilomètres, ils arrivèrent à Irkutsk, où la voie s'arrêtait.

Ils firent descendre tous les détenus de force, que l'on nourrit avant de leur distribuer des uniformes gris dont le dos arborait des numéros, des bottes en feutre, des blousons et des manteaux lourds. Des disputes éclatèrent pour se procurer les tenues les plus chaudes, même si les plus demandées offraient peu de protection contre le vent et la neige.

Des chariots sans chevaux comme celui qui avait transporté Wladek loin de son château surgirent et les gardes jetèrent de longues chaînes. Les prisonniers furent ensuite menottés par une main, cinquante par chaîne. Ils avancèrent derrière les camions, et les gardes fermaient le cortège. Après douze heures de marche, ils avaient droit à un repos de deux heures, de sorte que les morts ou les mourants étaient détachés avant que les vivants ne se remettent en route.

Au bout de trois jours, Wladek crut qu'il allait mourir de froid et de fatigue extrême, mais une fois qu'ils eurent dépassé les zones peuplées, ils ne voyagèrent que le jour et se reposèrent la nuit. Une cuisine roulante tenue par les prisonniers du camp fournissait de la soupe de navets qui refroidissait et du pain qui rassissait, à mesure que chaque jour passait. Wladek apprit de ces prisonniers que les conditions au camp étaient encore pires, voilà pourquoi ils se portaient volontaires pour la cuisine roulante.

Pendant la première semaine, on ne leur ôta jamais leurs fers, mais plus tard, quand ils ne pouvaient plus envisager de s'échapper, ils étaient libérés la nuit pour dormir, creusaient des trous dans la neige pour se réchauffer. Parfois, les bons jours, ils trouvaient une forêt où se coucher : le luxe commençait à revêtir des formes étranges. Ils avançaient, inlassablement, passaient devant de vastes lacs et traversaient des rivières glacées toujours vers le nord, affrontant des vents brutalement froids et des congères de plus en plus profondes. La jambe blessée de Wladek le faisait constamment souffrir, douleur bientôt dépassée par l'agonie de ses orteils, doigts et oreilles gelés. Les vieux et les malades succomberaient. Les chanceux, dans leur sommeil. Les malchanceux, incapables de suivre le rythme, furent détachés et abandonnés pour mourir seuls. Wladek perdit toute notion du temps, et n'était conscient que du petit coup sec de la chaîne, ignorant, quand il forait son trou dans la neige le soir, s'il se réveillerait le lendemain matin. Ceux qui ne le faisaient pas avaient creusé leur propre tombe.

Après un voyage de neuf cents kilomètres, les Ostyaks, des nomades des steppes dans leurs traîneaux tirés par des rennes, rencontrèrent les survivants. Les prisonniers furent enchaînés aux traîneaux et avancèrent. Comme un blizzard les força à s'arrêter pour deux jours, Wladek saisit l'occasion pour essayer de communiquer avec un jeune Ostyak au traîneau duquel il était attaché. Il découvrit que ces derniers détestaient les Russes du Sud et de l'Ouest, qui les traitaient presque aussi mal que leurs détenus. Les Ostyaks n'étaient pas hostiles envers les tristes prisonniers sans avenir, « les malheureux », comme ils les surnommaient.

# 12

L’avenir inquiétait aussi Anne. Les premiers mois de son mariage avaient été heureux, juste gâchés par l’inquiétude liée à la haine grandissante de William pour son mari, et à l’incapacité apparente de Henry à trouver du travail. Ce dernier, quelque peu susceptible sur le sujet, expliquait qu’il était toujours désorienté à cause de la guerre, et n’avait pas l’intention de se précipiter dans quelque chose qu’il risquerait de regretter plus tard. Elle avait du mal à le comprendre, et la question finit par provoquer leur première dispute.

— Je ne vois pas, Henry, pourquoi tu n’as pas constitué cette société immobilière que tu étais si impatient de monter avant notre mariage.

— Ce n’est pas le bon moment, ma chérie. Le marché n’est pas prometteur actuellement.

— Tu dis cela depuis presque un an. Je me demande s’il le sera suffisamment un jour.

— Bien sûr que oui. En vérité, j’ai besoin d’un capital un peu plus important. Maintenant, si tu m’autorisais à emprunter un peu de ton argent, je pourrais me lancer.

— Ce n’est pas possible, Henry. Tu connais les clauses du testament de Richard. Ma pension a cessé de m’être versée le jour de notre mariage, et je n’ai plus que les fonds qui me restent.

— Une partie de ce capital suffirait amplement. Et n’oublie pas que ton petit garçon chéri possède plus de vingt millions dans le fidéicommis de la famille.

— Tu sembles en savoir beaucoup sur les fonds de William.

— Allez, Anne, laisse-moi une chance d’être ton mari. Ne me donne pas l’impression d’être un invité dans ma propre maison.

— Qu’est-il arrivé à ton argent, Henry ? Tu m’as toujours fait croire que tu en avais assez pour lancer ton entreprise.

— Je ne t’ai jamais caché que, financièrement, je n’étais pas du même calibre que Richard et il fut un temps, Anne, où tu prétendais que ça n'avait aucune importance. « Je t'épouserais, Henry, même si tu étais sans le sou », railla-t-il.

Elle fondit en larmes, et il essaya de la consoler. Elle passa le reste de la soirée dans ses bras, et aucun des deux n'aborda le sujet. Elle réussit à se convaincre qu'elle était injuste, et ne se montrait pas compréhensive. Elle avait plus d'argent que ce dont elle pourrait raisonnablement avoir besoin. Ne devrait-elle pas en donner un peu à l'homme auquel elle était si disposée à confier le restant de ses jours ?

Le lendemain matin, elle accepta de prêter cent mille dollars à Henry pour lancer sa société immobilière à Boston. En un mois, il avait loué un petit bureau dans un quartier à la mode de la ville, choisi une équipe de six personnes et commencé à travailler. Bien vite, il fraya avec les politiques influents et les pontes immobiliers de Boston. Ils burent avec lui dans leurs clubs et discutèrent de l'expansion des terres arables. Ils lui parlèrent d'investissements gagnants à tous les coups et le rejoignirent sur les champs de courses. Ils l'introduisirent dans des clubs de loisirs hors de prix où il rencontrerait ses futurs clients. Bien vite, les cent mille dollars d'Anne fondirent.

Lorsque William fêta son quinzième anniversaire, il était en troisième année à St. Paul's, sixième de sa classe au classement général et premier en mathématiques. Il était aussi devenu une figure montante dans la société des débats contradictoires, sinon sur le terrain de sport.

Il écrivait à sa mère une fois par semaine, lui racontait ses progrès et adressait toujours ses notes à Mme Richard Kane, refusant de reconnaître ne serait-ce que l'existence de Henry Osborne. Anne ignorait si elle devait lui en parler, et elle veillait bien à cacher les enveloppes à Henry. Elle continua à espérer que, en temps et heure, William se mettrait à aimer son mari, mais à mesure que les mois passaient, il devint évident qu'un tel espoir était irréaliste. Son fils détestait Henry Osborne, et entretenait passionnément sa haine, bien qu'il ne sût pas trop qu'en faire. Il était reconnaissant à Osborne de ne jamais accompagner sa mère quand elle venait lui rendre visite à l'école ; il n'aurait pas supporté que les autres garçons la voient avec cet homme. C'était déjà assez dur de devoir vivre avec lui à Boston.

Dans une lettre, William lui demanda s'il pouvait passer les congés d'été avec son ami Matthew Lester, d'abord dans une colonie dans le Vermont, puis chez la famille Lester à New York. Sa requête fit beaucoup de mal à Anne, mais elle choisit la facilité et lui donna la permission. Henry s'inclina bien volontiers devant sa décision.

Pour la première fois depuis le mariage de sa mère, William attendait les vacances avec impatience.

Le chauffeur des Lester accompagna silencieusement William et Matthew en Packard dans la colonie du Vermont. Pendant le voyage, Matthew demanda à William avec désinvolture ce qu'il avait l'intention de faire une fois que le moment viendrait pour lui de quitter St. Paul's.

— Quand je partirai, je serai le premier de notre promotion, président de classe, et j'aurai décroché la bourse Hamilton Memorial en mathématiques pour Harvard, répondit-il sans hésiter.

— Pourquoi est-ce si important pour toi ? s'enquit innocemment Matthew.

— Mon père a réussi ces trois choses.

— Lorsque tu auras fini de te battre avec ton paternel, je te présenterai le mien.

William sourit.

Les deux garçons passèrent six semaines agréables et mouvementées dans le Vermont, jouèrent à tous les jeux, des échecs au football. Une fois la colonie terminée, ils firent leurs valises et prirent un train pour New York où ils devaient séjourner dans la famille Lester le dernier mois de vacances.

Un maître d'hôtel les accueillit à la porte, qui appelait Matthew « Monsieur », ainsi qu'une adolescente de douze ans qui le surnomma « Mon gros ». Cela fit rire William car son ami était très mince, alors qu'elle-même était en surpoids. La fille sourit, révélant des dents presque entièrement cachées derrière un appareil.

— Tu n'aurais jamais deviné que Susan était ma sœur, n'est-ce pas ? dit Matthew d'un ton dédaigneux.

— Non, répondit William, en la gratifiant d'un sourire. Elle est tellement plus jolie que toi.

À partir de ce moment-là, Susan adora William.

Celui-ci se prit d'affection pour le père de Matthew à la minute où il le rencontra. Il lui rappelait le sien à bien des égards, et il le supplia de lui montrer la grande banque dont il était le président-directeur général. Charles Lester réfléchit soigneusement à sa requête. Aucun enfant n'était jamais entré dans l'enceinte ordonnée du 17 Broad Street, pas même son propre fils. Il trouva un compromis, comme les banquiers en ont l'habitude, et lui fit visiter l'immeuble de Wall Street un dimanche après-midi.

William fut fasciné par les vastes bureaux sur tous ces étages, les voûtes, la salle des marchés, la salle de conférences, mais surtout, le bureau du président. Les activités de Lester's étaient plus variées que celles de Kane & Cabot, et William savait, de son propre compte d'investissement personnel, qui lui offrait un exemplaire du rapport général annuel, que Lester's possédait un apport en capital beaucoup plus important que Kane & Cabot. Il garda le silence quand le chauffeur les ramena chez les Lester.

— Bien, William, est-ce que la visite t'a plu ? finit par demander Charles Lester.

— Oh oui, monsieur, répondit-il. Certainement. *(Il marqua une pause avant d'ajouter :)* Mais je pense qu'il vaut mieux que je vous avertisse, monsieur, de mon intention de devenir le président-directeur général de votre banque un jour.

Charles Lester sourit. Ce soir-là, au dîner, il parla à ses convives du passage du jeune William Kane chez Lester & Company, et leur raconta qu'il briguait son poste. Ses invités rirent. Mais William ne plaisantait pas.

⁂

Anne fut choquée lorsque Henry lui demanda de lui prêter de nouveau de l'argent.

— Cela ne présente pas le moindre risque, l'assura-t-il. Demande à Alan Lloyd. En tant que président de la banque, il ne peut qu'avoir tes meilleurs intérêts à cœur.

— Mais deux cent cinquante mille ? s'enquit Anne.

— Une opportunité que l'on ne rencontre qu'une fois dans son existence, ma chérie. Considère-la comme un placement qui doublera de valeur dans quelques années.

À l'issue d'une nouvelle et longue dispute, émaillée de nombreuses allusions à Richard et William par-ci par-là, Anne céda de nouveau, et la vie reprit son cours. Lorsqu'elle consulta son portefeuille d'investissements auprès de la banque, elle découvrit que son capital ne s'élevait plus qu'à cent cinquante mille dollars. Toutefois, Henry semblait fréquenter les bonnes personnes, et répétait qu'il allait signer un marché « impossible à perdre ». Elle envisagea de discuter de la situation avec Alan Lloyd, chez Kane & Cabot, mais se ravisa. Après tout, cela revenait à remettre en question l'opinion de son mari. Et Henry n'aurait sûrement pas fait cette suggestion en premier lieu s'il n'avait pas été sûr qu'Alan approuve cet emprunt.

Anne avait recommencé à consulter le docteur MacKenzie pour savoir si elle pourrait avoir un autre enfant, mais il le lui déconseilla de nouveau. Après la tension élevée qui avait provoqué sa fausse couche, il estimait que trente-six ans n'était pas un âge raisonnable pour envisager une nouvelle maternité. Anne aborda cette question avec les grands-mères, mais elles étaient de tout cœur d'accord avec le point de vue du bon docteur. Aucune des deux n'appréciait beaucoup Henry, et encore moins l'idée d'une progéniture Osborne, qui récupérerait la fortune des Kane une fois qu'elles auraient quitté ce monde. Anne se résigna à être la mère d'un enfant unique, mais Henry se fit de plus en plus entendre au sujet de ce qu'il appelait sa « trahison » et lui assura que si Richard eût été encore vivant, elle aurait réessayé. Comme les deux hommes étaient différents, songea-t-elle, et elle était incapable d'expliquer pourquoi elle les aimait tous les deux. Elle tâcha de consoler Henry, pria pour que ses projets professionnels aboutissent et l'occupent pleinement, tout en réapprovisionnant en même temps ses coffres qui fondaient comme neige au soleil. Il s'était assurément mis à travailler de plus en plus tard le soir au bureau.

# 13

Neuf jours plus tard, dans la pénombre d'une nuit d'hiver dans l'Arctique, Wladek et son groupe arrivèrent au camp 201. Wladek n'aurait jamais cru qu'il fût aussi heureux de voir ce genre d'endroit : plusieurs rangées de huttes en bois au beau milieu d'un désert stérile et désolé. Elles étaient, comme les prisonniers, numérotées. Celle de Wladek portait le numéro 33. Il y avait un petit poêle noir en plein milieu de la pièce, et trois couchettes en bois superposées longeaient les murs. Sur les couchettes reposaient de durs matelas de paille, chacun recouvert d'une couverture légère. Peu de détenus réussirent à trouver le sommeil la première nuit, car ils s'étaient habitués à dormir dans la neige. Les gémissements et les cris qui provenaient de la hutte 33 étaient souvent plus bruyants que les hurlements des loups dehors.

Longtemps avant le lever du soleil le lendemain matin, le bruit d'un marteau sur un triangle de fer les réveilla. Un givre épais recouvrait l'intérieur des fenêtres, et Wladek songea qu'il allait sûrement mourir de froid. Le petit déjeuner dans une pièce commune gelée dura dix minutes, et consista en un bol de bouillie d'avoine tiède, dans lequel flottaient des morceaux de poisson pourri et un semblant de feuilles de chou. Les nouveaux venus crachèrent les arêtes sur la table tandis que les prisonniers plus expérimentés les dévorèrent et mangèrent même les yeux.

Après le repas, les nouvelles têtes furent grossièrement rasées et les tâches allouées. Wladek devint coupeur de bois. On l'emmena sur plusieurs kilomètres à travers les steppes monotones dans une forêt où on lui ordonna d'abattre dix arbres par jour. Le garde le laissait seul avec son petit groupe de six et leur ration de nourriture : du porridge de magara jaune sans goût et du pain. Ils ne craignaient pas que les prisonniers essayent de s'échapper, car la ville la plus proche se trouvait à plus de mille kilomètres – et encore fallait-il qu'ils sachent dans quelle direction se diriger.

À la fin de la journée, le garde revenait compter le nombre d'arbres abattus ; s'ils n'avaient pas réussi à atteindre le chiffre requis, leur ration de nourriture serait réduite le lendemain. Quand le garde arrivait à sept heures le soir, il faisait déjà sombre et il ne pouvait pas toujours deviner combien ils en avaient coupé. Wladek apprit aux autres à passer la dernière partie de l'après-midi à enlever la neige sur deux ou trois troncs sectionnés la veille, et à les aligner avec ceux qu'ils avaient élagués ce jour-là. Le plan fonctionnait systématiquement et le groupe de Wladek ne perdit jamais une journée de nourriture. Parfois, ils réussirent à rentrer avec un petit bout de bois attaché à l'intérieur de la jambe, qu'ils mettraient dans le poêle la nuit. La prudence était de mise, car, de retour au camp, ils couraient constamment le risque d'être fouillés, et devaient toujours ôter une botte ou les deux, quand ils demeuraient dans la neige glacée. S'ils se faisaient prendre avec quoi que ce soit sur eux, la punition consistait à rester trois jours sans manger.

À mesure que les semaines passaient, la jambe de Wladek devint raide et douloureuse. Il était nostalgique des jours où la température tombait à moins deux et que dehors, le travail était annulé, même s'il fallait rattraper la journée perdue le dimanche suivant, bien qu'ils aient normalement l'autorisation de s'allonger sur leur couchette toute la journée.

Un soir, alors que Wladek traînait des bûches sur le désert de neige, sa jambe se mit à l'élancer, sans pitié. Quand il examina la cicatrice, il découvrit qu'elle était devenue rouge et enflammée. Il la montra à un garde qui lui ordonna d'aller voir le médecin du camp le lendemain à la première heure. Wladek ne ferma pas l'œil de la nuit, sa jambe touchant presque le poêle, mais la chaleur était si faible qu'elle ne calma pas la douleur.

Le lendemain matin, il se réveilla une heure plus tôt que prévu. S'il ne consultait pas avant que le travail ne soit censé commencer, il devrait attendre jusqu'au lendemain. Il ne pourrait pas supporter de souffrir comme un damné un jour de plus. Il alla voir le médecin, lui donna son nom et son numéro. Le docteur s'avéra un vieil homme sympathique, chauve, et très voûté. Wladek trouva qu'il paraissait même plus âgé que le baron dans ses derniers jours. Il inspecta la jambe du garçon sans rien dire.

— La blessure guérira-t-elle, docteur ? demanda Wladek.

— Tu parles russe ?

— Oui, monsieur.

— Pas la peine de m'appeler monsieur. Moi, c'est Dubien. Je suis un prisonnier tout comme toi. *(Wladek eut l'air surpris.)* Même si tu boites toute ta vie, jeune homme, poursuivit-il, ta jambe ira mieux. Mais mieux pour quoi ? Une existence à couper du bois dans cet endroit maudit ?

— Non, docteur. J'ai l'intention de m'enfuir pour retourner en Pologne, expliqua-t-il.

Le médecin le regarda attentivement.

— Parle moins fort, idiot... tu dois savoir que s'échapper est impossible. Je suis ici depuis quinze ans, et pas un jour n'est passé sans que je n'en aie rêvé. Il n'y a aucun moyen : personne ne s'est jamais évadé et n'a survécu, et rien que le fait d'en parler te coûtera dix jours de cachot, où l'on te donnera à manger une fois tous les trois jours, et il n'y a pas de poêle. Si tu sors de cet endroit vivant, tu regretteras de ne pas être mort.

— Je m'enfuirai. Je le ferai, je le ferai, répéta Wladek en fixant le vieil homme.

Le docteur regarda Wladek dans les yeux.

— Mon ami, ne prononce plus jamais ce mot ou ils pourraient te tuer. Remets-toi au travail, couvre bien ta jambe et reviens me voir demain matin.

Wladek retourna dans la forêt, mais la douleur était si intense qu'il ne put pas beaucoup travailler. Le lendemain, le docteur l'examina plus soigneusement.

— Pire, et encore... Quel âge as-tu, mon garçon ?

— Quelle année sommes-nous, monsieur Dubien ?

— 1919.

— Alors, j'ai treize ans. Et vous, docteur ?

L'homme sembla surpris par la question.

— Trente-huit, répondit-il d'un ton calme.

— Que Dieu me vienne en aide ! s'exclama Wladek.

— Tu seras comme ça quand tu auras été emprisonné pendant quinze ans, mon garçon, déclara-t-il d'un air détaché.

— Que faites-vous ici d'ailleurs ? Pourquoi ne vous ont-ils pas laissé partir depuis tout ce temps ?

— Laisser partir le seul médecin qu'ils aient ? *(Il rit.)* J'ai été fait prisonnier à Moscou en 1904, peu après avoir obtenu mon diplôme de médecine à Paris. Je travaillais à l'ambassade française à l'époque, et ils ont dit que j'étais un espion et m'ont enfermé. Après la Révolution, ils m'ont envoyé, sans procès, dans ce trou à rats. Même les Français ont oublié que j'existais. Quoi qu'il en soit, personne ne croirait que ce genre d'endroit existe. Personne n'a jamais effectué de peine au camp 201, je vais donc mourir ici, comme tous les autres, et ce ne sera jamais trop tôt.

— Non, vous ne devez pas perdre espoir, docteur.

— Espoir ? J'ai perdu espoir depuis longtemps. Peut-être ne devrais-je pas désespérer pour toi. Mais n'oublie pas de ne jamais mentionner ce mot devant qui que ce soit ; il y a des prisonniers ici qui ne sauront pas tenir leur langue juste pour un morceau de pain supplémentaire, ou une couverture plus épaisse. Maintenant, Wladek, je vais te mettre en cuisine pour un mois, mais tu dois continuer à venir me voir tous les matins. C'est ta seule chance de ne pas perdre ta jambe, et être l'homme qui t'amputera ne m'enchante guère. Nous ne disposons pas franchement des derniers instruments chirurgicaux, ajouta-t-il en jetant un œil au gros couteau à découper accroché au mur.

Wladek frissonna.

Le docteur Dubien écrivit le nom de Wladek sur un morceau de papier, et le lendemain matin, il se présenta en cuisine, où il lava des assiettes dans de l'eau glacée, et aida à préparer ce qui était censé être de la nourriture. Il trouva que c'était un changement bienvenu du découpage de bûches à longueur de journée : soupe de poisson en rabe, pain noir épais avec des orties râpées, et la chance de rester à l'intérieur, au chaud. Une fois, le cuisinier partagea même un œuf avec lui, bien qu'aucun des deux ne sût quelle volaille l'avait pondu. La jambe de Wladek mit du temps à récupérer, et le laissa avec une claudication prononcée. Le docteur Dubien ne pouvait pas grand-chose pour lui en l'absence de véritable matériel médical, hormis garder un œil vigilant sur ses progrès.

Les jours passèrent, et le docteur et Wladek devinrent amis. Ils conversaient dans un dialecte différent chaque matin, mais Dubien aimait surtout parler en français, sa langue maternelle, ce qu'il n'avait pas fait depuis quinze ans.

— Dans sept jours, Wladek, tu retourneras travailler dans la forêt. Les gardes inspecteront ta jambe, et je ne pourrai plus te garder en cuisine. Alors, écoute attentivement, car j'ai élaboré un plan pour que tu t'échappes.

— Ensemble, docteur. Ensemble.

— Non, toi seul. Je suis beaucoup trop vieux pour un si long voyage, et bien que j'aie rêvé de m'évader, je ne servirais qu'à te retarder. Cela me suffira de savoir que quelqu'un a réussi, et tu es la première personne que j'aie rencontrée ici qui soit parvenue à me convaincre qu'elle pourrait bien y arriver.

Wladek écouta en silence le docteur lui exposer son plan.

— J'ai économisé deux cents roubles, au cours de ces quinze dernières années – tu n'es pas payé en heures supplémentaires lorsque tu travailles pour les Russes. *(Wladek tâcha de rire à la plus vieille blague du camp.)* Je garde l'argent caché dans un flacon de médicaments, quatre billets de cinquante roubles. Quand le moment viendra pour toi de partir, j'aurai fixé l'argent à l'intérieur de tes vêtements.

— Quels vêtements ? demanda Wladek.

— J'ai un uniforme, une chemise et une casquette. Je les ai échangés avec un garde contre des médicaments il y a douze ans, lorsque je croyais encore qu'un jour, je pourrais m'échapper. Pas exactement de la dernière mode, mais ils feront l'affaire.

Quinze ans à amasser péniblement deux cents roubles, une chemise, un uniforme et une casquette et le docteur était prêt à sacrifier sa munificence pour lui sans hésiter. Jamais dans sa vie Wladek n'avait connu un tel altruisme.

— Jeudi prochain, ce sera ta seule chance, poursuivit le médecin. De nouveaux prisonniers doivent arriver en train à Irkutsk, et les gardes emmènent toujours quatre hommes de la cuisine afin d'organiser les camions alimentaires pour les nouveaux venus. Je me suis déjà arrangé avec Stanislav, le chef cuisinier – le mot le fit rire – en échange de médicaments, tu te retrouveras dans le camion alimentaire. Ça n'a pas été difficile. Personne ne veut jamais parcourir l'aller et retour – mais toi, tu ne feras que l'aller.

Wladek l'écoutait toujours attentivement.

— Quand tu arriveras à la gare, attends le train. Une fois que les nouveaux détenus seront tous sur le quai, traverse la voie et monte dans celui à destination de Moscou, qui ne peut pas démarrer tant que le convoi des prisonniers n'est pas arrivé, car il n'y a qu'une seule voie. Tu dois prier pour que, avec la centaine de nouveaux prisonniers qui va grouiller, les gardes ne s'aperçoivent pas de ton absence. À partir de là, tu devras te débrouiller tout seul. S'ils te remarquent en train de t'échapper, ils te tireront dessus sans hésiter. Il reste encore une chose que je peux faire pour t'aider. Il y a quinze ans, quand j'étais dans ce train, j'ai dessiné une carte de mémoire de la route de Moscou à la Turquie. Elle ne doit plus être très précise, alors assure-toi bien que les Russes n'ont pas non plus envahi la Turquie. Dieu sait ce qu'ils manigancent, ces temps-ci. Ils pourraient même contrôler la France, pour ce que j'en sais.

Le médecin se dirigea vers l'armoire à pharmacie d'où il sortit une grosse bouteille qui semblait remplie d'une substance marron. Il la déboucha et en extirpa un vieux morceau de parchemin. L'encre noire s'était effacée avec les années. *Octobre 1904* était inscrit sur le parchemin qui montrait une route du camp à Moscou, de Moscou à Odessa, et d'Odessa à la Turquie ; deux mille quatre cents kilomètres jusqu'à la liberté.

— Viens me voir tous les matins cette semaine, et nous réviserons le plan sans arrêt. Si tu échoues, ça ne devra pas être par manque de préparation.

Wladek resta éveillé chaque nuit, regardant la pleine lune par la fenêtre. Il répétait ce qu'il devrait faire dans n'importe quelle situation, se préparait à toute éventualité.

Chaque jour, il revoyait le plan avec le médecin. La veille de l'arrivée du train, le docteur plia la carte en six, et la déposa avec les quatre billets de cinquante roubles dans une enveloppe qu'il épingla à la manche de son uniforme. Wladek l'enfila avec la chemise. Il avait tellement minci que les vêtements pendillaient sur lui comme sur un portemanteau. Quand il passa sa tenue de prisonnier par-dessus, le docteur aperçut le bracelet en argent du baron, que Wladek avait toujours gardé au-dessus du coude de crainte que les gardes ne le remarquent et ne le volent.

— Qu'est-ce ? demanda-t-il. Il est vraiment magnifique.

— Un cadeau de mon père. Puis-je vous le donner, pour vous témoigner ma reconnaissance ?

Il l'enleva et le tendit au docteur.

Celui-ci fixa le bijou pendant plusieurs minutes avant de baisser la tête :

— Jamais. Cela ne peut appartenir qu'à une seule personne.

Il le rendit à Wladek et lui serra chaleureusement la main.

— Bonne chance, Wladek. J'espère que nous ne nous reverrons plus jamais.

Ils s'étreignirent et Wladek partit pour ce qu'il pria être sa dernière nuit dans la hutte 33. Il fut incapable de dormir cette nuit-là, de crainte qu'un autre détenu ne remarque l'uniforme sous ses vêtements de prisonnier et le dénonce à un gardien. Quand le marteau frappa le triangle le lendemain matin, il fut le premier à se présenter en cuisine. Le cuisinier en chef le poussa en avant lorsque les gardes vinrent choisir les quatre membres du convoi. Wladek était de loin le plus jeune.

— Pourquoi celui-là ? demanda un garde en le désignant.

Il s'immobilisa sur place. Le plan du médecin échouerait, avant même qu'ils n'aient quitté le camp et il n'y aurait pas d'autre convoi de détenus qui arriverait au camp avant trois mois minimum. D'ici là, il ne travaillerait plus en cuisine.

— C'est un excellent cuisinier, déclara Stanislav. Il a été formé dans le château d'un baron. Rien que le meilleur pour les gardes.

— Bien, dit le garde, dont l'avidité triompha de ses soupçons. Alors, avancez.

Les quatre prisonniers coururent jusqu'au camion et le convoi s'en alla. Le voyage fut lent et ardu, mais au moins, Wladek ne marchait pas, cette fois. Et c'était l'été, il faisait presque quatre degrés au-dessus de zéro.

Seize jours s'écoulèrent avant l'arrivée du convoi à Irkutsk. Le train pour Moscou était déjà en gare. Il s'y trouvait depuis plusieurs heures, mais ne pouvait pas poursuivre son voyage tant que celui qui amenait les nouveaux prisonniers n'était pas arrivé. Wladek s'assit au bord du quai, avec les trois autres de la cuisine roulante. Assommés par les épreuves qu'ils avaient traversées, aucun d'entre eux ne montrait un quelconque intérêt pour quoi qui se passât autour d'eux. Pourtant, il était absorbé par chaque mouvement, scrutant le train arrêté sur le quai en face de lui. Plusieurs portes étaient ouvertes et il en choisit soigneusement une, celle par laquelle il entrerait quand ce serait son heure.

— Essaies-tu de t'échapper ? demanda brusquement le chef.

Wladek se mit à transpirer. Il ne dit rien. Stanislav le regarda fixement.

— Si. *(Mais Wladek garda le silence. Le vieux cuisinier continua à fixer le garçon de treize ans, puis, après une longue pause, il sourit.)* Bonne chance. Je ferai en sorte qu'ils ne se rendent pas compte de ta disparition le plus longtemps possible.

Stanislav lui toucha le bras et lui montra l'horizon du doigt. Au loin, Wladek aperçut le convoi des détenus qui avançait lentement vers eux. Il se tendit d'appréhension, le cœur battant la chamade, suivant des yeux les allées et venues de chaque soldat. Enfin, la rame qui arrivait s'arrêta en manœuvrant, et il observa des centaines de détenus anonymes et épuisés se déverser sur le quai. Lorsque la gare fut une pagaille de gens et que les gardes furent bien occupés, Wladek disparut sous le train des prisonniers, traversa la voie en courant et sauta à bord de celui à destination de Moscou. Nul ne lui montra le moindre intérêt quand il se faufila dans les toilettes au bout du wagon. Il s'enferma dedans, patienta et pria, s'attendant à ce que l'on vienne frapper à la porte à tout moment. Il lui sembla une éternité avant que le train ne démarre. Ce furent, en fait, quarante-sept minutes.

— Enfin, enfin, dit-il à voix haute.

Il regarda par la petite fenêtre des W.-C. et observa la gare rapetisser au loin. Un groupe de nouveaux prisonniers se faisaient enchaîner pour le voyage vers le camp 201, les gardes riant en attachant leurs menottes. Combien y arriveraient-ils vivants ? Combien serviraient-ils à nourrir les loups ? Combien de temps avant qu'ils ne remarquent son absence ?

Wladek resta assis aux toilettes plusieurs minutes, terrifié à l'idée de bouger, sans savoir que faire. Soudain, on frappa à la porte. Il réfléchit vite – le garde ? Le contrôleur ? Un soldat ? Une succession d'images apparut dans sa tête, chacune plus effrayante que l'autre. Les coups insistèrent.

— Allez, grouille ! fit une voix grave et rauque.

Wladek n'avait pas grand choix. Si c'était un soldat, il ne disposait d'aucune échappatoire – un nain n'aurait pas pu passer par la fenêtre minuscule. Si ce n'était pas un soldat, il ne ferait qu'attirer l'attention sur lui en restant aux toilettes. Il ôta ses vêtements de prisonnier, les roula en boule, et les jeta par la fenêtre. Puis il extirpa la casquette douce de la poche de son uniforme, et en coiffa sa tête rasée avant d'ouvrir la porte. Un homme agité entra en trombe et baissa son pantalon avant même que Wladek ne soit sorti.

Une fois dans le couloir, Wladek se sentit isolé et s'aperçut qu'il attirait tous les regards avec son costume démodé, telle une pomme parmi un tas d'oranges. Il partit en quête d'autres W.-C. inoccupés. Lorsqu'il en trouva, il s'enferma dedans et prit l'un des billets de cinquante roubles dans l'enveloppe épinglée dans sa manche. Il chercha ensuite le wagon le plus bondé et se coinça dans un coin. Des hommes en plein milieu jouaient à *pitch and toss*[5] pour quelques roubles. Wladek avait souvent battu Léon quand ils s'y adonnaient dans le château, et il aurait aimé se joindre à eux, mais craignait d'attirer l'attention sur lui. À mesure que la partie conti-

5. Jeu d'adresse et de hasard utilisant des pièces de monnaie.

nuait, toutefois, il remarqua qu'un joueur gagnait toujours, même en mauvaise posture. Il observa l'homme plus attentivement, et comprit bien vite qu'il trichait.

L'un des joueurs, qui avait perdu une grosse somme, jura et quitta le jeu, sans le sou. Wladek sentit la chaleur de l'épais pardessus en agneau du type qui vint s'asseoir à côté de lui.

— La chance n'était pas avec vous, lança-t-il.

— Ah, ce n'est pas de la chance. Je pourrais battre cette bande de paysans, mais je n'ai plus d'argent.

— Voulez-vous vendre votre manteau ?

Le joueur regarda fixement Wladek.

— Tu ne pourrais pas te l'offrir, mon garçon. *(Il comprit à la voix de l'homme qu'il espérait qu'il puisse l'acheter.)* Je n'accepterai pas moins de soixante-quinze roubles.

— Je vous en donne quarante.

— Soixante.

— Cinquante.

— Non, soixante, et je ne descendrai pas en dessous. Il a coûté plus de cent roubles.

— Ça devait être il y a très longtemps, observa Wladek.

Il ne voulait pas courir le risque de sortir plus d'argent de l'enveloppe à l'intérieur de sa manche, car cela attirerait l'attention sur lui. Il toucha le col du manteau, et lança, avec beaucoup de dédain :

— Vous l'avez payé trop cher, mon ami. Cinquante roubles, pas un kopeck de plus.

Il se leva, comme pour s'en aller.

— Attends, attends, dit le joueur. Très bien, je te le laisse pour cinquante.

Wladek extirpa le billet rouge crasseux de cinquante roubles de sa poche et l'échangea contre le pardessus. Il était beaucoup trop grand pour lui, il touchait presque le sol, mais c'était tout à fait ce qu'il lui fallait pour cacher son uniforme voyant et mal ajusté. Pendant quelques minutes, il observa le joueur, de nouveau dans sa partie, qui perdait encore. Il avait tiré deux leçons : ne jamais jouer quand la chance est contre soi, et être toujours prêt à se retirer d'un coup une fois sa limite atteinte.

Wladek quitta la voiture, se sentant un peu plus en sécurité, protégé par son nouveau vieux manteau, et entreprit d'examiner la structure du train. Les wagons semblaient divisés en deux classes, des générales où les passagers restaient debout ou assis sur des bancs de bois, et des spéciales, aux sièges rembourrés. Toutes les rames étaient bondées, excepté les classes spéciales, où, inexplicablement, une femme solitaire était installée. Âgée d'une cinquantaine d'années et plus chic que la plupart des autres voyageurs, elle portait une robe bleu foncé et un foulard était tiré sur sa tête. Alors qu'il la regardait, hésitant, elle lui sourit et lui donna l'assurance nécessaire pour entrer dans le compartiment.

— Puis-je m'asseoir ?

— Je vous en prie, fit la femme en l'observant attentivement.

Wladek ne dit rien, mais l'examina, ainsi que ses affaires. La peau cireuse et ridée de fatigue, elle était en léger surpoids – « léger », à cause de l'alimentation russe. Ses cheveux bruns courts et ses yeux noisette montraient qu'autrefois elle avait été séduisante. Deux gros sacs en tissu reposaient sur le porte-bagages, et une petite valise était posée à son côté. En dépit du danger de sa situation, Wladek eut brusquement conscience de son épuisement. Il se demandait s'il oserait dormir, lorsque la femme prit la parole.

— Où allez-vous ?

La question le déconcerta.

— Moscou.

— Moi aussi.

Wladek regrettait déjà de lui avoir donné cette information, aussi maigre fût-elle.

« Ne parle à personne, l'avait mis en garde le docteur. Souviens-toi, ne fais confiance à personne. Tout le monde en Russie est un espion. »

À son grand soulagement, la femme ne posa plus de questions. Mais juste au moment où il semblait reprendre confiance, le contrôleur apparut. Wladek se mit à transpirer en dépit d'une température de moins quinze degrés. Le contrôleur prit le billet de la femme, le poinçonna, le lui rendit puis se tourna vers le garçon.

— Billet, camarade, demanda-t-il d'un ton lent et monocorde.

Wladek fouilla vainement dans la poche de son manteau.

— C'est mon fils, expliqua fermement la femme.

Le contrôleur l'examina, puis Wladek, et gratifia la passagère d'un signe de tête avant de sortir sans rien ajouter.

Wladek la regarda fixement.

— Merci, bafouilla-t-il, ne sachant que dire de plus.

— Je t'ai vu surgir à quatre pattes de sous le train des prisonniers, observa-t-elle d'un ton calme. (Il se sentit mal.) Mais ne t'inquiète pas, je ne te trahirai pas. J'ai un jeune cousin dans l'un de ces camps infects, et nous craignons tous de nous y retrouver un jour. *(Elle le regarda un moment avant de lui demander.)* Que portes-tu sous ton pardessus ?

Wladek soupesa les avantages respectifs entre sortir du wagon en trombe et ouvrir son manteau. S'il déguerpissait, il n'y avait aucune cachette dans le train. Il ouvrit son manteau.

— Je m'attendais à pire, dit-elle. Qu'as-tu fait de ton uniforme de prisonnier ?

— Jeté par la fenêtre.

— Espérons qu'ils ne tomberont pas dessus avant que nous ne soyons arrivés. *(Wladek se tut.)* As-tu un endroit où séjourner à Moscou ?

Il réfléchit de nouveau aux conseils du docteur, de ne faire confiance à personne, mais il n'avait pas d'autre choix.

— Je n'ai nulle part où aller.

— Alors, tu pourras rester chez moi jusqu'à ce que tu trouves un logement. Mon mari est chef de gare à Moscou, et ce wagon est réservé aux hauts fonctionnaires, expliqua-t-elle. Si tu commets encore ce genre d'erreur, tu prendras le prochain train pour Irkutsk.

Wladek déglutit.

— Dois-je partir maintenant ?

— Non, non, le contrôleur t'a vu. Tu seras en sécurité avec moi pour l'instant. As-tu des papiers d'identité ?

— Non, qu'est-ce que c'est ?

— Depuis la Révolution, chaque citoyen russe doit porter des papiers, pour montrer qui il est, où il vit et où il travaille. Sinon il se retrouve en prison jusqu'à ce qu'il soit en mesure de les présenter.

Et comme il ne pourra jamais les exhiber derrière les barreaux, il y restera toute sa vie, ajouta-t-elle d'un ton détaché. Tu ne devrais pas me quitter une fois que nous serons arrivés à Moscou. Et veille à ne pas ouvrir la bouche.

— Vous être très gentille avec moi, observa Wladek d'un ton suspicieux.

— Maintenant que le tsar est mort, personne n'est en sécurité. J'ai la chance d'être mariée à l'homme qu'il faut. Mais pas un seul citoyen en Russie, y compris les hauts fonctionnaires, ne vit pas dans la peur constante d'être arrêté et envoyé dans les camps. Comment t'appelles-tu ?

— Wladek.

— Bien. Maintenant dors, Wladek, parce que tu sembles épuisé et le voyage est long, tu n'es pas encore à l'abri.

Wladek dormit.

# 14

Ce fut un lundi d'octobre, le week-end après qu'ils eurent fêté leur deuxième anniversaire de mariage, qu'Anne se mit à recevoir des courriers d'un « ami » anonyme, qui l'informait que l'on avait vu son époux en compagnie d'autres femmes dans tout Boston, et d'une en particulier, dont l'auteur ne prit pas la peine de préciser le nom.

Au début, Anne brûla les lettres, et même si elles l'inquiétaient, elle n'en parla jamais à Henry et pria pour que chacune soit la dernière. Elle ne parvint même pas à trouver le courage d'aborder le sujet avec lui quand il lui demanda de se séparer des cent cinquante mille dollars qui lui restaient.

— Je vais perdre le marché si je n'ai pas cet argent immédiatement, Anne.

— Mais c'est tout ce qui me reste, Henry. Si je te le donne, je n'aurais plus rien.

— Cette maison doit bien valoir plus de deux cent mille. Tu pourrais l'hypothéquer demain.

— Cette maison appartient à William.

— William, William, William. C'est toujours William qui se met en travers de mon succès ! cria-t-il avant de sortir de la pièce en trombe.

Il rentra chez lui après minuit, contrit, lui annonça qu'il préférait qu'elle garde son argent et s'endormit. Au moins, ainsi, ils ne se seraient pas perdus. Ses paroles rassurèrent Anne et plus tard, ils firent l'amour. Elle signa un chèque de cent cinquante mille dollars le lendemain matin, essayant d'oublier qu'elle se retrouverait alors sans le sou jusqu'à ce que Henry décroche le marché de sa vie. Elle ne put s'empêcher de se demander si c'était plus qu'une coïncidence qu'il lui ait réclamé exactement le montant restant de son héritage.

Le mois suivant, Anne n'eut pas ses règles.

Le docteur MacKenzie était inquiet, mais tâcha de ne pas le montrer. Les grands-mères furent horrifiées et le montrèrent, Henry était aux anges, et assura à Anne que c'était la chose la plus merveilleuse qui lui était arrivée de toute sa vie. Il accepta même de bâtir la nouvelle aile pédiatrique pour l'hôpital, que Richard avait prévu de construire avant de mourir.

Lorsque William apprit la nouvelle par un courrier de sa mère, il resta seul dans son bureau toute la soirée, sans même avouer à Matthew ce qui le préoccupait. Le vendredi suivant, après avoir reçu une autorisation spéciale de son responsable, Rags Raglan, il prit le train pour Boston et, à l'arrivée, retira cent dollars sur son compte épargne. Il se rendit ensuite au cabinet d'avocats Cohen et Yablons sur Jefferson Street. M. Thomas Cohen, l'associé principal, un grand homme angulaire aux bajoues foncées et aux lèvres qui ne souriaient jamais, ne put cacher sa surprise quand on fit entrer William dans son bureau.

— C'est la première fois qu'un client de seize ans veut s'assurer mes services, commença M. Cohen. Ce sera une nouveauté pour moi *(il hésita)*, Monsieur Kane. D'autant plus que votre père n'était pas exactement – comment dire ? – connu pour sa sympathie envers ma religion.

— Mon père, répondit William, était un fervent admirateur des exploits de la religion hébraïque, et il a éprouvé un profond respect pour votre cabinet lorsque vous avez représenté ses concurrents. J'ai entendu M. Lloyd et lui prononcer votre nom avec beaucoup d'admiration à plusieurs occasions. Voilà pourquoi je vous ai choisi, monsieur Cohen, et pas vous, moi.

M. Cohen occulta rapidement le problème de l'âge de William.

— Bien sûr, bien sûr. Je suis certain que je peux faire une exception pour le fils de Richard Kane. En quoi puis-je vous aider ?

— J'ai besoin de connaître la réponse à trois questions, monsieur Cohen. Un, je veux savoir si, au cas où ma mère, Mme Henry Osborne, mettrait au monde un fils ou une fille, cet enfant pourrait légalement prétendre au fonds en fidéicommis de la famille Kane. Deux, ai-je des obligations légales envers M. Henry Osborne simplement parce qu'il est marié à ma mère ? Et trois, à quel âge puis-je insister pour que M. Henry Osborne quitte ma maison sur Louisburg Square ?

Le stylo de M. Cohen griffonnait à toute allure sur le bloc-notes jaune devant lui, crachant de petites taches bleues sur un bloc buvard déjà maculé d'encre.

William déposa ses cent dollars sur le bureau. L'avocat fut pris au dépourvu, mais ramassa les billets et les compta.

— Dépensez l'argent prudemment, monsieur Cohen. J'aurai besoin d'un bon avocat quand je quitterai Harvard et intégrerai la banque de mon père.

— On vous a déjà offert une place à Harvard, monsieur Kane ? Félicitations. J'espère aussi que mon fils y sera admis.

— Non, répondit William, mais ce n'est qu'une question de temps. *(Il marqua une pause.)* Je reviendrai dans une semaine, monsieur Cohen. Si jamais j'entends un mot sur cette affaire par quelqu'un d'autre que vous, vous pourrez estimer que notre relation est terminée. Bonne journée, monsieur.

M. Cohen lui aurait aussi souhaité une bonne journée s'il avait pu bredouiller ces mots avant que William ne ferme la porte derrière lui.

William retourna au cabinet de Cohen et Yablons sept jours plus tard.

— Ah, monsieur Kane, dit Cohen. Quel plaisir de vous revoir. Puis-je vous proposer un café ?

— Non merci.

— Un Coca-Cola peut-être ?

William demeura impassible.

— Les affaires, les affaires, dit M. Cohen, légèrement embarrassé. Nous nous sommes renseignés pour vous, monsieur Kane, avec l'aide d'un cabinet de détectives privés d'excellente réputation. Je crois que je peux vous annoncer avec certitude que nous avons les réponses que vous souhaitiez. Vous avez demandé si la progéniture de M. Osborne et de votre mère, s'il y en avait une, pourrait prétendre à la fortune des Kane, en particulier au fidéicommis que vous a légué votre père. Non, est la réponse simple, mais bien sûr, Mme Osborne peut laisser la somme qu'elle désire sur les cinq cent mille dollars que lui a donnés votre père à qui elle le veut. Toutefois, cela pourrait vous intéresser de savoir, monsieur Kane, que votre mère a vidé tout son compte privé chez Kane & Cabot au cours des dix-huit derniers mois, bien que nous n'ayons pas été en mesure de découvrir comment les fonds ont été dépensés. Il se peut qu'elle ait décidé de le déposer dans une autre banque.

William eut l'air choqué, le premier signe d'un manque de sang-froid que Cohen observait.

— Elle n'aurait aucune raison de faire cela, répliqua William. L'argent n'a pu aller qu'à une seule personne.

L'avocat garda le silence, espérant qu'il lui dirait qui, mais William se maîtrisa et n'ajouta rien. M. Cohen poursuivit :

— La réponse à votre deuxième question est que vous n'avez aucune obligation légale ou personnelle envers M. Henry Osborne. Selon les clauses du testament de votre père, votre mère est fidéicommissaire de sa fortune avec un certain M. Alan Lloyd et une certaine Mme Millie Preston, vos parrains survivants, jusqu'à vos vingt et un ans.

Le visage de William ne trahit aucune expression. Cohen avait déjà appris que cela signifiait qu'il devait poursuivre.

— Et troisièmement, monsieur Kane, vous ne pourrez jamais faire partir M. Osborne de Beacon Hill tant qu'il restera marié à votre mère et continuera à résider chez elle. La propriété vous revient de droit à sa mort, mais pas avant. S'il vivait encore à ce moment-là, vous pourriez lui demander de s'en aller. *(Cohen leva les yeux du dossier devant lui.)* J'espère que cela répond à toutes vos questions, monsieur Kane.

— Merci, monsieur Cohen. Je vous suis reconnaissant de votre efficacité et de votre discrétion dans cette affaire. Et si vous m'informiez de vos frais professionnels ?

— Cent dollars ne couvrent pas tout à fait le travail du cabinet, monsieur Kane, mais nous croyons en votre avenir et...

— Je ne souhaite être redevable à personne, monsieur Cohen. Vous devez me traiter comme quelqu'un avec qui vous ne feriez peut-être plus jamais affaire. Et donc, combien vous dois-je ?

Cohen réfléchit un instant.

— Dans ces circonstances, nous vous aurions facturé deux cent vingt dollars, monsieur Kane.

William sortit six billets de vingt dollars de sa poche intérieure et les donna à Cohen. Cette fois, l'avocat ne les compta pas.

— Je vous suis reconnaissant de votre aide, monsieur Cohen. Je suis sûr que nous nous reverrons. Bonne journée, monsieur.

— Bonne journée, monsieur Kane. *(Il hésita.)* Puis-je me permettre de vous dire que je n'ai jamais eu le privilège de rencontrer votre père, mais pour avoir traité avec son fils, c'est un grand regret.

William sourit pour la première fois.

— Merci, monsieur Cohen.

# 15

Lorsque Wladek se réveilla, il faisait déjà nuit dehors. Il regarda sa protectrice en cillant, et elle lui sourit. Il lui rendit son sourire, priant pour qu'il puisse lui faire confiance et qu'elle ne le dénonce pas à la police – ou l'avait-elle déjà fait ? Elle sortit à manger de l'un de ses paquets et Wladek dévora un sandwich au jambon, le meilleur repas qu'il ait avalé en plus de quatre ans. Quand ils arrivèrent dans la gare suivante, presque tous les passagers descendirent, certains pour rentrer chez eux, d'autres pour se dégourdir simplement les jambes, surtout pour chercher le moindre rafraîchissement disponible.

La femme se leva de son siège.

— Suis-moi, lui intima-t-elle.

Wladek lui emboîta le pas sur le quai. Allait-elle le livrer à la police ? Elle tendit la main, et il la prit, comme un enfant qui accompagne sa mère. Elle se dirigea vers des toilettes pour dames. Il hésita, mais elle insista et une fois qu'ils furent à l'intérieur, elle lui demanda de se déshabiller. Pendant ce temps, elle fit couler l'eau, un filet marron froid. Elle jura, mais pour Wladek, c'était une amélioration par rapport à l'alimentation hydraulique du camp. Elle le lava avec un chiffon mouillé, grimaça lorsqu'elle avisa la méchante blessure à sa jambe. Il ne fit pas un seul bruit, en dépit de la douleur qu'il éprouvait chaque fois qu'elle le touchait, aussi douce fût-elle.

— Quand tu seras à la maison, je m'occuperais mieux de ces blessures, déclara-t-elle. Pour l'instant, ça devra faire l'affaire.

Puis elle remarqua le bracelet en argent. Elle examina l'inscription et regarda attentivement le garçon.

— À qui l'as-tu dérobé ? demanda-t-elle.

Wladek fut indigné.

— Je ne l'ai pas volé. Mon père me l'a donné le jour de sa mort.

Une expression différente envahit les yeux de la femme. Était-ce de la peur ou du respect ? Elle inclina la tête.

— Fais attention, Wladek. Des hommes tueraient pour un bracelet de cette valeur.

Il opina et s'empressa de se rhabiller. Ils retournèrent dans leur wagon. Quand le train redémarra dans une embardée, Wladek se réjouit de sentir de nouveau les roues qui cliquetaient sous lui.

Il leur fallut encore douze jours et demi avant d'arriver à Moscou. Chaque fois qu'un nouveau contrôleur apparaissait, Wladek et la femme appliquaient la même routine : il tâchait, peu concluant, d'avoir l'air innocent et jeune, et elle, d'une mère convaincante. Les contrôleurs la saluaient toujours d'un signe de tête respectueux, et Wladek en déduisit que les chefs de gare devaient être des personnes très importantes en Russie.

Quand ils eurent achevé le voyage de mille quatre cent cinquante kilomètres, Wladek éprouvait une confiance absolue pour cette femme. Le train arriva à destination en début d'après-midi. En dépit de tout ce qu'il avait traversé, il avait de nouveau peur de l'inconnu. Il n'avait jamais visité de grande ville, et encore moins la capitale de toutes les Russies. Il n'avait jamais vu tout ce monde courir dans tous les sens. La femme sentit son appréhension.

— Suis-moi, ne parle pas et n'enlève pas ta casquette.

Wladek prit ses sacs sur le porte-bagages, coiffa sa casquette sur sa tête – désormais recouverte d'un léger duvet brun – et lui emboîta le pas sur le quai. Un groupe de voyageurs qui attendait pour franchir la minuscule barrière créait un ralentissement, parce qu'il fallait montrer ses papiers d'identité au garde. À mesure qu'ils s'approchaient, Wladek entendit son cœur battre comme un tambour, mais le garde se contenta de jeter un œil aux papiers de la femme.

— Camarade, fit-il, et il salua.

Il regarda Wladek.

— Mon fils, expliqua-t-elle.

— Bien sûr, camarade.

Il salua de nouveau.

Wladek était arrivé à Moscou.

Malgré la confiance qu'il avait mise dans sa nouvelle compagne, le premier instinct de Wladek fut de se sauver, mais il savait qu'avec cent cinquante roubles, il aurait du mal à survivre et décida d'attendre son heure – il pourrait s'enfuir quand il voudrait. Une charrette et un cheval les attendaient dans l'avant-cour de la gare, et ils conduisirent la femme et son fils adoptif dans sa nouvelle demeure. Le chef de gare n'était pas là lorsqu'ils arrivèrent, de fait elle entreprit de préparer le lit de la chambre d'invités pour Wladek. Puis elle fit chauffer de l'eau sur un poêle, la versa dans une grande baignoire et lui intima de s'y tremper. C'était le premier bain qu'il prenait depuis des années. Elle réitéra l'opération, lui fit redécouvrir le savon et lui frotta le dos. Peu après, l'eau se mit à changer de couleur et au bout de vingt minutes, elle devint noire. Mais Wladek savait qu'il lui faudrait plusieurs autres bains avant de pouvoir enlever des années de crasse incrustée. Dès qu'il fut sec, la femme appliqua de la pommade sur ses bras et ses jambes, et banda les parties de son corps qui paraissaient particulièrement irritées. Elle regarda fixement son unique mamelon. Il se rhabilla vite, puis la rejoignit dans la cuisine. Elle avait déjà préparé un bol de soupe chaude dans lequel elle ajouta des haricots. Wladek mangea de bon cœur. Aucun d'eux ne parla. Quand il eut fini son repas, elle lui suggéra d'aller se coucher.

— Je ne veux pas que mon époux te voie avant que je lui aie raconté comment tu t'es retrouvé ici, expliqua-t-elle. Souhaiterais-tu rester avec nous, Wladek, si mon conjoint est d'accord ?

— Oui, s'il vous plaît, répondit-il simplement.

— Alors au lit.

Wladek monta l'escalier et pria pour que le mari de la femme accepte qu'il vive avec eux. Il se déshabilla lentement, et alla se coucher. Il était trop propre, les draps étaient trop amidonnés, le matelas trop moelleux. Il jeta l'oreiller par terre, mais il était tellement fatigué qu'il dormit malgré le confort du lit. Il faisait déjà nuit dehors lorsque le bruit des voix le réveilla. Il ne savait pas combien de temps il s'était assoupi. Il rampa jusqu'à la porte, l'ouvrit et écouta la conversation dans la cuisine en bas.

— Espèce d'idiote, entendit-il dire une voix aiguë. Tu ne comprends pas ce qui aurait pu se passer si tu t'étais fait prendre ? On t'aurait envoyée dans les camps, et j'aurais perdu mon boulot.

— Mais si tu l'avais vu, Piotr ! On aurait dit un animal traqué !

— Et donc, tu as décidé de *nous* transformer en animaux traqués ? Personne d'autre ne l'a aperçu ?

— Non, je ne crois pas.

— Dieu merci. Il doit partir immédiatement avant que quelqu'un découvre qu'il est venu ici. C'est notre seul espoir.

— Mais où peut-il aller, Piotr ? Il n'a personne. Et j'ai toujours désiré un fils.

— Je me moque bien de ce que tu veux, ou de l'endroit où il va se rendre. Ce n'est pas notre responsabilité. Nous devons nous débarrasser de lui, et vite.

— Mais Piotr, je crois que c'est un membre de la famille royale ! Je crois que son père était un baron. Il porte un bracelet en argent autour du poignet et dessus il y a les mots...

— Raison de plus. Tu sais ce que nos nouveaux dirigeants ont décrété. Pas de noblesse, pas de privilèges. On ne nous enverrait même pas dans les camps – les autorités nous tueraient, c'est tout.

— Nous avons toujours voulu un fils, Piotr. Ne pouvons-nous pas prendre cet unique risque dans notre vie ?

— Dans la tienne, peut-être, mais pas dans la mienne. Je dis qu'il doit s'en aller, et tout de suite.

Wladek n'eut pas besoin d'en entendre davantage. Son seul moyen d'aider sa bienfaitrice était de disparaître dans la nuit sans laisser de trace. Il s'habilla rapidement et regarda fixement le lit, espérant qu'il ne faudrait pas encore quatre ans avant qu'il dorme à poings fermés. Il soulevait le loquet de la fenêtre quand on ouvrit la porte à la volée. Le chef de gare entra dans la chambre d'un pas résolu. C'était un homme petit, pas plus grand que Wladek, avec un gros ventre et le crâne chauve, hormis quelques mèches grises inutilement peignées sur son cuir chevelu. Il portait des lunettes sans monture, qui avaient laissé des demi-cercles rouges sous chaque œil. Il regarda fixement Wladek, qui le fixa à son tour.

— Descends, ordonna-t-il.

Wladek le suivit dans la cuisine à contrecœur. La femme, assise à la table, sanglotait.

— Maintenant, écoute, petit, dit l'homme.

— Il s'appelle Wladek, l'interrompit-elle.

— Maintenant, écoute, petit, répéta-t-il. Tu poses problème et tu dois partir d'ici immédiatement, et le plus loin possible. Voilà ce que j'ai l'intention de faire pour t'aider.

Wladek le regarda longuement, conscient qu'il n'avait l'intention que de s'aider lui-même.

— Je vais te fournir un billet de train. Où veux-tu aller ?

— Odessa, répondit-il.

Il ignorait où ça se trouvait ou combien le billet coûtait ; il savait uniquement que c'était la prochaine ville sur la carte pour la liberté que lui avait donnée le docteur.

— Odessa, la mère du crime, une destination opportune, railla le chef de gare. Tu seras parmi les tiens, là-bas.

— Laisse-le rester avec nous, Piotr. Je m'occuperai de lui, je...

— Non, jamais. Je préférerais encore payer ce salaud pour qu'il parte.

— Mais comment peut-il espérer déjouer les autorités ? l'implora la femme.

— Je lui délivrerai un billet et une carte d'abonnement provisoire pour Odessa. *(L'homme se tourna vers Wladek.)* Une fois dans cette rame, petit, si jamais je te vois ou j'entends parler de toi à Moscou, je te ferai arrêter sur-le-champ et jeter dans la première prison. Tu retourneras dans ce camp de prisonniers aussi vite que le train pourra t'y emmener. S'ils ne te tirent pas dessus d'abord.

L'homme jeta un coup d'œil à la pendule sur le manteau de cheminée : onze heures cinq. Il se tourna vers son épouse :

— Un train part pour Odessa à minuit. Je l'accompagnerai à la gare et je l'y mettrai moi-même. As-tu des bagages, petit ?

Wladek allait répondre par la négative quand la femme fit :

— Oui, je vais les chercher.

Elle disparut un moment. Wladek et le chef de gare se fusillèrent du regard avec un mépris réciproque. La pendule sonna un coup en son absence, mais personne ne parla. L'homme ne quitta pas le garçon des yeux. Lorsqu'elle revint, elle portait un grand paquet en papier kraft attaché avec une ficelle. Wladek la fixa. Il allait protester mais, quand leurs regards se croisèrent, il y décela une telle peur qu'il réussit simplement à articuler :

— Merci.

— Mange ça avant de partir, dit-elle en poussant son bol de soupe froide vers lui.

Il obéit, et bien que son estomac rétréci fût déjà plein, il engloutit le potage le plus vite possible, ne désirant pas lui créer plus de problèmes.

— Animal, marmonna l'homme.

Wladek le considéra, de la haine dans les yeux. Il ressentit de la pitié pour cette femme, liée pour la vie à ce genre d'individu. Sa prison à elle.

— Viens, petit, c'est l'heure de partir, ordonna le chef de gare. Nous ne voulons pas que tu loupes ton train, n'est-ce pas ?

Il le suivit en dehors de la cuisine. Il hésita en passant devant la femme, et lui toucha brièvement la main.

Le chef de gare et le réfugié traversèrent discrètement les rues de Moscou, tapis dans l'ombre, jusqu'à la gare. Il obtint un aller simple pour Odessa et donna le petit bout de papier rouge à Wladek.

— Ma carte ? dit celui-ci d'un air de défi.

De sa poche intérieure, l'homme sortit un papier officiel, le signa à la hâte et le lui confia à contrecœur. Ses yeux ne cessaient de faire des allers et retours autour de lui, en quête d'un éventuel danger. Wladek avait vu ce regard à de nombreuses reprises ces quatre dernières années : celui d'un lâche.

— Que je ne te revoie plus jamais, ou n'entende plus jamais parler de toi, ordonna le chef de gare – la voix d'un tyran.

Wladek allait répliquer quelque chose, mais l'homme avait déjà disparu dans les ténèbres – à sa place légitime.

Wladek scruta les yeux des gens qui le croisaient d'un pas pressé. Les mêmes yeux, la même peur. Y avait-il quelqu'un de libre dans ce monde ? Il fourra le paquet de papier marron sous son bras, ajusta sa casquette et se dirigea vers la barrière. Le garde jeta un œil à son billet et le laissa passer sans rien dire. Il monta à bord du train. Même s'il ne la revoyait jamais de sa vie, il n'oublierait jamais la gentillesse de cette femme, l'épouse du chef de gare. Camarade… il ne connaissait même pas son nom.

# 16

Préparer l'arrivée du bébé occupa pleinement Anne : elle se surprit à se fatiguer facilement et dut beaucoup se reposer. Chaque fois qu'elle demandait à Henry comment allaient les affaires, il lui donnait toujours une réponse plausible, lui assurant que tout se passait bien, sans entrer dans les détails.

Puis les lettres anonymes se mirent à réapparaître. Cette fois, elles apportèrent plus d'informations – les noms des femmes impliquées, et les endroits où on les avait vues avec son mari. Anne les brûla avant de mémoriser les noms ou les lieux. Elle ne pouvait pas croire que son époux lui était infidèle alors qu'elle portait son enfant. Quelqu'un était jaloux ou en voulait à Henry. Ils mentaient forcément.

Mais les lettres ne cessèrent d'arriver, parfois avec de nouveaux noms. Anne continua à les détruire, mais elles commencèrent à lui ronger l'esprit. Elle désirait en parler à quelqu'un, or elle ne trouva personne à qui se confier. Les grands-mères eurent été écœurées et, de toute façon, elles nourrissaient déjà des préjugés contre Henry. Alan Lloyd à la banque ne pourrait pas la comprendre, car il n'avait jamais été marié, et William était beaucoup trop jeune. Elle se sentait incomprise de tous. Elle songea à consulter un psychiatre après avoir assisté à une conférence que Sigmund Freud, de passage à Boston, avait donnée, mais elle imaginait mal discuter d'un problème de famille avec un parfait inconnu.

Les choses arrivèrent au point critique d'une façon totalement imprévisible pour Anne. Un lundi matin, elle reçut trois lettres : l'habituelle, de William, adressée à Mme Richard Kane, qui lui demandait s'il pouvait de nouveau passer les vacances d'été avec son ami Matthew Lester ; un courrier anonyme insinuant que Henry avait une aventure avec… Millie Preston, et une d'Alan Lloyd, qui la sommait d'avoir l'amabilité de lui téléphoner pour prendre rendez-vous à la banque.

Anne s'assit lourdement, à bout de souffle et nauséeuse, et se força à relire les trois. Celle de William la blessa par son détachement. Elle ne supportait pas de savoir qu'il préférait passer l'été avec son camarade plutôt que chez lui. La lettre anonyme prétendant que Henry avait une aventure avec sa meilleure amie était difficile à ignorer. Anne pouvait difficilement avoir oublié que Millie lui avait présenté Henry et qu'elle était la marraine de William. La troisième, d'Alan Lloyd, l'emplit encore plus d'inquiétude. Le seul courrier qu'elle avait reçu de sa part était une lettre de condoléances à la mort de Richard. Quelles condoléances voulait-il lui présenter cette fois ?

Elle appela la banque. L'opératrice la mit immédiatement en communication.

— Alan, vous désiriez me voir ?

— Oui, ma chère. J'aimerais discuter avec vous, si vous voulez bien m'accorder du temps.

— Une mauvaise nouvelle ?

— Pas exactement, mais je préférerais ne rien dire au téléphone. *(Il tâcha de la rassurer.)* Vous n'avez aucun souci à vous faire. Êtes-vous libre pour déjeuner, par hasard ?

— Oui.

— Alors, retrouvons-nous au Grand à une heure. Je me réjouis de vous voir, ma chère.

Une heure, dans trois heures seulement. Son esprit passa d'Alan à William, puis à Henry, pour finir par s'arrêter sur Millie Preston. Était-ce possible ? Elle décida de prendre un long bain et d'enfiler une nouvelle robe. Ce fut peine perdue. Elle se sentait bouffie. Ses chevilles et ses mollets, qui avaient toujours été si fins et élégants, commençaient à ne plus avoir de forme. C'était quelque peu effrayant d'imaginer que les choses puissent empirer avant la naissance du bébé. Anne soupira en se regardant dans le miroir et fit de son mieux pour avoir l'air séduisante et confiante.

— Vous êtes très chic, Anne. Si je n'étais pas un vieux célibataire, je flirterais éhontément avec vous, déclara le banquier aux cheveux argentés en l'embrassant sur les deux joues pour la saluer, comme un général français.

Il la conduisit à sa place habituelle.

C'était une tradition tacite au Grand Hotel de Boston : la table dans le coin était toujours réservée au directeur de Kane & Cabot, s'il ne déjeunait pas à la banque, mais c'était la première fois qu'Anne s'y installait. Des serveurs voletaient autour d'eux comme des étourneaux impatients, sachant parfaitement quand disparaître et réapparaître sans interrompre leur conversation.

— Alors quand doit arriver le bébé, Anne ?

— Oh, pas avant trois mois.

— Pas de complications, j'espère ?

— Eh bien, admit-elle, le médecin m'examine une fois par semaine et fait la grimace quand il voit ma tension, mais je ne m'inquiète pas trop.

— Je suis tellement content, ma chère, dit-il en lui effleurant la main comme le ferait un oncle. Vous semblez fatiguée, j'espère que vous n'en faites pas trop.

Elle se tut.

Alan Lloyd leva la tête et un serveur se matérialisa à son côté.

— Ma chère, je suis venu vous demander conseil, lança-t-il une fois qu'ils eurent commandé.

Anne était bien consciente des talents de diplomate d'Alan. Il ne l'avait pas invitée à déjeuner pour lui demander conseil. Elle avait parfaitement compris qu'il voulait lui en donner – gentiment.

— Savez-vous comment vont les projets immobiliers de Henry ?

— Non, avoua Anne. Je ne m'occupe pas de ses activités professionnelles. Vous vous souviendrez que je ne me mêlais pas non plus de celles de Richard. Pourquoi ? Y a-t-il une raison de s'inquiéter ?

— Non, non, aucune dont nous ne soyons au courant à la banque. Au contraire. Nous savons que Henry est candidat pour décrocher un grand contrat avec la ville en vue de construire le nouveau complexe hospitalier. Je vous posais seulement la question parce qu'il a demandé à nous emprunter cinq cent mille dollars.

Anne resta sans voix.

— Je vois que c'est aussi une surprise pour vous. Maintenant, d'après votre actionnariat, il vous reste un peu moins de vingt mille dollars en réserve et un petit découvert de dix-sept mille dollars sur votre compte personnel.

Elle lâcha sa cuillère à soupe. Elle n'avait pas réalisé qu'elle était à découvert. Alan remarqua sa détresse.

— Ce n'est pas pour parler de cela que je vous ai invitée à déjeuner, Anne, dit-il rapidement. La banque ne voit aucun inconvénient à accorder une avance sur votre compte personnel jusqu'à la fin de votre vie. William génère plus d'un million de dollars par an d'intérêt sur son fidéicommis, votre découvert n'est donc vraiment pas important, ni les cinq cent mille dollars que demande Henry, à condition qu'il reçoive votre aval, en qualité de tutrice légale de William.

— Je n'avais pas compris que j'avais le moindre pouvoir sur l'argent du fidéicommis de mon fils.

— Pas sur le capital, mais légalement, les intérêts qu'il rapporte peuvent être investis dans n'importe quel projet censé lui être bénéfique, et se trouvent sous la tutelle des parrains, Millie Preston et moi, et sous la vôtre, jusqu'à ses vingt et un ans. Maintenant, en tant que président du fidéicommis de William, je peux avancer les cinq cent mille dollars avec votre approbation. Millie m'a déjà informé qu'elle serait ravie de donner son aval.

— Millie a donné son aval ?

— Oui. Ne vous l'a-t-elle pas dit ?

Anne ne répondit pas immédiatement.

— Qu'en pensez-*vous* ? demanda-t-elle, évitant la question.

— Eh bien, je n'ai pas vu les comptes de Henry, parce qu'il n'a enregistré la société il n'y a qu'un an et demi, et il ne possède pas d'argent chez nous. J'ignore donc totalement quelles dépenses dépassent ses revenus pour l'année en cours, et quels gains il peut prévoir pour 1923. Je sais qu'il a posé sa candidature pour le contrat du nouvel hôpital, et d'après la rumeur, cette offre est prise au sérieux.

— Étiez-vous au courant qu'au cours des dix-huit derniers mois, j'ai donné cinq cent mille dollars de mes fonds propres à Henry ? demanda Anne.

— Mon guichetier en chef m'informe chaque fois qu'une grosse somme en liquide est retirée de n'importe quel compte. J'ignorais comment vous utilisiez cet argent, et franchement, ce ne sont pas mes affaires, Anne. Richard vous a légué ces fonds et c'est à vous de les dépenser à votre guise. Dans le cas des intérêts du fidéicommis familial, c'est une autre histoire. Au cas où vous décideriez de retirer cinq cent mille dollars pour les placer dans la société de Henry, nous aurions besoin d'examiner ses comptes, parce que l'argent serait considéré comme un nouveau placement dans le portefeuille de William. Richard n'a pas donné aux fidéicommissaires le pouvoir de souscrire des prêts, uniquement d'investir pour William. J'ai déjà expliqué la situation à Henry. Si nous devions accepter cet emprunt, encore faudrait-il convaincre les fidéicommissaires qu'il s'agit là d'un placement sûr.

Alan poursuivit :

— William, naturellement, est toujours prévenu de ce que nous faisons avec le revenu de son fidéicommis, car nous n'avons vu aucune raison de ne pas accéder à sa demande de lui faire parvenir un relevé trimestriel de ses investissements de la part de la banque, comme c'est le cas pour les fidéicommissaires. Nous ne doutons pas qu'il ait son propre point de vue sur cet investissement particulier, dont il sera pleinement informé après avoir reçu le relevé trimestriel. Cela pourrait vous amuser de savoir que depuis son seizième anniversaire, il m'envoie son opinion sur tous les placements que nous réalisons. Au début, je les ai examinés avec l'intérêt éphémère d'un tuteur bienveillant. Dernièrement, je les ai étudiés avec un grand respect. Quand votre fils prendra sa place au conseil d'administration de Kane & Cabot, cet établissement pourrait bien être devenu trop petit pour lui.

— On ne m'a jamais consultée au sujet du fidéicommis de mon garçon, lança tristement Anne.

— En effet, bien que la banque vous envoie des relevés le premier jour de chaque trimestre, et vous avez toujours eu le pouvoir, en tant que fidéicommissaire, de vous enquérir des investissements que nous réalisons au nom de William.

Il sortit un papier d'une poche intérieure et ne dit rien tant que le sommelier n'avait pas fini de leur servir un deuxième verre de vin. Une fois que l'homme fut hors de portée de voix, Alan poursuivit :

— En ce moment, il possède un peu plus de vingt et un millions de dollars, placés chez nous à quatre et demi pour cent. Nous réinvestissons les intérêts pour lui chaque trimestre en actions et obligations. Nous n'avons jamais dans le passé investi dans une société privée. Cela vous surprendra peut-être d'apprendre, Anne, que nous réalisons ce placement sur une base cinquante/cinquante : cinquante pour cent sur les conseils de la banque, et cinquante pour cent sur les suggestions de William en personne. Pour l'heure, nous avons encore de l'avance sur lui, au plus grand plaisir de M. Simmons, notre directeur d'investissements, à qui William a promis une Rolls-Royce si jamais il dépassait de plus de dix pour cent les propres bénéfices du garçon dans toute année calendaire.

— Mais où William trouverait-il l'argent pour acheter une Rolls-Royce ? Il n'a pas le droit de toucher à son fidéicommis jusqu'à ses vingt et un ans.

— Je ne connais pas la réponse, Anne. Mais je suis certain qu'il n'aurait pas fait cet engagement s'il ne pouvait pas l'honorer. Avez-vous par hasard vu son célèbre livre de comptes récemment ?

— Celui que ses grands-mères lui ont offert ?

Alan Lloyd opina.

— Non, je ne l'ai pas vu depuis qu'il est parti à St. Paul's. J'ignorais qu'il existait encore.

— Il existe encore, acquiesça le banquier dans un gloussement. Et je donnerais un mois de salaire pour savoir à combien la colonne « crédit » s'élève aujourd'hui. Je suppose que vous êtes au courant que ses comptes se trouvent désormais chez Lester's, à New York, et non plus chez nous ? Ils n'acceptent pas de comptes privés inférieurs à dix mille dollars. Je suis également quasi sûr qu'ils ne feraient pas d'exception, même pour le fils de Richard Kane.

— Le fils de Richard Kane, dit Anne d'un ton songeur.

— Je suis désolé, je ne voulais pas paraître grossier, Anne.

— Non, non, il n'y a aucun doute, il est bien le fils de Richard Kane. Savez-vous qu'il ne m'a jamais réclamé le moindre penny d'argent de poche depuis son douzième anniversaire ? *(Elle marqua une pause.)* Je pense que je devrais vous prévenir, Alan, qu'il n'appréciera pas beaucoup d'apprendre que vous envisagez d'investir cinq cent mille dollars de son fidéicommis dans la société de Henry.

— Ils ne s'entendent pas bien ? demanda Alan, arquant les sourcils.

— Je crains que non.

— J'en suis désolé. Cela compliquerait sûrement la transaction si William exprimait clairement son opposition. Bien qu'il n'ait aucune autorité sur le fidéicommis jusqu'à ses vingt et un ans, nous avons appris, de nos propres sources, qu'il ne répugnait pas à aller consulter un avocat indépendant pour en savoir plus sur son statut légal.

— Grands ciels ! s'exclama Anne, vous plaisantez ?

— Oh que non. Je suis sérieux. Mais vous n'avez aucun souci à vous faire. Pour être honnête, nous avons été plutôt impressionnés, à la banque. Et une fois que nous avons compris d'où venait la demande de renseignements, nous avons divulgué des informations que nous aurions gardées pour nous en temps normal. Pour une raison qui le regarde, William ne voulait manifestement pas nous contacter directement.

— Grands ciels, répéta Anne. Qu'est-ce que ce sera quand il aura trente ans ?

— Ça dépendra, répondit Alan, de la chance qu'il aura de tomber amoureux d'une femme aussi adorable que sa mère. Ça a toujours été la force de Richard.

— Vous êtes un vieux flatteur, Alan. Pouvons-nous laisser de côté l'histoire des cinq cent mille dollars tant que je n'en aurai pas discuté avec Henry ?

— Bien sûr, ma chère. Comme je vous l'ai dit, je ne suis ici que pour vous demander conseil.

Alan commanda les cafés et prit délicatement la main d'Anne dans la sienne.

— Et n'oubliez pas de prendre soin de vous, Anne. Votre santé est bien plus importante que le destin de quelques milliers de dollars.

Lorsque Anne rentra chez elle, elle s'inquiéta des deux autres lettres reçues ce matin. Au moins, elle était désormais certaine d'une chose après les révélations d'Alan Lloyd au sujet de son fils : il serait peut-être prudent de céder gracieusement et de laisser William passer les vacances avec Matthew Lester.

L'éventualité que Henry et Millie aient une aventure soulevait un problème auquel elle était bien incapable de trouver une solution aussi simple. Elle s'assit dans le fauteuil de cuir bordeaux à haut dosseret, le préféré de Richard, et contempla un magnifique parterre de fleurs rouges et blanches par la fenêtre. Perdue dans ses pensées, elle ne voyait rien. Elle prenait toujours son temps avant de se décider, mais, ensuite, elle changeait rarement d'avis.

Henry rentra plus tôt que d'habitude ce soir-là et elle ne put s'empêcher de se demander pourquoi. Elle ne tarda pas à le découvrir.

— Il paraît que tu as déjeuné avec Alan Lloyd, lança-t-il en entrant dans la pièce.

— Qui t'a dit ça, Henry ?

— J'ai des espions partout, rétorqua-t-il en riant.

— Oui, Alan m'a invitée à déjeuner. Il voulait savoir ce que je pensais d'autoriser son établissement à investir cinq cent mille dollars de l'argent du fidéicommis de William dans ta société.

— Qu'as-tu répondu ? demanda son époux, tâchant de dissimuler son inquiétude.

— Qu'il faudrait que j'en parle avec toi. Mais pourquoi, pour l'amour du ciel, ne m'avais-tu pas dit que tu avais contacté la banque, Henry ? J'ai eu l'air d'une idiote en l'apprenant par Alan !

— Je ne pensais pas que les affaires t'intéressaient, ma chère. J'ai découvert, par un pur hasard, que toi, Alan Lloyd et Millie Preston étiez tous fidéicommissaires, et que chacun de vous disposait d'un droit de regard sur la façon d'investir l'argent de William.

— Comment as-tu appris cela, demanda Anne, alors que je n'étais même pas au courant ?

— Tu ne lis jamais les petits caractères, ma chérie. En réalité, pour ma part, je ne l'ai su que très récemment. Par hasard, Millie Preston m'a parlé des détails du fidéicommis. Non seulement est-elle la marraine de William, mais elle est aussi fidéicommissaire.

Maintenant, voyons si nous pouvons retourner la situation à notre avantage et faire gagner encore plus d'argent à William. Millie affirme qu'elle me soutiendra si tu acceptes.

Rien que le fait d'entendre le nom de Millie mit Anne mal à l'aise.

— Je ne crois pas que nous devrions toucher aux fonds de William, déclara-t-elle. Je n'ai jamais estimé avoir mon mot à dire sur son fidéicommis. Je préférerais ne pas m'en mêler et laisser la banque continuer à réinvestir les intérêts comme elle l'a fait dans le passé.

— Pourquoi se contenter du programme d'investissement de la banque alors que je suis parti pour décrocher ce contrat avec l'hôpital de la ville ? Alan a sûrement pu te le confirmer ?

— Je ne suis pas entièrement sûre de ce qu'il ressent. Il s'est montré discret, comme toujours, mais il a affirmé que le contrat serait une excellente opportunité et que tu étais bien placé pour le décrocher.

— Tout à fait.

— Mais il a ajouté qu'il devrait voir tes comptes avant d'arriver à une quelconque conclusion et il se demandait également ce qu'il était advenu de mes cinq cent mille dollars.

— *Nos* cinq cent mille dollars, ma chérie, vont très bien, comme tu ne tarderas pas à l'apprendre. Je ferai parvenir les registres à Alan demain matin pour qu'il les étudie par lui-même. Je peux t'assurer qu'il sera impressionné.

— Je l'espère, Henry, pour nous deux, dit Anne. Attendons son avis – tu sais que j'ai toujours fait confiance à Alan.

— Mais pas à moi, rétorqua Henry.

— Oh, Henry, je ne voulais pas...

— Je te taquinais, c'est tout... Je me doute que tu fais confiance à ton propre mari.

— J'espère bien. Je n'ai jamais eu à me soucier de l'argent auparavant, et tout cela est beaucoup trop pour moi en ce moment. Le bébé me fatigue et me déprime terriblement.

Henry changea aussitôt d'attitude et s'inquiéta.

— Je sais, ma chérie. Et je ne veux pas te perturber avec mes histoires professionnelles. Je peux toujours gérer ce côté des choses. Écoute, et si tu te couchais tôt, je t'apporterais le dîner au lit ? Comme ça, je pourrai retourner au bureau chercher les dossiers que je dois envoyer à Alan demain matin.

Anne acquiesça, mais une fois que Henry fut parti, elle ne tâcha pas de dormir, en dépit de son épuisement, et s'assit dans son lit pour lire. Elle savait que Henry mettrait un quart d'heure pour arriver au bureau, elle attendit donc vingt minutes et composa le numéro de sa ligne privée. Le téléphone sonna pendant presque une minute.

Elle essaya une deuxième fois, vingt minutes plus tard. Toujours aucune réponse. Elle continua à appeler toutes les vingt minutes, en vain. La remarque qu'avait faite Henry sur la confiance commençait à résonner amèrement dans sa tête.

Quand il finit par rentrer peu après minuit, il eut l'air surpris qu'elle soit encore debout.

— Tu n'aurais pas dû m'attendre.

Il l'embrassa affectueusement. Anne crut déceler un parfum – ou devenait-elle un peu trop méfiante ?

— J'ai dû rester là-bas un peu plus longtemps que prévu. Au début, je n'arrivais pas à trouver tous les papiers dont Alan a besoin. Cette crétine de secrétaire en avait rangé certains sous les mauvaises rubriques.

— Tu as dû te sentir seul dans ton bureau en plein milieu de la nuit, observa Anne.

— Oh, ce n'est pas trop dur si ton travail en vaut la peine, répondit Henry en se mettant au lit et en la prenant dans ses bras. Au moins, il y a un avantage : tu peux travailler beaucoup plus quand le téléphone ne t'interrompt pas sans cesse.

Le lendemain matin, Henry partit au bureau juste après le petit déjeuner – mais Anne ne savait plus trop où il se rendait. Elle tourna les pages d'un numéro du *Boston Globe* qu'elle consultait pour la première fois. Plusieurs publicités proposaient les services dont elle avait besoin. Elle en choisit une presque au hasard, décrocha le téléphone et prit rendez-vous avec un certain M. Ricardo à midi.

Anne fut choquée par l'aspect miteux des rues et l'état de délabrement des immeubles. Elle n'avait jamais visité le sud de la ville, et dans des circonstances normales, elle aurait passé toute sa vie sans même savoir que ce genre de quartier existait.

Un petit escalier de bois jonché d'allumettes, de mégots de cigarettes et d'autres déchets dessinait son propre jeu de piste jusqu'à une porte ornée d'une fenêtre en verre dépoli sur laquelle le nom Glen Ricardo apparaissait en grosses lettres noires, et en dessous :

détective privé
*(Immatriculé dans l'État du Massachusetts)*

Anne frappa doucement à la porte.

— Entrez donc, c'est ouvert, cria une voix grave qui avait abusé du whisky.

Anne entra. L'homme assis derrière le bureau, les jambes étirées posées dessus, leva les yeux. Son cigare faillit tomber de sa bouche quand il aperçut Anne. C'était la première fois qu'une femme en manteau de vison pénétrait dans son cabinet.

— Bonjour, dit-il en se mettant rapidement debout. Je suis Glen Ricardo. *(Il lui tendit une main tachée de nicotine. Elle la serra, ravie de porter des gants.)* Avez-vous rendez-vous ? demanda Ricardo, qui se moquait bien qu'elle en ait un ou pas.

Il était toujours disponible pour une consultation avec un manteau de vison.

— Oui, j'en ai un.

— Alors, vous devez être madame Osborne. Puis-je prendre votre vêtement ?

— Je préfère le garder, répondit Anne en remarquant un clou qui dépassait du mur.

— Bien sûr, bien sûr.

Anne regarda Ricardo à la dérobée quand il se rassit et alluma un nouveau cigare. Elle se moquait éperdument de son costume vert clair, de sa cravate multicolore ou de ses cheveux très gominés. Seule la conviction que ce ne serait pas mieux ailleurs l'empêcha de partir.

— Alors, où est le problème ? s'enquit le détective en taillant un crayon déjà bien court avec un couteau acéré. *(Les copeaux tombèrent partout sauf dans la corbeille à papier.)* Avez-vous perdu votre chien, vos bijoux ou votre mari ?

— Premièrement, monsieur Ricardo, je veux que vous me garantissiez votre totale discrétion, commença Anne.

— Bien sûr, bien sûr, cela va sans dire, acquiesça-t-il sans lever les yeux de son crayon qui disparaissait.

— Mais je le précise quand même, insista-t-elle.

— Bien sûr, bien sûr.

Elle songea que si cet individu répétait « Bien sûr » une fois de plus, elle se mettrait à hurler. Elle respira profondément.

— Je reçois des courriers anonymes qui insinuent que mon mari a une aventure avec une amie proche. Je veux savoir qui les envoie et s'il y a une vérité dans ces allégations.

Elle ressentit un soulagement immense d'avoir pu formuler ses peurs pour la première fois. Ricardo la regarda, impassible, comme s'il avait l'habitude d'entendre de tels sentiments s'exprimer. Il passa une main dans ses longs cheveux noirs.

— Bien, commença-t-il. Le mari, ça sera facile. Qui a envoyé les lettres, ce sera plus dur. Vous les avez gardées, bien sûr ?

— Seulement la dernière.

Glen Ricardo soupira et tendit avec lassitude sa main sur la table. La mort dans l'âme, Anne sortit le courrier de son sac et hésita un moment.

— Je sais ce que vous ressentez, madame Osborne, mais je ne peux pas faire mon boulot une main attachée dans le dos.

— Bien sûr, monsieur Ricardo, je suis désolée.

Anne ne parvenait pas à croire qu'elle avait dit « Bien sûr ».

Ricardo lut le courrier deux ou trois fois avant de demander :

— Toutes les lettres ont-elles été tapées sur le même papier et envoyées dans le même genre d'enveloppe ?

— Oui, je pense. Pour ce que je m'en souviens.

— Bien, quand la prochaine arrivera, assurez-vous de...

— Comment pouvez-vous être sûr qu'il y en aura une autre ? l'interrompit Anne.

— Il y en aura, croyez-moi. Gardez-les précieusement. Maintenant j'ai besoin d'informations sur votre mari. Avez-vous une photo ?

— Oui.

Une fois de plus, elle hésita.

— Je ne voudrais pas perdre mon temps à poursuivre un individu qui ne serait pas le bon, n'est-ce pas, madame Osborne ?

Elle rouvrit son sac et lui donna un cliché usé de Henry, en uniforme de lieutenant.

— Bel homme, observa le détective. Quand cette photo a-t-elle été prise ?

— Il y a cinq ans environ, je crois. Je ne le connaissais pas quand il était dans l'armée.

Ricardo interrogea Anne pendant plusieurs minutes sur la routine quotidienne de son conjoint. Elle fut étonnée de s'apercevoir qu'elle en savait très peu sur son mode de vie, et encore moins sur son passé.

— Pas grand-chose à se mettre sous la dent, madame Osborne, mais je ferai de mon mieux. Mes honoraires s'élèvent à dix dollars par jour, plus les frais. Je vous remettrai un rapport écrit toutes les semaines. Paiement de quinze jours en avance.

Sa main ressurgit sur le bureau, avec plus d'empressement cette fois.

Anne ouvrit son sac à main, sortit deux billets de cent dollars tout neufs et les lui tendit. Il les examina soigneusement. Benjamin Franklin regardait Ricardo d'un air imperturbable, lequel n'avait manifestement pas vu le grand homme depuis un long moment. Ricardo lui rendit soixante dollars en coupures de cinq crasseuses.

— Je constate que vous travaillez le dimanche, monsieur Ricardo, observa-t-elle, contente de son calcul mental.

— Bien sûr. Après tout, c'est le jour le plus banal pour être infidèle. À la même heure la semaine prochaine, cela vous convient-il, madame Osborne ? ajouta-t-il en empochant l'argent.

— Bien sûr, répondit Anne, et elle s'en alla rapidement, pour ne pas avoir à lui serrer la main une deuxième fois.

# 17

Wladek trouva une place dans le wagon des ouvriers.

La première chose qu'il fit une fois que le train démarra fut d'ouvrir le paquet que la femme avait fourré dans ses mains. Il se mit à fouiller dedans : pommes, pain, noisettes, une chemise, un pantalon et des chaussures. Il enfila les nouveaux vêtements dans les toilettes les plus proches, ne garda que son manteau chaud à cinquante roubles. Après être retourné s'asseoir, il mordit dans une pomme et sourit. Il réserverait le reste de la nourriture pour le long voyage pour Odessa. Une fois qu'il eut terminé la pomme, y compris le trognon, il porta son attention sur le plan du docteur.

Odessa n'était pas aussi loin de Moscou qu'Irkutsk, à un pouce environ sur le croquis du médecin, soit onze cents kilomètres en réalité. Pendant qu'il examinait la carte rudimentaire, une nouvelle partie de *pitch and toss* qui se jouait dans le wagon le déconcentra. Il plia le parchemin, le rangea en lieu sûr dans sa poche et décida de s'intéresser à la partie de plus près. La même routine s'enchaînait : un seul joueur gagnait en permanence tandis que tous les autres perdaient. C'était clair : un gang bien organisé œuvrait dans les trains. Wladek se dit qu'il allait tirer avantage de sa toute nouvelle découverte.

Il se glissa lentement vers le groupe et se fit une place parmi le cercle de joueurs. Chaque fois que le tricheur perdait deux fois de suite, Wladek pariait un rouble sur lui, doublant sa mise jusqu'à ce qu'il gagne. Le tricheur ne regarda pas une fois dans sa direction. Quand ils entrèrent dans la gare suivante, Wladek avait empoché quatorze roubles, et il en dépensa deux pour s'acheter une autre pomme et un gobelet de soupe chaude. Il avait gagné suffisamment pour tenir tout le voyage jusqu'à Odessa, et sourit à l'idée de se joindre de nouveau à la partie en remontant dans le train.

Lorsque ses pieds touchèrent la dernière marche, un poing atterrit sur sa tempe, et le coup le projeta dans le couloir. Son bras fut tiré d'un coup sec dans son dos, et son visage, écrasé contre la vitre. Son nez saignait, et il sentit la pointe d'une lame effleurer son lobe.

— M'entends-tu, petit ?

— Oui, répondit Wladek, pétrifié.

— Si tu retournes dans mon wagon, je te coupe cette oreille. Comme ça, tu ne pourras plus m'entendre, n'est-ce pas ?

— Non, monsieur.

Il sentit le couteau entailler la surface de sa peau derrière son lobe et le sang dégouliner dans son cou.

— Considère cela comme un avertissement, petit.

Un genou s'enfonça brusquement dans ses reins, avec une violence telle que Wladek s'écroula par terre. Une main fouilla dans les poches de son manteau et prit les roubles qu'il venait d'acquérir.

— C'est à moi, je pense, fit la voix.

Le sang continuait à couler du nez de Wladek, et derrière son oreille. Quand il trouva le courage de lever les yeux, il était seul : il n'y avait aucune trace du joueur, et les autres passagers gardaient leurs distances. Il tâcha de se redresser, mais son corps refusait d'obéir aux ordres que son cerveau lui donnait, et il resta donc effondré dans le couloir pendant plusieurs minutes. En fin de compte, lorsqu'il réussit à se relever, il se dirigea lentement à l'opposé de la rame, le plus loin possible de la voiture des joueurs, sa claudication exagérée au point d'en devenir grotesque. Il prit place dans un wagon occupé en majeure partie par des femmes et des enfants, et sombra dans un profond sommeil.

Au prochain arrêt, Wladek ne descendit pas du train, et quand il redémarra, il se rendormit. Il mangea, il dormit, il rêva. Enfin, au bout de quatre jours et quatre nuits, le train entra tout doucement en gare d'Odessa, le terminus. Le même contrôle au portillon automatique, mais comme tous ses papiers étaient en ordre, le garde le regarda à peine. Wladek se retrouvait désormais tout seul. Il lui restait cent cinquante roubles dans la doublure de sa manche, et il n'avait pas l'intention d'en gâcher un seul.

Il passa le reste de la journée à se promener dans la ville, à essayer de se familiariser avec elle, mais le spectacle qu'il découvrait le distrayait en permanence : d'immenses hôtels particuliers, des magasins aux vitrines en verre, des marchands ambulants qui vendaient leurs babioles colorées dans les rues, des lampes à gaz, même un singe sur un bâton. Il continua à marcher jusqu'au port. Ça y était, la voilà : la mer. Wladek couva l'étendue bleue des yeux : de l'autre côté, se trouvaient la liberté et l'évasion de Russie. Le baron lui avait parlé des grands bateaux qui traversaient la haute mer pour livrer leurs marchandises aux contrées étrangères, mais il les voyait pour la première fois. Ils étaient bien plus vastes qu'il l'avait cru, et ils s'étendaient, en rangs, à perte de vue.

Alors que le soleil disparaissait derrière les vastes immeubles, il décida de chercher un endroit où passer la nuit. La ville avait dû souffrir de nombreuses invasions, car il y avait des maisons délabrées partout. Il prit une route latérale et continua à marcher : il devait représenter un spectacle étrange avec son manteau en mouton, qui touchait presque le sol, et le colis en papier kraft sous son bras. Aucun endroit ne lui parut sans danger, jusqu'à ce qu'il tombe sur une voie de garage où gisait un wagon solitaire détruit par le feu. Il regarda prudemment à l'intérieur : obscurité et silence, personne en vue. Il jeta son paquet dans la voiture, hissa son corps fatigué sur les planches, rampa dans un coin et s'endormit rapidement.

Quand il se réveilla en sursaut, il trouva un corps sur lui, et deux mains autour de sa gorge. Il pouvait à peine respirer.

— Qui es-tu ? fit une voix de garçon qui, dans le noir, n'avait pas l'air plus âgé que lui.

— Wladek Koskiewicz.

— D'où viens-tu ?

— Moscou.

— Eh bien, tu ne dors pas dans mon wagon, Moscovite, fit la voix.

— Désolé. Je ne savais pas.

— Tu as de l'argent ?

Les pouces s'enfoncèrent dans la gorge de Wladek.

— Un peu.

— Combien ?

— Sept roubles.

— Donne-les.

Wladek fouilla dans une poche vide de son manteau. Le garçon passa aussi une main à l'intérieur, réduisant la pression sur sa gorge.

Wladek asséna immédiatement un coup de genou dans l'entrejambe de son attaquant. Celui-ci, perclus de douleur, tomba à la renverse, serrant son aine. Wladek lui sauta dessus et le roua de coups. Le garçon d'Odessa ne faisait pas le poids contre lui – dormir dans un vieux wagon à l'abandon était un luxe cinq étoiles par rapport à la vie dans les donjons et à un camp de travail russe. Il arrêta uniquement quand son adversaire se retrouva cloué au sol.

— Retourne à l'autre bout et restes-y, ordonna Wladek. Si tu bouges ne serait-ce qu'un seul muscle, je te tue.

Le garçon s'enfuit à toutes jambes.

Wladek demeura assis en silence et tendit l'oreille pendant quelques minutes – rien à signaler – puis il s'étendit et ne tarda pas à s'endormir à nouveau.

Quand il se réveilla, le soleil brillait à travers les trous dans le toit. Il se retourna et jeta un œil à son adversaire de la nuit passée. Couché en position fœtale, il le fixait depuis l'autre bout du wagon.

— Approche, ordonna Wladek.

Le garçon ne bougea pas.

— Approche, répéta-t-il, un peu plus sèchement.

Le garçon se leva. C'était la première fois qu'il pouvait le regarder vraiment. Ils avaient le même âge à peu près, mais l'autre devait mesurer trente centimètres de plus, le visage insolent et les cheveux blonds ébouriffés.

— Commençons par le commencement. Où pouvons-nous trouver à manger ?

— Suis-moi, lui proposa le garçon et il sauta du wagon sans rien ajouter.

Wladek lui emboîta le pas en claudiquant et gravit la colline jusqu'à la grand-place, où l'on installait le marché du matin. Il n'avait pas vu une telle variété de nourriture depuis ces banquets grandioses au château du baron : plusieurs rangées d'étals vendaient des fruits, des légumes, et même ses fruits secs préférés. L'autre garçon constata que Wladek était submergé par ce spectacle.

— Maintenant, voilà ce que nous allons faire, commença-t-il. Je vais me rendre à cet étal dans le coin, voler une orange et m'enfuir. Tu crieras le plus fort possible : « Arrêtez ce voleur ! » Le marchand me poursuivra et pendant ce temps, tu t'avances et tu te remplis les poches. Ne sois pas trop gourmand – juste assez pour un seul repas. Je te retrouve là-bas. Compris ?

— Compris, acquiesça Wladek qui tâcha d'avoir l'air confiant.

— Bon, voyons si tu es à la hauteur, Moscovite.

Le garçon le regarda et partit d'un rire moqueur, avant de se diriger vers l'étal en se pavanant, prit une orange au-dessus de la pyramide, fit une remarque au vendeur puis se sauva lentement. Il jeta un coup d'œil à Wladek derrière lui, qui avait complètement oublié de crier : « Arrêtez ce voleur ! », mais le marchand se mit tout de même à le poursuivre. Pendant que tous les yeux étaient rivés sur son complice, Wladek s'approcha rapidement. Alors que le commerçant semblait à deux doigts d'empoigner le garçon, celui-ci lui renvoya l'orange. L'homme s'arrêta pour la ramasser, jura, secoua la tête et rejoignit son étal, se plaignant bruyamment à ses collègues.

Wladek tremblait d'allégresse lorsqu'une main agrippa fermement son épaule. Il se retourna, horrifié à l'idée de s'être fait attraper.

— As-tu pris quelque chose, Moscovite, ou es-tu juste en train de jouer les touristes ?

Wladek éclata de rire, soulagé, et lui donna trois oranges, une pomme, et une pomme de terre du fin fond des poches de son manteau. Le garçon sourit.

— Comment t'appelles-tu ? demanda Wladek.

— Stefan.

— Recommençons, Stefan.

— Attends, Moscovite, ne sois pas trop malin. Si nous recommençons, nous devrons aller à l'autre bout du marché et attendre une heure minimum. Tu travailles avec un professionnel, mais ne va pas t'imaginer que tu ne te feras pas piquer de temps en temps.

Les deux garçons se rendirent lentement à l'autre bout du marché, Stefan se pavanant avec un air arrogant contre lequel Wladek aurait volontiers échangé les trois oranges, la pomme, la pomme de terre, et même ses cent cinquante roubles, tandis qu'il le suivait en boitant.

Ils se mêlèrent aux clients matinaux, puis lorsque Stefan décida que c'était le moment, ils réitérèrent leur frasque. Ensuite ils retournèrent à leur wagon pour savourer leur butin : six oranges, cinq pommes, trois pommes de terre, une poire, plusieurs variétés de fruits secs et, le gros lot, un melon. Stefan n'avait jamais eu de poches assez grandes pour y faire tenir un melon.

— Pas mal, constata Wladek en plantant ses dents dans une pomme de terre.

— Tu manges aussi la peau ? demanda son nouveau compagnon.

— Là où j'étais, la peau de patate, c'était un luxe.

Stefan le regarda avec admiration.

— Notre prochain problème, c'est comment gagner de l'argent ? fit Wladek.

— Tu veux tout avoir le premier jour, n'est-ce pas ? Nous devrions plutôt essayer la chaîne de forçats sur les quais : à condition, bien sûr, que tu sois prêt à faire un vrai boulot, Moscovite.

— Montre-moi.

Une fois qu'ils eurent mangé la moitié du fruit et caché l'autre sous la paille dans le coin du wagon, Stefan le ramena sur le port.

— Tu vois ce bateau, là-bas, le gros vert ? Il vient d'accoster ; nous n'avons qu'à prendre une corbeille, la remplir de grain, monter la passerelle d'embarquement, puis vider la cargaison dans la cale. Tu toucheras un rouble pour quatre voyages. Compte bien, Moscovite, parce que le salaud responsable de la chaîne t'escroquera dès qu'il le pourra et empochera l'argent pour lui.

Tous les deux passèrent l'après-midi à trimballer du grain sur la passerelle et à le déposer dans la cale. Ils se firent vingt-six roubles à eux deux. Après un dîner de noisettes volées, de pain et un oignon qu'ils n'avaient pas eu l'intention de prendre, ils dormirent tranquillement dans la même partie du wagon.

Lorsque Stefan se réveilla le lendemain matin, il trouva Wladek en train d'examiner sa carte.

— Qu'est-ce que c'est ?

— Une carte qui m'explique comment m'évader de Russie.

— Pourquoi veux-tu partir de Russie alors que tu pourrais rester pour faire équipe avec moi ? s'enquit Stefan. Nous pourrions être associés.

— Non, je dois aller en Turquie, où je serai un homme libre. Et si tu m'accompagnais, Stefan ?

— Je ne pourrai jamais quitter Odessa. C'est chez moi ici, et ce sont les gens que j'ai connus toute ma vie. Il y a mieux, c'est vrai, mais ça pourrait être encore pire en Turquie. Mais si c'est ce que tu veux, je pourrai t'aider.

— Comment trouver un bateau qui va en Turquie ?

— Facile ! Je sais comment. Nous demanderons à Joe-Une-Dent, qui vit au bout de la jetée. Mais tu devras lui donner un rouble.

— Je parie qu'il partage l'argent avec toi.

— Cinquante-cinquante. Tu apprends vite, Moscovite, ajouta Stefan en descendant du wagon d'un bond.

Wladek le suivit, une fois de plus conscient de la démarche aisée des autres garçons et de sa claudication. Quand ils parvinrent au bout de la jetée, Stefan le conduisit dans une petite pièce remplie de livres poussiéreux et d'anciens indicateurs horaires. Wladek ne vit personne, mais il entendit une voix derrière un gros tas de livres.

— Que veux-tu, galopin ? Je n'ai pas de temps à perdre avec toi.

— Une information pour mon compagnon, Joe. Quand part la prochaine croisière de luxe pour la Turquie ?

— D'abord l'argent, dit un vieil homme dont la tête apparut derrière les livres, le visage parcheminé, buriné, sous une casquette de marin.

Ses yeux noirs scrutaient Wladek.

— Avant, Une-Dent était un super loup de mer, expliqua Stefan dans un murmure, suffisamment fort pour que Joe l'entende.

— Loin d'avoir ton toupet, petit. Où est le rouble ?

— Mon ami porte mon argent, annonça Stefan. Montre-lui le rouble, Wladek.

Celui-ci lui tendit une pièce. Joe la mordit avec la seule dent qui lui restait, se dirigea vers la bibliothèque en traînant les pieds et en sortit un grand livre de comptes vert. De la poussière vola partout. Il se mit à tousser en feuilletant les pages sales, agitant un doigt court, boudiné et calleux sur les longues colonnes de noms.

— Jeudi, la *Renaska* viendra chercher du charbon, et retournera probablement à Constantinople samedi. Si elle charge assez vite, elle pourra même partir vendredi soir et s'épargner d'autres tarifs d'accostage. Elle sera amarrée au poste dix-sept.

— Merci, Une-Dent, dit Stefan. Je verrai si je peux amener un autre de mes associés fortunés à l'avenir.

Joe-Une-Dent brandit un poing, jura, et Stefan et Wladek regagnèrent le quai en courant.

Les trois jours suivants, les deux garçons volèrent de la nourriture, chargèrent du grain et dormirent. Quand le bateau turc arriva jeudi, Stefan avait presque réussi à convaincre Wladek de rester avec lui à Odessa. Mais la peur que les Russes ne le trouvent et le renvoient dans les camps l'emporta même sur les charmes de sa nouvelle vie avec Stefan.

Ils se postèrent sur le quai, où ils observèrent la *Renaska* s'amarrer au poste dix-sept.

— Comment vais-je monter à bord ? demanda Wladek.

— Simple, répondit Stefan. Nous rejoindrons la chaîne des forçats demain matin. Je prendrai la place derrière toi et quand la cale sera presque pleine de charbon, tu sauteras dedans pour t'y cacher. Et je récupérerai ta corbeille et repartirai de l'autre côté.

— Et récupéreras ma part d'argent, bien sûr, en déduisit Wladek avec un grand sourire.

— Naturellement, répondit Stefan. Il doit bien y avoir une récompense financière pour mon savoir supérieur, sinon comment pourrais-je espérer entretenir ma croyance en la libre entreprise ?

Ils intégrèrent la chaîne des forçats à six heures le lendemain matin, hissèrent du charbon sur la passerelle d'embarquement puis dans la cale, jusqu'à ce que tous les deux soient prêts à débarquer, mais ça ne suffit pas. La cale n'était qu'à moitié pleine à la tombée de la nuit, bien que Wladek fût plus noir qu'il l'avait même été en prison. Les deux garçons dormirent à poings fermés cette nuit-là. Le lendemain matin, ils recommencèrent, et en milieu d'après-midi, quand la cale fut presque remplie, Stefan donna un coup de pied dans la cheville de son camarade.

— Prochaine fois, Moscovite, annonça-t-il d'un ton ferme.

Lorsqu'ils parvinrent au bout de la passerelle d'embarquement, Wladek y jeta son chargement, fit tomber son panier sur le pont et sauta dans la cale.

— Adieu, mon ami, dit Stefan, et bonne chance avec les Turcs infidèles.

Il s'empara de la corbeille de Wladek et redescendit la passerelle en sifflant.

Wladek se terra dans un coin de la cale, alors que le charbon continuait à y être déversé. La poussière noire jaillissait partout, dans son nez, dans sa bouche, ses poumons et ses yeux. Dans un effort douloureux, il réussit à éviter de tousser de crainte qu'un membre de l'équipage ne l'entende. Juste au moment où il pensait qu'il ne pourrait plus supporter l'air poussiéreux et qu'il préférait retourner auprès de Stefan, et imaginer un autre moyen de s'enfuir, l'écoutille se referma brusquement au-dessus de lui. Il toussa voluptueusement.

Quelques instants plus tard, il sentit quelque chose mordre sa cheville. Son sang se figea dans ses veines quand il comprit ce que ça devait être : il avait dû affronter beaucoup trop de vermines dans les donjons. Il jeta un morceau de charbon sur le monstre, qui détala, mais un autre l'attaqua, puis un autre et encore un autre. Les plus courageux s'en prirent à ses jambes. Gros, noirs et affamés, ils semblaient surgir de nulle part. Il regarda fixement en bas, les cherchant. Il grimpa désespérément sur le tas de charbon, et poussa l'écoutille. Le soleil entra à flots, et les rats disparurent immédiatement dans leurs tunnels sous le charbon. Il essaya de sortir, mais le bateau s'était déjà bien éloigné du quai. Il retomba dans la cale, terrorisé. Si on le découvrait et que le capitaine choisissait de rentrer à Odessa pour le livrer à la police, cela reviendrait à un aller simple pour le camp 201 et les armées blanches. Il décida de rester avec les rats noirs. Dès qu'il eut refermé l'écoutille, les yeux rouges réapparurent. En dépit de la vitesse avec laquelle il jetait des morceaux de charbon sur les créatures infestées de vermine, de nouvelles apparaissaient aussitôt. Toutes les minutes, il devait ouvrir l'écoutille pour laisser passer la lumière, car celle-ci semblait sa seule alliée.

Pendant deux jours et trois nuits, Wladek mena une bataille acharnée contre les rats, sans même prendre une minute pour dormir. Quand le bateau entra enfin à Constantinople, et qu'un matelot ouvrit la cale, Wladek était noir de la tête aux pieds à cause du charbon, et rouge des genoux aux orteils à cause du sang. L'homme d'équipage le traîna dehors. Wladek essaya de se lever, mais tomba par terre, en tas, sur le pont.

# 18

Une fois que William eut lu dans le rapport trimestriel sur le fidéicommis de Kane & Cabot que Henry Osborne – « Henry Osborne », il répéta le nom haut et fort pour s'assurer qu'il ne s'était pas trompé – réclamait cinq cent mille dollars dans le but de les investir dans sa société, il passa une mauvaise journée. Pour la première fois en quatre ans à St. Paul's, il arriva second en maths. Matthew Lester, qui le battit, lui demanda s'il allait bien. Il ne répondit pas.

Ce soir-là, William téléphona à Alan Lloyd à son domicile. Le président de Kane & Cabot ne fut pas étonné du tout d'avoir de ses nouvelles après qu'Anne lui a eu révélé ses tristes relations avec Henry.

— William, mon cher. Comment allez-vous et comment vont les choses à St. Paul's ?

— Tout va bien, merci, monsieur, mais ce n'est pas pour cela que je vous appelle.

— Non, je m'en doutais, rétorqua Lloyd, pince-sans-rire. Que puis-je faire pour vous ?

— J'aimerais vous voir demain après-midi.

— Un dimanche, William ?

— Oui, c'est le seul jour où je peux quitter l'école et il faut que je vous rencontre le plus vite possible, dit-il, en faisant comme s'il s'agissait d'une concession de sa part, avant d'ajouter : et en aucune circonstance, ma mère ne doit être au courant de notre rendez-vous.

— Eh bien, William… commença Lloyd.

Le ton du jeune homme devint plus sec.

— Je n'ai pas à vous rappeler, monsieur Lloyd, qu'investir l'argent de mon fidéicommis dans la société de mon beau-père, si ce n'est pas totalement illégal, serait sans aucun doute considéré comme contraire à l'éthique.

Lloyd garda le silence un moment ; il se demandait s'il devait essayer d'apaiser le garçon. Le « garçon »… Avait-il jamais été un petit garçon ?

— Très bien, William. Et si vous me retrouviez au Hunt Club pour déjeuner, disons à treize heures ?

— Je me réjouis de vous revoir, monsieur.

Il raccrocha.

« Au moins, la confrontation aura lieu sur mon terrain », songea Alan Lloyd en reposant le combiné, et en maudissant M. Bell d'avoir inventé cette satanée machine.

Lloyd avait choisi le Hunt Club parce qu'il ne souhaitait pas que ce rendez-vous soit trop privé. La première chose que William demanda en arrivant fut s'ils pouvaient faire une partie de golf après déjeuner.

— Avec grand plaisir, mon garçon, dit Alan, et il réserva une place sur le premier trou pour quinze heures.

Il fut étonné que William n'aborde pas le sujet de l'offre de Henry Osborne au cours du repas. Il parla avec beaucoup d'assurance de l'opinion du président Harding sur la réforme des tarifs douaniers, et de l'incompétence de Charles G. Dawes en tant que directeur du Budget. Alan commença à se demander si William, après que la nuit lui eut porté conseil, avait changé d'avis et ne tenait plus à discuter de la proposition d'Osborne. Eh bien, si c'est ainsi que le garçon veut la jouer, alors très bien, songea Alan. Il se réjouit de passer un après-midi tranquille à faire du golf. Après un déjeuner agréable et la majeure partie d'une bouteille de vin – William se limita à un verre –, ils se changèrent au club-house et se rendirent au premier trou.

— Êtes-vous toujours handicap neuf, monsieur ? s'enquit William.

— Pas loin, mon garçon, pourquoi ?

— Dix dollars le trou vous conviendraient-ils ?

Alan Lloyd hésita, se rappelant que le golf était le seul sport que William aimait.

— Oui, très bien.

Ils ne dirent rien pendant le premier trou : Alan réussit à faire le par, tandis que William faisait un bogey. Alan remporta aussi le second, et le troisième sans problème, et se détendit, plutôt ravi de son jeu. Quand ils parvinrent au quatrième trou, ils se trouvaient à un demi-mile du club-house. William attendit qu'Alan soit sur le point d'entamer sa montée.

— Que les choses soient bien claires, commença William, en aucune circonstance, je vous autoriserai à prêter cinq cent mille dollars de mon fidéicommis à toute société ou personne en rapport avec Henry Osborne.

Lloyd fit une mauvaise mise en jeu qui atterrit dans le *rough*[6] gauche ; son seul avantage fut que cela l'éloignait suffisamment de William qui avait effectué un bon drive vers le milieu, ce qui lui laissa quelques minutes pour réfléchir à la façon dont il réagirait tant à la remarque du jeune homme qu'à comment jouer sa balle. Quand ils se retrouvèrent sur le green, Lloyd avait fait trois autres coups. Il accorda le trou.

— William, vous savez qu'en tant que fidéicommissaire, je ne dispose que d'une voix sur trois, et que vous n'avez aucune autorité sur les décisions relatives à votre fidéicommis jusqu'à vos vingt et un ans. Vous devez également comprendre que nous ne devrions pas du tout discuter de ce sujet.

— Je suis pleinement conscient des implications légales, monsieur, mais comme les deux autres fidéicommissaires couchent avec mon père…

Le drive suivant de Lloyd atterrit dans le lac.

— Ne me dites pas que vous êtes le seul à Boston à ignorer que Millie Preston a une liaison avec mon beau-père ?

Lloyd accorda le trou.

William poursuivit :

— Je veux être sûr d'avoir votre voix. Et que vous ferez tout ce qui est en votre pouvoir pour déconseiller ce prêt à ma mère, même si

6. *Rough* : partie du parcours de golf longeant les trous et placée sur les côtés du fairway. L'herbe y est plus haute.

pour cela il faudrait lui avouer la vérité au sujet de mon beau-père et de Mme Preston.

Le drive de William sur le sixième trou partit en plein milieu du fairway et celui d'Alan, encore pire que le précédent, atterrit dans le bunker d'un trou adjacent. Il planta sa prochaine balle dans un buisson dont il n'avait jamais noté l'existence et dit « Merde » haut et fort pour la deuxième fois de sa vie en quarante-trois ans. *(Il avait également pris une raclée ce jour-là.)*

— C'est un peu trop me demander, dit Alan en rejoignant William sur le green.

— Ce n'est rien comparé à ce que je ferais si je ne pouvais pas compter sur votre aide, monsieur.

— Je ne crois pas que votre père aurait approuvé des menaces, William, reprit Alan en observant le garçon tenter un putt de quatre mètres.

— La seule chose qu'il n'aurait pas avalisée, c'est Henry Osborne, rétorqua William.

Lloyd manqua son putt de soixante centimètres.

— Dans tous les cas, monsieur Lloyd, vous devez être parfaitement au courant que mon père a fait insérer une clause dans le fidéicommis qui stipule que l'argent investi par les fidéicommissaires devrait toujours rester strictement confidentiel et que l'on ne devrait pas informer le bénéficiaire que la famille Kane était personnellement impliquée. C'était une règle qu'il a respectée toute sa vie de banquier. Ainsi, il pouvait s'assurer qu'il n'y avait aucun conflit d'intérêts entre les investissements de la banque et ceux du fidéicommis familial.

— Votre mère estime probablement que l'on peut enfreindre la règle pour un membre de la famille.

— Henry Osborne ne fait pas partie de *ma* famille, et quand je contrôlerai le fidéicommis, ce sera une règle que, comme mon père, je ne transgresserai jamais.

— Vous risquez de regretter toute votre vie d'adopter une position aussi ferme, William. Peut-être devriez-vous réfléchir un moment aux conséquences que cela aurait pour votre mère d'apprendre que Mme Preston et votre beau-père ont une liaison.

— Maman a déjà perdu cinq cent mille dollars sur ses fonds personnels, monsieur. Cela ne suffit-il pas pour un seul mari ? Pourquoi devrais-je gâcher cinq cent mille dollars, moi aussi ?

— Nous n'en sommes pas sûrs, William. L'investissement pourrait avoir des retours excellents, je n'ai pas encore eu l'occasion d'examiner soigneusement les registres de Henry.

William grimaça lorsque Lloyd appela son beau-père Henry.

— Je peux vous assurer, monsieur, qu'il a claqué quasiment le moindre penny de ma mère. Pour être exact, il lui reste trente-trois mille quatre cent douze dollars sur son compte. Je vous suggère de ne pas vous attarder sur les registres d'Osborne, mais de fouiller plus scrupuleusement ses antécédents, ses anciennes archives professionnelles et consorts. Sans parler du fait qu'il joue – beaucoup.

Au huitième trou, Alan envoya sa balle dans le même lac que précédemment. Une fois de plus, il concéda le trou.

— Comment avez-vous obtenu cette information ? demanda Alan, sûr et certain que c'était par l'intermédiaire du bureau de Thomas Cohen.

— Je préfère ne pas le dire, monsieur.

Alan ne dévoila rien de ses pensées ; il aurait peut-être besoin de garder cet atout en réserve pour le jouer ultérieurement dans la vie de William.

— Si tout ce que vous déclarez s'avérait juste, William, il va de soi que je déconseillerais à votre mère tout investissement dans la société de Henry, et il serait également de mon devoir de discuter franchement de cette affaire avec ce dernier.

— Soit, monsieur.

Alan fit une meilleure balle, mais il savait qu'il était trop tard pour gagner la partie.

William poursuivit :

— Vous pourriez aussi être intéressé d'apprendre qu'Osborne a besoin des cinq cent mille dollars de mon fidéicommis, non pas pour le contrat avec l'hôpital, mais pour s'affranchir d'une vieille dette à Chicago. J'imagine que vous n'étiez pas au courant, monsieur ?

Alan ne dit rien ; il ne devait sûrement pas le savoir. William gagna le trou.

Quand ils parvinrent au dix-huitième, Alan était huit *down* et allait achever la pire partie de toute sa vie. Il rentra un long putt d'un mètre cinquante qui lui permettrait au moins de faire égalité sur le trou final.

— Me réservez-vous d'autres bombes de la sorte ? demanda-t-il.

— Avant ou après votre putt, monsieur ?

Alan rit et décida de le prendre au mot.

— Avant, William, dit-il en s'appuyant sur son club.

— Osborne ne décrochera pas le contrat de l'hôpital. C'est ce que pensent ceux qui sont au courant qu'il soudoie un conseiller adjoint du comité d'urbanisme. Rien ne sera rendu public, mais sa société ne fait déjà plus partie de la liste des candidats présélectionnés. Ce sont Kirkbride et Carter les grands gagnants. Cette information, monsieur, est confidentielle. Même Kirkbride et Carter ne le sauront pas avant jeudi en huit, je vous serais donc reconnaissant de la garder pour vous.

Alan loupa son putt. William termina le trou et alla serrer chaleureusement la main à Lloyd.

— Merci pour la partie, monsieur. Je pense que vous apprendrez que vous me devez quatre-vingt-dix dollars.

Lloyd sortit son portefeuille et lui donna un billet de cent dollars.

— William, je pense qu'il est temps que vous cessiez de m'appeler monsieur. Je m'appelle, comme vous le savez parfaitement, Alan.

— Merci, Alan.

William lui rendit dix dollars.

# 19

Lorsque Wladek reprit conscience, il se trouvait sur un lit dans une petite chambre en compagnie de trois individus en longue blouse blanche qui l'examinaient soigneusement, et parlaient dans une langue qu'il entendait pour la première fois. Combien en existait-il au monde ?

Il tâcha de s'asseoir, mais le plus vieux des trois, au visage mince, ridé, et au bouc, le fit fermement se rallonger. Il s'adressa à Wladek dans son dialecte étrange. Wladek secoua la tête. L'homme tenta ensuite le russe. Wladek secoua de nouveau la tête – ce serait le retour assuré là d'où il venait. La langue que le médecin expérimenta ensuite était l'allemand, et Wladek s'aperçut qu'il la maîtrisait mieux que son inquisiteur.

— Ah ah, alors comme ça, tu n'es pas russe ? s'enquit celui-ci.

— Non.

— Que faisais-tu en Russie ?

— J'essayais de m'échapper.

— Ah.

L'homme se tourna vers ses compagnons et sembla reporter la conversation dans leur propre langue. Les trois quittèrent la pièce.

Une infirmière entra et frotta vigoureusement Wladek, se moquant bien de ses cris de douleur. Elle n'aimait pas les objets sales dans son hôpital. Elle finit par lui couvrir les jambes avec une épaisse pommade marron, et le laissa se rendormir. Quand il se réveilla pour la deuxième fois, il était seul. Il contempla fixement le plafond blanc, réfléchissant à ce qu'il allait faire.

Il descendit du lit d'un bond et traversa la salle jusqu'à la fenêtre. Elle donnait sur une place de marché, peu différente de celle d'Odessa, sauf que les hommes arboraient de longues robes blanches et une peau plus brune. Ils portaient aussi des objets colorés sur la tête, qui ressemblaient à de petits pots de fleurs rouges à l'envers, et des sandales ouvertes aux pieds. Les femmes étaient toutes en noir ;

même leur visage était couvert. Tout ce qu'il pouvait voir, c'étaient leurs yeux foncés. Wladek observa l'agitation au marché, les femmes qui négociaient leur pain quotidien : c'était manifestement la seule chose internationale.

Plusieurs minutes s'écoulèrent avant qu'il ne s'aperçoive qu'un escalier de secours extérieur descendait jusqu'en bas. Il se dirigea prudemment vers la porte, l'ouvrit et jeta un œil dans le couloir. Des gens allaient et venaient, mais personne ne lui témoignait le moindre intérêt. Il ferma doucement la porte, chercha ses affaires qu'il trouva dans un placard dans un coin de la pièce, et s'habilla vite. Ses vêtements, encore noirs de poussière de charbon, étaient rugueux sur sa peau propre. Il retourna à la fenêtre, l'ouvrit délicatement, grimpa sur l'escalier de secours, et se mit à descendre vers la liberté. La première chose qui le frappa fut la chaleur. Il regrettait de porter son lourd pardessus.

Une fois que ses pieds touchèrent le sol, il essaya de courir, mais ses jambes étaient si molles qu'il ne put que marcher lentement. Comme il aurait voulu se réveiller un jour et que sa claudication se soit miraculeusement volatilisée ! Il ne se retourna pas jusqu'à ce qu'il se retrouve perdu parmi la foule de gens qui faisaient le marché.

Il y avait une grosse pile d'aliments bien tentants sur chaque étal, et il décida de s'acheter une orange et des fruits secs. Il passa la main dans la doublure de son costume, mais l'argent avait disparu. Pire encore, il s'aperçut que le bracelet avait lui aussi disparu. Les hommes en blouse blanche avaient dû voler ses affaires. Il envisagea de retourner les récupérer à l'hôpital, mais se ravisa tant qu'il n'avait pas mangé quelque chose. Peut-être restait-il des pièces dans les grosses poches de son manteau. Il fouilla, et trouva immédiatement les trois billets de cinquante roubles et de la monnaie. Ils étaient emballés avec la carte du médecin et le bracelet d'argent. Wladek fut fou de joie. Il enfila le bracelet et le remonta au-dessus de son coude.

Il choisit la plus belle orange, et une poignée de fruits secs. Le vendeur lui dit quelque chose qu'il ne comprit pas. Wladek estima que le meilleur moyen de contourner la barrière de la langue était de donner de l'argent. Le marchand regarda le billet de cinquante roubles, rit et jeta les bras en l'air. « Allah ! » cria-t-il. Il arracha les fruits secs et l'orange des mains de Wladek et le chassa d'un geste.

Wladek s'en alla, désespéré. Une langue différente signifiait une monnaie différente. En Russie, il était pauvre, ici il était sans le sou. Il devrait voler pour manger ; si par hasard il se faisait prendre, il le renverrait au marchand. Il se rendit à l'autre bout du marché, avec la démarche assurée de Stefan, mais il ne parvint pas à imiter son air fanfaron et il ne ressentait sûrement pas la même confiance. Il choisit l'étal opposé et une fois sûr que personne ne le regardait, il déroba une orange et se mit à courir. D'un seul coup, cela déclencha un véritable tumulte, comme si la moitié de la ville le pourchassait.

Un homme costaud et athlétique sauta sur Wladek qui claudiquait et le jeta au sol. Six ou sept autres s'emparèrent de différentes parties de son corps, et un plus grand groupe suivit quand il fut traîné jusqu'à l'étal, où un agent de police les attendait. S'ensuivirent un échange de cris, et beaucoup de mouvements de bras entre le marchand et le policier. Celui-ci finit par se tourner vers Wladek et lui cria dessus, aussi, mais il ne comprenait pas un seul mot de ce qu'il disait. L'officier haussa les épaules et l'attrapa par l'oreille. Il continua à se faire invectiver quand l'agent l'entraîna, et d'autres lui crachèrent même à la figure.

Lorsque Wladek arriva au poste de police, il fut jeté dans une cellule minuscule, déjà occupée par vingt ou trente criminels – voyous, voleurs, il ne savait pas. Il ne parla pas et ils ne montrèrent aucun désir de lui adresser la parole. Il resta le dos collé au mur pendant un jour et une nuit, trop effrayé pour bouger. L'odeur d'excréments lui donna envie de vomir jusqu'à ce qu'il se soit totalement vidé. Jamais il n'avait pensé qu'un jour viendrait où les donjons dans le château du baron lui sembleraient paisibles et peu encombrés.

Le lendemain matin, deux gardes traînèrent Wladek du sous-sol, dans une pièce où il dut s'aligner avec plusieurs autres détenus. Ils furent ensuite tous enchaînés les uns aux autres par la taille et conduits dans la rue. Un attroupement important s'était rassemblé, et en entendant les bruyantes acclamations de bienvenue, Wladek songea que cela faisait un moment que les gens attendaient que des prisonniers apparaissent. La foule les suivit jusqu'au marché en hurlant, en applaudissant et en chantant, mais Wladek ignorait la raison d'une telle excitation. Les détenus s'arrêtèrent une fois à destination. Le premier homme fut détaché et conduit au milieu de la place, où grouillait une centaine de personnes qui criaient vengeance.

Wladek observa la scène avec incrédulité. Une fois qu'un condamné arrivait au centre de la place, le garde le mettait à terre, à genoux, en le rouant de coups. Une espèce de géant sanglait ensuite sa main droite à un bloc de bois, puis levait une grande épée au-dessus de sa tête et l'abaissait avec une force terrible, visant le poignet du malheureux. À la première tentative, il réussit seulement à trancher le bout des doigts. Le prisonnier hurla de douleur quand la lame fut relevée. Cette fois, elle toucha bien le poignet, mais n'acheva pas le boulot correctement, et la main pendilla, le sang se déversant sur la poussière. L'épée fut soulevée une troisième fois et quand elle redescendit, la main du pauvre homme finit par tomber à terre. La foule beugla son approbation. Le prisonnier, enfin libéré, s'écroula, inconscient. Un garde qui s'ennuyait le traîna sur le côté et l'abandonna en lisière du rassemblement. Une femme en larmes – son épouse, présuma Wladek – noua à la hâte un garrot de linge sale autour du moignon ensanglanté. Le deuxième condamné mourut de choc avant que le quatrième coup ne lui soit administré. La mort n'intéressait pas l'épéiste géant, qui continua donc sa commission – on le payait simplement pour enlever des mains.

Wladek regarda autour de lui, terrorisé, en proie à des haut-le-cœur; il aurait vomi si quelque chose était resté dans son ventre. Il chercha dans toutes les directions de l'aide ou un moyen de s'échapper; personne ne l'avait averti qu'en droit islamique, la punition pour tentative de fuite serait de lui couper un pied. Il jetait des regards furtifs parmi la masse de visages, et ne s'arrêta que lorsqu'il avisa un homme en costume sombre, chemise blanche et cravate, qui observait la scène avec un dégoût évident, à une vingtaine de mètres de lui. Il ne regarda pas une seule fois dans la direction de Wladek, n'entendit pas non plus ses appels à l'aide dans la clameur qui s'ensuivait dès lors que l'épée se rabattait. Était-il français, allemand, anglais, voire polonais ? Wladek ne le savait pas, mais pour une raison quelconque, il était venu assister au macabre spectacle.

Wladek le fixa, l'adjura de se tourner vers lui. Il agita son bras libre, mais ne parvint toujours pas à attirer l'attention de l'étranger. Les gardes détachèrent l'individu précédant Wladek, et le traînèrent vers le bloc. L'épée fut relevée, la foule acclama, et l'homme en costume noir détourna les yeux, horrifié. Wladek continua à gesticuler frénétiquement dans sa direction.

L'homme le fixa puis se tourna pour parler à un compagnon que Wladek n'avait pas remarqué. Le garde se débattait dorénavant avec le prisonnier juste avant lui. Il sangla sa main au bloc, la lame se leva, et l'ôta en un seul coup. La foule déçue applaudit à peine. Wladek scruta de nouveau les étrangers, qui le regardaient tous les deux désormais plus attentivement. Il les adjura de faire quelque chose, mais ils continuèrent à le dévisager.

Le garde s'approcha, arracha le pardessus à cinquante roubles de Wladek, et le jeta par terre. Il défit ensuite ses manchettes et remonta sa manche. Wladek se débattit en vain lorsqu'on le traîna sur toute la place. Il ne faisait pas le poids par rapport au grand gaillard qu'était le garde. Une fois devant le bloc, il le frappa violemment dans le dos des genoux et il s'effondra. La courroie fut attachée sur son poignet droit. Il ne lui restait plus qu'à fermer les yeux, quand l'épée fut brandie bien haut en l'air. Souffrant le martyre, il attendit le coup terrible, mais un silence se fit brusquement lorsque le bracelet du baron glissa de son coude jusqu'à son poignet, puis sur le bloc. Un silence sinistre envahit la foule, alors que le bijou brillait vivement au soleil.

Le bourreau hésita, puis baissa lentement son épée en examinant le bracelet d'argent. Wladek ouvrit les yeux quand le garde essaya de l'ôter, mais il ne parvint pas à le faire passer par-dessus la lanière de cuir. Un individu en uniforme fila vers le bloc. À son tour, il inspecta le bijou et son inscription, puis courut vers un autre homme, qui devait être son supérieur, car il prit son temps avant de les rejoindre. L'épée reposait toujours par terre, et la foule commençait à huer et à siffler. Le deuxième officier essaya à son tour d'ôter le bracelet d'argent, mais ne parvint pas à le faire passer par-dessus le bloc et n'avait pas le pouvoir de défaire la sangle. Il cria sur Wladek qui ne comprenait pas ce qu'il disait et répondit en polonais : « Je ne parle pas votre langue. »

L'officier sembla surpris, jeta les mains en l'air en hurlant « Allah » puis se dirigea lentement vers les deux types en costumes occidentaux. Wladek pria Dieu – dans de telles situations, n'importe qui prie n'importe quel dieu, musulman ou chrétien. L'un des deux individus rejoignit l'officier turc et ils avancèrent vers le bloc. L'étranger se mit sur un genou au côté de Wladek, examina le bracelet d'argent puis le regarda soigneusement. Wladek attendit. Il savait parler cinq langues, et pria pour que l'homme en connaisse une. Son cœur se serra quand il se tourna vers l'officier et s'adressa à lui dans son propre dialecte. La foule poussait des huées et jetait des fruits pourris sur le bloc. L'officier hochait la tête en signe d'approbation. L'étranger se retourna et s'agenouilla au côté de Wladek.

— Parlez-vous anglais ?

Wladek soupira de soulagement.

— Oui, monsieur, un peu. Je suis un citoyen polonais.

— Comment avez-vous pris possession de ce bracelet d'argent ?

— Il appartient à mon père, monsieur. Il est mort dans le donjon à cause des Allemands en Pologne, et je me suis fait capturer et envoyer dans un camp de prisonniers en Russie. Je me suis échappé et je suis arrivé ici en bateau. Je n'ai pas mangé depuis longtemps. Comme le marchand n'a pas voulu de mes roubles en échange d'une orange, j'en ai pris une parce que j'avais très, très faim.

L'Anglais se leva et s'adressa à l'officier d'un ton très ferme. Ce dernier, à son tour, se tourna vers le bourreau, qui avait l'air perplexe, mais quand l'officier répéta l'ordre un peu plus fort, il se pencha et défit la lanière en cuir à contrecœur. Wladek eut de nouveau envie de vomir. L'Anglais donna à chaque homme une pièce en argent, sous les protestations des hordes. On les avait privées d'une main.

— Venez avec moi, dit l'Anglais. Et vite, avant qu'ils ne changent d'avis.

Toujours hébété, Wladek attrapa son manteau et le suivit. La foule poussa des huées et siffla, continuant à lui jeter des légumes et des fruits pourris quand il partit. L'épéiste attacha la main du prisonnier suivant au bloc et, au premier coup, ne parvint qu'à couper un pouce. Cela sembla toutefois apaiser la meute.

L'Anglais fendit rapidement la foule bruyante et sortit de la place, où son compagnon le rejoignit.

— Que se passe-t-il, Edward ?

— Le petit prétend qu'il est polonais et qu'il s'est échappé de Russie. J'ai raconté au responsable qu'il était anglais, et il est donc maintenant sous notre responsabilité. Amenons-le au consulat, et voyons si son histoire a une vague ressemblance avec la vérité.

Wladek réussit à suivre non sans mal les deux hommes qui descendaient la rue des Sept Rois à toute allure. Il entendait encore vaguement la foule derrière eux hurler son approbation chaque fois que l'épée s'abattait.

Les deux Anglais conduisirent Wladek sous une arche et à travers une cour pavée vers un grand immeuble gris. La porte arborait les mots accueillants : « Consulat britannique ». Une fois à l'intérieur du bâtiment, Wladek commença à se sentir en sécurité pour la première fois. Il suivit les deux individus dans un long couloir aux murs tapissés de tableaux d'hommes en uniformes étranges. À l'extrémité se trouvait un portrait magnifique d'un vieil homme en uniforme bleu décoré de médailles. Sa belle barbe lui fit penser au baron. Un soldat surgit de nulle part et les salua.

— Occupez-vous de ce garçon, caporal Smithers. Et veillez à ce qu'il prenne un bain. Puis dénichez-lui des vêtements et donnez-lui à manger dans la cuisine. Ensuite, et quand il sentira un peu moins fort qu'une porcherie ambulante, amenez-le dans mon bureau.

— Bien monsieur, dit le caporal, et il salua de nouveau. Viens avec moi, mon petit gars.

Wladek suivit docilement le soldat et dut presque courir pour ne pas se laisser distancer. Il l'accompagna dans une chambrette au sous-sol. Elle ne comportait qu'une minuscule fenêtre – aucune chance de s'évader. Le caporal lui demanda de se déshabiller puis le laissa tout seul. Il revint quelques minutes plus tard, trouvant le garçon assis au bord du lit, toujours habillé, qui faisait inlassablement tourner le bracelet d'argent autour de son poignet, l'air hébété.

— Dépêche-toi, gars ! Tu n'es pas en cure de repos !

— Désolé, monsieur.

— Ne m'appelle pas, monsieur, mon gars. Je suis le caporal Smithers. Tu m'appelles caporal.

— Je suis Wladek Koskiewicz. Vous m'appelez Wladek.

— N'essaie pas de plaisanter avec moi, mon gars. Nous avons assez de drôles d'oiseaux dans l'armée britannique pour que tu ne viennes pas grossir leurs rangs.

Wladek ne comprit pas ce qu'il entendait par là. Il s'empressa de se déshabiller.

— Suis-moi, au pas de course !

Un autre bain apaisant avec de l'eau chaude et du savon fit ressurgir des souvenirs de sa protectrice russe, et du fils qu'il aurait pu devenir, si son mari n'avait pas été là. Le soldat était revenu à la porte avec un ensemble de vêtements, étranges mais propres, et qui sentaient bon. À quel fils avaient-ils appartenu ?

Le caporal Smithers accompagna Wladek dans la cuisine où il le laissa en compagnie d'une cuisinière ronde au visage rose, le plus gentil que Wladek avait jamais vu depuis qu'il avait quitté la Pologne. Elle lui faisait penser à sa *niania*. Il ne put s'empêcher de se demander ce qui arriverait à sa ligne après quelques semaines au camp 201.

— Bonjour, lança-t-elle avec un sourire rayonnant. Comment t'appelles-tu alors ?

Wladek lui répondit.

— Bien, Wladek, on dirait que tu ne serais pas contre avaler un bon repas britannique – pas ces cochonneries turques. Nous commencerons par une soupe chaude, et du bœuf. Il te faut quelque chose de substantiel si tu dois affronter M. Prendergast. *(Elle gloussa.)* Souviens-toi, il crie beaucoup, mais il n'est pas méchant. Même s'il est anglais, son cœur est là où il faut.

— Vous n'êtes pas anglaise, madame la cuisinière ? demanda Wladek, surpris.

— Seigneur, non, mon petit gars, je suis écossaise. Ça change tout. Nous détestons les Anglais plus que les Allemands, dit-elle en riant.

Elle déposa une soupière bouillante remplie de viande et de légumes devant lui. Il avait complètement oublié que la nourriture puisse sentir aussi bon et être aussi bonne. Il dégusta lentement, craignant que ce soit son dernier excellent repas avant très longtemps.

Le caporal réapparut.

— As-tu assez mangé, mon petit gars ?

— Oui, merci, monsieur le caporal.

Celui-ci gratifia Wladek d'un regard méfiant, mais ne décela aucune trace d'insolence dans l'expression du garçon.

— Bien, alors allons-y. On ne peut pas arriver en retard pour M. Prendergast.

Le caporal disparut par la porte. Wladek jeta un coup d'œil à la cuisinière. Il détestait faire ses adieux à quelqu'un qu'il venait de rencontrer, surtout de si gentil.

— Du vent, mon gars, si tu sais ce qui est bon pour toi.

— Merci, madame la cuisinière, dit-il. Votre cuisine est la meilleure que j'aie goûtée depuis très très longtemps.

Elle lui sourit. Il dut de nouveau trotter pour rattraper le caporal, qui s'arrêta brusquement devant une porte. Wladek faillit lui rentrer dedans.

— Regarde où tu vas, mon gars.

Le caporal frappa brièvement à la porte.

— Entrez, fit une voix.

Le caporal ouvrit et salua.

— Le petit Polonais, monsieur, comme vous l'avez requis, lavé, habillé et nourri.

— Merci, caporal. Peut-être auriez-vous l'amabilité de demander à M. Grant de se joindre à nous.

Edward Prendergast leva les yeux de son bureau. Il fit signe à Wladek de s'asseoir et continua à travailler sur des papiers. Le jeune garçon s'installa et le regarda, puis les tableaux au mur ; d'autres individus en uniforme, mais ce vieillard barbu bénéficiait encore du plus grand portrait, cette fois en treillis. Quelques minutes plus tard, les Anglais qu'il avait vus au marché vinrent se joindre à eux.

— Merci de nous rejoindre, Harry. Asseyez-vous, mon vieux. *(M. Prendergast se tourna vers Wladek.)* Maintenant, mon garçon, écoutons ton histoire depuis le début, sans exagération, seulement la vérité. Me comprends-tu ?

— Oui, monsieur.

Wladek commença par raconter sa vie dans la chaumière du trappeur en Pologne. Il lui fallut un peu de temps pour trouver les bons mots anglais. Les deux Anglais l'arrêtaient parfois pour lui poser une question, et se gratifiaient d'un signe de tête une fois qu'il leur avait répondu. Après avoir parlé pendant une heure, Wladek en était arrivé au moment de l'histoire de son existence où il était assis dans le bureau de M. Prendergast, le second consul de Turquie de Sa Majesté britannique.

— Je pense, Harry, dit M. Prendergast, qu'il est de notre devoir d'informer immédiatement la délégation polonaise et de leur remettre le jeune Koskiewicz. Étant donné les circonstances, il doit être de leur responsabilité.

— Je suis d'accord, répondit l'homme qui s'appelait Harry. Tu sais, mon garçon, tu l'as échappé belle, aujourd'hui. La charia – la vieille loi islamique qui stipule que l'on doit couper une main en cas de vol – a été en théorie abandonnée il y a de nombreuses années. En fait, c'est un crime selon le code pénal ottoman d'infliger une telle punition. Quoi qu'il en soit, en pratique, les barbares continuent à l'administrer.

Il haussa les épaules.

— Pourquoi pas la mienne ? demanda Wladek en tenant son poignet.

— Je leur ai expliqué qu'ils pourraient trancher toutes les mains musulmanes qu'ils souhaitaient, mais pas celles d'un Anglais, les interrompit le second consul.

— Merci mon Dieu, fit Wladek d'un ton faible.

— Edward Prendergast, plutôt, dit le second consul en souriant pour la première fois. Tu peux passer la nuit ici, puis nous t'accompagnerons à ta délégation demain. Le consul polonais est un chic type, pour un étranger.

Il appuya sur un bouton et le caporal réapparut immédiatement.

— Monsieur.

— Caporal, amenez le jeune Koskiewicz dans sa chambre et demain matin, veillez à ce qu'il prenne un petit déjeuner et qu'on me le ramène à neuf heures précises.

— Monsieur. Par ici, mon gars, au pas de course.

Le caporal emmena Wladek. Il n'avait même pas eu le temps de remercier les deux Anglais qui avaient sauvé sa main – et sa vie, probablement. Une fois dans sa chambrette propre, avec son petit lit bien fait comme pour un invité d'honneur, il se déshabilla, jeta l'oreiller par terre et dormit comme un loir jusqu'à ce que la lumière matinale brille à travers la fenêtre minuscule.

— Debout là-dedans, en vitesse !

C'était de nouveau le caporal, son uniforme d'une propreté impeccable et repassé le pli à plat, comme s'il n'était jamais allé se coucher. L'espace d'un instant, Wladek, qui émergeait, crut qu'il était de retour au camp 201 : le bruit du caporal qui frappait sur le cadre de lit en métal avec sa canne ressemblait à celui du triangle de prison que Wladek en était venu à détester. Il se glissa hors du lit et chercha ses vêtements.

— On se lave d'abord, mon gars ; on se lave d'abord. Nous ne voulons pas que tes horribles odeurs indisposent M. Prendergast de si bon matin, n'est-ce pas ?

Wladek ne savait pas quelle partie de lui nettoyer, car il n'avait jamais été aussi propre de toute sa vie. Il constata que le caporal le regardait fixement.

— Un problème à la jambe, mon gars ?

— Non, non, répondit Wladek en se détournant des yeux qui le fixaient.

— Bien. Je reviens dans trois minutes. Trois minutes, tu entends, mon petit gars ? Tâche d'être prêt.

Wladek se lava les mains et le visage puis s'habilla rapidement. Il était assis au bout du lit et tenait son long manteau en agneau quand le caporal revint le chercher pour l'amener au second consul. M. Prendergast l'accueillit et semblait s'être considérablement adouci depuis leur rencontre de la veille.

— Bonjour, Koskiewicz, dit-il.

— Bonjour, monsieur.

— Avez-vous bien petit-déjeuné ?
— Je n'ai pas pris de petit déjeuner, monsieur.
— Pourquoi ? s'enquit le second consul, en regardant en direction du caporal.
— Trop dormi, j'en ai peur, monsieur. Il aurait été en retard.
— Bien, voyons ce que nous pouvons faire. Caporal, voudriez-vous demander à Mme Henderson d'éplucher une pomme ou autre chose ?
— Oui, monsieur.

Wladek et le second consul longèrent lentement le couloir vers la porte d'entrée du consulat puis traversèrent la cour pavée jusqu'à une voiture qui les attendait, l'une des rares en Turquie. C'était le premier voyage qu'effectuait Wladek dans ce genre de véhicule. Il était désolé de quitter le consulat britannique. C'était le seul endroit dans lequel il s'était senti en sécurité depuis des années. Il se demanda s'il arriverait à dormir plus d'une nuit dans le même lit pour le reste de sa vie. Le caporal dévala les marches et s'assit à la place du conducteur. Il donna une pomme et du pain frais et tiède à Wladek.

— Veille à ne pas mettre de miettes dans la voiture, mon gars. La cuisinière te présente ses salutations.

Le trajet à travers les rues brûlantes et animées s'effectua au pas, car les Turcs ne faisaient rien pour laisser passer un chameau anglais sur roues. Même avec toutes les vitres baissées, Wladek transpirait à cause de la chaleur oppressante. M. Prendergast, assis à l'arrière, restait calme et imperturbable. Wladek inclinait la tête de peur que quelqu'un qui aurait assisté aux événements de la veille le reconnaisse et attise de nouveau la colère de la foule. Quand l'Austin noire se gara devant un petit bâtiment délabré qui portait l'inscription Konsulat Polski, Wladek ressentit une pointe d'excitation mélangée à de la déception.

Tous les trois descendirent d'un bond.
— Où est le trognon de pomme, mon garçon ? demanda le caporal.
— Je l'ai mangé.

Le caporal rit et frappa à la porte. Un petit homme à l'air aimable aux cheveux bruns et à la mâchoire ferme répondit. En bras de chemise, il était bien bronzé par le soleil de Turquie. Il s'adressa à eux en polonais ; les premiers mots que Wladek entendait de sa langue natale depuis qu'il avait quitté le camp de travail. Wladek expliqua rapidement sa présence. Son compatriote se tourna vers le second consul britannique.

— Par ici, monsieur Prendergast, dit-il dans un anglais parfait. C'est gentil de votre part d'amener le garçon en personne.

Quelques amabilités diplomatiques furent échangées, avant que Prendergast et le caporal ne prennent congé. Wladek les regarda fixement, cherchant une expression anglaise plus adéquate que « Thank you ».

Prendergast le tapota sur la tête comme il l'aurait fait sur celle d'un cocker. Et quand le caporal ferma la porte, il gratifia Wladek d'un clin d'œil.

— Bonne chance, mon gars. Dieu sait que tu le mérites.

Pawel Zaleski, le consul polonais, se présenta. Une fois de plus, Wladek dut raconter l'histoire de sa vie et trouva plus facile de s'exécuter en polonais qu'en anglais. Zaleski écouta en silence, et secoua la tête d'un air affligé.

— Mon pauvre enfant. Vous avez porté plus que votre part de la souffrance de notre pays pour quelqu'un de si jeune. Et maintenant, qu'allons-nous faire de vous ?

— Je dois retourner en Pologne réclamer mon château, déclara Wladek.

— La Pologne, fit le consul, où est-ce ? La région où vous viviez fait toujours l'objet d'un conflit, et les Polonais et les Russes continuent à se battre en essayant de tomber d'accord sur une frontière. Le général Pilsudski fait tout ce qu'il peut pour protéger l'intégrité territoriale de notre patrie. Mais ce serait idiot de notre part de faire preuve d'optimisme. Il vous reste très peu de choses en Pologne. Non, le mieux pour vous serait de commencer une nouvelle vie en Angleterre ou en Amérique.

— Mais je ne veux pas aller en Angleterre ou en Amérique ! Je suis polonais.

— Vous serez toujours polonais, Wladek. Personne ne peut vous enlever cela, où que vous décidiez de vous installer. Mais vous devez aborder votre avenir avec réalisme, tant que vous êtes encore jeune.

Wladek baissa la tête de désespoir. Avait-il vécu toutes ces épreuves uniquement pour s'entendre dire qu'il ne pourrait jamais rentrer dans sa patrie, qu'il ne reverrait plus jamais son château ? Il réprima ses larmes.

Le consul passa un bras sur les épaules du garçon.

— N'oubliez jamais que vous êtes l'un des chanceux qui a pu s'échapper et s'en sortir vivant. Vous n'avez qu'à vous souvenir de votre ami loyal, le docteur Dubien, pour avoir conscience de ce que votre vie aurait pu être.

Wladek ne dit rien.

— Maintenant, vous devez mettre toute pensée de votre passé de côté et ne songer qu'à l'avenir, Wladek. Peut-être que de votre vivant, vous verrez la Pologne se relever, et c'est tout le mal que je vous souhaite.

# 20

Alan Lloyd arriva à la banque lundi matin avec un peu plus à faire que ce qu'il avait prévu avant son rendez-vous avec William. Il mit immédiatement cinq chefs de service au travail pour vérifier les allégations du jeune homme. Il redoutait le résultat de ses recherches, et en raison des relations entre Anne et son établissement, il veilla à ce qu'aucun département ne sache ce que faisaient les autres. Ses instructions à chaque chef de service étaient claires : tous les rapports devaient être strictement confidentiels, et réservés au président.

Mercredi, cinq rapports préliminaires l'attendaient sur son bureau. Ils semblèrent tous confirmer l'opinion de William, bien que chaque chef de service ait demandé plus de temps pour vérifier certains détails. Alan décida de ne pas aborder le sujet avec Anne tant qu'il ne disposait pas de preuves plus concrètes pour continuer. Pour l'heure, le mieux qu'il puisse faire était de profiter d'un buffet dînatoire que les Osborne donnaient vendredi soir, où il pourrait déconseiller à Anne de prendre une décision immédiate à propos du prêt.

Lorsque Alan arriva chez Anne – il ne pourrait jamais se faire à l'idée que c'était chez les Osborne –, il fut choqué de constater qu'elle était pâle et fatiguée, et décida donc d'adoucir encore plus son approche. Il finit par réussir à la voir toute seule, mais ils n'eurent que quelques instants en tête à tête. Si seulement elle n'était pas enceinte au moment où tout cela se passait ! songea-t-il.

Anne lui sourit.

— Comme c'est gentil de votre part d'être venu, Alan, alors que vous devez être débordé à la banque.

— Je ne pouvais pas manquer l'une de vos soirées, ma chère. Ce sont toujours les plus convoitées de tout Boston.

Elle sourit.

— Je me demande si vous direz un jour ce qu'il ne faut pas dire.
— Bien trop fréquemment, Anne. Avez-vous eu le temps de réfléchir à ce dont nous avons discuté la semaine dernière ?
— Non, je crains que non. J'ai été débordée à préparer cette soirée, Alan. Comment vont les comptes de Henry ?
— Bien. Mais nous n'avons que les chiffres d'une année, je pense donc que nous devrions faire venir nos propres comptables pour les revérifier. C'est une politique bancaire standard d'agir de la sorte avec toute société implantée depuis moins de trois ans. Je suis sûre que Henry comprendra notre position.
— Anne, chérie, charmante soirée, interrompit une voix forte par-dessus l'épaule d'Alan. *(Il ne reconnut pas ce visage, probablement l'un des amis politiciens de Henry.)* Comment se porte la petite future maman ? poursuivit la voix mielleuse.
Alan s'esquiva, en espérant avoir gagné un peu de temps pour son établissement. Il y avait beaucoup de politiciens locaux de la mairie à la réception, et même deux membres du Congrès. Ce qui l'incita à se demander si par hasard William ne se serait pas trompé au sujet du contrat avec l'hôpital. Non pas que la banque eût l'intention d'enquêter là-dessus : après tout, l'annonce officielle interviendrait dans huit jours. Il alla chercher son pardessus noir et partit.
— Si seulement je pouvais tenir encore une semaine, dit-il à voix haute en redescendant Chestnut Street jusqu'à chez lui.
Pendant la soirée, Anne se surprit à observer Henry quand il se trouvait tout près de Millie Preston. Il n'y avait assurément aucun signe extérieur d'une liaison entre eux, en réalité, Henry passa beaucoup plus de temps avec John Preston. Anne commença à se demander si elle ne s'était pas trompée sur son mari et envisagea d'annuler son rendez-vous avec Glen Ricardo. La réception se termina enfin, deux heures plus tard que la jeune femme l'avait prévu, elle espérait simplement que cela signifiait que les invités s'étaient tous bien amusés et que cela profiterait à Henry.
— Belle soirée, Anne, merci de nous avoir invités.
C'était de nouveau la voix bruyante, la dernière personne à s'en aller. Anne ne se rappelait pas son nom – en rapport avec la mairie. Il disparut dans l'allée.

Elle gravit lentement l'escalier et commença à défaire sa robe avant même d'être arrivée dans sa chambre, se promettant de ne plus organiser de fête avant la naissance du bébé, dans dix semaines.

Henry la rejoignit peu après.

— As-tu pu parler à Alan, chérie ? demanda-t-il, tâchant d'avoir l'air nonchalant.

— Oui, répondit Anne. Il a affirmé que tes comptes allaient bien, mais comme la société ne peut produire que les chiffres d'un an, les comptables de la banque doivent revérifier. Apparemment, c'est une politique bancaire standard.

— Fichue politique bancaire ! Ne sens-tu pas la présence de William derrière tout cela ? Il essaie de retarder l'emprunt, Anne.

— Comment peux-tu soutenir une chose pareille ? Alan n'a même pas parlé de lui.

— Vraiment ? dit Henry, haussant le ton. Donc il n'a pas pris la peine de te préciser que William avait déjeuné avec lui dimanche, et qu'ils ont joué au golf dans son club ?

— Quoi ? fit Anne. Je ne le crois pas. Mon fils ne serait jamais venu à Boston sans me voir. Tu dois te méprendre, Henry.

— Ma chère, la moitié des tiens était là. Et j'imagine mal ton fils parcourir quatre-vingts kilomètres rien que pour faire une partie de golf avec Alan Lloyd. Un jour, Anne – et très vite –, tu devras décider si tu fais plus confiance à William qu'à ton propre mari. Ne comprends-tu pas qu'il faut que j'aie les fonds d'ici mercredi prochain, parce que si je ne suis pas en mesure de montrer à la mairie que je peux avancer cette somme, je serais disqualifié. Disqualifié car un écolier n'accepte pas que tu sois mariée à un autre que son père. S'il te plaît, Anne, tu dois appeler Alan demain, et lui demander de transférer l'argent.

Sa voix insistante résonna dans la tête de la jeune femme, qui fut prise de vertiges.

— Non, pas demain, Henry. Est-ce que ça ne peut pas attendre lundi ?

Henry sourit et rejoignit son épouse sans se presser, qui se regardait, nue, dans le miroir. Il passa la main sur son ventre rond.

— Je veux simplement que l'on donne à ce petit bonhomme les mêmes chances qu'à William.

⁂

Le lendemain matin, Anne se répéta une centaine de fois qu'elle ne devrait pas aller voir Glen Ricardo, mais peu avant midi, elle se surprit à héler un taxi. Vingt minutes plus tard, elle gravissait l'escalier de bois craquant, redoutant ce qu'elle entendrait. Elle hésita avant de frapper, et songea même à rebrousser chemin.

— Entrez.

Elle ouvrit la porte.

— Ah, madame Osborne. Quel plaisir de vous revoir. Asseyez-vous donc.

Elle resta debout.

— Les nouvelles, je le crains, ne sont pas bonnes, annonça Ricardo en passant une main dans ses longs cheveux noirs.

Le cœur d'Anne se serra, et elle s'effondra sur la chaise la plus proche.

— Nous n'avons pas vu M. Osborne avec Mme Preston, ni aucune autre femme au cours de la semaine dernière.

— Mais vous avez affirmé que les nouvelles n'étaient pas bonnes, répliqua-t-elle.

— Bien sûr, madame Osborne. Je pensais que vous cherchiez des raisons pour divorcer. Des épouses en colère ne viennent normalement pas me consulter dans l'espoir que je prouve que leurs maris sont fidèles.

— Non, non, dit Anne, soulagée. C'est la meilleure nouvelle que j'aie entendue depuis longtemps.

— Oh, très bien, fit Ricardo, légèrement déconcerté. Alors, espérons que la deuxième semaine ne révélera rien non plus.

— Vous pouvez arrêter votre enquête immédiatement, monsieur Ricardo. Je suis sûre et certaine que vous ne trouverez rien d'important la semaine prochaine.

— Je ne crois pas que ce soit une bonne idée, madame Osborne. Se faire une opinion définitive sur huit jours d'observation serait, d'après mon expérience, prématuré, c'est le moins que l'on puisse dire.

— Très bien, si vous pensez que cela prouvera quelque chose, mais je reste convaincue que vous ne découvrirez rien de nouveau.

— Quoi qu'il en soit, continua Ricardo en tirant sur son cigare, qui semblait plus gros et qui sentait meilleur, estima Anne, que celui qu'il avait fumé lors de leur premier rendez-vous, vous avez déjà payé pour les deux semaines.

— Et les lettres ? s'enquit-elle. Je suppose qu'elles ont dû venir de quelqu'un jaloux des exploits de mon mari.

— Eh bien, comme je vous l'ai fait remarquer la dernière fois que nous nous sommes vus, madame Osborne, retrouver l'expéditeur de courriers anonymes n'est jamais simple. Toutefois, j'ai pu localiser la boutique où le papier a été acheté, car la marque est vraiment rare. Mais pour l'instant, je n'ai rien de plus à signaler sur ce plan-là. Une fois de plus, je pourrais avoir une piste pour vous la semaine prochaine. Avez-vous reçu d'autres courriers ?

— Non.

— Bien, alors tout semble aller pour le mieux. Espérons, pour vous, que le prochain rendez-vous sera le dernier.

— Oui, dit joyeusement Anne. Espérons. Pourrais-je régler vos frais dans huit jours ?

— Bien sûr, bien sûr.

Anne avait presque oublié cette expression, mais cette fois, elle la fit rire. Elle accepta de revoir Ricardo pour ce qui serait, elle en était certaine, leur dernier rendez-vous jeudi prochain. Quand on la raccompagna chez elle, elle décida qu'elle devrait donner les cinq cent mille dollars à Henry, et l'occasion de prouver que William et Alan avaient tort. Elle ne s'était toujours pas remise du fait que William était venu à Boston sans l'en avertir. Elle se dit que Henry avait tout à fait le droit de croire que son fils essayait d'œuvrer dans leur dos.

Henry fut ravi lorsque Anne l'informa au dîner de sa décision de lui prêter l'argent, et il lui présenta les documents légaux pour qu'elle les signe le lendemain matin. Elle ne put s'empêcher de songer qu'il avait dû les préparer depuis longtemps, d'autant plus que Millie Preston les avait déjà signés. Ou était-elle redevenue extrêmement méfiante ? Elle chassa cette idée et apposa sa signature.

Elle était prête à parler à Alan Lloyd lorsqu'il lui téléphona lundi matin.

— Anne, pourquoi ne repoussons-nous pas jusqu'à jeudi ? À ce moment-là, au moins, nous saurons qui a décroché le contrat avec l'hôpital.

— Non, Alan, j'ai pris ma décision. Henry a besoin des fonds tout de suite. Il doit prouver à la mairie qu'il est financièrement apte à remplir le contrat, et vous avez déjà les deux signatures de deux fidéicommissaires, ce n'est donc pas à vous de décider.

— La banque pourrait toujours garantir la situation de Henry sans transmettre l'argent, expliqua Alan. Je suis sûr que la mairie l'accepterait. De toute façon, je n'ai pas eu le temps de vérifier les comptes de sa société.

— Mais vous l'avez trouvé pour déjeuner et jouer au golf avec William dimanche dernier sans prendre la peine de m'en informer.

S'ensuivit un silence momentané.

— Anne, je...

— Ne dites pas que vous n'avez pas eu l'occasion de me mettre au courant. Vous êtes venu à ma soirée vendredi soir et vous auriez aisément pu m'en toucher mot. Vous avez décidé de ne pas le faire, bien que vous ayez eu largement le temps de me conseiller de remettre à plus tard ma décision concernant le prêt à Henry.

— Anne, je suis désolé. Je comprends que les apparences jouent contre moi et que vous soyez bouleversée, mais il y avait une raison, croyez-moi. Et si je passais tout vous expliquer ?

— Non, Alan. Vous vous liguez tous contre mon mari. Aucun de vous ne veut lui donner la chance de faire ses preuves. Eh bien moi, je vais la lui donner, cette chance.

Anne raccrocha, contente d'elle, estimant s'être montrée loyale envers Henry, au point de se réhabiliter pour avoir douté de lui au début.

Alan Lloyd rappela, mais elle ordonna à la bonne de prétendre qu'elle était sortie pour la journée. Lorsque Henry rentra ce soir-là, il fut ravi d'apprendre comment son épouse s'était comportée avec le banquier.

— Tout cela sera pour le mieux, ma chérie, tu verras. Jeudi matin, je remporterai le contrat et tu pourras te réconcilier avec Alan. Mais en attendant, tu ferais mieux de rester loin de lui. Si tu veux, nous pourrons fêter cela au cours d'un déjeuner au Grand, jeudi, et lui faire signe depuis l'autre bout de la salle.

Anne sourit. Elle ne put s'empêcher de se rappeler qu'elle était censée voir Glen Ricardo à midi ce jour-là. Mais cela lui laisserait largement le temps d'arriver au Grand Hotel à une heure, où elle pourrait célébrer les deux victoires.

Alan tâcha de joindre Anne à plusieurs reprises, mais la domestique lui servait systématiquement une excuse toute prête. Comme l'emprunt avait été signé par deux fidéicommissaires, il ne pouvait pas différer le paiement de plus de vingt-quatre heures. Le choix des termes était typique de tout accord légal rédigé par Richard Kane : il n'y avait aucun vide juridique dans lequel s'engouffrer. Lorsque le chèque de cinq cent mille dollars quitta la banque par porteur spécial mardi après-midi, Alan écrivit une longue lettre à William qui lui expliquait pourquoi il n'avait pas eu le choix de transférer l'argent, ne taisant que les conclusions non confirmées des rapports de ses chefs de service. Il envoya une copie du courrier à chaque directeur de l'institution, conscient que s'il avait agi avec le plus grand sens des convenances, il s'était exposé à des accusations de recel.

William reçut le courrier d'Alan Lloyd à St. Paul's le jeudi matin pendant qu'il prenait son petit déjeuner avec Matthew.

Le petit déjeuner à Beacon Hill était composé comme d'habitude d'œufs et de bacon, de tartines grillées, de porridge froid et d'une cafetière de café brûlant. Henry, à la fois tendu et désinvolte, s'en prenait à la bonne, plaisantait avec un petit fonctionnaire qui l'appela pour lui confirmer que le maire divulguerait le nom de la société qui avait remporté le contrat de l'hôpital lors d'une conférence de presse à dix heures.

Anne attendait son dernier rendez-vous avec Glen Ricardo avec un soupçon d'impatience. Elle feuilleta *Vogue*, s'efforçant de ne pas remarquer les mains de Henry qui tremblaient quand il lisait le *Boston Globe*.

— Que vas-tu faire ce matin ? demanda Henry en tâchant de faire la conversation.

— Oh, pas grand-chose avant notre déjeuner de fête. As-tu toujours l'intention de donner le nom de Richard à l'aile pédiatrique, en souvenir de lui ?

— Pas en souvenir de Richard, ma chérie. Ce sera mon accomplissement et je devrai donc la baptiser en ton honneur. « L'aile Mme Henry Osborne », ajouta-t-il pompeusement.

— Quelle bonne idée ! fit Anne en reposant son magazine et en lui souriant. Tu ne dois pas me laisser boire trop de champagne au déjeuner. J'ai rendez-vous avec le docteur MacKenzie plus tard cet après-midi, et je ne crois pas qu'il approuverait que j'arrive saoule à quelques semaines seulement du terme. Quand seras-tu sûr et certain d'avoir décroché le contrat ?

— Je le sais déjà, dit Henry. L'employé avec qui je viens de discuter était sûr à cent pour cent, mais ce ne sera pas officiel avant dix heures.

— La première chose que tu devras faire, Henry, ce sera d'appeler Alan pour lui annoncer la bonne nouvelle. Je commence à m'en vouloir de l'avoir traité de la sorte lundi.

— Pas la peine de culpabiliser, chérie. Après tout, il n'a pas daigné t'informer de son rendez-vous avec William.

— Non, mais il a essayé de l'expliquer plus tard, Henry. Et je ne lui en ai pas laissé l'occasion.

— Très bien, très bien, si tu le dis. Si cela peut te faire plaisir, je l'appellerai à dix heures cinq et ensuite tu pourras écrire à William pour lui annoncer que j'ai encore gagné un million. *(Il consulta sa montre.)* Je ferais mieux d'y aller. Souhaite-moi bonne chance.

— Je croyais que tu n'en avais pas besoin.

— Non, non, c'est juste une façon de parler. Je te retrouve au Grand à treize heures. *(Il l'embrassa sur le front.)* D'ici ce soir, tu pourras rire d'Alan, de William et des contrats, et tous les considérer comme des problèmes du passé, crois-moi. Au revoir, ma chérie.

Un petit déjeuner intact était étalé devant Alan Lloyd. Il lisait les pages financières du *Boston Globe*, et remarqua un petit paragraphe dans une colonne à droite annonçant qu'à dix heures ce matin, le maire déclarerait quelle société allait décrocher le contrat de cinq millions de dollars avec l'hôpital.

Alan avait déjà décidé la ligne de conduite qu'il adopterait au cas où Henry n'obtiendrait pas le contrat, et où tout ce dont William l'avait averti s'avérerait juste. Il ferait exactement ce que Richard aurait fait dans ces circonstances : agir uniquement dans l'intérêt de la banque. Les derniers rapports des chefs de service sur les finances personnelles de Henry l'avaient fortement perturbé. Osborne était en effet un gros joueur, et rien ne montrait que les cinq cent mille dollars du fidéicommis avaient bien été versés pour sa société.

Alan sirota son jus d'orange, sans toucher au reste de son petit déjeuner. Il s'excusa auprès de sa gouvernante et se rendit à la banque à pied. C'était une belle journée ensoleillée.

— William, ça te dit de jouer au tennis cet après-midi ?

Matthew attendit que son ami réponde, mais il continuait à lire la lettre d'Alan Lloyd.

— Quoi ?

— Est-ce que tu deviens sourd ou souffres-tu déjà de démence sénile ? *(Toujours aucune réponse. Matthew retenta sa chance.)*

Aurais-je le droit de te mettre une raclée sur le court de tennis cet après-midi ?

— Pas cet après-midi, Matthew. J'ai d'autres chats à fouetter.

— Bien sûr, mon vieux. J'ai oublié que tu allais rendre ta visite hebdomadaire à la Maison-Blanche pour aider le président Harding à régler les problèmes fiscaux de la nation. Si je puis me permettre, tu ne pourrais faire pire que cet idiot de Charles G. Dawes. *(William ne répondit pas.)* Dis-lui que tu continueras à le conseiller tant qu'il nommera Matthew Lester prochain ministre de la Justice.

Toujours aucune réponse de la part de William.

— Je sais que cette blague n'était vraiment pas drôle, mais je pensais qu'elle était au moins digne de commentaires, déclara Matthew en regardant plus attentivement son ami silencieux. Ce sont les œufs, n'est-ce pas ? On dirait qu'ils viennent d'un camp de prisonniers de guerre russe.

— Matthew, j'ai besoin de ton aide, lança William en rangeant le courrier d'Alan dans l'enveloppe.

— Tu as reçu une lettre de ma sœur et elle te trouve plus sexy que Rudolph Valentino.

William se leva.

— Arrête de plaisanter, Matthew. Si l'on cambriolait la banque de ton père, resterais-tu assis à rigoler à ce sujet ?

En avisant l'expression sur le visage de son ami, Matthew comprit bel et bien qu'il était sérieux.

— Non, répondit-il calmement.

— Bien, alors allons-y et je t'expliquerais tout sur la route.

— La route pour où ? demanda Matthew d'un ton innocent.

— Boston.

Anne quitta Beacon Hill peu après dix heures pour aller faire quelques courses avant de se rendre à son rendez-vous avec Glen Ricardo.

Le téléphone sonna quand elle disparut dans Chestnut Street. La bonne répondit, regarda par la fenêtre, mais sa patronne s'était déjà volatilisée. Si Anne avait pris l'appel, elle aurait appris la décision de la mairie sur le contrat de l'hôpital : à la place, elle acheta des bas de soie, et essaya un nouveau parfum. Elle arriva chez Glen Ricardo peu après midi, dans l'espoir que son nouveau parfum parvienne à noyer l'odeur de tabac froid.

— J'espère que je ne suis pas en retard, monsieur Ricardo, commença-t-elle sèchement.

— Asseyez-vous, je vous en prie, madame Osborne.

Ricardo ne semblait pas particulièrement enjoué, mais il ne l'était jamais, songea Anne. Elle constata qu'il ne fumait pas son cigare habituel. Il ouvrit un beau dossier marron, la seule nouveauté qu'elle vit dans le bureau, et en sortit des papiers.

— Commençons par les lettres anonymes, voulez-vous, madame Osborne ?

Elle n'aimait pas le ton de sa voix.

— Oui, très bien, réussit-elle à dire.

— C'est une certaine Mme Ruby Flowers qui les a envoyées.

— Qui ? Pourquoi ? demanda Anne, impatiente d'avoir des réponses qu'elle ne désirait pas entendre.

— Je crains que l'une des raisons soit parce que Mme Flowers poursuit votre mari en justice en ce moment.

— Eh bien, ça explique tout. Elle doit vouloir se venger. Combien Henry lui doit-il, selon elle ?

— Elle ne prétend pas qu'il a des dettes, madame Osborne.

— Alors que prétend-elle ?

Ricardo se hissa hors de sa chaise, comme s'il fallait toute la force de son corps pour lever sa carcasse fatiguée. Il se rendit devant la fenêtre et regarda le port de Boston noir de monde.

— Elle le poursuit pour violation de promesse de mariage, madame Osborne.

— Mais ce n'est pas possible.

— Il semblerait qu'ils étaient fiancés et devaient se marier lorsque M. Osborne vous a rencontrée. Et que les fiançailles furent brusquement brisées sans raison apparente.

— Croqueuse de diamants. Elle devait vouloir l'argent de Henry.

— Non, je ne crois pas. Vous voyez, Mme Flowers est plutôt aisée. Pas autant que vous, bien sûr, mais fortunée selon les critères de la majorité des gens. Son défunt époux possédait une entreprise de mise en bouteille de boissons non alcoolisées et lui a tout légué.

— Son défunt époux ? Quel âge a-t-elle ?

— Elle aura cinquante-trois ans en juillet.

— Oh, mon Dieu. La pauvre. Elle doit me détester.

— Probablement, madame Osborne, mais là n'est pas la question. Maintenant, je dois vous parler des différentes activités de votre mari.

Le doigt taché de nicotine tourna d'autres pages.

Anne commença à se sentir mal. Pourquoi était-elle revenue ? Pourquoi n'avait-elle pas laissé tomber ? Elle n'était pas obligée de savoir. Elle ne voulait pas savoir. Elle voulait se lever et partir. Comme elle aurait souhaité que Richard soit à son côté. Elle fut incapable de bouger, hypnotisée par Ricardo et le contenu de son dossier tout neuf.

— À deux occasions, la semaine dernière, M. Osborne a passé plus de trois heures avec Mme Preston.

— Mais cela ne prouve rien, commença Anne, désespérée. Je sais qu'ils discutaient d'une transaction financière très importante.

— Dans un petit hôtel sur LaSalle Street, à huit heures du soir ?

Elle ne l'interrompit plus.

— Par deux fois, on les a vus entrer dans l'hôtel en chuchotant et en riant. Ce n'est pas concluant, bien sûr, mais nous avons des photos d'eux qui entrent et qui sortent de l'hôtel ensemble.

— Détruisez-les, lui intima Anne d'un ton calme.

Glen Ricardo cilla.

— Comme vous voulez, madame Osborne. Je crains que ce ne soit pas tout. Mes recherches montrent que M. Osborne n'a jamais fréquenté Harvard, et n'a jamais non plus été officier dans les forces armées américaines. Il y avait un Henry Osborne à Harvard, qui en l'occurrence mesurait un mètre cinquante, était blond-roux et originaire de l'Alabama. Il a été tué dans la Somme en 1917. J'ai par ailleurs découvert que votre mari est considérablement plus jeune qu'il le prétend, que son vrai nom est Vittorio Togna et qu'il a servi...

— Arrêtez ! Je ne tiens pas à en entendre davantage, protesta Anne, les joues inondées de larmes. Je ne veux pas en savoir plus.

— Bien sûr, madame Osborne, je comprends. Je suis désolé que mes nouvelles soient aussi pénibles. Dans mon travail parfois...

Elle tâcha de se ressaisir.

— Merci, monsieur Ricardo. J'apprécie tout ce que vous avez fait. Combien vous dois-je ?

— Vous avez déjà réglé les deux semaines en avance. Mes frais s'élèvent à soixante-treize dollars.

Anne lui donna un billet de cent dollars et se leva.

— N'oubliez pas votre monnaie, madame Osborne, dit Ricardo alors qu'elle tournait les talons.

Elle ne sembla pas l'entendre.

— Vous sentez-vous bien, madame Osborne ? Vous êtes un peu pâle. Voulez-vous un verre d'eau ou quelque chose de plus fort ?

— Non merci, ça va, mentit-elle.

— Peut-être me laisserez-vous vous raccompagner chez vous ?

— Non merci, monsieur Ricardo. Je pourrai rentrer toute seule. *(Elle se retourna et sourit au détective privé.)* C'était gentil de votre part de me le proposer.

Glen Ricardo ferma doucement la porte derrière sa cliente, se rendit lentement jusqu'à la fenêtre, mordit le bout de son dernier gros cigare et le recracha. Il maudit son travail en observant Mme Osborne monter dans un taxi. Une femme si bien.

Anne s'arrêta en bas de l'escalier jonché de détritus, s'accrocha à la rampe, et faillit s'évanouir. Le bébé lui donnait des coups de pied, et la rendait nauséeuse. Elle trouva un taxi au coin du pâté de maisons, et s'effondra à l'arrière. Elle était incapable de cesser de sangloter, ne savait pas quoi faire d'autre. Dès qu'on la déposa à la Maison rouge, elle monta dans sa chambre avant qu'un domestique ne puisse voir sa détresse. Le téléphone sonnait quand elle entra dans la pièce. Elle décrocha, plus par habitude que par curiosité.

— Pourrais-je parler à Mme Osborne, s'il vous plaît ?

Elle reconnut immédiatement le débit heurté d'Alan. Une autre voix fatiguée, lasse.

— Bonjour Alan, c'est *Anne* à l'appareil.

— Anne, ma chère, j'ai été désolé d'apprendre la nouvelle de ce matin.

— Comment le savez-vous, Alan ? Comment pouvez-vous raisonnablement le savoir ? Qui vous l'a dit ?

— La mairie m'a appelé pour me donner les informations peu après dix heures. J'ai essayé de vous joindre, mais votre domestique m'a affirmé que vous étiez déjà sortie faire des courses.

— Oh mon Dieu. J'avais complètement oublié le contrat.

Elle s'assit, respirant bruyamment.

— Vous allez bien, Anne ?

— Oui, répondit-elle, tâchant en vain de dissimuler les sanglots dans sa voix. Qu'est-ce que la mairie avait à dire ?

— Le contrat avec l'hôpital a été remporté par une entreprise qui s'appelle Kirkbride & Carter. Apparemment, Henry ne faisait même pas partie des trois premiers. J'ai essayé de le joindre toute la matinée, mais il semble qu'il ait quitté son bureau peu après dix heures, et on ne l'a pas vu depuis. Je suppose que vous ne savez pas où il est, Anne ?

— Non, je n'en ai aucune idée.

— Voulez-vous que je passe vous voir, ma chère ? Je pourrais être là dans peu de temps.

— Non merci, Alan. *(Elle marqua une pause pour pousser un souffle tremblant.)* Veuillez excuser la façon dont je vous ai traité ces derniers jours. Si Richard était encore en vie, il ne me le pardonnerait jamais.

— Ne soyez pas idiote, Anne. Notre amitié dure depuis de trop nombreuses années pour qu'une petite chose de la sorte soit d'une quelconque importance.

La gentillesse de ses paroles déclencha une nouvelle crise de larmes. Anne se releva en titubant.

— Je dois y aller, Alan. J'entends quelqu'un à la porte, ça doit être Henry.

— Prenez soin de vous, Anne, et ne vous inquiétez pas. Tant que je serai président, la banque vous aidera toujours. N'hésitez pas à m'appeler si je peux faire quelque chose.

Anne raccrocha. L'effort de respirer devint accablant, et les contractions vigoureuses la rendaient malade. Elle s'écroula.

Quelques minutes plus tard, la domestique frappa doucement à la porte. Elle trouva sa maîtresse étendue par terre. Elle se précipita à l'intérieur, William à son côté. C'était la première fois qu'il entrait dans la chambre de sa mère depuis son mariage avec Henry Osborne. Anne, inconsciente de leur présence, tremblait sans se contrôler. Des petites mouchetures d'écume éclaboussaient ses lèvres. En quelques secondes, l'attaque cessa et elle gémit calmement.

— Mère, dit William d'un ton urgent, que se passe-t-il ?

Anne ouvrit les yeux et fixa son fils, le regard fou.

— Richard, Dieu merci, tu es venu.

— C'est William, mère.

Son regard hésita.

— Je n'ai plus de force, Richard. Je dois payer pour mon erreur. Pardonne…

Sa voix ne fut plus qu'un grognement alors qu'un autre spasme l'envahissait.

— Que se passe-t-il ? demanda-t-il, impuissant.

— Je pense que ça doit être le bébé, dit la domestique. Bien que le terme ne soit que dans deux mois.

— Appelez immédiatement le docteur MacKenzie, ordonna William en se ruant à la porte. Matthew ! cria-t-il. Viens vite !

Celui-ci gravit l'escalier en bondissant et rejoignit son camarade dans la chambre.

— Aide-moi à descendre ma mère dans la voiture.

Les deux garçons attrapèrent Anne et la portèrent délicatement dans le véhicule. Elle haletait et gémissait, souffrait terriblement. William retourna dans la maison en courant, et arracha le téléphone à la domestique pendant que Matthew attendait dans la voiture.

— Docteur MacKenzie ?

— Oui ? Qui est à l'appareil ?

— Je m'appelle William Kane, vous ne me connaissez pas, monsieur.

— Je ne vous connais pas, jeune homme ? Je vous ai mis au monde ! Que puis-je faire pour vous ?

— Je crois que ma mère a commencé le travail. Je la conduis immédiatement à l'hôpital. Nous devrions être là dans quelques minutes.

Le ton du docteur MacKenzie changea.

— Très bien, William, ne vous inquiétez pas. Je vous y attendrai, tout sera prêt quand vous arriverez.

— Merci monsieur. *(William hésita.)* On dirait qu'elle a eu une espèce d'attaque, est-ce normal ?

Les paroles du jeune homme glacèrent le docteur. Il hésita à son tour.

— Hum, pas tout à fait. Mais votre mère ira bien une fois qu'elle aura accouché du bébé. Amenez-la au plus vite.

William raccrocha, sortit de la maison en courant et sauta dans la Rolls-Royce. Matthew, qui n'avait pris qu'un seul cours dans celle de son père, conduisait par à-coups, et restait toujours en première. Il ne s'arrêta jamais jusqu'à ce qu'ils arrivent à l'entrée de l'hôpital. Les deux garçons soulevèrent délicatement Anne pour la faire descendre de voiture, et la déposèrent sur une civière qui l'attendait. Une infirmière les accompagna rapidement à la maternité, où le docteur MacKenzie patientait devant la porte d'une salle d'accouchement. Il prit le relais et leur demanda de rester dehors.

William et Matthew s'installèrent silencieusement sur un petit banc dans le couloir et s'armèrent de patience. Des cris et hurlements effrayants, comme ils n'en avaient jamais entendu de toute leur existence, provenaient de la salle d'accouchement – suivis d'un silence encore plus épouvantable. Pour la première fois de sa vie, William se sentit totalement impuissant. Les deux garçons restèrent assis un peu plus d'une heure sans échanger un seul mot. Enfin, un docteur MacKenzie épuisé en sortit. Quand ils se levèrent, le médecin regarda Matthew :

— William ? demanda-t-il.

— Non, monsieur. Je suis Matthew Lester, voici William.

Le docteur se tourna et posa une main sur l'épaule de William.

— William, je suis vraiment désolé. Ta mère vient de s'éteindre, il y a quelques minutes... et l'enfant, une petite fille, était mort-née.

Les jambes du garçon se dérobèrent sous lui, et il s'écroula sur le banc.

— Nous avons fait tout ce qui était en notre pouvoir pour les sauver, mais c'était trop tard.

Il secoua la tête avec lassitude.

William resta assis en silence. Enfin, il murmura :

— Comment a-t-elle *pu* mourir ? Comment avez-vous pu la *laisser* mourir ?

Le docteur prit place à côté de lui.

— Elle n'a pas voulu m'écouter, fit-il. Je l'ai mise en garde à plusieurs reprises après sa fausse couche, de ne pas avoir d'autre enfant, mais elle s'est remariée et ton beau-père et elle n'ont jamais pris mes avertissements au sérieux. Quand tu l'as amenée ici aujourd'hui, sans aucune raison, sa tension était montée d'un coup jusqu'au stade où s'ensuit l'éclampsie.

— L'éclampsie ?

— Des convulsions. Parfois, les patientes peuvent survivre à plusieurs attaques, parfois elles arrêtent simplement de respirer.

William se mit à pleurer et laissa tomber sa tête entre ses mains. Personne ne parla pendant plusieurs minutes. Il finit par se relever, et Matthew le guida doucement dans le couloir. Le médecin les suivit. Quand ils arrivèrent dans l'entrée, il regarda William.

— Sa tension est montée si brusquement. C'est très inhabituel ; et elle n'a pas vraiment lutté, comme si elle ne s'en souciait plus. Étrange – quelque chose l'a-t-elle perturbée récemment ?

William leva son visage inondé de larmes.

— Pas quelque chose, répondit-il avec colère. *Quelqu'un.*

Alan Lloyd était assis dans un coin du séjour lorsque les deux garçons revinrent à la Maison rouge. Il se leva quand ils entrèrent.

— William, fit-il immédiatement. Je m'en veux d'avoir autorisé cet emprunt.

William le regarda fixement, sans comprendre ce qu'il disait.

Matthew brisa le silence.

— Je ne crois pas que cela importe encore, déclara-t-il d'un ton calme. La mère de William vient de mourir en accouchant d'un enfant mort-né.

Alan Lloyd devint livide, s'agrippa au manteau de cheminée et se détourna. C'était la première fois que tous les deux voyaient un adulte pleurer.

— C'est de ma faute, affirma le banquier. Je ne me le pardonnerai jamais. Je ne lui ai pas dit tout ce que je savais. Je l'aimais tant que je ne voulais pas la tourmenter, jamais.

Sa douleur immense permit à William de se calmer.

— Ce n'était pas votre faute, Alan, rétorqua-t-il d'un ton ferme. Vous avez fait tout ce qui était en votre pouvoir, je le sais, et maintenant, c'est moi qui vais avoir besoin de votre aide.

Alan Lloyd se ressaisit.

— Osborne a-t-il été informé de la mort de ta mère ?

— Je l'ignore et je m'en moque.

— J'ai essayé de le joindre toute la journée au sujet du contrat avec l'hôpital. Il a quitté son bureau peu après dix heures ce matin et il n'y est pas retourné depuis.

— Il se montrera bien tôt ou tard, dit William d'un ton lugubre.

Après le départ d'Alan Lloyd, William et Matthew restèrent assis dans le salon la majeure partie de la nuit, à s'assoupir et à se réveiller, sans parler beaucoup. À quatre heures du matin, alors que William comptait les coups de l'horloge de grand-père, il crut entendre un bruit dans la rue. Il leva les yeux, vit Matthew qui regardait par la fenêtre et le rejoignit avec raideur. Ils observèrent tous les deux Henry Osborne traverser Louisburg Square en titubant, une bouteille à la main, un trousseau dans l'autre. Il chercha ses clés pendant un moment, finit par entrer et dévisagea les deux garçons en cillant d'un air abruti.

— Je veux Anne, pas toi. Pourquoi tu n'es pas à l'école ? Je ne veux pas de toi, dit-il, la voix pâteuse, en articulant mal. *(Il bouscula William et pénétra dans le séjour.)* Où est Anne ?

— Ma mère est morte, annonça William d'un ton calme.

Osborne le regarda, l'incrédulité gravée sur son visage. Il se dirigea vers le buffet bas et se servit un whisky, ce qui fit perdre son sang-froid à William.

— Où étiez-vous quand elle avait besoin d'un mari ? cria-t-il.

Osborne ne lâcha pas la bouteille.

— Et le bébé ?

— Mort-né. Une petite fille.

Osborne s'effondra sur un fauteuil, des larmes d'ivrogne commençant à inonder sa figure.

— Elle a perdu mon petit bébé ?

La rage rendit William incohérent.

— Votre bébé ? Arrêtez de parler de vous pour une fois ! hurla-t-il. Vous savez que le docteur MacKenzie lui avait déconseillé une nouvelle grossesse.

— Expert dans ce domaine, n'est-ce pas, comme dans tout le reste ? Si tu t'étais occupé de tes putains d'affaires, j'aurais pu prendre soin de ma femme sans que tu interfères.

— Et de son argent, apparemment.

— Argent. Espèce de petit salaud radin. Je parie que perdre ton fric te fait plus de mal que perdre ta mère.

— Debout ! lui hurla William.

Osborne se releva tant bien que mal et fracassa la bouteille contre le bord de la table, renversant du whisky sur le tapis. Il marcha vers William en titubant, brandissant la bouteille brisée. Celui-ci ne bougea pas. Matthew s'immisça entre eux et ôta sans problème la bouteille des mains de l'homme saoul.

William poussa son ami et avança jusqu'à ce que son visage ne se trouve plus qu'à quelques centimètres de celui d'Osborne.

— Maintenant, écoutez-moi et écoutez-moi bien. Je veux que vous sortiez immédiatement de cette maison. Si jamais j'entends encore parler de vous, je lancerai une enquête légale sur ce qui est arrivé au demi-million de dollars que ma mère a investi dans votre société. Et je rouvrirai mes enquêtes sur votre véritable identité et vos activités passées à Chicago. Si, en revanche, je n'entends plus jamais parler de vous, jamais, j'estimerai que l'affaire est close.

Maintenant, partez d'ici avant que je ne fasse quelque chose que je risquerai de regretter.

Osborne sortit de la pièce en titubant. Aucun des deux ne l'entendit le menacer lorsqu'il claqua la porte.

Le lendemain matin, William se rendit à la banque. On le conduisit immédiatement dans le bureau du président. Alan Lloyd rangeait des papiers dans un porte-documents. Il lui en donna un sans rien dire. C'était un courrier bref adressé à tous les membres du conseil d'administration, qui présentait sa démission en tant que président-directeur général.

— Pourriez-vous demander à votre secrétaire de nous rejoindre ? s'enquit William d'un ton calme.

— Comme tu veux.

Alan appuya sur un bouton sur son bureau et une femme d'une cinquantaine d'années, vêtue de façon conventionnelle, entra dans la pièce.

— Bonjour, monsieur Kane, lança-t-elle quand elle avisa William. Je suis vraiment désolée pour votre mère.

— Merci. Quelqu'un d'autre a-t-il vu cette lettre ?

— Non, monsieur, répondit la secrétaire. J'étais sur le point de taper vingt exemplaires et de les faire signer à M. Lloyd.

— Eh bien, ne le faites pas, lui demanda William. Et veuillez oublier qu'elle a même existé.

Elle fixa les yeux bleus du garçon de seize ans. Comme il ressemble à son père, songea-t-elle.

— Bien, monsieur Kane, dit-elle et elle sortit en refermant la porte.

Alan Lloyd eut l'air perplexe.

— Kane & Cabot n'a pas besoin de nouveau président en ce moment, Alan, déclara William. Vous n'avez rien fait que mon père n'aurait pas approuvé dans les mêmes circonstances.

— Ce n'est pas aussi simple que cela, insista Alan.

— C'est aussi simple que cela. Nous pourrons en rediscuter lorsque j'aurai vingt et un ans, et pas avant. En attendant, je vous serais obligé de bien vouloir diriger ma banque avec votre sagesse et votre prudence habituelles. Je souhaite que rien de ce qui s'est passé ne sorte de ce bureau. Vous détruirez toutes les informations que vous détenez sur Henry Osborne, et estimerez que l'affaire est close.

William déchira la lettre de démission et jeta les morceaux au feu. Il passa son bras sur les épaules d'Alan.

— Je n'ai plus de famille à présent, Alan. Que vous. Pour l'amour de Dieu, ne m'abandonnez pas.

Lorsque William retourna à Beacon Hill, les grands-mères Kane et Cabot étaient assises en silence dans le séjour. Elles se levèrent quand il entra. Pour la première fois, il comprit qu'il était désormais le chef de la famille Kane.

Les funérailles se déroulèrent simplement en la cathédrale épiscopale de St. Paul. Seuls la famille et les amis proches furent conviés ; le grand absent était Henry Osborne. En s'en allant, les proches de la défunte présentèrent leurs condoléances à William. Les grands-mères restèrent un pas derrière lui, telles des sentinelles, aux aguets, approuvant le calme et la dignité dont il faisait preuve. Tout le monde parti, William accompagna Alan Lloyd à sa voiture.

Le président fut ravi de la requête du jeune homme.

— Comme vous le savez, Alan, ma mère a toujours eu l'intention de construire une aile pédiatrique pour le Massachusetts General, en souvenir de mon père. J'aimerais que son souhait soit exaucé.

# 21

Wladek resta plus d'un an au consulat polonais à Constantinople, au lieu des quelques jours initialement prévus. Il travailla jour et nuit avec Pawel Zaleski, devint une aide indispensable, un collègue et ami proche. Rien ne semblait lui poser problème et Zaleski ne tarda pas à se demander comment il se débrouillerait quand Wladek s'en irait. Le jeune homme se rendait une fois par semaine au consulat britannique où il mangeait dans la cuisine avec Mme Henderson, la cuisinière écossaise, et une fois avec le second consul de Sa Majesté britannique dans la salle à manger.

Autour d'eux, les vieilles traditions islamiques étaient peu à peu balayées, et l'Empire ottoman commençait à chanceler. Le nom de Mustafa Kemal était sur toutes les lèvres. Le sentiment d'un changement imminent ne faisait qu'accroître la nervosité de Wladek. Son esprit retournait continuellement sur le baron et sur ceux qu'il avait aimés au château. En Russie, la nécessité de survivre quotidiennement les avait chassés de sa tête, mais en Turquie, ils défilaient sous ses yeux, telle une procession silencieuse : le baron, Léon, Florentyna... Parfois, il les voyait rire, heureux... Léon qui nageait dans la rivière, Florentyna qui jouait au jeu des figures dans sa chambre, le visage du baron, fort et fier, à la lueur de la chandelle du soir – mais toujours, les visages dont il se souvenait si bien, les visages qu'il avait tant aimés, s'évanouissaient, et il avait beau essayer de les tenir très fort, c'était toujours la dernière image qu'il avait d'eux qui revenait sans cesse : Léon, gisant, mort, sur les terres du château, Florentyna qui saignait, agonisant, le baron aveugle et brisé.

Wladek commençait à se dire qu'il ne pourrait jamais retourner dans un pays peuplé de tous ces fantômes tant qu'il n'avait rien fait de sa propre vie. Dans cette optique, il se mit dans la tête d'émigrer en Amérique, comme son compatriote Tadeusz Kosciuszko, sur lequel le baron lui avait raconté de nombreuses histoires captivantes, l'avait fait longtemps avant lui. Les États-Unis, que Pawel Zaleski qualifiait de « Nouveau Monde ». Ce nom permettait à Wladek d'envisager l'avenir avec espoir, et pourquoi pas avec la chance de rentrer un jour triomphalement en Pologne.

Ce fut Pawel qui paya son passage d'immigré aux États-Unis. Les papiers étaient difficiles à obtenir et pour cela, il fallait prendre ses dispositions un an à l'avance. Wladek avait l'impression que toute l'Europe de l'Est essayait de s'enfuir pour recommencer à zéro dans le Nouveau Monde.

Au printemps 1921, Wladek Koskiewicz monta à bord du *Black Arrow*, à destination d'Ellis Island, New York. Il emporta une seule valise, qui contenait toutes ses affaires, et un ensemble de papiers que Pawel Zaleski lui avait délivrés.

Le consul de Pologne l'accompagna sur le quai, l'étreignit affectueusement et lui fit ses adieux :

— Va avec Dieu, mon enfant.

La réponse polonaise traditionnelle sortit naturellement du fin fond de la mémoire de Wladek :

— Reste avec Dieu, répondit-il.

Quand il parvint au bout de la passerelle d'embarquement, Wladek se rappela son abominable voyage d'Odessa à Constantinople, un an auparavant. Cette fois, il n'y avait pas un seul morceau de charbon en vue, juste des émigrants, où qu'il pose les yeux : Polonais, Lituaniens, Estoniens, Ukrainiens, Slaves et d'autres dont l'origine raciale lui était inconnue. Il serra sa valise bien fort et fit la queue, la première des innombrables files d'attente qu'il devrait subir, avant d'avoir le droit d'entrer aux États-Unis.

Un employé qui cherchait des Turcs qui essayaient de se dérober au service militaire examina soigneusement ses papiers, mais les documents de Pawel Zaleski étaient impeccables. Wladek bénit son compatriote en silence lorsqu'il en vit d'autres se faire refouler.

Puis s'ensuivirent un vaccin, ainsi qu'un examen médical superficiel, auquel, s'il n'avait pas bien mangé l'année précédente, Wladek aurait sûrement échoué. Enfin, une fois tous les contrôles effectués, il fut autorisé à descendre dans l'entrepont, où des compartiments séparés étaient alloués aux hommes, aux femmes et aux couples mariés. Il se dirigea vers les quartiers des hommes, où il trouva un groupe de Polonais qui occupaient un large bloc de couchettes en fer, dont chacune contenait un fin matelas de paille, une couverture légère, et pas d'oreiller. Cela n'inquiéta pas Wladek, qui n'avait jamais pu dormir sur un oreiller depuis qu'il avait quitté le camp 201.

Il choisit un lit sous un garçon qui semblait avoir à peu près son âge.

— Je m'appelle Wladek Koskiewicz.

— Moi, Jerzy Novak, de Varsovie, lança le garçon en polonais, et je vais faire fortune en Amérique.

Il lui tendit la main.

Wladek et Jerzy passèrent leur temps avant le départ du bateau à se raconter leur expérience personnelle, tous deux ravis d'avoir quelqu'un avec qui partager leur solitude, aucun n'étant prêt à reconnaître qu'il ignorait totalement ce qui l'attendait quand ils arriveraient sur la côte des États-Unis. Jerzy, quant à lui, avait perdu ses parents à la guerre, mais à part cela, n'avait pas d'autres anecdotes dignes d'intérêt. Les histoires de Wladek commencèrent à le captiver : le fils d'un baron, élevé dans une chaumière de trappeur, emprisonné par les Allemands et les Russes, échappé de Sibérie, puis d'un bourreau turc grâce au bracelet d'argent que son père lui avait laissé. Jerzy estimait que Wladek avait réalisé plus de choses en quinze ans qu'il pourrait espérer en accomplir en toute une vie.

Le lendemain matin, le *Black Arrow* prit la mer. Wladek et Jerzy se penchèrent par-dessus la balustrade et observèrent Constantinople s'éloigner dans le bleu du Bosphore. Après le calme de la mer de Marmara, l'agitation de la mer Égée toucha la plupart des passagers avec une affreuse violence. Les deux toilettes de l'entrepont, qui possédaient dix bassins chacun, six W.-C. et robinets d'eau de mer froide, connurent des files d'attente le jour et une perturbation perpétuelle la nuit. Au bout de quarante-huit heures, la puanteur rappela à Wladek les donjons du château de Slonim.

On leur servait les repas sur de longues tables en bois dans une grande salle à manger crasseuse : soupe tiède, pommes de terre, bœuf bouilli et chou, pain de seigle ou complet. Wladek avait goûté de la nourriture encore plus mauvaise, mais pas depuis qu'il avait quitté la Sibérie, et il était bien content des provisions que Mme Henderson avait faites pour lui : des saucisses, des fruits secs et même un peu de brandy. Jerzy et lui partagèrent leur festin, blottis dans un coin de leur couchette. Ils mangeaient ensemble, exploraient le bateau ensemble, et, la nuit, dormaient l'un au-dessus de l'autre.

Le troisième jour de mer, Jerzy amena une Polonaise à leur table pour dîner. Elle s'appelait Zaphia, informa-t-il nonchalamment Wladek. C'était la première fois de sa vie que Wladek s'attardait sur une fille et à partir de ce moment, il ne put s'empêcher de la regarder. Elle ralluma ses souvenirs de Florentyna. Les yeux gris chaleureux, les longs cheveux blonds qui tombaient sur ses épaules, la voix douce et agréable. Il se surprit à vouloir la toucher. Elle souriait de temps en temps à Wladek, parfaitement conscient que Jerzy était beaucoup plus beau que lui. Il les suivit lorsque Jerzy la raccompagna dans les quartiers des femmes.

Jerzy, quelque peu irrité, s'en prit à lui après coup :

— Tu ne peux pas te trouver une femme tout seul ? Celle-ci est à moi.

Wladek n'avoua pas qu'il ignorait la marche à suivre.

— On aura largement le temps de dénicher des filles quand on arrivera en Amérique, répondit-il d'un ton dédaigneux.

— Pourquoi attendre l'Amérique ? Je compte en avoir le plus possible sur ce bateau.

— Comment vas-tu procéder ? demanda Wladek, qui espérait bien apprendre sans admettre son ignorance.

— Il nous reste encore douze jours sur ce vieux rafiot horrible, et avant que nous n'accostions en Amérique, j'ai bien l'intention d'en avoir eu douze, fanfaronna Jerzy.

— Que peux-tu faire avec douze femmes ?

— Les baiser, bien sûr.

Wladek eut l'air perplexe.

— Grands dieux ! s'exclama Jerzy, ne me dis pas que l'homme qui a survécu aux Allemands, s'est enfui de Russie, a tué un type à l'âge de douze ans et a failli se faire couper la main par une bande de sauvages turcs n'a jamais couché avec une fille ?

Il rit si fort qu'un refrain multilingue des lits voisins lui intima de se taire.

— Alors, poursuivit Jerzy à voix basse, le moment est venu d'élargir ton éducation parce que j'ai enfin trouvé quelque chose à t'enseigner. *(Il regarda attentivement par-dessus le bord de sa couchette, bien qu'il ne puisse pas déceler le visage de son ami dans le noir.)* Zaphia est une fille plutôt compréhensive. Je suis sûr que l'on pourrait la convaincre d'améliorer quelque peu ton initiation. Je vais voir ce que je peux faire.

Wladek ne répondit pas.

Ils n'abordèrent plus le sujet, mais le lendemain, Zaphia commença à montrer un peu plus d'intérêt à Wladek. Elle s'assit à côté de lui aux repas, et ils partagèrent leurs expériences et attentes pendant des heures. Orpheline de Poznan, elle partait rejoindre des cousins à Chicago. Wladek lui confia qu'il se rendait à New York où il vivrait probablement avec Jerzy.

— J'espère que New York n'est pas loin de Chicago, déclara Zaphia.

— Tu pourras venir me voir quand je serai maire, suggéra Jerzy chaleureusement.

Elle renifla d'un air désobligeant.

— Tu es polonais toi aussi, Jerzy. Tu ne peux pas parler un bon anglais comme Wladek.

— J'apprendrai, répondit-il d'un ton confiant. Et je commencerai par américaniser mon nom. À partir d'aujourd'hui, je serai George Novak. Comme ça je n'aurai aucun problème. Tout le monde aux États-Unis pensera que je suis américain. Et toi, Wladek Koskiewicz ? Pas grand-chose à faire avec un nom comme ça ?

Wladek regarda celui qui venait de se faire baptiser George en éprouvant une haine silencieuse envers son propre patronyme. Incapable d'adopter le titre dont il se sentait héritier légitime, il détestait le nom Koskiewicz, qui ne servait qu'à lui rappeler son illégitimité.

— Je me débrouillerai, l'assura-t-il. Je t'aiderai même en anglais si tu veux.

— Et moi, à trouver une fille.

Zaphia gloussa :

— Pas la peine de te donner ce mal, il en a une.

Jerzy ou George, comme il tenait désormais à ce qu'on l'appelle, se retirait chaque soir après le dîner avec une fille différente dans l'un des canots de sauvetage recouverts d'une bâche. Wladek brûlait de découvrir ce qu'il y fabriquait, même si certaines femmes que George sélectionnait n'étaient pas seulement dégoûtantes, mais eussent été clairement repoussantes même après un bon bain.

Un soir, après le repas, comme George avait encore disparu, Wladek et Zaphia s'assirent dehors sur le pont. Elle passa un bras autour de son cou et commença à l'embrasser. Il colla bien fort ses lèvres contre les siennes ; c'était affreusement nouveau pour lui et il ne savait pas quoi faire d'autre. À sa grande surprise et à sa grande gêne, la langue de la jeune fille sépara ses lèvres. Après quelques minutes d'appréhension, Wladek trouva sa bouche ouverte extrêmement excitante, et s'inquiéta de voir son pénis se durcir. Il tâcha de se retirer, ne souhaitant pas l'embarrasser, mais apparemment elle s'en moquait bien. Elle commença à coller doucement son corps au sien, et en rythme, descendit ses mains sur ses fesses. Son sexe gonflé l'élançait, lui procurait un plaisir presque insupportable. Elle ôta sa bouche et chuchota à son oreille :

— Je crois que le moment est venu de te déshabiller, Wladek. *(Elle se détacha et comme il ne bougeait pas, éclata de rire.)* Bon, peut-être demain, dit-elle en se sauvant sur le pont avant de l'embrasser.

Wladek retourna à sa couchette en titubant, bien déterminé à ne pas se ridiculiser une deuxième fois. À peine s'était-il installé sur son lit, à imaginer ce qui aurait pu se passer s'il s'était dévêtu, qu'une grosse main l'attrapa par les cheveux et le tira à terre. En un instant, toute pensée concernant Zaphia disparut. Deux individus qu'il n'avait jamais vus se dressèrent, imposants, au-dessus de lui. Ils le traînèrent dans un coin opposé, et le poussèrent contre le mur. L'un d'eux colla fermement sa paume sur la bouche du garçon et un couteau contre sa gorge.

— Ne fais pas un bruit, Polack, murmura le type au couteau, en avançant la lame sur la peau de Wladek. Tout ce que l'on veut, c'est le bracelet d'argent.

Que l'on puisse lui voler son trésor était presque aussi terrifiant pour Wladek que l'idée de perdre sa main. Avant qu'il ne puisse répondre, l'autre arracha le bracelet à son poignet.

D'un seul coup, quelqu'un sauta sur le dos de l'homme au couteau. Cela permit à Wladek d'asséner un coup de poing à celui qui le maintenait contre le mur. Les émigrants endormis autour d'eux se mirent à se réveiller et à s'intéresser à ce qui se passait. Les deux intrus, qui ne faisaient pas le poids par rapport aux Polonais, s'enfuirent le plus vite possible, mais pas avant que George n'ait réussi à enfoncer sa lame dans la côte de l'un d'eux.

— Va au diable ! cria Wladek au dos de l'homme.

— Je ne crois pas qu'ils reviendront de sitôt, lança George. *(Il regarda le bracelet en argent qui gisait au milieu de la sciure de bois.)* Il est magnifique, dit-il presque avec révérence. Il y en aura toujours qui courront après un tel bijou.

Wladek le ramassa et le glissa à son poignet.

— Tu as failli le perdre, cette fois, constata George. Heureusement pour toi, je suis rentré un peu en retard ce soir.

— Pourquoi donc ?

— J'ai trouvé un autre idiot dans mon canot, le pantalon déjà baissé. Je me suis rapidement débarrassé de lui.

— Comment as-tu fait ? s'enquit Wladek en remontant dans sa couchette.

— Je lui ai raconté que la fille qu'il chevauchait avait la vérole. Je n'ai jamais vu personne se rhabiller si vite.

— Que fais-tu quand tu es dans le canot de sauvetage ?

— Je les baise, andouille – qu'est-ce que je fais, d'après toi ?

Sur quoi, George se retourna et s'endormit.

Allongé sur sa couchette, incapable de trouver le sommeil, Wladek toucha le bracelet en argent et songea aux paroles de George, se demandant ce que ce serait de « baiser » Zaphia.

Le lendemain matin, une tempête secoua le bateau, et tous les passagers furent cantonnés sous les ponts. La puanteur de la promiscuité de tous ces corps, intensifiée par le système de chauffage, sembla imprégner le moindre mètre carré et quelques-uns s'enfuirent, extrêmement malades.

— Le pire, grommela George, c'est que je ne pourrai pas arriver à douze.

Lorsque le calme revint à bord, ceux qui pouvaient encore bouger se dirigèrent vers les ponts. Wladek et George contournèrent les passerelles bondées, contents de pouvoir respirer l'air marin. De nombreuses filles sourirent à George, mais pas une seule ne posa les yeux sur Wladek. Une brune, les joues rosies par le vent, sourit quand elle croisa George. Il se tourna vers son ami.

— Ce soir, elle est à moi. *(Wladek fixa la fille et remarqua le regard dont elle gratifiait son camarade.)* Ce soir, répéta-t-il lorsqu'elle passa à portée de voix.

Elle fit mine de ne pas l'entendre, et s'éloigna un peu trop vite.

— Retourne-toi, Wladek, et dis-moi si elle me mate encore.

Il s'exécuta.

— Oui, fit-il, surpris.

— Elle est à moi ce soir. Et toi, t'es-tu déjà fait Zaphia ?

— Non, répondit Wladek, ce soir.

— Il était temps. Après tout, tu ne risques pas de la revoir une fois que nous serons à New York.

Ce soir-là, George arriva au souper avec la brune qu'ils avaient croisée sur le pont. Wladek et Zaphia les laissèrent, sortirent et firent plusieurs fois le tour du bateau. Wladek jeta un coup d'œil furtif à sa silhouette plaisante. Ce devait être maintenant ou jamais. Il la conduisit dans un coin ombragé près d'un canot de sauvetage, et se mit à l'embrasser. Elle répondit en ouvrant la bouche, puis se pencha légèrement en arrière jusqu'à ce que ses épaules touchent la bâche. Ils entendirent des gémissements provenir du canot. Cela n'aida pas. Wladek s'approcha d'elle et elle dirigea lentement ses paumes sur ses seins. Il les effleura en hésitant, surpris par leur douceur. Elle défit quelques boutons de sa blouse et glissa sa main à l'intérieur. Son premier contact avec sa peau douce était délicieux.

— Bon Dieu, ta main est glacée, observa Zaphia.

Wladek l'attira contre lui, la bouche sèche, le souffle lourd. Elle ouvrit un peu les jambes, et Wladek tomba maladroitement sur elle, conscient de ses couches de vêtements. Elle bougea en rythme avec lui pendant plusieurs minutes, puis le repoussa.

— Pas sur le pont, dit-elle. Trouvons un bateau.

Les trois premiers qu'ils dénichèrent étaient déjà occupés, mais ils finirent par en dégoter un vide, sous la bâche duquel ils se faufilèrent. Dans le noir complet, Wladek l'entendit faire des retouches à sa tenue. Elle le fit ensuite venir délicatement sur elle. Il lui fallut très peu de temps pour ramener Wladek à son état d'excitation précédent, en dépit des vêtements qui restaient. Il plongea entre ses jambes, et était à deux doigts de l'orgasme quand elle le repoussa de nouveau.

— Et si tu enlevais ton pantalon ? chuchota-t-elle.

Il ouvrit sa braguette à la hâte et la pénétra. Il jouit presque immédiatement et se retira aussitôt, sentant le sperme collant couler à l'intérieur de sa cuisse. Il resta allongé, hébété, choqué par la soudaineté de l'acte, douloureusement conscient des dents en bois du canot de sauvetage qui s'enfonçaient désagréablement dans ses coudes et ses genoux.

— Était-ce la première fois que tu faisais l'amour à une fille ? murmura Zaphia en espérant qu'il allait changer de place.

— Non, bien sûr que non.

— M'aimes-tu, Wladek ?

— Oui. Et dès que je serais installé à New York, je viendrai te trouver à Chicago.

— J'aimerais bien, Wladek, dit-elle en reboutonnant sa robe. Je t'aime aussi.

« L'as-tu baisée ? » fut la première question que posa George au retour de Wladek.

— Oui.

— C'était bon ?

— Pas mal, mais j'ai connu mieux.

Le lendemain matin, ils furent réveillés par le bruit d'autres passagers qui fêtaient déjà leur dernier jour à bord du *Black Arrow*. Certains étaient sortis longtemps avant que le soleil se lève, dans l'espoir d'apercevoir la terre les premiers.

Wladek rangea ses maigres affaires dans sa valise, enfila son seul costume et sa casquette, et rejoignit Zaphia et George sur le pont. Tous les trois regardèrent au loin, attendant en silence d'entrevoir pour la première fois les États-Unis d'Amérique.

— Les voilà ! cria quelqu'un sur un pont au-dessus d'eux.

Et des applaudissements retentirent alors que de plus en plus de passagers apercevaient la bande grise de Long Island dans le lointain.

Un petit remorqueur s'affaira à côté du *Black Arrow* et le guida entre Brooklyn et Staten Island, puis dans le port de New York. La statue de la Liberté sembla les accueillir, sa lampe brandie haut dans le ciel de ce début de matinée. Wladek, impressionné, contempla la ligne d'horizon de Manhattan qui apparaissait.

Enfin, ils amarrèrent près des immeubles de brique rouge en flèches et à tourelles d'Ellis Island. Les voyageurs de première et deuxième classe qui possédaient des cabines privées et leurs propres ponts descendirent les premiers. Wladek ne les avait jamais vus jusqu'à ce matin. Des porteurs tenaient leurs sacs, et des visages souriants les accueillirent sur le quai. Wladek savait qu'il n'y aurait pas de visage souriant pour l'accueillir.

Après que les rares privilégiés eurent débarqué, le capitaine annonça dans le haut-parleur que les autres ne quitteraient pas le bateau avant plusieurs heures. Un grommellement de désapprobation s'éleva tandis que le message était traduit en différentes langues. Zaphia s'assit sur le pont et fondit en larmes. Wladek tâcha de la réconforter. Enfin, un employé de l'immigration arriva, muni d'étiquettes numérotées qu'il accrocha autour du cou des passagers. Celle de Wladek était la B 127. Cela lui rappela la dernière fois qu'il avait été un numéro. L'Amérique s'avérerait-elle pire encore que les camps russes ?

En milieu d'après-midi – on ne leur avait offert ni à manger ni plus d'informations –, une annonce au haut-parleur les avertit qu'ils pouvaient débarquer. Wladek, George et Zaphia rejoignirent les autres qui descendaient la passerelle d'embarquement sans se presser pour poser le pied pour la première fois sur le sol américain. Immédiatement, les hommes furent isolés des femmes et envoyés dans un hangar différent. Wladek embrassa Zaphia et refusa de la laisser partir, retardant la file d'attente. Un employé les sépara.

— Allez, on avance, dit-il. Vous pourrez vous retrouver de l'autre côté.

Wladek perdit Zaphia de vue quand on les fit avancer George et lui.

Ils passèrent leur première nuit en Amérique dans un hangar humide. Ils furent incapables de dormir, car des interprètes firent le tour des couchettes bondées pour offrir leur aide aux immigrés perplexes.

Le matin, ils durent faire la queue pour subir un examen médical. On demanda à Wladek de gravir un escalier abrupt, exercice que le médecin en uniforme bleu lui fit répéter deux fois, observant méticuleusement sa claudication. Wladek s'efforça de la minimiser, jusqu'à ce que le docteur soit enfin satisfait. Il dut ensuite enlever sa casquette et son faux col afin qu'il puisse examiner soigneusement son visage, ses yeux, ses cheveux, ses mains, et son cou. L'homme derrière lui souffrait d'un bec-de-lièvre ; le médecin l'arrêta immédiatement, marqua une croix à la craie sur son épaule droite et l'envoya à l'autre bout du hangar.

À l'issue de l'examen physique, Wladek rejoignit George dans une nouvelle file d'attente devant la salle d'examen national de l'enseignement public, où l'on interrogeait chaque personne pendant cinq minutes environ. Il se demanda quelles questions on pouvait bien leur poser.

Trois heures plus tard, on fit entrer George dans le minuscule box. Lorsqu'il ressortit, il gratifia son camarade d'un large sourire :

— Facile, dit-il, même pour quelqu'un de bête comme toi.

Wladek sentit ses paumes transpirer quand il suivit un employé dans une petite alcôve non décorée. Deux examinateurs, assis derrière un bureau, écrivaient frénétiquement sur ce qui ressemblait à des papiers officiels.

— Parlez-vous anglais ? demanda le premier.

— Oui, monsieur, plutôt bien, répondit-il en regrettant de ne pas avoir davantage pratiqué son anglais pendant le voyage.

— Comment vous appelez-vous ?

— Wladek Koskiewicz, monsieur.

Le deuxième homme lui fit passer un grand livre noir.

— Savez-vous ce que c'est ?

— Oui, monsieur, la Bible.

— Croyez-vous en Dieu ?

— Oui, monsieur.

— Posez votre main sur la Bible et jurez que vous répondrez sincèrement à toutes nos questions.

Wladek s'exécuta et dit :

— Je promets de dire la vérité.

— Quelle est votre nationalité ?

— Polonaise.

— Qui a payé votre passage ?

— J'ai payé avec l'argent que j'ai gagné au consulat polonais à Constantinople.

Le premier employé examina ses papiers, opina puis demanda :

— Avez-vous un logement ?

— Oui monsieur, je séjournerai chez M. Peter Novak. C'est l'oncle de mon ami. Il vit à New York.

— Bien, avez-vous un emploi qui vous attend ?

— Oui, monsieur, j'irai travailler dans la boulangerie de M. Novak.

— Vous êtes-vous déjà fait arrêter ? s'enquit l'autre homme.

Wladek songea brièvement à la Russie. Ça ne pouvait pas compter. La Turquie, il n'en parlerait pas.

— Non, monsieur, jamais.

— Êtes-vous anarchiste ?

— Non, monsieur.

— Êtes-vous communiste ?

— Non, monsieur. Je déteste les communistes. Ils ont tué ma sœur.

— Êtes-vous prêt à respecter les lois des États-Unis d'Amérique ?

— Oui, monsieur.

— Avez-vous de l'argent ?

— Oui, monsieur.

— Pourrions-nous le voir ?
— Oui, monsieur.
Wladek déposa un paquet de billets et quelques pièces sur la table.
— Merci, dit l'examinateur. Vous pouvez ranger l'argent dans votre sac.
— Combien font vingt et un plus vingt-quatre ? s'enquit le second examinateur.
— Quarante-cinq, répondit Wladek sans hésiter.
— Combien de pattes a une vache ?
Wladek n'en croyait pas ses oreilles.
— Quatre, monsieur, dit-il, en se demandant s'il s'agissait d'une question-piège.
— Et un cheval ?
— Quatre, monsieur, répondit Wladek toujours incrédule.
— Si vous vous retrouviez perdu en mer dans un petit bateau qu'il fallait alléger, que jetteriez-vous, le pain ou l'argent ?
— L'argent, monsieur.
— Bien. *(L'examinateur prit une carte marquée « Admis » qu'il tendit à Wladek.)* Une fois que vous aurez échangé votre argent contre des dollars, montrez cette carte à l'agent du service de l'immigration. Donnez-lui votre nom complet et il vous remettra une fiche voyageur. On vous délivrera ensuite un certificat d'entrée. Si vous ne commettez pas de crime pendant cinq ans, alors vous passerez un simple examen de lecture et d'écriture en anglais et vous accepterez d'obéir à la Constitution, puis vous aurez l'autorisation de poser votre candidature pour devenir citoyen des États-Unis à part entière. Bonne chance, Wladek.
— Merci, monsieur.
Au guichet de change, Wladek remit l'équivalent d'une année d'économies turques et les trois billets de cinquante roubles. On lui donna quarante-sept dollars et vingt cents en échange de la monnaie turque, mais on lui apprit que les roubles ne valaient rien. Il songea au docteur Dubien et à ses quinze ans de minutieuses épargnes.
La dernière étape consistait à s'entretenir avec l'agent du service de l'immigration, assis derrière un comptoir près de la barrière de

sortie, directement sous une photo du président Harding. Wladek et George allèrent se poster devant lui.

— Nom complet ? demanda-t-il à George.

— George Novak, répondit-il d'un ton ferme.

L'homme l'inscrivit sur une carte.

— Et votre adresse ?

— 286 Broome Street, New York.

L'employé tendit une carte à George.

— Voici votre certificat d'immigration : MDL21871707 – George Novak. Bienvenue aux États-Unis, George. Je suis polonais, moi aussi. J'ai le sentiment que vous vous débrouillerez bien en Amérique. Toutes mes félicitations et bonne chance, George.

George sourit, lui serra la main, puis se mit de côté et attendit son ami. L'employé porta son attention sur Wladek qui lui tendit une carte marquée « Admis ».

— Nom complet ? demanda l'employé.

Wladek hésita.

— Comment vous appelez-vous ? répéta-t-il un peu plus fort.

Wladek ne parvint pas à faire sortir les mots de sa bouche. Comme il détestait ce nom de paysan !

— Pour la dernière fois, comment vous appelez-vous ? insista l'homme.

George regarda fixement son camarade. Comme plusieurs autres qui faisaient la queue derrière lui. Wladek ne parlait toujours pas. L'employé attrapa son poignet, examina attentivement l'inscription sur le bracelet d'argent, inscrivit quelque chose sur une carte qu'il donna à Wladek.

— Voici votre certificat d'immigration, MDL21871708 – baron Abel Rosnovski. Bienvenue aux États-Unis. Toutes mes félicitations et bonne chance, Abel.

# DEUXIÈME PARTIE

# 1923-1928

# 22

En septembre 1923, William fut élu président de sa classe de terminale à St. Paul's, précisément trente-trois ans après que son père eut occupé le même poste.

William ne remporta pas l'élection parce qu'il était le meilleur athlète ou le garçon le plus populaire de l'école. Matthew Lester, son plus proche ami, aurait sans aucun doute gagné tout concours qui reposait sur ces critères. Simplement, William était le plus impressionnant du lycée et, pour cette raison, on ne pouvait pas persuader Matthew de concourir contre lui.

St. Paul's enregistra également le nom de William comme candidat pour la bourse en mathématiques du Hamilton Memorial pour Harvard, et il se dévoua corps et âme à cet objectif et y consacra tout son temps libre.

Quand il retourna à la Maison rouge pour Noël, il avait hâte de passer une période ininterrompue pendant laquelle il se familiariserait aux *Principia Mathematica*. Mais cela ne se produisit pas, car de nombreuses invitations à des fêtes et des soirées l'attendaient à son arrivée. À la plupart, il répondit par un message de regret plein de tact, mais l'une d'elles était absolument inévitable : les grands-mères avaient organisé un bal à la Maison rouge. William se demanda quel âge il devrait avoir avant de pouvoir protéger sa demeure de l'invasion des deux grandes dames, et décida que ce moment n'était pas encore venu. Il avait peu d'amis proches à

Boston, mais cela ne gêna pas les grands-mères qui compilèrent une formidable liste d'invités.

Pour marquer le coup, elles offrirent son premier smoking à William. C'était un smoking au veston croisé à la toute dernière mode ; il reçut ce cadeau en feignant l'indifférence, mais se pavana plus tard dans sa chambre où il admira son image dans le miroir.

Le lendemain, il passa un appel interurbain à New York et demanda à Matthew de se joindre à lui pour cette « épouvantable histoire ». Sa sœur voulait venir elle aussi, mais sa mère estimait que ce n'était pas « convenable » tant qu'un chaperon ne l'accompagnait pas.

William attendait sur le quai lorsque Matthew descendit du train.

— En y repensant, dit celui-ci quand le chauffeur les conduisit à Beacon Hill, il ne serait pas temps pour toi de te faire dépuceler, William ? Il doit bien y avoir une fille à Boston qui n'ait absolument aucun goût.

— Pourquoi, tu as déjà couché avec une fille, Matthew ?

— Bien sûr, en décembre dernier, à New York.

— Qu'est-ce que je faisais à cette époque ?

— Tu devais probablement peloter Bertrand Russel.

— Tu ne m'en as jamais parlé.

— Pas grand-chose à raconter. Tout s'est passé au Noël du personnel de la banque. En fait, pour replacer cet incident dans son contexte, j'ai été abusé par l'une des secrétaires du directeur, une belle femme qui s'appelle Cynthia, aux gros seins qui ballottent, quand...

— Est-ce que ça t'a plu ?

— Oui, mais je ne suis pas sûr que cela lui ait plu à elle. Elle était beaucoup trop ivre pour se rendre compte de ma présence. Mais bon, il faut bien commencer par quelque chose, et elle s'est montrée pleine de bonne volonté pour donner un coup de main au fils du patron.

Une vision de la secrétaire d'Alan Lloyd, d'un certain âge et coincée, traversa l'esprit de William.

— Je ne crois pas que mes chances d'initiation par la secrétaire du directeur soient aussi prometteuses, répondit-il, songeur.

— Tu serais étonné, rétorqua Matthew d'un ton entendu. Celles qui se baladent avec les jambes serrées sont en fait celles qui ont hâte de les écarter.

— Matthew, sur la base d'une seule expérience d'ivrogne, tu n'es pas vraiment habilité à te prendre pour un oracle, répliqua William lorsque la voiture se gara devant la Maison rouge.

— Oh que de jalousie, et ce, de la part de son plus cher ami! *(Matthew soupira d'un air moqueur quand ils entrèrent.)* Oh! là, là! Tu en as apporté des changements depuis ma dernière visite! ajouta-t-il en admirant les meubles en rotin modernes et le nouveau papier peint impression cachemire.

Seul le fauteuil en cuir bordeaux restait fermement enraciné à sa place habituelle.

— Cet endroit avait besoin d'être un peu égayé. C'était comme vivre à l'âge de pierre. De plus, je ne voulais pas que cela me rappelle... Viens, ce n'est pas le moment de traîner et de discuter décoration d'intérieur.

— À quelle heure les invités sont-ils attendus à ta petite soirée?

— *Bal*, Matthew – les grands-mères insistent pour l'appeler un bal.

— Il n'y a qu'une seule chose que l'on puisse qualifier de balles...

William rit et consulta sa montre.

— Ils devraient commencer à arriver dans deux heures. Le temps de prendre un bain et de se changer. N'as-tu pas oublié d'apporter ton smoking?

— Non. Mais sinon, j'aurais aussi bien pu mettre mon pyjama. En général, j'oublie toujours l'un ou l'autre, mais je n'ai pas encore réussi à laisser les deux.

— Je ne crois pas que les grands-mères seraient heureuses de te voir débarquer au bal en pyjama.

Les traiteurs arrivèrent à dix-huit heures, vingt-trois personnes en tout, et les grands-mères, royales en longues robes de dentelle noire qui traînaient par terre, apparurent à dix-neuf heures pour surveiller les préparatifs. William et Matthew les rejoignirent dans le salon peu avant vingt heures. William allait chiper une cerise rouge bien tentante sur un magnifique gâteau glacé quand il entendit la voix de sentinelle de grand-mère Kane derrière lui.

— Ne touche pas à la nourriture, William, elle n'est pas pour toi.

Il se retourna d'un coup.

— Alors pour qui est-elle ? demanda-t-il en l'embrassant sur la joue.

— Ne sois pas insolent, William. Ce n'est pas parce que tu mesures plus d'un mètre quatre-vingts que je ne te donnerai pas la fessée.

Matthew rit.

— Grand-mère, puis-je te présenter mon meilleur ami, Matthew Lester ?

Grand-mère Kane soumit Matthew à un examen méticuleux par l'intermédiaire de son pince-nez avant de lancer :

— Enchantée, jeune homme.

— C'est un honneur de vous rencontrer, madame Kane. Je crois que vous connaissiez mon grand-père.

— Votre grand-père ? Caleb Longworth Lester ? Il m'a demandée en mariage une fois, il y a plus de cinquante ans. Bien sûr, j'ai refusé. Je lui ai dit qu'il buvait trop et que cela le conduirait dans la tombe avant l'heure. J'avais raison, en l'occurrence, et ne suivez pas son exemple, aucun de vous deux. Souvenez-vous, l'alcool émousse le cerveau.

— Nous ne risquons pas, avec la Prohibition, fit remarquer Matthew innocemment.

Mme Kane ignora son commentaire, et porta son attention sur la liste d'invités.

Ceux-ci commencèrent à arriver peu après vingt heures, la plupart étant de parfaits inconnus pour leur hôte, bien qu'il fût ravi de voir Alan Lloyd parmi les premiers arrivants.

— Tu as bonne mine, mon garçon, lança Alan qui se surprit à lever les yeux sur William pour la première fois.

— Vous aussi, monsieur. C'est gentil de votre part d'être là.

— Gentil ? As-tu oublié que l'invitation venait de tes grands-mères ? Je suis probablement assez courageux pour dire non à l'une d'elles, mais aux deux...

— Vous aussi, Alan ? *(William rit.)* Auriez-vous un moment ? *(Il conduisit le président vers un coin calme, où il ne perdit plus de temps en bavardages.)* Je veux modifier légèrement mon plan d'investissement et commencer à acheter des actions de la Lester's Bank dès qu'elles seront en vente. J'aimerais détenir cinq pour cent de la société quand j'aurai vingt et un ans.

— Ce ne sera pas facile, répondit Alan. Les titres de Lester ne sont pas souvent mis sur le marché, parce qu'ils se trouvent entre des mains privées. Mais je verrai ce que je peux faire. Puis-je savoir ce qui se passe dans ta petite tête, William ?

— Eh bien, mon projet à long terme...

— William !

Le jeune homme se retourna pour voir grand-mère Cabot, bien déterminée, foncer sur eux.

— William, c'est un bal, pas une réunion du conseil, et je ne t'ai pas aperçu sur la piste de danse une seule fois de la soirée.

— Exact, acquiesça Alan. Asseyez-vous donc avec moi, madame Cabot, pendant que je renvoie ce garçon dans le monde réel. Nous pouvons regarder les gens danser et apprécier la musique.

— La musique ? Ce n'est pas de la musique, Alan. Ce n'est rien d'autre qu'une cacophonie de bruits, sans la moindre trace de mélodie.

— Ma chère grand-mère, dit William. C'est « *Yes We Have No Bananas* », le dernier tube de...

— Alors, le moment est venu pour moi de quitter ce monde, rétorqua grand-mère Cabot en faisant la grimace.

— Jamais, répliqua Alan Lloyd galamment.

William les laissa et dansa avec quelques filles qu'il se souvenait vaguement avoir rencontrées dans le passé, bien qu'il fallût lui rappeler leurs noms. Quand il aperçut Matthew assis sur un canapé dans un coin, il fut ravi de trouver un prétexte pour quitter la piste de danse. Il ne remarqua pas la demoiselle installée à côté de lui jusqu'à ce qu'il fût presque sur eux. Lorsqu'elle leva les yeux, il sentit ses genoux se dérober sous lui.

— Connais-tu Abby Blount ? s'enquit Matthew d'un ton nonchalant.

— Non, répondit William, incapable de détourner le regard.

— Voici notre hôte, William Lowell Kane.

La fille baissa timidement la tête quand il prit place à ses côtés. Matthew, qui avait remarqué l'expression de son ami, les laissa pour aller chercher un punch.

— Comment cela se fait-il que j'aie vécu à Boston toute ma vie et que nous ne nous soyons jamais vus ? demanda William.

— En fait, nous nous sommes rencontrés une fois, monsieur Kane, dit Abby. À cette occasion, vous m'avez poussée dans l'étang sur le Common. Nous avions tous les deux trois ans. C'était il y a quatorze ans et je ne vous ai toujours pas pardonné.

— Je suis désolé, répondit William après une pause durant laquelle il avait cherché en vain une réponse un peu plus fine.

Abby sourit, s'efforçant de le mettre à l'aise.

— Quelle charmante maison vous avez là, William, lança-t-elle.

Une autre longue pause s'ensuivit.

— Merci, rétorqua-t-il faiblement.

Il lui jeta un coup d'œil furtif, essayant de ne pas montrer qu'il la dévisageait. Elle était mince – oh, si mince – avec d'immenses yeux noisette, des cils interminables, et un profil qui aurait poussé n'importe quel homme à la regarder une seconde fois. Ses cheveux auburn étaient coiffés au carré, une coupe qu'il détestait jusqu'à cet instant.

— Matthew me dit que vous rentrez à Harvard l'an prochain, tenta-t-elle de nouveau.

— Oui, enfin, voulez-vous danser ?

— Merci.

Les pas qui lui étaient si facilement venus quelques minutes plus tôt lui faisaient manifestement défaut. Il marchait sur les orteils d'Abby, et la propulsait en permanence sur les autres danseurs. Il s'excusa, elle sourit. Il la serra un peu plus contre lui pour la quatrième danse.

— Connaissons-nous cette jeune femme qui semble avoir monopolisé notre petit-fils depuis une heure ? demanda grand-mère Cabot d'un ton méfiant.

Grand-mère Kane attrapa son pince-nez et examina la fille qui accompagnait William à travers les baies vitrées ouvertes puis sur la pelouse.

— Abigail Blount, déclara grand-mère Kane.
— La petite-fille de l'amiral Blount ? s'enquit grand-mère Cabot.
— Oui.
La vieille dame opina légèrement, montrant une once d'approbation.
William conduisit Abby jusqu'à l'autre bout du jardin et s'arrêta près d'un grand châtaignier dont il s'était uniquement servi pour l'escalader dans le passé.
— Essaies-tu toujours d'embrasser une fille le premier soir ? demanda Abby.
— Pour être honnête, répondit William, je ne l'ai jamais fait.
Abby rit.
— Je suis très flattée.
Elle lui tendit sa joue rose, mais déclara ensuite qu'il faisait trop froid dehors et insista pour qu'il la raccompagne à l'intérieur. Les grands-mères assistèrent à leur retour avec un soulagement non dissimulé.
Une fois que tous les invités furent partis, les deux garçons firent le tour du jardin en bavardant de la réception.
— Pas mal comme soirée, observa Matthew. Valait presque le voyage de New York à la province, même si tu m'as piqué ma copine.
— Crois-tu qu'elle m'aidera à perdre ma virginité ? demanda William, ignorant la fausse accusation de Matthew.
— Eh bien, tu as deux semaines pour le découvrir. Mais je crains que tu ne t'aperçoives qu'elle n'a pas perdu la sienne non plus.
— Comment peux-tu en être si sûr ?
— Rien qu'à sa façon de te regarder. Les vierges rougissent tout le temps. Je suis prêt à parier cinq dollars qu'elle ne succombera pas, même aux charmes de William Lowell Kane.
Les deux jeunes hommes se serrèrent la main.

William planifia soigneusement sa campagne. Perdre sa virginité était une chose, mais devoir cinq dollars à Matthew Lester en était une autre. Il vit Abby presque tous les jours après le bal, profitant pour la première fois du fait qu'il possédait sa propre maison et sa propre voiture. Il commença à se dire qu'il pourrait bien se passer du chaperonnage discret mais permanent des parents d'Abby, qui semblaient toujours se trouver dans les parages, mais il n'était pas plus proche de son objectif alors que les vacances touchaient à leur fin.

Déterminé à ne pas perdre ses cinq dollars, il envoya une douzaine de roses à Abby ce matin-là, l'amena dîner chez Joseph's, un restaurant hors de prix, et finit à force de cajoleries par la ramener à la Maison rouge ce soir-là.

— Comment as-tu réussi à te procurer du whisky ? demanda-t-elle.

— Ce n'est pas difficile si tu connais les bonnes personnes, se vanta-t-il.

La vérité, c'était qu'il avait caché une bouteille du bourbon de Henry Osborne dans sa chambre peu après son départ et se réjouissait aujourd'hui de ne pas l'avoir vidée dans l'évier comme il l'avait initialement prévu.

L'alcool coupa le souffle de William, et fit larmoyer Abby. Il s'assit à côté d'elle, et passa son bras sur son épaule avec assurance. Elle se blottit dans son étreinte.

— Abby, je te trouve très jolie, murmura-t-il dans ses boucles auburn.

Elle le fixa d'un air sérieux, ses yeux noisette grands ouverts.

— Oh William ! souffla-t-elle. Et moi je te trouve merveilleux.

Elle bascula en arrière, ferma les yeux et accepta qu'il l'embrasse sur les lèvres pour la première fois. Bien qu'enhardi, il fit glisser une main hésitante de son poignet à ses seins. Il l'y laissa, comme un agent de la circulation qui arrête un défilé continu d'automobiles. Elle la repoussa d'un air indigné, autorisant les véhicules à circuler.

— William, tu ne dois pas faire ça.

— Pourquoi pas ? demanda le garçon qui s'efforçait en vain de conserver l'initiative.

— Parce qu'on ne sait jamais comment ça peut se terminer.

— J'en ai une idée précise.

Avant qu'il ne puisse renouveler ses avances, Abby se leva du canapé à la hâte et défroissa sa robe.

— Je pense que je ferais mieux d'y aller, William.

— Mais tu viens d'arriver !

— Mère voudra savoir ce que j'ai fait.

— Tu pourras le lui dire : rien.
— Et je crois qu'il vaut mieux qu'il en soit ainsi.
— Mais je rentre demain – il évita d'ajouter « à l'école » – et je ne te reverrai pas pendant trois mois.
— Eh bien, tu pourras m'écrire, William.

Contrairement à Valentino, William comprenait quand il était battu.

— Oui, bien sûr, répondit-il.

Il se leva, défroissa sa cravate, prit Abby par la main et la raccompagna chez elle.

Le lendemain, à St. Paul's, Matthew Lester accepta le billet de cinq dollars, les sourcils arqués d'une surprise feinte.

— Dis un seul mot, Matthew et je te poursuis dans tout le lycée avec une batte de base-ball.
— Je n'en trouve aucun qui puisse sincèrement exprimer la profonde compassion que j'éprouve pour toi.
— Matthew, l'avertit-il, dans tout le lycée.

William prit conscience de l'existence de l'épouse de son maître lors de son dernier trimestre à St. Paul's.

Mme Raglan était une belle femme, avec un peu de ventre et des hanches qui auraient pu être plus fines, mais elle portait bien sa poitrine plantureuse, et ses épais cheveux bruns parsemés de gris ramenés en chignon au sommet de sa tête lui allaient bien. Un samedi, lorsque William s'était fait une entorse au poignet sur le terrain de hockey, Mme Raglan le lui avait bandé dans une compresse fraîche, en restant un peu plus près de lui que nécessaire, et en laissant le bras du jeune homme effleurer ses seins. Il adora cette sensation. Une autre fois, quand il avait eu de la fièvre et était confiné à l'infirmerie pour quelques jours, elle lui avait elle-même apporté ses repas, et s'était assise sur son lit, son corps touchant ses jambes à travers la fine couverture pendant qu'il mangeait. Il adora aussi cette sensation.

La rumeur disait qu'elle était la deuxième épouse de Rags Raglan. Aucun des garçons ne pouvait imaginer comment Rags avait réussi à garder ne serait-ce qu'une seule femme, et Mme Raglan indiquait de temps en temps, par les plus subtils des soupirs et des silences, qu'elle partageait elle aussi leur incrédulité quant à son destin.

Dans le cadre de ses tâches de responsable de dortoir, William devait se présenter chaque soir à Rags à vingt-deux heures trente, lorsqu'il avait achevé la ronde d'extinction des feux et allait se coucher. Un lundi, alors qu'il frappait à sa porte, il fut étonné d'entendre la voix de Mme Raglan qui lui intimait d'entrer. Elle était allongée sur une chaise longue, habillée d'un peignoir de soie mal attaché et d'aspect vaguement japonais.

William agrippa bien fort le bouton de porte.

— Toutes les lumières sont éteintes et j'ai fermé la porte d'entrée, madame Raglan. Bonne nuit.

Elle balança ses jambes par terre, et un éclair pâle de sa cuisse habillée d'un bas apparut momentanément sous le drapé de soie.

— Tu es toujours tellement pressé, William. Tu es impatient que ta vie commence, n'est-ce pas ? *(Elle se rendit vers une petite table.)* Et si tu restais boire un chocolat chaud avec moi ? Que je suis bête, j'en ai fait assez pour deux. J'avais complètement oublié que M. Raglan ne rentrerait pas avant samedi matin.

Elle appuya bien sur le mot « samedi ».

Elle porta une tasse brûlante à William et le regarda pour voir s'il avait bien compris l'importance de ses paroles. Satisfaite, elle sourit et lui donna la tasse, laissant leurs mains se toucher. Il remua vigoureusement le chocolat chaud.

— Gérald assiste à une conférence, poursuivit-elle. *(C'était la toute première fois qu'il entendait le prénom de M. Raglan.)* Ferme, veux-tu, William et assieds-toi.

William hésita ; il s'exécuta, mais il estima qu'il ne pouvait pas s'installer dans le fauteuil de Rags, et il ne désirait pas non plus prendre place à côté de Mme Raglan. Il décida que le fauteuil de Rags était le moindre des deux maux, et se dirigea vers lui.

— Non, non, dit-elle, et elle tapota la place près d'elle.

Traînant les pieds, il s'assit nerveusement à côté d'elle et chercha l'inspiration dans sa tasse. N'en trouvant pas, il avala le chocolat d'un coup et se brûla la langue. Il fut soulagé lorsque Mme Raglan se leva. Elle remplit sa tasse, ignora sa protestation à voix basse, puis traversa silencieusement la pièce, alluma le tourne-disque Victrola et posa le saphir sur un vinyle. Il regardait toujours par terre quand elle revint.

— Tu ne laisserais pas une dame danser toute seule, n'est-ce pas, William ?

Elle commença à se balancer en rythme sur la musique. Il se leva et passa formellement un bras autour de sa taille, comme s'ils dansaient en plein milieu d'une piste bondée. Rags aurait pu tenir entre eux deux sans aucun problème. Au bout de quelques mesures, elle se rapprocha de lui, et il regarda un point fixe derrière son épaule droite, feignant de ne pas avoir remarqué que sa main gauche avait glissé de son épaule dans le creux de ses reins. Lorsque la musique s'arrêta, il croyait pouvoir retrouver la sécurité de son chocolat chaud, mais elle avait retourné le disque et était de retour dans ses bras avant qu'il n'ait le temps de s'asseoir.

— Madame Raglan, je pense que je devrais...

— Détends-toi un peu, William.

Enfin, il trouva le courage de la regarder dans les yeux. Il tâcha de répondre, mais il était incapable de parler. La main de la jeune femme explorait désormais son dos, et il sentit sa cuisse bouger lentement contre son entrejambe. Il resserra son étreinte autour de sa taille.

— C'est mieux, observa-t-elle.

Ils firent le tour de la pièce, entrelacés, de plus en plus indolemment, en rythme sur la musique, alors que le vinyle s'arrêtait doucement. Elle s'éclipsa pour éteindre la lumière. William resta immobile dans la semi-obscurité, écouta le froissement de la soie et la regarda se déshabiller.

Le crooner avait terminé sa chanson, et le saphir continuait de gratter le disque qui tournait encore. William, au milieu de la pièce, ne bougeait pas. Mme Raglan ôta sa veste, puis le conduisit vers la chaise longue. Il la chercha à tâtons dans le noir ; ses doigts de novice timide rencontrèrent plusieurs parties de son corps qui n'étaient pas du tout telles qu'il les avait imaginées. Il s'empressa de les retirer pour qu'ils retrouvent le territoire bien plus familier qu'était celui de ses seins. Ses doigts à elle ne montrèrent aucune réticence, et il commença à ressentir des sensations qu'il n'aurait jamais pu concevoir, même en rêve. Il voulait hurler, mais se retint, de peur de réveiller les garçons qui dormaient au-dessus de lui. Elle défit sa braguette et entreprit de baisser son pantalon.

William se demanda comment la pénétrer sans révéler son manque total d'expérience. Ce n'était pas aussi simple qu'il l'avait cru, et il désespérait de plus en plus. Puis les doigts de la jeune femme vinrent le guider comme une experte. Mais avant de la pénétrer, il jouit.

— Je suis vraiment désolé, dit-il, ne sachant que faire.

Il resta étendu sur elle un moment en silence avant qu'elle ne parle.

— Ce sera mieux demain, William. N'oublie pas, Rags ne rentre pas avant samedi.

Le bruit du disque qui grattait résonna de nouveau dans ses oreilles.

William pensa à Mme Raglan jusqu'à l'extinction des feux le lendemain. Ce soir-là, elle soupira. Mercredi, elle haleta. Jeudi, elle gémit. Vendredi, elle hurla.

Samedi matin, Rags Raglan revint de sa conférence, et l'éducation de William était achevée.

À la fin des congés de Pâques, le jour de l'Ascension, pour être précis, Abby Blount finit par succomber aux charmes de William. Cela coûta cinq dollars à Matthew, et sa virginité à Abby. Quelle douche froide, après Mme Raglan ! Ce fut le seul événement important de toutes les vacances, parce que ses parents se hâtèrent d'emmener Abby à Palm Beach et William passa le plus clair de son temps enfermé avec ses livres, chez lui, avec les grands-mères et Alan Lloyd pour unique compagnie. Comme Rags Raglan n'assistait plus à aucune conférence, lorsque William rentra à St. Paul's, il continua à se concentrer sur ses études.

Matthew et lui s'asseyaient dans leur bureau pendant des heures, sans parler, sauf si Matthew avait une équation mathématique qu'il était bien incapable de résoudre. Quand les examens tant attendus arrivèrent enfin, ils durèrent une difficile semaine. À la minute où ils se terminèrent, les deux jeunes hommes se détendirent, mais à mesure que les jours passaient et qu'ils attendaient leurs résultats, ils perdirent leur bel optimisme.

La bourse en mathématiques du Hamilton Memorial pour Harvard, qui reposait entièrement sur les résultats de la dernière épreuve, était ouverte à tous les écoliers d'Amérique. William n'avait aucun moyen de savoir si la concurrence serait rude. Comme, un mois plus tard, il n'avait toujours aucune nouvelle, il se mit à imaginer le pire, et alla jusqu'à se demander si Harvard lui offrirait même une place.

Quand le télégramme arriva, William jouait au base-ball avec d'autres terminales, s'efforçant de tuer le temps qui les séparait de la fin du trimestre et du moment de quitter l'école. Ce sont de chaudes soirées d'été où les garçons ont de grandes chances de se faire renvoyer pour ébriété, pour avoir cassé des fenêtres ou essayé de coucher avec l'une des filles des professeurs, sinon leur épouse.

William déclarait haut et fort à ceux qui voulaient bien l'entendre qu'il allait marquer son premier coup de circuit[7]. « Le Babe Ruth[8] de St. Paul's ! » déclara Matthew. Beaucoup de rires accueillirent cette affirmation improbable. Lorsqu'un élève de cinquième lui donna le télégramme, les coups de circuit furent vite oubliés. Il fit tomber sa batte et déchira la petite enveloppe jaune. Le lanceur et les joueurs de l'équipe défendante attendirent avec impatience pendant qu'il lisait lentement la communication.

— Les Red Sox te proposent un contrat ? cria le gardien de base un : l'arrivée d'un télégramme était en effet un événement inhabituel au cours d'un match de base-ball.

Matthew rejoignit son ami sans se presser depuis le terrain extérieur, tâchant de deviner à son expression si la nouvelle était bonne

7. Coup de batte qui permet au batteur de marquer un point en faisant un tour complet en une seule fois.

8. Joueur de base-ball américain (1895-1948) considéré comme le plus grand de tous les temps.

ou mauvaise. William lui passa le message. Il le lut, sauta haut en l'air, jeta le papier par terre et accompagna William qui fit le tour des bases en courant, même s'il n'avait pas donné de coup de batte. L'attrapeur le ramassa, le lut et balança son gant dans les gradins avec enthousiasme. Le petit morceau de papier jaune passa ensuite de joueur à joueur avec passion. Le dernier à le regarder fut l'élève de cinquième, qui, pour avoir provoqué un tel bonheur sans recevoir un seul remerciement, décida que la moindre des choses était d'en connaître le contenu.

Le télégramme, adressé à M. William Lowell Kane, disait : « Félicitations ; vous avez remporté la bourse en mathématiques du Hamilton Memorial pour Harvard. Vous recevrez toutes les informations ultérieurement. Abbot Lawrence Lowell, Président. » William ne marqua jamais son coup de circuit, car plusieurs joueurs de l'équipe défendante lui tombèrent dessus avant qu'il ne puisse prendre son bâton[9].

Matthew observa la scène avec grand plaisir, savourant pleinement le succès de son ami, mais il était triste de penser que cela signifiait qu'ils seraient séparés. William aussi, mais il ne dit rien : ils devraient attendre encore neuf jours pour apprendre que l'on avait également offert une place à Harvard à Matthew.

Sur ces entrefaites, un autre télégramme arriva, celui-ci de Charles Lester, qui félicitait son fils et l'invitait avec William à prendre le thé à l'hôtel Plaza à New York. Les deux grands-mères envoyèrent leurs félicitations à William, mais comme grand-mère Kane en informa Alan Lloyd, d'un ton quelque peu irrité : « Le petit n'a rien fait de moins que ce que l'on attendait de lui et rien de plus que son père avant lui. »

En une douce après-midi, les deux garçons flânèrent sur la Cinquième Avenue. Les yeux des filles étaient attirés par le couple séduisant

9. Plaque qui marque le début et la fin du parcours que doit effectuer le batteur pour marquer un point.

qui feignait de ne rien remarquer. Ils ôtèrent leur canotier de paille quand ils entrèrent au Plaza à trois heures cinquante-neuf, puis se rendirent nonchalamment au Palm Court où toute la famille les attendait. Les grands-mères de William flanquaient une vieille dame, qui, supposa-t-il, était l'équivalent Lester de grand-mère Kane. M. et Mme Charles Lester, leur fille Susan, qui ne quitta pas William des yeux une seconde, et Alan Lloyd complétaient le groupe, laissant deux chaises vacantes pour William et Matthew.

Grand-mère Kane convoqua le serveur le plus proche d'une main gantée autoritaire.

— Du thé, et d'autres pâtisseries, s'il vous plaît.

L'homme se rendit en cuisine à la hâte.

— Du thé et des gâteaux à la crème, madame, annonça-t-il en revenant.

— Ton père eût été fier de toi, William, disait le vieil homme au plus grand des deux jeunes.

Le serveur se demanda ce que ce beau garçon avait pu accomplir pour susciter de tels éloges.

William ne l'aurait pas du tout remarqué sans le bracelet en argent à son poignet. Il aurait très bien pu venir de chez Tiffany's : son incongruité le médusa.

— William, lança grand-mère Kane, deux pâtisseries suffisent amplement. Ce n'est pas ton dernier repas avant ton entrée à Harvard.

Il sourit à la vieille dame avec tendresse et oublia complètement le bracelet en argent.

# 23

Cette nuit-là, Abel resta éveillé dans sa mansarde du Plaza, pensant au jeune homme qu'il avait servi cet après-midi, dont le père eût été si fier. Il comprit pour la première fois de sa vie exactement ce qu'il espérait accomplir : il voulait que tous les William de ce monde le considèrent comme un pair.

Abel avait dû se battre en arrivant à New York. Il avait été obligé de partager une petite chambre avec George et deux de ses cousins. Comme il n'y avait que deux lits, il ne pouvait dormir que lorsque l'un était libre. L'oncle de George n'avait pas pu lui offrir de poste, et après quelques semaines d'angoisse où il dépensa la majorité de ses économies pour survivre, tout en cherchant du travail de Brooklyn au Queens, il finit par en trouver dans un grand abattoir du Lower East Side. Ils le payèrent neuf dollars pour une semaine de six jours et demi, et le laissèrent dormir sur place. L'entrepôt était situé au cœur d'une petite communauté polonaise presque autarcique, mais Abel ne supporta bientôt plus l'étroitesse d'esprit de ses compatriotes, dont la plupart ne faisaient aucun effort pour se mettre à l'anglais.

Il voyait régulièrement George et sa succession constante de copines pendant les week-ends, mais passait la plupart de ses soirées de semaine à suivre des cours du soir pour améliorer son aptitude à lire l'anglais et à l'écrire. En deux ans, il parla couramment sa nouvelle langue, avec un très léger accent. Il se sentait désormais prêt à quitter l'abattoir – mais pour quoi, où et comment ?

Trois mois plus tard, il le sut.

Un matin, Abel préparait un gigot lorsqu'il entendit par hasard l'un des plus gros clients du magasin, le directeur du Plaza Hotel, se plaindre auprès du boucher d'avoir dû renvoyer un jeune serveur pour vol.

— Comment trouver un remplaçant dans des délais si brefs ?

Le boucher n'avait aucune solution à lui proposer. Abel, si. Il enfila son seul costume, arpenta quarante-sept pâtés de maisons à pied vers le centre-ville et décrocha le boulot de serveur débutant au Palm Court, pour dix dollars la semaine, chambre incluse.

Une fois installé au Plaza, il s'inscrivit pour un cours du soir d'anglais avancé à l'université de Columbia. Il étudiait consciencieusement chaque soir, un *Webster's* d'occasion ouvert dans une main, griffonnant de l'autre. Le matin, entre les petits déjeuners qu'il servait et les tables qu'il préparait pour midi, il recopiait des éditoriaux du *New York Times* et cherchait tous les mots dont il ne connaissait pas le sens dans le dictionnaire.

Pendant les deux années qui suivirent, Abel travailla jour et nuit au Plaza – « heures supplémentaires » était un terme dont il n'avait pas besoin de trouver la signification dans le dictionnaire – jusqu'à ce qu'il fût promu et devînt serveur dans la Oak Room. Il gagnait alors vingt-cinq dollars par semaine, pourboires compris. Dans son propre monde, il ne manquait de rien.

L'enseignant d'Abel à Columbia était si impressionné par l'application de son élève qu'il lui conseilla de s'inscrire pour un autre cours, qui pourrait constituer un premier pas vers une licence de lettres. Du temps libre qu'il passait à étudier, il remplaça la linguistique par l'économie et se mit à recopier des éditoriaux du *Wall Street Journal* à la place de ceux du *Times*. Ses nouvelles études l'absorbaient complètement et, à l'exception de George, il perdit rapidement contact avec les amis polonais qu'il avait rencontrés en arrivant à New York.

Chaque jour, Abel examinait attentivement la liste des clients qui avaient réservé des tables dans la Oak Room — les Baker, Loeb, Whitney, Morgan et Phelpse – et tâcha de comprendre pourquoi les riches étaient différents. Il lut H.L. Mencken, *The American Mercury*[10], Scott Fitzgerald, Sinclair Lewis, et Theodore Dreiser dans sa quête infinie de savoir. Il étudiait le *Wall Street Journal* alors que les autres serveurs feuilletaient le *Mirror*, et lisait le *New*

10. Magazine américain influent, de littérature et d'opinion, fondé par H.L. Mencken et George Nathan en 1924.

*York Times* lors de sa pause d'une heure pendant qu'ils somnolaient. Il ignorait où les connaissances qu'il venait d'acquérir le mèneraient, mais il ne remit jamais en cause la maxime du baron, selon laquelle rien ne remplaçait une bonne éducation.

Un lundi d'août 1926 – il se rappelait bien cette occasion parce que c'était le jour de la mort de Rudolph Valentino, et les dames qui faisaient leurs courses sur la Cinquième Avenue portaient du noir pour la plupart –, Abel servait l'une des tables du coin, toujours réservées aux hommes d'affaires importants qui souhaitaient déjeuner dans l'intimité sans que l'on entende leur discussion. Il aimait s'occuper de cette table, car il recueillait souvent des informations confidentielles dans la conversation. Après la fermeture du restaurant pour l'après-midi, il vérifiait le prix des actions des entreprises des clients, et si le ton de la conversation avait été optimiste, il investissait une petite somme dans la société. Si l'hôte avait demandé des cigares à la fin du repas, Abel faisait un placement plus important. Sept fois sur dix, la valeur du titre qu'il avait choisi doublait en six mois, la période où il s'autorisait à les garder. Avec ce système, il perdit de l'argent à trois occasions seulement durant les quatre années où il travailla au Plaza.

Ce qui fut inhabituel, ce jour-là, c'était que les deux clients de la table du coin commandèrent des cigares avant même de s'asseoir. Plus tard, de nouveaux convives les rejoignirent, qui en demandèrent d'autres ainsi que des bouteilles de champagne. Abel chercha le nom de l'hôte dans le livre de réservation du maître d'hôtel. Woolworth. Il avait vu très récemment ce nom dans les pages financières, mais il fut incapable de se rappeler immédiatement à quel sujet. L'autre invité était un certain Charles Lester, un habitué du Plaza, qu'Abel connaissait pour être un banquier distingué. Les clients ne montrèrent pas le moindre intérêt envers leur serveur exceptionnellement attentif, ce qui permit à Abel de prêter une oreille vigilante à leur conversation. Il ne put apprendre d'informations particulières, mais il en déduisit qu'une sorte de marché avait été conclu le matin et qu'on l'annoncerait en clôture ce soir-là. Puis il se souvint. Il avait vu le nom dans le *Wall Street Journal*. Le père de M. Woolworth avait lancé la première supérette ; à présent, le fils essayait de réunir de l'argent pour l'agrandir. Pendant que les invités savouraient leur dessert – la plupart avaient choisi le cheesecake à la fraise, recommandé par Abel –, il profita de l'occasion pour quitter la salle à manger quelques instants et appeler son courtier à Wall Street.

— À combien se négocie Woolworth ? demanda-t-il.

Une pause s'ensuivit au bout du fil.

— Deux et un huitième. Pas mal de mouvement, récemment. Mais je ne sais pas pourquoi, lui répondit-on.

— Achetez jusqu'à la limite de mon compte, jusqu'à ce que vous entendiez une annonce de la société plus tard dans la journée.

— Que dira-t-elle ? demanda le courtier médusé.

— Je n'ai pas le droit de le révéler, rétorqua Abel.

Le courtier était plutôt impressionné. Les antécédents d'Abel dans le passé l'avaient conduit à ne pas poser trop de questions sur les sources de ses informations. Abel s'empressa de regagner la Oak Room à temps pour servir le café des clients. Ils traînèrent un peu en buvant un brandy, et Abel ne retourna à la table que lorsqu'ils se préparaient à s'en aller. Celui qui paya l'addition le remercia pour son service attentif et, se tournant vers ses amis, de sorte qu'ils puissent l'entendre, il lança :

— Voulez-vous un tuyau, jeune homme ?

— Merci monsieur.

— Achetez des titres Woolworth.

Tous les clients rirent. Abel aussi, empocha le billet de cinq dollars que le type lui donna et le remercia. Il fit également un bénéfice supplémentaire de deux dollars quatre cent douze sur les actions Woolworth au cours des six semaines suivantes.

Abel reçut la citoyenneté américaine quelques jours après son vingt et unième anniversaire, et décida qu'il fallait fêter cela. Il invita George et Monika, son dernier amour, et une dénommée Clara, l'une des ex de George, à aller voir John Barrymore dans *Don Juan*, puis à dîner chez Bigo's. George, toujours apprenti dans la boulangerie de son oncle, travaillait pour huit dollars par semaine, et bien qu'Abel le considère encore comme son meilleur ami, il était conscient de la différence grandissante entre George sans le sou et lui-même. Abel, qui possédait désormais plus de huit mille dollars sur son compte bancaire, suivait une licence d'économie à l'université de Columbia. Il savait parfaitement où il allait, alors que George avait arrêté de raconter à tout le monde qu'un jour, il deviendrait maire de New York.

Tous les quatre passèrent une soirée mémorable, surtout parce qu'Abel savait exactement qu'attendre d'un grand restaurant. Ses invités mangèrent et burent beaucoup, et quand on leur présenta l'addition, George fut choqué de constater qu'elle équivalait à plus d'un mois de salaire. Abel la régla sans rien dire. « Si vous devez payer l'addition, faites toujours comme si le total était sans importance. Si c'est le cas, ne retournez plus au restaurant. Quoi que vous décidiez, ne vous plaignez pas ou n'ayez pas l'air étonné » – voilà autre chose que les riches lui avaient appris.

Lorsque le groupe se sépara à deux heures du matin, George et Monika rentrèrent dans le Lower East Side. Abel se dit qu'il avait mérité Clara et l'invita au Plaza. Il la fit passer en douce par l'entrée de service, puis prendre l'ascenseur de la blanchisserie, avant d'entrer dans sa chambre. Elle n'eut pas besoin d'être séduite, et Abel expédia les préliminaires, se souvenant qu'il avait du sommeil à rattraper avant de se présenter pour le service du petit déjeuner. Il roula sur le côté à trois heures, pleinement satisfait, et sombra dans un sommeil ininterrompu jusqu'à ce que son réveil sonne à six heures. Cela lui laissa juste assez de temps pour faire l'amour à Clara une deuxième fois avant de s'habiller.

Clara le regarda d'un air boudeur quand il mit son nœud papillon blanc, avant de lui faire un baiser d'au revoir, pour la forme.

— Assure-toi de sortir comme tu es venue, sinon tu m'attireras de gros problèmes, dit-il. Vais-je te revoir ?

— Non, répondit Clara d'un ton glacial.

— Pourquoi pas ? demanda-t-il, étonné. Quelque chose que j'ai fait ?

— Non, quelque chose que tu n'as pas fait.

Elle descendit du lit d'un bond et s'habilla rapidement.

— Qu'est-ce que je n'ai pas fait ? Tu voulais coucher avec moi, non ?

Elle se retourna, face à lui :

— Je croyais, oui, jusqu'à ce que je m'aperçoive que tu as une seule chose en commun avec Rudolph Valentino : vous êtes morts tous les deux. Tu es peut-être le truc le plus intelligent que le Plaza ait vu en une mauvaise année, mais au lit, crois-moi, tu ne vaux vraiment pas le déplacement. *(Complètement habillée, Clara s'arrêta sur le seuil, où elle composa sa réplique finale.)* Dis-moi, as-tu déjà réussi à convaincre une fille de coucher avec toi une deuxième fois ?

Éberlué, Abel regarda fixement la porte claquer derrière lui. Il passa le reste de la journée à songer à l'accusation de Clara. Il ne voyait personne d'autre avec qui en parler : George se serait simplement moqué de lui, et l'équipe du Plaza pensait qu'il savait tout. Il décida qu'il pourrait surmonter ce problème, comme tous ceux qu'il avait rencontrés dans sa vie, grâce aux études ou à l'expérience.

Après le déjeuner, ce jour-là, il passa chez Scribner's, sur la Cinquième Avenue. La librairie avait dans le passé résolu tous ses problèmes économiques et linguistiques, mais il ne trouva rien en rayon qui puisse l'aider un minimum à faire la lumière sur ses tracas sexuels. Les livres sur les convenances étaient inutiles, car il savait tenir un couteau et une fourchette et *The Moral Dilemma* s'avéra complètement inapproprié.

Abel sortit du magasin sans rien acheter, et passa le reste de l'après-midi dans un cinéma miteux sur Broadway, sans regarder le film, mais en songeant encore à ce que Clara lui avait dit. Le film, une histoire d'amour avec Greta Garbo et Errol Flynn, n'arriva pas au stade du baiser avant la dernière bobine et ne l'éclaira pas plus que Scribner's.

Lorsque Abel sortit du cinéma, c'était le début de soirée et un vent frais soufflait sur Broadway. Cela le surprenait encore qu'une ville puisse être presque aussi bruyante et illuminée de nuit que de jour. Il se dirigea vers les quartiers résidentiels en direction de la 59e Rue, en espérant que l'air frais lui éclaircirait les idées. Il s'arrêta à l'angle de la 52e pour s'acheter le journal du soir, afin de pouvoir consulter le cours des actions à la clôture.

— On cherche une fille ? fit une voix au coin, près du kiosque.

Abel se retourna. Elle devait avoir trente-cinq ans, était extrêmement maquillée et arborait le dernier rose à lèvres à la mode. Sa blouse de soie blanche avait quelques boutons défaits, et elle portait une longue jupe noire, des bas noirs et des chaussures noires.

— Cinq dollars seulement, et tu en auras pour ton argent, annonça-t-elle en faisant des effets de hanches, laissant s'ouvrir sa jupe fendue, qui révéla le haut de ses bas.

— Où allons-nous ? demanda Abel.

— J'ai un petit appart à moi sur le prochain pâté de maisons.

Elle indiqua la direction d'un signe de tête et, pour la première fois, il vit clairement son visage sous le lampadaire. Elle n'était pas repoussante. Abel opina et elle lui prit le bras.

— Si la police s'arrête pour nous interroger, dit-elle, tu es un vieil ami et je m'appelle Joyce.

Ils marchèrent jusqu'au prochain pâté de maisons, et entrèrent dans un petit immeuble sordide. La pièce miteuse horrifia Abel, avec son ampoule nue, une seule chaise, une cuvette, et un lit double froissé, qui avait visiblement déjà été occupé à plusieurs reprises dans la journée.

— Tu habites ici ? s'enquit-il, incrédule.

— Mon Dieu non. Je ne m'en sers que pour travailler.

— Pourquoi fais-tu cela ? voulut savoir Abel, qui continuait à se demander s'il désirait encore aller jusqu'au bout.

— J'ai deux enfants à élever et pas de mari. Tu vois une meilleure raison ? Maintenant, tu as envie de moi ou pas ?

— Oui, mais pas comme tu le penses.

Elle le scruta avec méfiance.

— Pas un de ces hommes bizarres, admirateurs du Marquis de Sade, n'est-ce pas ?

— Sûrement pas.

— Tu ne vas pas me brûler avec des cigarettes ?

— Non, rien de tout ça. Je souhaite juste que l'on m'apprenne à faire l'amour. Je veux des cours.

— Des cours ? Tu plaisantes ? Où tu te crois, bébé ? À des putains de cours du soir ?

— Quelque chose comme ça, répondit Abel. *(Il s'assit au coin du lit et lui raconta ce que Clara lui avait asséné ce matin.)* Penses-tu pouvoir m'aider ?

La dame de la nuit l'examina plus soigneusement en se demandant si c'était le 1er avril.

— Bien sûr, fit-elle enfin. Mais ça te coûtera tout de même cinq dollars pour trente minutes.

— Plus cher qu'une licence à Columbia, déclara Abel. De combien de cours vais-je avoir besoin d'après toi ?

— Ça dépend de la vitesse à laquelle tu apprends, n'est-ce pas ?

— Alors, commençons tout de suite, proposa-t-il en sortant un billet de cinq dollars d'une poche intérieure.

Elle le fourra dans son bas, un signe sûr qu'elle ne les ôtait jamais.

— On se déshabille d'abord, bébé, dit-elle. Tu n'apprendras pas grand-chose tout habillé.

Quand il fut nu, elle le jaugea d'un œil critique.

— Tu n'es pas exactement Douglas Fairbanks, n'est-ce pas ? Ne t'en fais pas – ton aspect n'a aucune importance une fois que les lumières sont éteintes ; c'est ce que tu peux faire qui compte.

Abel l'écouta attentivement lui expliquer comment s'occuper d'une femme. Elle découvrit avec surprise qu'il ne la désirait pas du tout, et fut encore plus étonnée lorsqu'il continua à venir tous les après-midi pendant trois semaines.

— Quand saurai-je que j'y suis parvenu ? lui demanda-t-il un soir.

— Tu le sauras, bébé, répliqua Joyce. Si tu arrives à me faire jouir, tu pourras faire jouir une momie égyptienne.

Elle lui apprit tout d'abord où se trouvaient les parties sensibles du corps d'une femme – puis à être patient quand il faisait l'amour, et les signes qui montreraient qu'il la satisfaisait. Comment se servir de sa langue et de ses lèvres partout ailleurs que sur la bouche d'une femme.

Abel écouta attentivement et suivit ses instructions à la lettre, un peu trop mécaniquement au début. En dépit de l'assurance qu'elle lui donnait qu'il s'améliorait grandement, il n'était pas certain qu'elle lui disait la vérité, jusqu'à un après-midi, environ trois semaines et cent dix dollars plus tard, lorsque, à sa grande surprise et à sa grande joie, Joyce devint brusquement vivante dans ses bras. Elle tint sa tête tout près d'elle pendant qu'il suçait délicatement ses mamelons. Quand il la caressa entre les jambes, il découvrit qu'elle était mouillée – pour la première fois – et après qu'il l'eut pénétrée, elle gémit, un bruit qu'il n'avait jamais entendu et qu'il trouva très excitant. Elle lui griffa le dos et l'implora de ne pas arrêter. Le gémissement se poursuivit, parfois bruyant, parfois doux. Enfin, elle cria brusquement, s'accrocha à lui, puis se détendit.

Après avoir repris son souffle, elle dit :

— Bébé, tu viens d'obtenir ton diplôme de premier de la classe.

Abel n'avait même pas joui.

Abel fêta son diplôme en achetant des billets à la sauvette pour voir les New York Yankees de Babe Ruth battre les Pittsburgh Pirates dans le match décisif de la World Series. Il invita George, Monika et une Clara réticente à être ses invités pour la soirée. Après le match, Clara estima que ce n'était que son devoir de coucher avec Abel, après tout il avait dépensé un mois de salaire pour elle.

Le lendemain matin, juste avant de partir, Clara dit :

— Quand te reverrai-je ?

Une fois diplômé de Columbia, Abel devint vite mécontent de sa vie au Plaza, mais il ne voyait pas comment tirer profit de ses nouvelles qualifications.

Bien qu'il servît certains des hommes les plus riches et les plus ambitieux d'Amérique, il se sentait incapable d'aborder l'un d'eux directement ; cela risquait en effet de lui coûter son travail. De toute façon, ce genre de client était peu enclin à prêter attention aux aspirations d'un serveur.

Une fois, lorsque M. et Mme Ellsworth Statler vinrent déjeuner dans la salle édouardienne du Plaza, il crut que sa chance était arrivée. Il fit tout ce qu'il put pour impressionner le célèbre hôtelier, et le déjeuner se déroula sans anicroche. En partant, Statler remercia chaleureusement Abel et lui laissa dix dollars de pourboire, mais sans rien dire de plus. Quand il le regarda disparaître à travers les portes à tambour du Plaza, Abel ne put s'empêcher de se demander s'il pourrait percer un jour.

Lorsqu'il retourna à son poste, Sammy, le maître d'hôtel, le tapa sur l'épaule.

— Qu'est-ce que M. Statler t'a donné ?

— Rien, répondit Abel.

— Pas de pourboire ?

— Oh si bien sûr, dix dollars.

Il lui tendit l'argent.

— Je préfère, dit Sammy. Je commençais à croire que tu jouais double jeu avec moi, Abel. Dix dollars, c'est bien, même pour M. Statler. Tu as dû l'impressionner.

— Non.

— Comment ça ?

— Peu importe, fit Abel en s'en allant.

— Attends un moment, Abel. Le monsieur de la dix-sept, M. Leroy, voudrait te parler en personne.

— À quel sujet ?

— Qu'est-ce que j'en sais ? Il a dû entendre que tu étais une grosse huile et espère que tu lui donneras des conseils financiers.

Abel jeta un coup d'œil à la table dix-sept, strictement réservée aux dociles ou aux inconnus, parce qu'elle se trouvait près des portes battantes de la cuisine et qu'elle était toujours la dernière occupée. En général, il essayait d'éviter de servir les clients dans ce coin de la salle.

— Qui est-ce ? demanda-t-il.

— Je ne sais pas, répondit Sammy, sans prendre la peine de lever les yeux. Je ne suis pas au courant de l'histoire de la vie de chaque client comme toi. Sers-leur un bon repas, assure-toi de recueillir un gros pourboire, et espère qu'ils reviendront. Tu penses sûrement que c'est une philosophie simple, mais elle me convient. Peut-être ont-ils omis de t'enseigner les bases à Columbia. Maintenant, bouge tes fesses là-bas et si c'est un pourboire, n'oublie pas de me le rapporter illico.

Abel sourit à Sammy et se rendit à la dix-sept. Deux personnes étaient assises, un individu en veste écossaise colorée, qu'Abel aurait décrite comme criarde, et une jeune femme séduisante, à la tignasse blonde frisée, qui le déconcentra momentanément. Il supposa qu'elle était la petite amie new-yorkaise de la veste écossaise. Il afficha son sourire « désolé », pariant tout seul des dollars que l'homme allait faire des histoires parce qu'il était placé à côté de la cuisine et essayerait de changer de table pour impressionner la belle blonde. Personne n'aimait déjeuner près des odeurs culinaires et du fracas perpétuel que produisaient les talons des serveurs sur les portes, mais il était impossible de ne pas se servir de cette table quand l'hôtel était rempli de résidents et d'habitués, qui considéraient les visiteurs comme rien de moins que des intrus. Pourquoi Sammy lui laissait-il toujours les clients difficiles ?

Abel s'approcha prudemment de la veste écossaise.

— Vous avez demandé à me parler, monsieur ?

— Oui, en effet, répondit un accent texan. Je m'appelle David Leroy et voici Mélanie, ma fille.

Abel porta son attention sur Mélanie, ce qui était une erreur stupide car il fut incapable de la quitter des yeux.

— Je vous observe, Abel, depuis cinq jours, poursuivit Leroy avec son accent texan. Ce que j'ai vu m'a vraiment impressionné. Vous avez de la classe, une vraie classe, et je suis toujours à la recherche de cela. Ellsworth Statler a été un idiot de ne pas vous proposer immédiatement de boulot.

Abel regarda plus attentivement M. Leroy. Ses joues pourpres montraient bien qu'il n'avait pas prêté la moindre attention à la Prohibition, et l'assiette vide devant lui expliquait son ventre rond, mais ni son nom ni son visage ne lui disaient quoi que ce soit. À une heure de déjeuner normale, Abel connaissait les antécédents de la plupart des clients qui occupaient les trente-neuf tables de la salle édouardienne. Mais il ne savait rien de la vie de M. Leroy.

Celui-ci parlait encore.

— Il est vrai que je ne suis pas l'un de ces multimillionnaires qui doivent s'asseoir à vos tables d'angle.

Abel fut impressionné. Le client moyen n'était pas censé se rendre compte des avantages des différentes tables.

— Mais ça marche plutôt bien pour moi. En fait, mon meilleur établissement pourrait devenir aussi impressionnant que celui-ci un jour, Abel.

— J'en suis sûr, monsieur, répondit celui-ci, gagnant du temps.

Leroy, Leroy, Leroy, Leroy. Ce nom ne lui disait toujours rien.

— Laissez-moi vous expliquer les choses, fiston. L'hôtel numéro un de mon groupe a besoin d'un nouveau sous-directeur responsable des restaurants. Si vous êtes intéressé, passez donc me voir dans ma chambre quand vous aurez fini votre service.

Il lui tendit une carte non gaufrée.

— Merci monsieur, dit Abel en y jetant un coup d'œil.

« Davis Leroy. Groupe hôtelier Richmond. Dallas. » En dessous était inscrite la devise : « Un jour, un hôtel dans chaque État. » Le nom ne lui disait toujours rien.

— Je vous attends avec impatience, lança Leroy.

— Merci, monsieur.

Il sourit à Mélanie, mais elle ne lui rendit pas le compliment. Il retourna voir Sammy qui, tête baissée, comptait encore ses recettes.

— Déjà entendu parler du groupe hôtelier Richmond, Sammy ?

— Bien sûr, mon frère était serveur débutant dans l'un d'eux, autrefois. Doit y en avoir huit ou neuf, surtout dans le Sud, dirigés par un Texan fou, mais je ne me souviens pas du nom du type. Pourquoi ça t'intéresse ? demanda Sammy d'un ton méfiant.

— Sans raison particulière.

— Il y a toujours une raison avec toi, Abel. Que désirait la dix-sept ?

— Râler d'être placé si près de la cuisine. On ne peut pas lui en vouloir.

— Qu'est-ce qu'il attend de moi, que je l'installe sur la véranda ? Pour qui ce type se prend-il, John D. Rockefeller ?

Abel laissa Sammy à ses comptes et débarrassa les tables le plus vite possible. Puis il monta dans sa chambre commencer des recherches sur le groupe Richmond. Quelques coups de fil et il en avait appris suffisamment pour satisfaire sa curiosité. En l'occurrence, le groupe possédait onze hôtels en tout ; le plus impressionnant étant un établissement de luxe à Chicago de trois cent quarante-deux chambres, le Richmond Continental. Abel décida qu'il n'avait rien à perdre à passer voir M. Leroy et Mélanie. Il vérifia le numéro de chambre de Leroy – quatre-vingt-cinq –, l'une des meilleures petites chambres. Il frappa à la porte peu avant quatre heures et fut déçu de constater que Mélanie n'était pas là.

— Content que vous ayez pu venir, Abel. Asseyez-vous.

C'était la première fois qu'il s'asseyait avec un client depuis son arrivée au Plaza quatre ans auparavant.

— Combien êtes-vous payé ? demanda Leroy.

La soudaineté de la question prit Abel au dépourvu.

— Environ vingt-cinq dollars par semaine, avec les pourboires.

— Je vous embaucherai à trente-cinq par semaine, et vous pourrez être en charge des pourboires.

— Quel hôtel ?

— Si je suis fin psychologue, Abel, je dirais que vous avez terminé votre service à quinze heures trente et consacré la demi-heure suivante à chercher à quel établissement je pensais. Ai-je raison ?

Il commençait à apprécier cet homme.

— Le Richmond Continental à Chicago ? tenta-t-il.

Leroy rit.

— Je ne me suis pas trompé à votre sujet.

L'esprit d'Abel tournait à cent à l'heure.

— Combien de personnes aurais-je au-dessus de moi ?

— Juste le directeur et moi. Le directeur est de la vieille école, et proche de la retraite, et comme je dois me préoccuper de dix autres établissements, je ne pense pas que je vous créerais beaucoup de problèmes. Bien que je doive avouer que Chicago est mon préféré, mon premier hôtel dans le Nord. Et comme Mélanie va en classe là-bas, je me rends compte que je passe plus de temps dans la cité venteuse que je le devrais.

Abel réfléchissait encore.

— Ne faites surtout pas l'erreur que commettent la plupart des New-Yorkais, celle de sous-estimer Chicago. Ils estiment que ce n'est qu'un timbre-poste sur une très grosse enveloppe, et qu'ils sont l'enveloppe.

Abel sourit.

— L'hôtel est un peu en perte de vitesse en ce moment, avoua Leroy. Le dernier sous-directeur est parti sans prévenir, il me faut donc quelqu'un d'efficace pour le remplacer. Maintenant, écoutez, Abel, je vous ai observé attentivement ces cinq derniers jours, et je sais que vous êtes cet homme. Est-ce que ça vous dirait de déménager à Chicago ?

— Quarante dollars par semaine et dix pour cent des bénéfices générés, et j'accepte le poste.

— Quoi ? fit Davis, époustouflé. Aucun de mes directeurs n'est intéressé aux bénéfices. Les autres feraient une scène de tous les diables si jamais ils l'apprenaient.

— Je ne le leur dirai pas, si vous n'en faites rien, déclara Abel.

Davis ne répondit pas tout de suite.

— Maintenant, je sais que j'ai choisi l'homme de la situation, même s'il conclut un marché plus sanguinaire qu'un Yankee avec six filles. *(Il claqua le bord de sa chaise.)* J'accepte vos conditions, Abel.

— Aurez-vous besoin de références, monsieur Leroy ?

— Des références ? Je connais vos antécédents et votre histoire depuis la minute où vous avez quitté l'Europe pour passer un diplôme en économie à Columbia. D'après vous, qu'ai-je fabriqué ces derniers jours ? Je ne ferais pas de quelqu'un qui aurait besoin de références le numéro deux de mon meilleur hôtel. Quand pouvez-vous commencer ?

Ce fut un déchirement bien plus terrible que prévu pour Abel de quitter New York City et l'hôtel Plaza, son premier vrai chez-lui depuis qu'il avait laissé le baron. Faire ses adieux à George, Monika, et ses nouveaux amis de Columbia, l'incita à se demander s'il avait pris la bonne décision. Sammy et les autres serveurs organisèrent une soirée d'adieux en son honneur.

— Je suis sûr que je n'ai pas fini d'entendre parler de toi, Abel Rosnovski, dit Sammy. En fait, je ne serais pas étonné que tu convoites mon poste un jour...

Abel adora Chicago à la minute où il descendit du train, mais ce sentiment ne s'appliqua pas au Richmond Continental, bien que l'établissement fût correctement situé, sur Michigan Avenue, au cœur de l'une des villes d'Amérique qui se développait le plus vite. Cela satisfit Abel qui connaissait bien la maxime d'Ellworth Statler : pour un hôtel, seuls trois éléments comptaient vraiment : la situation, la situation et la situation.

Il ne tarda pas à découvrir que la situation devait être à peu près l'unique chose que Richmond avait pour lui. Davis Leroy avait fait un euphémisme quand il avait déclaré que l'hôtel était un peu en perte de vitesse. Desmond Pacey, le gérant, n'était pas de la vieille école, comme Leroy l'avait suggéré, il était juste très paresseux et ne plut pas à Abel lorsqu'il logea son nouveau sous-directeur dans une minuscule chambre dans l'annexe des employés de l'autre côté de la rue, et non dans l'hôtel principal. Une vérification rapide des registres du Richmond révéla que le taux d'occupation quotidien s'élevait à moins de quarante pour cent, et que le restaurant n'était jamais plus qu'à moitié plein, et pas seulement à cause des plats immangeables. Le personnel parlait une demi-douzaine de langues à lui seul, dont aucune n'était l'anglais, et il n'avait clairement pas envie d'accueillir le Polonais de New York. Il n'était pas difficile de comprendre pourquoi le dernier sous-directeur était parti si vite. Si le Richmond était le plus bel hôtel de Davis Leroy, Abel avait peur pour les dix autres du groupe, même si son nouvel employeur avait des poches texanes bien profondes.

La seule bonne nouvelle qu'Abel apprit au cours de sa première semaine à Chicago, c'était que Mélanie Leroy était fille unique.

# 24

William et Matthew commencèrent leur première année à Harvard à l'automne 1924.

William accepta la bourse en mathématiques du Hamilton Memorial et, en dépit de la désapprobation des grands-mères, pour la somme de deux cent quatre-vingt-dix dollars, il s'offrit « Daisy », la toute dernière Model T de Ford, qui devint le premier grand amour de sa vie. Il la peignit en jaune vif, ce qui divisa sa valeur par deux, mais multiplia par deux le nombre de ses petites amies. Calvin Coolidge remporta les élections avec une majorité écrasante et retourna à la Maison-Blanche – à la plus grande déception des grands-mères qui votèrent toutes les deux pour John W. Davis. Et le volume à la Bourse de New York atteignit un record quinquennal de 2 336 160 actions.

Les deux jeunes hommes – « Nous ne pouvons plus les considérer comme des enfants », déclara grand-mère Cabot – avaient hâte d'entrer à l'université. Après un été chargé à courir après les balles de golf et les filles, toutes deux avec des handicaps, ils furent enfin prêts à s'atteler à des quêtes plus sérieuses. William commença à travailler le jour où ils arrivèrent dans leur nouvelle chambre sur la Gold Coast, une amélioration considérable par rapport à leur petit bureau de St. Paul's, pendant que Matthew partait en quête du club d'aviron de l'université. Il fut élu capitaine de l'équipe des premières années, et William abandonna ses livres tous les dimanches après-midi pour regarder son ami depuis les rives de la rivière Charles. Si, en secret, il savourait le succès de Matthew, en apparence il se montrait cinglant.

— La vie, ça ne se résume pas à huit hommes aux muscles hypertrophiés qui tirent des morceaux de bois difformes dans de l'eau clapotante pendant qu'un plus petit leur crie dessus, déclara-t-il d'un ton hautain.

— Va dire ça à Yale, rétorqua Matthew.

William, pendant ce temps, prouva rapidement à ses professeurs de mathématiques que, comme Matthew, il avait plusieurs coups d'aviron d'avance. Il devint président de la société de débats contradictoires des premières années, et convainquit son grand-oncle, le président Lowell, de présenter le premier projet d'assurance universitaire, où les élèves diplômés de Harvard, souscrivaient une assurance-vie pour mille dollars, et nommaient l'université comme bénéficiaire. William estima que si quarante pour cent des anciens élèves se joignaient au projet, Harvard aurait un revenu garanti d'environ trois millions de dollars par an, à partir de 1950. Son grand-oncle, fortement impressionné, apporta son soutien total au projet. Un an plus tard, il invita William à intégrer le conseil du Comité de collecte de fonds de l'université. William accepta avec fierté, sans réaliser que cette nomination était pour la vie.

Le président Lowell informa grand-mère Kane qu'il avait capturé gratuitement l'un des plus grands cerveaux financiers de sa génération. Grand-mère Kane répliqua à son cousin : « Tout a un but, et cela apprendra à William à lire les petits caractères. »

Presque aussitôt que commençait l'année universitaire, il fallait choisir l'un des clubs étudiants qui dominaient le paysage social des meilleurs éléments de Harvard – ou y être élu. On « poussa » William à intégrer le Porcellian Club, le plus vieux, le plus sélect et le moins ostentatoire de tous. Au club-house sur Massachusetts Avenue, incongrûment situé au-dessus d'une cafétéria Hayes-Bickford bon marché, il prenait place dans un fauteuil confortable, réfléchissait au problème de la carte à quatre couleurs, discutait des conséquences de l'affaire Loeb-Leopold, et observait nonchalamment la rue en contrebas grâce au miroir commodément orienté, tout en écoutant la grosse radio dernier cri.

Quand arrivèrent les vacances de Noël, on convainquit William d'aller skier avec Matthew dans le Vermont, et il passa une semaine à souffler en skiant en amont sur les traces de son ami en meilleure forme.

— Dis-moi, Matthew, à quoi ça sert de gravir une colline pendant une heure rien que pour la redescendre en quelques secondes, en faisant courir un grand danger à sa vie et à ses membres ?

Matthew grommela :

— En tout cas, cela m'amuse beaucoup plus que la théorie graphique, William. Et si tu reconnaissais simplement que tu n'es pas très bon, ni en montée ni en descente ?

Tous deux étudièrent suffisamment lors de leur première année pour s'en sortir, même si leurs interprétations de « s'en sortir » étaient farouchement opposées. Pendant les deux premiers mois de leurs vacances d'été, ils travaillèrent comme cadres débutants dans la banque de Charles Lester, à New York, le père de Matthew ayant depuis longtemps abandonné la bataille pour tenter d'éloigner William des locaux.

Lorsque survint la canicule d'août, ils passèrent le plus clair de leur temps à filer à bord de Daisy dans la campagne de Nouvelle-Angleterre, à naviguer sur la rivière Charles, avec le plus de filles possible, et à assister à chaque fête à laquelle ils parvenaient à se faire inviter. Ils devinrent bien vite les personnalités les plus respectées de l'université, que les connaisseurs surnommaient l'Érudit et le Vieux Soldat. Tout le monde savait parfaitement, dans la société bostonienne, que celle qui épouserait William Kane ou Matthew Lester n'aurait aucune crainte à avoir pour son avenir. Mais les mères pleines d'espoir eurent beau se présenter sans tarder avec leurs filles au teint frais, grand-mère Kane et grand-mère Cabot les expédiaient sans cérémonie.

Le 18 avril 1927, William fêta son vingt et unième anniversaire en assistant à la dernière réunion des fidéicommissaires de sa fortune. Alan Lloyd et Tony Simmons avaient préparé tous les documents pour qu'il les signe.

— Bon, William, mon cher, dit Millie Preston, comme si on avait enlevé un gros poids de ses épaules, je suis sûre que tu pourras faire aussi bien que nous.

— Je l'espère, madame Preston, répondit-il, mais si jamais j'ai besoin de perdre un demi-million en une nuit, je vous passerai un coup de fil.

Millie Preston devint écarlate et ne lui adressa plus jamais la parole.

Le fidéicommis affichait désormais un solde de plus de trente-deux millions de dollars et William nourrissait déjà des projets d'une plus grande envergure. Mais il s'était également fixé l'objectif de gagner un million de dollars tout seul avant de quitter Harvard. Ce n'était pas une grosse somme, comparée au montant de son fidéicommis, mais la fortune dont il avait hérité signifiait bien moins pour lui que le solde de son compte personnel chez Lester's.

Cet été-là, les grands-mères, qui redoutaient une nouvelle invasion de prédatrices, envoyèrent Matthew et William visiter toute l'Europe. En l'occurrence, cela s'avéra fort utile pour tous les deux. Matthew, qui surmonta toutes les barrières des langues, trouva une fille magnifique dans chaque grande capitale européenne – l'amour, assura-t-il à son ami, était un produit international. William réussit à rencontrer les directeurs des plus grosses banques européennes – l'argent, promit-il à Matthew, était également un produit international, et bien moins capricieux.

De Londres à Berlin puis à Rome, les deux jeunes hommes laissèrent beaucoup de cœurs brisés derrière eux, et des banquiers plutôt impressionnés. Quand ils retournèrent à Harvard en septembre, ils étaient tous les deux prêts à attaquer leurs études de dernière année.

Au cours de l'hiver glacial de 1927, grand-mère Kane mourut à l'âge de quatre-vingt-cinq ans, et William pleura pour la première fois depuis le décès de sa mère.

— Allez, dit Matthew, après avoir supporté sa dépression pendant plusieurs jours, elle a mené une belle vie, et a attendu longtemps avant de découvrir si Dieu était un Cabot ou un Lowell.

Les remarques acérées de sa grand-mère, que William n'avait pas forcément appréciées du temps de celle-ci, lui manquèrent et le jeune homme organisa des funérailles auxquelles elle eût été fière d'assister.

La grande dame eut beau arriver au cimetière dans un corbillard Packard (« Un engin atroce – il faudra d'abord me tuer ! »), la seule critique qu'elle eût faite sur la façon dont William avait orchestré son départ eût concerné ce mode de transport périlleux. Son décès poussa William à travailler avec encore plus de détermination au cours de sa dernière année à Harvard, et il se consacra à remporter le premier prix de mathématiques de l'université en sa mémoire.

Grand-mère Cabot mourut cinq mois après grand-mère Kane – probablement, décida William, parce qu'elle n'avait plus personne avec qui parler.

En février 1928, William reçut la visite du capitaine de l'équipe des débats de l'université. Le mois suivant, une discussion de fond sur le thème : « Socialisme ou capitalisme pour l'avenir de l'Amérique » devait avoir lieu, et il demanda à William de représenter le capitalisme.

— Et si je te disais que j'étais uniquement disposé à parler pour le compte des opprimés ? s'enquit William auprès du capitaine étonné, légèrement agacé par l'idée que les marginaux imaginaient qu'ils connaissaient son point de vue idéologique simplement parce qu'il avait hérité d'un nom célèbre et d'une banque prospère.

— Bien, je dois avouer, William, nous pensions que ta préférence irait vers…

— C'est le cas. J'accepte votre invitation. Je suppose que j'ai le droit de désigner mon partenaire ?

— Naturellement.

— Bien. Alors, je choisis Matthew Lester. Puis-je savoir qui seront nos adversaires ?

— Pas avant la veille du débat, quand les affiches révélant les noms seront placardées dans le Yard.

Le mois suivant, au petit déjeuner, William et Matthew lurent les articles de tête de tous les journaux influents de gauche et de droite, et passèrent leur soirée à assister à des cours de stratégie en prévision de ce que le campus commençait à appeler le « Grand Débat ». William décida que Matthew devrait entamer les discussions.

À mesure que le jour J approchait, il devint évident que tous les étudiants, les professeurs, et même quelques notables de Boston et de Cambridge politiquement motivés, prendraient part au débat. La veille au matin, Matthew et William marchèrent jusqu'au Yard pour découvrir qui seraient leurs adversaires.

— Leland Crosby et Thaddeus Cohen. Ces deux noms ne te disent rien, William ? Crosby doit être l'un des Crosby de Philadelphie, je suppose.

— C'est exact. « Le Fou Roux de Rittenhouse Square », tel que sa tante l'avait décrit. C'est le plus fervent révolutionnaire du campus. Il est plein aux as, et il dépense la majorité de son argent pour les causes les plus radicales. J'entends déjà son ouverture. *(William imita le ton discordant de Crosby.)* « Je connais de source sûre la rapacité et le manque de conscience absolu de la classe possédante américaine. » Si tout le monde dans le public n'avait pas déjà entendu son point de vue une cinquantaine de fois, il ferait un adversaire formidable.

— Et Cohen ?

— Inconnu au bataillon. Probablement un juif.

Le soir suivant, ils se frayèrent un chemin à travers la neige et le vent glacial ; leurs lourds pardessus claquèrent derrière eux lorsqu'ils passèrent les colonnes étincelantes de la bibliothèque Widener – comme le père de William, le fils du donateur était mort sur le *Titanic* – pour entrer dans Boylston Hall.

— Avec un temps pareil, au moins si nous prenons une raclée, il n'y aura pas grand monde pour raconter ce qui s'est passé, lança Matthew, plein d'espoir.

Mais quand ils contournèrent l'extrémité nord de la bibliothèque, ils virent un flot régulier de silhouettes qui tapaient du pied et soufflaient, gravissaient les marches et remplissaient le hall. Une fois qu'ils eurent pris place sur l'estrade, William repéra des gens qu'il connaissait dans la salle comble : le président Lowell, assis discrètement dans une rangée du milieu, le très vieux Newbury St. John, professeur de botanique, un couple de bas-bleus de Brattle Street qu'il avait vu lors de soirées à la Maison rouge, et à sa droite, un groupe de jeunes hommes et femmes bohèmes, dont certains ne portaient même pas de cravate, qui applaudirent dès que Crosby et Cohen, leurs porte-parole, montèrent sur scène.

Crosby était le plus frappant des deux : grand et mince, presque jusqu'à la caricature, vêtu distraitement – ou très soigneusement – en costume de tweed dépenaillé, avec une chemise très bien repassée, et une pipe qui pendillait de sa lèvre inférieure. Thaddeus Cohen, plus petit, arborait des lunettes sans monture et un costume sombre en laine peignée, coupé presque trop parfaitement. William aurait pu jurer qu'il avait déjà vu ce visage quelque part.

Les cloches de Memorial Church semblèrent vagues et distantes lorsqu'elles sonnèrent sept coups. Les quatre orateurs se serrèrent prudemment la main avant que les règles du débat ne soient énoncées.

— Le premier orateur sera M. Leland Crosby junior, annonça le capitaine des débatteurs.

Le discours de Crosby ne suscita pas de grandes inquiétudes chez William. Il avait anticipé le ton dissident qu'il adopterait, les points presque hystériques sur lesquels il insisterait. Il récita les incantations du radicalisme américain – Haymarket, Money Trust, Standard Oil, et même Cross of Gold. William estima que Crosby n'avait rien fait d'autre que se donner en spectacle, bien qu'il provoquât les applaudissements attendus de sa petite clique. Quand il se rassit, il avait clairement gagné quelques nouveaux supporters, et il sembla en avoir perdu quelques autres.

Matthew, qui parlait bien et allait à l'essentiel, charma son auditoire en passant pour l'incarnation de la tolérance libérale. William lui serra chaleureusement la main lorsqu'il retourna s'asseoir sous de bruyantes ovations.

— Les jeux sont faits, murmura-t-il.

Mais c'était avant qu'ils n'entendent Thaddeus Cohen.

Le jeune inconnu prit tout le monde au dépourvu. Manquant de confiance en lui, il possédait un style sympathique et agréable. Ses références et citations étaient catholiques, peu équivoques et éclairantes. Sans traiter le public avec condescendance, il transmettait une gravité morale qui rendait l'échec à soutenir les moins fortunés que soi presque irrationnel. Il était disposé à reconnaître les excès de la gauche et les faiblesses de certains de ses dirigeants, et il fit comprendre à son public que, en dépit de ses dangers, il n'existait aucune alternative au socialisme, si le destin de l'humanité devait être amélioré.

— L'égalité en fin de compte est plus importante que l'équité.

Il se rassit sous les applaudissements bruyants des deux bords.

William fut troublé. Une attaque chirurgicalement logique sur ses adversaires serait inutile face à la présentation persuasive et modérée de Cohen. Mais faire mieux que lui en tant que porte-parole de l'espoir et de la foi dans l'esprit humain pourrait aussi être impossible. Il s'employa d'abord à réfuter certaines des affirmations les plus choquantes de Cohen, puis tâcha de contre-attaquer les arguments de celui-ci avec une déclaration de sa foi dans l'aptitude du système américain à produire les meilleurs résultats grâce à la compétition, tant intellectuelle qu'économique. Il estima avoir joué un bon jeu défensif, mais rien de plus, et se rassit en sentant que Cohen avait eu le dessus sur lui.

Crosby était le dernier débatteur du camp averse. Il commença avec férocité, comme s'il fallait qu'il batte absolument Cohen, plus encore que William ou Matthew, et demanda si quelqu'un dans la salle pouvait identifier « *l'ennemi du peuple* parmi nous ce soir ». Il foudroya l'auditoire du regard pendant plusieurs longues secondes, alors que le public silencieux ne savait plus où se mettre, et même ses plus fervents supporters examinèrent leurs chaussures. Puis il se pencha et rugit :

— Il se tient devant vous. Il vient de parler parmi vous. Il s'appelle William Lowell Kane. *(En montrant celui-ci du doigt, mais sans le regarder, il tonna.)* Sa banque possède des mines dans lesquelles les travailleurs meurent pour donner à ses propriétaires un million de plus par an en dividendes. Sa banque soutient les dictatures ensanglantées et corrompues d'Amérique latine. Par l'intermédiaire de sa banque, le Congrès américain est soudoyé pour acheter le petit fermier. Sa banque...

La tirade se poursuivit plusieurs minutes. William resta assis dans un silence glacial, griffonnant de temps en temps une remarque sur son bloc-notes jaune. Quelques membres du public s'étaient mis à crier : « Non ! » Les supporters de Crosby hurlaient loyalement « Oui ! » en retour. Les responsables de la société commencèrent à avoir l'air nerveux.

Le temps alloué à Crosby était presque écoulé. Il finit par lever le poing et dit : « Mesdames et messieurs, je pense qu'à moins de deux cents mètres de cette salle même, nous avons la réponse au fléau de l'Amérique. Là-bas se trouve la bibliothèque Widener, la plus grande bibliothèque privée au monde. Des érudits pauvres et immigrés passent ses portes, avec les Américains les mieux élevés, dans le but d'accroître leur connaissance du monde. Mais pourquoi existe-t-elle ? Parce qu'un riche play-boy a eu le malheur de prendre la mer voilà seize ans sur un bateau de plaisance baptisé le *Titanic.* Je pense, mesdames et messieurs, que tant que le peuple américain ne donnera pas à chaque membre de la classe dirigeante un ticket pour sa propre cabine privée à bord du *Titanic* du capitalisme, la richesse qu'a amassée ce grand continent ne sera pas libérée et dévouée au service de la liberté, de l'égalité et du progrès. »

Pendant que Matthew écoutait le discours de Crosby, ses sentiments passèrent de l'exultation – parce que, avec cette gaffe, la victoire était allée dans son camp – à la rage que lui inspirait l'allusion au *Titanic.* Il se demandait comment William réagirait à une telle provocation.

Lorsqu'un semblant de silence fut rétabli, le modérateur s'approcha du lutrin et dit :

— M. William Lowell Kane.

William se rendit lentement vers le pupitre et passa le public en revue. Un calme impatient remplit la salle.

— Je pense que le point de vue qu'a exprimé M. Crosby ne mérite aucune réponse.

Il se rassit. S'ensuivit une minute de silence surpris, suivie d'un tonnerre d'applaudissements.

Le capitaine retourna au lutrin, mais sans trop savoir que faire. Une voix derrière lui rompit la tension.

— Si je puis me permettre, monsieur le président, j'aimerais demander à M. Kane si je peux utiliser son temps de réfutation.

C'était Thaddeus Cohen.

William opina en signe d'approbation.

Cohen se rendit devant le lutrin et regarda le public en cillant de façon désarmante.

— Il a longtemps été vrai, commença-t-il, que le plus grand obstacle à la réussite du socialisme démocrate aux États-Unis a été l'extrémisme de certains de ses apôtres. Rien n'aurait pu plus clairement illustrer ce fait malheureux que le discours de réfutation de mon collègue ce soir. La tendance à porter atteinte à la cause progressiste en exigeant l'extermination physique de ses opposants pourrait se comprendre chez un immigré aguerri, un vétéran de luttes étrangères plus violentes que la nôtre. En Amérique, c'est inexcusable. Personnellement, je présente mes excuses les plus sincères à M. Kane.

Cette fois, les applaudissements furent instantanés. Presque tout le public se leva pour l'acclamer.

Ni William ni Matthew ne furent étonnés de remporter le débat par une marge de plus de cent cinquante votes. Alors que l'auditoire sortait de la salle en discutant avec vivacité, William alla serrer la main de Thaddeus Cohen.

— Comment saviez-vous que mon père était sur le *Titanic* ? demanda-t-il.

— Parce que le mien me l'a raconté il y a plusieurs années.

— Bien sûr, fit William. Vous devez être le fils de Thomas Cohen. Et si vous veniez boire un verre avec nous ?

— Merci, répondit-il.

Tous trois traversèrent Massachusetts Avenue ensemble, sans trop voir où ils se rendaient sous la neige qui tombait. Ils s'arrêtèrent devant une grosse porte noire presque en face de Boylston Hall. William l'ouvrit avec sa clé, et tous les trois s'engagèrent dans le vestibule.

Avant que la porte ne se referme derrière lui, Cohen parla :

— Je crains de ne pas être le bienvenu ici.

William fut étonné un moment.

— N'importe quoi. Tu es avec moi.

Matthew avertit son ami d'un regard, mais constata qu'il demeurait déterminé.

Ils gravirent l'escalier, pénétrèrent dans une grande pièce, confortablement meublée, mais pas luxueusement, dans laquelle une dizaine d'hommes discutaient, assis dans des fauteuils ou debout par groupes de deux ou trois. Dès que William apparut sur le seuil, les félicitations fusèrent.

— Tu as été magnifique, William ! C'est exactement comme cela qu'il faut traiter ce genre de personne !

— Entrez triomphalement, le tueur de Bolski.

Cohen resta en arrière, mais William ne l'avait pas oublié.

— Messieurs, puis-je vous présenter mon méritant adversaire, M. Thaddeus Cohen ?

Celui-ci avança d'un pas hésitant.

Toutes les conversations cessèrent. Des têtes se détournèrent, comme si elles contemplaient les ormes dans le Yard, dont les branches ployaient sous la neige.

Une latte de plancher craqua lorsqu'un jeune homme quitta la pièce par l'autre porte. Quelques minutes plus tard, il y eut un nouveau départ. Sans se presser, sans prononcer un seul mot, chaque membre sortit l'un derrière l'autre. Le dernier à partir gratifia William d'un long regard, avant de tourner les talons et de disparaître par la porte.

Matthew regarda ses compagnons avec consternation. Thaddeus Cohen, écarlate, restait debout, tête baissée. William avait les lèvres serrées, de cette même fureur froide que celle qui l'avait animé lorsque Crosby avait fait son allusion au *Titanic.*

Matthew lui toucha le bras.

— Nous ferions mieux d'y aller.

Les trois se rendirent dans les appartements de William en traînant les pieds. Ils burent un brandy médiocre en silence, et échangèrent des anecdotes que personne n'écouta.

À son réveil, le lendemain matin, William trouva une enveloppe sous sa porte. Il l'ouvrit et lut un petit mot du président du Porcellian Club, qui l'informait qu'il espérait « que le malheureux incident de la nuit dernière ne se reproduirait pas ».

Au déjeuner, le président avait reçu deux lettres de démission.

Après plusieurs mois studieux, William et Matthew étaient presque prêts – nul ne pense jamais l'être tout à fait – pour leurs examens finaux. Six jours durant, ils répondirent à des questions et remplirent plusieurs pages de leurs petits cahiers d'examen bleus, et une fois qu'ils eurent écrit la dernière ligne, ils attendirent patiemment, mais pas pour rien.

Une semaine après les épreuves, on annonça que William avait remporté le President's Mathematics Prize. Matthew avait décroché un « gentleman's C » qui fut un grand soulagement pour lui et ne surprit personne. Aucun des deux ne désirait poursuivre d'études, mais souhaitait entrer dans le « vrai monde » sans tarder.

Le compte en banque de William à New York frôlait le million de dollars, huit jours avant son départ pour Harvard. Pour la première fois, il discuta avec Matthew de son projet à long terme de prendre le contrôle de la Lester's Bank en la faisant fusionner avec Kane & Cabot. L'idée enthousiasma Matthew, qui lui avoua :

— C'est à peu près le seul moyen que j'ai d'améliorer ce que mon vieux a accompli dans sa vie.

En juin 1928, Alan Lloyd, maintenant âgé de soixante ans, se rendit à Harvard pour la remise des diplômes. Comme William regrettait que son père n'y assiste pas !

Ensuite, il invita Alan à boire un thé sur la place. Le banquier regarda le grand jeune homme avec affection.

— Et qu'as-tu l'intention de faire maintenant que Harvard est derrière toi ?

— Je vais intégrer la banque de Charles Lester à New York. Je veux acquérir un peu d'expérience avant de rentrer chez Kane & Cabot dans quelques années.

— Mais tu habites pratiquement à la Lester's Bank depuis tes douze ans, William ! Et si tu venais directement chez nous ? Nous pourrions te nommer immédiatement directeur.

Il n'y eut aucune réponse.

— Eh bien, je dois dire, William, que cela ne te ressemble pas de rester sans voix.

— Mais je n'ai jamais cru que vous m'inviteriez à intégrer le conseil d'administration avant mon vingt-cinquième anniversaire. Mon père…

— Il est exact que ton père avait vingt-cinq ans quand on l'a élu. Mais je ne vois pas pourquoi tu ne pourrais pas rallier le conseil avant si les autres directeurs soutiennent cette idée, et je sais que c'est le cas. Quoi qu'il en soit, il y a des raisons personnelles pour lesquelles j'aimerais que tu intègres le conseil le plus vite possible. Quand je prendrai ma retraite dans cinq ans, nous devons être sûrs de choisir l'homme qu'il faut. Tu seras en meilleure position pour influencer cette décision si tu as travaillé chez Kane & Cabot pendant toutes ces années, plutôt qu'avoir été un vulgaire employé chez Lester's. Acceptes-tu de rejoindre le conseil d'administration ?

Ce fut la deuxième fois ce jour-là que William regrettait que son père ne soit pas là.

— Avec grand plaisir, monsieur.

— C'est la première fois que tu m'appelles monsieur depuis que nous avons joué au golf ensemble, et que j'ai perdu.

William sourit.

— Bien, dit Alan, alors c'est réglé. Tu seras un directeur adjoint chargé des investissements, qui travaillera directement sous les ordres de Tony Simmons.

— Puis-je nommer mon nouvel assistant ? demanda William.

— Matthew Lester, je présume ?

— Oui.

— Non, je ne veux pas qu'il fasse à notre banque ce que tu avais l'intention de faire à la leur.

William se garda de tout commentaire, mais il ne sous-estima plus jamais Alan Lloyd.

# TROISIÈME PARTIE

# 1928-1932

# 25

Il fallut environ trois mois à Abel pour se rendre compte de la réelle étendue des problèmes auxquels le Richmond Continental était confronté, et de la raison pour laquelle l'établissement perdait tant d'argent.

La conclusion simple qu'il parvint à tirer après avoir passé douze semaines à garder les yeux grands ouverts et la bouche bien fermée, tout en faisant croire en même temps à ses collègues qu'il dormait à moitié, était que l'on dérobait tout simplement les bénéfices de l'hôtel. Le personnel du Richmond faisait marcher une coopérative, à une échelle que même Abel n'aurait pas pu soupçonner. Le système, toutefois, ne prenait pas en compte un nouveau sous-directeur, qui avait dû voler du pain aux Russes pour rester en vie. Le premier problème d'Abel fut que personne n'apprenne ce qu'il savait tant qu'il n'avait pas eu la possibilité de vérifier chaque service. Il ne tarda pas à s'apercevoir que chacun avait perfectionné son propre système de vol.

Le subterfuge commençait à la réception, où les employés n'enregistraient que huit clients sur dix, et empochaient chaque paiement en espèces venant des deux autres. Leur routine était très simple. Si quiconque l'avait appliquée au Plaza à New York, il se serait fait prendre en quelques minutes, et licencier le jour même. Le réceptionniste en chef choisissait un couple âgé d'un autre État qui avait réservé pour une seule nuit et qui n'avait encore jamais séjourné à l'hôtel. Il s'assurait ensuite discrètement qu'ils n'avaient aucune relation d'affaires en ville, puis omettait simplement de les enregistrer. S'ils payaient en liquide le lendemain matin, l'argent était empoché. À condition qu'ils n'aient pas signé le registre, rien ne montrait qu'ils avaient été clients. Abel avait longtemps cru que tous les hôtels étaient obligés de consigner chaque client, comme au Plaza.

Dans la salle à manger, le système avait été peaufiné. Tous les paiements en espèces de chaque client non résident pour le déjeuner ou le dîner étaient immédiatement détournés. Abel l'avait prévu, mais il mit un peu plus de temps pour vérifier les factures du restaurant et établir que la réception travaillait de mèche avec les serveurs en salle : ils s'assuraient ainsi qu'il n'y avait aucune note de restaurant pour ces clients qu'ils avaient déjà décidé de ne pas enregistrer. Au bar, c'était encore plus flagrant. Le barman apportait ses propres bouteilles d'alcool et empochait l'argent tandis que celles de l'hôtel n'étaient jamais ouvertes. Par-dessus tout cela, il y avait constamment de la casse et des réparations fictives, du matériel manquant, de la nourriture qui disparaissait et des draps perdus – même un matelas s'égarait de temps en temps. Abel en conclut que plus de la moitié du personnel du Richmond prenait part au complot et que pas un seul service n'avait de casier complètement vierge.

La première fois qu'il était arrivé à l'hôtel, il s'était demandé pourquoi Desmond Pacey, le gérant, n'avait pas remarqué ce qui se passait sous son nez. Il avait supposé à tort que l'homme était tout simplement paresseux, et ne voulait pas se fatiguer à donner suite à de petites peccadilles. Même Abel mit du temps à comprendre que c'était en fait lui le cerveau de toute l'opération, et la raison pour laquelle elle fonctionnait si bien. Le groupe Richmond employait Pacey depuis plus de trente ans. Il n'y avait pas un seul hôtel du groupe dans lequel il n'avait pas détenu de poste clé à un moment ou à un autre, ce qui éveillait les craintes d'Abel quant à la solvabilité de toute la chaîne. De plus, Pacey, ami proche de Leroy, était devenu son lieutenant le plus fiable. Abel calcula que le Richmond de Chicago perdait plus de trente mille dollars par an, rien qu'en vols, une situation à laquelle on pouvait remédier du jour au lendemain en licenciant une grande partie du personnel, à commencer par Desmond Pacey. Cela posait problème, parce qu'en trente ans, Davis Leroy avait rarement renvoyé qui que ce soit. Il tolérait les imprudences de ses employés, espérant qu'en temps et heure, ils s'en iraient. Pour ce qu'Abel en savait, le personnel du groupe Richmond continuerait à dévaliser la chaîne jusqu'à ce qu'ils partent en retraite, la mort dans l'âme.

Abel décida que son seul moyen d'inverser le destin de l'établissement était de se confronter à Davis Leroy, mais pas avant d'avoir documenté toutes les informations. Lors de son week-end de repos suivant, il prit le Grand Express d'Illinois Central à St. Louis, direction Dallas, via le Missouri Pacific. Il tenait sous le bras un rapport de deux cents pages qu'il avait mis trois mois à assembler dans sa mansarde de l'annexe de l'hôtel. Lorsque Davis Leroy eut terminé de parcourir toutes les preuves, il regarda fixement Abel, incrédule.

— Ces gens sont mes amis, furent ses premières paroles. Certains travaillent avec moi depuis trente ans. Bon Dieu, il y a toujours eu de petits chapardages dans cet hôtel, mais voilà que vous m'annoncez qu'ils me dévalisaient systématiquement dans mon dos ?

— Dans un ou deux cas, je crains que ce ne soit tous les jours depuis ces trente dernières années, acquiesça Abel.

— Alors que suis-je censé faire ?

— Je peux éviter que la situation se dégrade si vous êtes prêt à licencier Desmond Pacey, et me donnez l'autorisation de renvoyer tous ceux qui travaillaient avec lui.

— Eh bien, Abel, j'aimerais que ce soit aussi simple que ça.

— Ça l'est. Et si vous refusez que je m'occupe des coupables, vous aurez ma démission avant que je ne reprenne le train pour Chicago, parce que cela ne m'intéresse nullement d'avoir quelque chose à voir avec l'hôtel le plus corrompu d'Amérique. Franchement, je suis presque surpris qu'Al Capone n'en soit pas le directeur.

— Et si nous rétrogradions simplement Desmond Pacey au poste de directeur adjoint ? Ainsi, je pourrais vous nommer directeur, et le problème disparaîtrait de lui-même. Après tout, il est censé partir à la retraite dans deux ans.

— Juste assez longtemps pour vous ruiner. Et pire, je crains que vos autres hôtels ne soient tous gérés de la même façon cavalière.

Si vous voulez que les choses changent à Chicago, vous devrez prendre immédiatement une décision ferme à propos de Pacey ou faire faillite tout seul parce que j'ai mieux à faire dans ma vie.

— Nous, les Texans, avons la réputation de dire ce que nous pensons, Abel, mais nous ne vous arrivons assurément pas à la cheville. D'accord, d'accord, je vous donne l'autorisation de renvoyer Pacey, ce qui signifie que vous êtes désormais le directeur du Richmond de Chicago. Félicitations, mon petit, poursuivit Leroy en se levant et en tapant dans le dos de son nouveau directeur. Ne croyez pas que je manque de reconnaissance envers vous. Vous avez effectué un excellent travail à Chicago, et à partir de maintenant, je vous considère comme mon bras droit. Pour être franc avec vous, Abel, je me débrouillais si bien à la Bourse que je n'avais même pas remarqué les pertes du groupe, heureusement que j'ai un ami honnête. Et si vous passiez la nuit ici, et dîniez avec moi ?

— J'en serais enchanté, monsieur Leroy. J'espérais dormir au Richmond de Dallas pour deviner ce qu'ils manigancent.

— Vous ne laisserez de répit à personne, n'est-ce pas Abel ?

— Pas si je découvre qu'ils ont suivi les mêmes études dans la même école de commerce que Desmond Pacey.

Ce soir-là, Abel et Davis Leroy mangèrent deux énormes steaks et burent un peu trop de whisky, ce qui n'était que l'hospitalité du Sud, selon le Texan. Il lui avoua également qu'il envisageait de proposer à quelqu'un la direction du groupe Richmond afin de pouvoir profiter un peu plus de la vie.

— Êtes-vous sûr de vouloir confier cette responsabilité à un idiot de Polonais ? lança Abel d'une voix pâteuse.

— Abel, c'est moi qui ai été idiot. Si vous n'aviez pas débusqué ces voleurs, j'aurais pu faire faillite. Mais maintenant que je connais la vérité, nous allons tabasser ces salauds ensemble, et je vous donnerai l'occasion de remettre le groupe Richmond sur pied.

Abel leva son verre en tremblotant.

— Je trinque à cela, et à une association longue et fructueuse.

— On les aura, mon petit.

Abel passa la nuit au Richmond de Dallas sous un faux nom et annonça délibérément au réceptionniste qu'il n'y séjournerait qu'une nuit. Le matin, il regarda le seul exemplaire de la facture de son paiement en espèces disparaître dans la corbeille à papier. Ses doutes furent confirmés. Le problème n'était manifestement pas propre à Chicago, mais avait envahi tout le groupe. Il décida qu'il devrait régler Chicago avant d'embaucher d'autres Desmond Pacey, et appela Davis Leroy pour l'avertir que la maladie s'était propagée à plus d'un membre.

Abel rentra comme il était venu. La vallée du Mississippi s'étendait, maussade, derrière les vitres du train, dévastée par les inondations de l'année précédente. Abel ne put que penser au cataclysme qu'il allait provoquer une fois de retour au Richmond de Chicago.

Lorsqu'il poussa les portes à tambour de l'hôtel, il n'y avait aucune trace du portier de nuit, et un seul employé en service. Il décida de leur laisser une bonne nuit de repos avant de leur faire ses adieux. Un jeune porteur lui ouvrit la porte de l'annexe.

— Fait un bon voyage, monsieur Rosnovski ?

— Oui merci, comment ça s'est passé ici ?

— Oh, très calme.

« Tu trouveras que ce sera encore plus calme à la même heure demain, songea Abel, quand tu seras le seul membre de l'équipe qui aura encore un travail. »

Abel défit ses bagages et commanda un dîner léger au room-service. Il mit plus d'une heure à arriver, et froid. Lorsqu'il eut terminé son café, il prit une douche glacée et révisa son plan pour le lendemain. Il avait choisi une bonne période de l'année pour effectuer son carnage. C'était début février, et l'hôtel n'était occupé qu'à vingt-cinq pour cent. Il était sûr qu'il pourrait diriger le Richmond avec la moitié de son personnel actuel. Il sauta au lit, jeta l'oreiller par terre, et dormit à poings fermés, comme ses salariés qui ne se doutaient de rien.

Desmond Pacey, plus connu au Richmond sous le nom de Pacey-la-Feignasse, avait soixante-trois ans. Il était considérablement en surpoids et bougeait plutôt lentement sur ses petites jambes. Il avait vu sept directeurs adjoints aller et venir depuis qu'il travaillait au Richmond. Certains, trop gourmands, avaient voulu trop de « gâteau » tandis que d'autres ne semblaient pas comprendre comment le système fonctionnait. Le Polonais, décida-t-il, n'était qu'un idiot. Comme tous les Polonais. Pacey fredonnait en lui-même en se rendant sans se presser dans le bureau d'Abel pour leur réunion quotidienne de dix heures. Il était dix heures dix-sept.

— Désolé de vous avoir fait attendre, lança-t-il, sans avoir l'air désolé du tout. Quelque chose m'a retenu à la réception – vous savez ce que c'est.

Abel savait précisément ce qu'il s'y passait. Il ouvrit délicatement le tiroir de son bureau, et étala quarante notes d'hôtel froissées, certaines déchirées, des factures qu'il avait récupérées dans les corbeilles à papier et les cendriers, des factures pour les clients qui avaient payé en liquide et n'avaient jamais été enregistrés. Il observa le directeur, petit et gros, tâcher de les lire à l'envers, et se rendre lentement compte de ce dont il s'agissait.

Non pas que cela intéressât grandement Pacey. Il n'avait aucun souci à se faire. Si cet idiot de Polonais avait compris le système, qu'il prenne donc sa part ou qu'il s'en aille. Peut-être qu'une jolie chambre dans l'hôtel lui clouerait le bec.

— Alors, qu'avez-vous pour moi aujourd'hui, Abel ? demanda-t-il au moment où il allait s'asseoir.

— Vous êtes licencié, monsieur Pacey. Je veux que vous quittiez les lieux dans une heure.

Desmond Pacey ne réagit pas immédiatement, parce qu'il ne pouvait pas croire ce qu'il venait d'entendre.

— Qu'avez-vous dit ? J'ai dû mal vous entendre.

— Vous m'avez très bien entendu. Vous êtes viré.

— Vous ne pouvez pas me renvoyer. Je suis le directeur. Je travaille dans le groupe Richmond depuis plus de trente ans. S'il y a un licenciement à faire, je m'en chargerai. Pour qui vous prenez-vous, nom de Dieu ?

— Je suis le nouveau directeur.

— Vous êtes *quoi* ?

— Le nouveau directeur, répéta Abel. M. Leroy m'a nommé hier et ma première décision importante est de vous licencier, monsieur Pacey.

— Pour quel motif?

— Pour vol simple. *(Abel retourna les factures pour que Pacey les voie mieux.)* Chacun de ces clients a payé sa note, mais pas le moindre penny n'est arrivé sur les comptes du Richmond. Et elles ont toutes une chose en commun : votre signature figure dessus.

— Ça ne prouve rien.

— Je sais. Vous faites tourner un bon système. Eh bien, vous pouvez aller le faire fonctionner ailleurs, parce qu'ici votre chance a expiré. Vous connaissez le proverbe : *Tant va la cruche à l'eau qu'à la fin elle se casse.* Eh bien, elle vient de se casser. Vous êtes renvoyé.

— Vous n'en avez pas le droit, bafouilla Pacey, de la sueur perlant sur son front. Davis Leroy est un ami proche. Lui seul peut me licencier. Vous venez d'arriver. Il me suffira d'un coup de fil pour que l'on vous fiche à la porte de cet hôtel.

— Allez-y, lui intima Abel.

Il décrocha le téléphone et pria l'opératrice de lui passer Davis Leroy à Dallas. Les deux hommes attendirent en se fixant du regard. De la sueur se mit à ruisseler jusqu'au bout du nez de Pacey. L'espace d'une seconde, Abel se demanda si Leroy risquait de changer d'avis.

— Bonjour, monsieur Leroy. C'est Abel Rosnovski qui vous appelle de Chicago. Je viens de renvoyer Desmond Pacey, et il voudrait vous dire un mot.

En tremblant, Pacey prit le combiné. Il écouta quelques minutes.

— Mais Davis... je... Que pouvais-je faire? Je te jure que ce n'est pas vrai. Il doit y avoir une erreur...

Abel entendit la communication se couper.

— Une heure, monsieur Pacey, fit Abel, ou je remettrai ces factures à la police de Chicago.

— Attendez une minute, rétorqua Pacey, ne vous précipitez pas! *(Son ton et son comportement changèrent brusquement.)* Nous pourrions vous faire participer à toute l'opération. Vous pourriez empocher un petit salaire régulier, si nous dirigions cet hôtel ensemble, et personne ne l'apprendrait. Vous gagneriez bien plus d'argent qu'en tant que directeur adjoint et nous savons tous que Davis peut se permettre ces pertes.

— Je ne suis plus le directeur adjoint. Sortez, monsieur Pacey, avant que je ne vous fiche dehors.

— Pauvre con, lança l'ex-directeur, en réalisant qu'il avait perdu sa carte maîtresse. Tu ferais mieux d'ouvrir les yeux en grand, Polonais, parce que je vais te régler ton compte.

Il claqua la porte derrière lui.

À l'heure du déjeuner, le maître d'hôtel, le chef cuisinier, la gouvernante en chef, le réceptionniste en chef, le chef bagagiste et dix-sept autres membres du personnel du Richmond qui, selon Abel, étaient irrécupérables, rejoignirent Pacey dans la rue. Dans l'après-midi, il demanda à rencontrer les salariés qui restaient, leur expliqua en détail ce qu'il avait fait, et les assura que leurs emplois n'étaient pas en danger.

— Mais si je trouve *un seul dollar*, déclara Abel, je le répète, un seul dollar mal placé, je licencierai sur-le-champ la personne impliquée, sans références. Suis-je clair ?

Personne ne parla.

Sept autres employés s'en allèrent les semaines suivantes, une fois qu'ils comprirent qu'Abel Rosnovski n'avait pas l'intention de poursuivre le système de Desmond Pacey pour son compte. Ils furent rapidement remplacés.

William commença en tant que cadre débutant chez Kane & Cabot en septembre 1928. Il entama sa carrière dans la banque dans un petit bureau près de Tony Simmons, le directeur investissement. Du jour où il arriva, il comprit que, même si rien n'était exprimé, discrètement ou indiscrètement, Simmons espérait succéder à Alan Lloyd en qualité de président.

Tout le programme de placement de la banque se trouvait sous la responsabilité de Simmons. Il délégua une partie de son portefeuille à William, en particulier l'investissement privé dans les petites entreprises, les terrains et toutes autres activités extérieures audacieuses. Parmi les tâches de William figurait la compilation d'un rapport mensuel pour le conseil d'administration sur tout placement qu'il souhaitait recommander. Les dix-sept membres du conseil se réunissaient une fois par mois, dans une grande salle lambrissée de chêne, dominée de part et d'autre de portraits, l'un du père de William, l'autre de son grand-père. Il n'avait jamais connu ce dernier, mais s'était toujours figuré que ce devait être un sacré bonhomme pour avoir épousé grand-mère Kane. Il restait largement assez de place sur les murs pour son portrait à lui.

William fit preuve de prudence les premiers temps, et ses collègues ne tardèrent pas à respecter son jugement, et acceptèrent presque invariablement ses recommandations d'investissement. Les rares occasions où ils ne l'écoutèrent pas, ils le regrettèrent toute leur vie. La première fois, un certain M. Mayer demanda un emprunt auprès de la banque pour investir dans des « photos parlantes », mais le conseil refusait de croire que le concept présentait un quelconque mérite ou avenir. Un autre jour, un dénommé Paley vint voir William avec un projet ambitieux pour une station de radio. Alan Lloyd, qui éprouvait à peu près autant de respect pour la télégraphie que pour la télépathie, ne voulut pas en entendre parler. Le conseil soutint son point de vue. Louis B. Mayer fonda ultérieurement MGM et William Paley devint directeur général de CBS. William crut en son propre jugement et finança les deux hommes avec son argent personnel, sans en informer ni la banque ni les bénéficiaires. C'était une affaire privée.

L'un des aspects les plus déplaisants des activités quotidiennes de William consistait à gérer les liquidations et faillites de clients qui avaient emprunté de grosses sommes pour se retrouver par la suite dans l'impossibilité de les rembourser. William n'était pas par nature un homme doux, comme Henry Osborne l'avait appris à ses dépens, mais insister pour que les vieux clients respectés liquident leurs actions et vendent même leur maison restait une expérience désagréable. Il découvrit bien vite que ces clients tombaient dans deux catégories distinctes – ceux qui considéraient l'insolvabilité comme une excuse pour fuir leurs responsabilités, et ceux que l'idée même horrifiait et qui passeraient le reste de leur vie à essayer de régler le moindre penny. William n'avait aucun mal à se montrer dur envers la première, mais se révélait beaucoup plus indulgent envers la seconde, souvent avec le soutien réticent de Tony Simmons.

Celui qui avait demandé à le voir ce matin faisait clairement partie de la seconde. Max Brookes avait emprunté plus d'un million de dollars à Kane & Cabot pour les investir dans la bulle immobilière de Floride de 1925, investissement que William n'aurait jamais soutenu s'il avait conseillé la banque à ce moment-là. On célébrait toutefois Max Brookes dans le Massachusetts comme l'une des espèces les plus intrépides d'aviateurs et d'aéronautes, et un ami proche de Charles Lindbergh. Sa mort tragique, lorsque le petit avion qu'il pilotait s'écrasa contre un arbre une centaine de mètres après le décollage, fut reprise dans la presse partout en Amérique, laquelle fit de lui un héros national.

William, agissant pour le compte de son institution bancaire, reprit immédiatement les biens de Brookes, déjà insolvable. Il ferma le compte et tâcha de sauver les meubles en vendant les terres de Brookes en Floride, hormis les deux demi-hectares sur lesquels se tenait la maison de la famille. En l'occurrence, les pertes de la banque dépassèrent tout de même les trois cent mille dollars.

Une fois que William eut liquidé tout ce que l'établissement possédait au nom de Max Brookes, il porta son attention sur Mme Brookes, qui avait signé une garantie personnelle pour les dettes de son défunt mari. Bien que William tâchât toujours d'assurer une telle garantie sur tous les emprunts octroyés par la banque, il ne recommandait jamais de souscrire ce genre d'obligation à ses amis, que ce projet leur inspire confiance ou non, car l'échec provoquait invariablement une grande souffrance au garant, et surtout, à sa famille.

Il écrivit une lettre formelle à Mme Brookes, lui suggérant de prendre rendez-vous pour discuter de sa situation. Il savait d'après le dossier des Brookes qu'elle n'avait que vingt-deux ans, et qu'elle venait d'une vieille famille distinguée de Boston – fille d'Andrew Higginson et petite-nièce de Henry Lee Higginson, fondateur de l'Orchestre symphonique de Boston. Il constata également qu'elle possédait un patrimoine personnel substantiel. L'idée de lui demander de le remettre à la banque ne le réjouissait guère, et il se prépara donc à une rencontre désagréable.

La matinée avait mal commencé, après un différend passionné avec Simmons à propos d'un investissement important dans le cuivre et l'acier qu'il souhaitait recommander au conseil. La demande industrielle de ces deux métaux était en augmentation constante ; et William demeurait convaincu qu'une pénurie mondiale allait s'ensuivre, ce qui garantirait un joli profit à la banque. Simmons n'était pas d'accord avec le jugement de William, estimant que leur établissement devrait investir plus dans la Bourse, et cette histoire continuait à obséder William lorsque sa secrétaire fit entrer Mme Brookes dans son bureau.

Un sourire hésitant de sa part et voilà qu'elle chassa le cuivre, l'étain et toutes les autres pénuries mondiales de sa tête. Avant qu'elle ne s'assoie, il se leva d'un bond, contourna son bureau et l'installa dans un fauteuil, rien que pour s'assurer qu'elle ne disparaîtrait pas comme un mirage s'il la regardait de plus près. William n'avait jamais rencontré de femme aussi belle que Katherine Brookes. Ses longs cheveux tombaient en boucles lâches et têtues sur ses épaules, et de petites mèches, échappées de son chapeau, collaient à ses tempes. Qu'elle soit en deuil ne gâchait en rien la grâce de sa silhouette mince, et ses traits fins garantissaient que sa beauté se transformerait en élégance au fil des années. Ses yeux noisette étaient immenses, mais aussi clairement inquiets de ce qu'il lui avait réservé.

William s'efforça d'adopter un ton professionnel.

— Madame Brookes, permettez-moi de vous dire que j'ai été désolé d'apprendre le décès de votre époux – un homme que nous admirions tous – et combien je regrette d'avoir dû vous demander de venir aujourd'hui.

Deux mensonges dans une seule phrase, lesquels eussent été vrais cinq minutes plus tôt. Il attendit qu'elle parle.

— Merci, monsieur Kane. Je suis bien consciente de mes obligations envers votre banque, répondit-elle d'un ton doux et calme. Et je peux vous assurer que je ferai tout ce qui est en mon pouvoir pour les honorer.

William se tut, espérant qu'elle poursuive. Comme elle n'en faisait rien, il expliqua dans les grandes lignes la situation des biens de M. Brookes – très lentement. Elle l'écouta, les yeux baissés.

— À présent, madame Brookes, vous vous êtes portée caution de l'emprunt de votre défunt mari, et cela nous amène à la question de vos actifs personnels. *(Il consulta son dossier.)* Vous détenez quatre-vingt mille dollars en investissements – votre fortune familiale, je présume – et dix-sept mille quatre cent cinquante-six dollars sur votre compte courant.

Elle leva les yeux.

— Vous en savez bien plus que moi sur ma situation financière, monsieur Kane. Vous devriez toutefois ajouter Buckhurst Park, notre maison en Floride, qui était au nom de Max. Je possède également des bijoux de valeur. Si je devais obtenir un prix élevé pour tout mon patrimoine, cela couvrirait tout juste les trois cent mille dollars qu'il vous manque encore, et j'ai déjà pris des dispositions dans cet objectif.

Il n'y avait qu'un très léger tremblement dans sa voix.

— Madame Brookes, nous n'avons aucune envie de vous déposséder du moindre de vos biens. Avec votre accord, nous aimerions vendre vos actions et obligations. Tout le reste, y compris la maison, devrait rester en votre possession, selon nous.

Elle hésita.

— J'apprécie votre générosité, monsieur Kane. Toutefois, je ne souhaite pas être redevable à votre banque, ou laisser planer le doute sur le nom de mon mari. *(Le léger tremblement encore, mais vite réprimé.)* Quoi qu'il en soit, j'ai déjà décidé de vendre la maison de Floride et de retourner chez mes parents le plus vite possible.

Le pouls de William s'accéléra quand il comprit qu'elle rentrerait à Boston.

— Dans ce cas, peut-être pourrions-nous parvenir à un accord au sujet des recettes de la vente ?

— Bien sûr, répondit-elle d'une voix éteinte. Après tout, la banque a droit à la totalité de la somme.

William tâcha de trouver un autre rendez-vous, une raison de la revoir.

— Ne prenez pas de décision trop hâtive, madame Brookes. Je pense que je devrais consulter mes collègues et discuter ultérieurement de leur réaction avec vous.

Elle haussa légèrement les épaules.

— À votre convenance, monsieur Kane. Je me moque bien de l'argent, de toute façon, et je ne voudrais pas vous déranger.

William cilla.

— Madame Brookes, je dois vous avouer que votre équanimité, dans des circonstances si difficiles, me surprend. Au moins, laissez-moi le plaisir de vous inviter à déjeuner.

Elle sourit, dévoilant une fossette inattendue sur sa joue droite. William la contempla, fasciné, et s'efforça de la faire réapparaître au cours d'un long déjeuner au Ritz-Carlton Hotel, à l'ancienne table de son père. Quand il rentra au bureau, il était trois heures passées.

— Long déjeuner, William, observa Simmons.

— Oui. L'affaire Brookes s'est avérée bien plus délicate que prévu.

— Elle m'a paru assez simple lorsque j'ai jeté un œil aux papiers, répliqua Simmons. Elle ne se plaint pas de notre offre, n'est-ce pas ? Je nous ai trouvés assez généreux, tout bien considéré.

— Oui, elle aussi. J'ai dû la dissuader de se défaire de son dernier dollar pour gonfler nos réserves.

Simmons le dévisagea.

— Ça ne ressemble pas au William Kane que nous connaissons. Toutefois, c'est le moment idéal pour que la banque soit magnanime.

William grimaça. Depuis le jour de son arrivée, Simmons et lui étaient en désaccord sur la direction que prenait la Bourse. Le Dow Jones était régulièrement à la hausse, depuis l'élection de Herbert Hoover à la Maison-Blanche en novembre 1928. En réalité, dix jours plus tard, la Bourse de New York annonçait un volume des ventes record, plus de six millions d'actions furent négociées dans la journée. Mais William demeura convaincu que la tendance à la hausse, alimentée par un gros afflux d'argent emprunté, ne pourrait que provoquer l'inflation, jusqu'à l'instabilité. Simmons, quant à lui, était sûr et certain que la croissance se poursuivrait, et quand William appelait à la prudence lors de réunions du conseil d'administration, on rejetait presque toujours son avis. Toutefois, cela ne l'empêcha pas de vendre certaines de ses actions, pour les réinvestir dans la terre, l'or, les matières premières et même quelques tableaux choisis avec soin – Manet, Monnet, et Matisse, bien qu'il hésitât sur Picasso, la dernière lubie.

Lorsque la Federal Reserve Bank de New York publia un décret qui stipulait qu'elle ne couvrirait pas les emprunts aux banques qui débloquaient de l'argent à leurs clients dans le seul objectif de spéculer, William estima que c'était un pas de plus vers la ruine des spéculateurs. Il révisa immédiatement le programme de prêts de son établissement, et calcula que Kane & Cabot avait plus de vingt-six millions de dollars impayés pour de tels engagements. À la prochaine réunion du conseil d'administration, il conseilla de demander le remboursement de ces prêts le plus vite possible, certain que, avec un tel règlement gouvernemental en place, le prix des actions finirait inévitablement par chuter sur le long terme.

— William, vous êtes bien trop prudent pour votre bien, observa Simmons. Ne voyez-vous pas que nous ne pouvons pas nous permettre de sauter du train en marche et de laisser toutes les autres banques que Kane & Cabot faire des bénéfices ?

— Et ne voyez-vous pas que le marché est alimenté par des emprunts qui, à un moment donné, devront être remboursés, et que lorsque les roues se détacheront du train en marche, il aura un accident et nous nous retrouverons avec de lourdes pertes.

— Non… commença Simmons, haussant le ton.

— Messieurs, messieurs, les interrompit Alan Lloyd. Il s'agit d'un conseil d'administration ; pas d'un ring de boxe. Je propose que nous votions. Ceux qui sont pour un…

William perdit le vote par douze contre deux.

# 26

Avant la fin de l'année, Abel avait invité quatre salariés du Plaza à le rejoindre à Chicago. Ils possédaient trois choses en commun : ils étaient jeunes, ambitieux et honnêtes. Six mois plus tard, seuls trente-sept des cent dix employés initiaux travaillaient encore au Richmond.

À la clôture de l'exercice financier, il déboucha une grande bouteille de champagne avec Davis Leroy pour fêter les chiffres annuels du Richmond de Chicago. Ils avaient déclaré un bénéfice de trois mille quatre cent soixante-huit dollars. Petit bénéfice mais le premier de l'hôtel en trente ans d'existence. Abel projetait un profit de plus de vingt-cinq mille dollars en 1929.

Davis Leroy leva son verre :

— Une fois que tu auras remis cet hôtel d'aplomb, Abel, tu devrais peut-être t'occuper du reste du groupe.

— Je ne bougerai pas tant que je n'aurai pas trouvé l'homme qu'il faut pour me remplacer.

— Si tu le dis, lança Davis alors qu'Abel le resservait.

Davis entreprit de visiter Chicago plus régulièrement, et Abel et lui assistèrent souvent à des matchs de base-ball et aux courses ensemble. Une fois, lorsque Davis avait perdu sept cents dollars sur les six premières courses, il se jeta au cou d'Abel et dit :

— Pourquoi est-ce que je m'embête avec les chevaux ? Tu es le seul bon pari que j'aie jamais fait.

Chaque fois que Mélanie Leroy dînait à l'hôtel avec son père, Abel était incapable de la quitter des yeux, bien qu'elle ne fît jamais attention à lui. Et les rares occasions où ils s'adressaient la parole, elle ne suggérait jamais qu'il remplace « Mlle Leroy » par « Mélanie ». C'était jusqu'à ce qu'elle apprenne qu'il détenait une licence en économie de Columbia, et qu'il avait aussi bien lu Kafka que Fitzgerald. Elle s'adoucit quelque peu quand il devint gérant du Richmond de Chicago, et dîna de temps en temps avec lui, à l'hôtel, où elle lui parla de son travail pour la licence en sciences humaines qu'elle préparait. Ragaillardi, il l'invita à un concert et quinze jours plus tard, au théâtre. Il commença même à se sentir jaloux dès qu'elle amenait d'autres hommes dîner à l'hôtel, bien qu'elle ne vînt jamais deux fois avec le même cavalier.

La cuisine s'était si grandement améliorée sous le nouveau régime d'Abel, que les gens qui habitaient à Chicago depuis trente ans, sans jamais réaliser que cet établissement existait, effectuaient désormais des réservations pour dîner tous les samedis soir.

Au cours de sa deuxième année, Abel avait fait redécorer l'hôtel – pour la première fois en vingt ans – et habillé le personnel en nouveaux uniformes vert et or très chics. Un client qui avait séjourné au Richmond pendant une semaine tous les ans de la décennie passée avait même tourné les talons en pensant qu'il s'était trompé d'adresse. Lorsque Al Capone réserva un dîner pour seize dans une salle privée pour fêter son trentième anniversaire, Abel comprit qu'il avait réussi.

La richesse privée d'Abel se multiplia elle aussi durant cette période, alors que la Bourse prospérait. Il avait quitté le Plaza avec huit mille dollars dix mois auparavant, et son compte de courtage dépassait désormais les trente mille dollars. Il était sûr que le marché poursuivrait son essor, et réinvestissait toujours ses bénéfices. Ses exigences personnelles restaient modestes. Il avait acquis trois nouveaux costumes et deux paires de chaussures en cuir verni marron. Son logement et ses repas étaient offerts par l'hôtel et il avait peu de menues dépenses.

La Continental Trust Bank gérait le compte du Richmond depuis plus de trente ans, de ce fait, Abel transféra le sien chez elle quand il arriva à Chicago. Chaque matin, il passait y déposer les recettes de la veille. Un jour, après avoir accompli sa tâche, le guichetier lui demanda s'il avait un moment pour voir le directeur. Abel ne cacha pas sa surprise. Il savait que son compte personnel n'était jamais à découvert et supposa donc que ce rendez-vous devait concerner le Richmond. Mais la banque n'avait pas à se plaindre, car le compte de l'hôtel se montrait créditeur pour la première fois depuis des années. Le guichetier conduisit Abel dans un dédale de couloirs jusqu'à une porte en bois fermée. Un petit coup et on le fit entrer.

— Bonjour monsieur Rosnovski, je m'appelle Curtis Fenton, déclara le directeur.

Il lui serra la main avant de lui désigner un fauteuil de cuir vert de l'autre côté du bureau. C'était un homme petit et rond, qui portait des demi-lunes, un col blanc et une cravate noire impeccables pour aller avec son costume trois-pièces de banquier.

— Merci, dit nerveusement Abel.

Il gardait, du temps qu'il avait passé en Russie, une peur naturelle de l'inconnu.

— Je vous aurais bien invité à déjeuner, monsieur Rosnovski...

Les pulsations d'Abel se calmèrent quelque peu. Il était sûr que les directeurs de banque n'invitaient pas à déjeuner quand ils avaient des messages désagréables à transmettre.

— ... mais il s'est produit quelque chose qui nécessite mon attention immédiate, j'espère donc que vous ne m'en voudrez pas d'aborder ce problème avec vous sans tarder. *(Abel ne dit rien, autre chose que les Russes lui avaient apprise. Fenton poursuivit.)* J'irai à l'essentiel, monsieur Rosnovski. L'une de mes clientes les plus respectées, une dame d'un certain âge, Mlle Amy Leroy... *(le nom fit se redresser immédiatement Abel dans son siège)* est en possession de vingt-cinq pour cent des actions du groupe Richmond. Elle a offert ce portefeuille à son frère, M. Davis Leroy, plusieurs fois dans le passé, mais il a toujours refusé, la mort dans l'âme. Je peux comprendre le raisonnement de M. Leroy. Il détient déjà soixante-quinze pour cent de la société, et j'imagine qu'il pense qu'il n'a pas besoin de se préoccuper des vingt-cinq autres pour cent qui, soit dit en passant, étaient un héritage de leur défunt père. Toutefois, Mlle Leroy espère encore se débarrasser de son portefeuille, dans la mesure où il ne lui a jamais rapporté un dividende.

Abel ne fut pas étonné de l'apprendre.

— M. Leroy a indiqué qu'il ne voyait aucune objection à ce qu'elle vende ses titres à un tiers, car elle estime qu'à son âge, elle aimerait avoir un peu de liquide à dépenser. Je me suis dit que j'allais vous informer de la situation, monsieur Rosnovski, au cas où vous connaîtriez quelqu'un qui souhaiterait acheter les actions de ma cliente.

— Combien Mlle Leroy espère-t-elle gagner sur cette vente ? demanda Abel.

— Oh, je crois qu'elle serait prête à les laisser partir pour la modique somme de soixante-cinq mille dollars.

— Soixante-cinq mille dollars, c'est plutôt élevé pour un portefeuille qui n'a jamais rapporté un dividende, observa Abel. Et qui n'a aucune chance d'en générer un avant de nombreuses années, ajouta-t-il.

— Ah, fit Curtis Fenton, mais vous devez vous rappeler qu'il faut aussi prendre en considération la valeur des onze hôtels.

— Mais le contrôle de la société resterait entre les mains de M. Leroy, ce qui fait détenir à Mlle Leroy vingt-cinq pour cent de rien, à part des morceaux de papier.

— Voyons, voyons monsieur Rosnovski, vingt-cinq pour cent des onze hôtels constitueraient un capital très précieux en échange de quelque soixante-cinq mille petits dollars.

— Pas tant que M. Leroy possède un contrôle global. Proposez quarante mille dollars à Mlle Leroy, monsieur Fenton, et je pourrai vous trouver quelqu'un d'intéressé.

— Vous ne pensez pas que cette personne pourrait envisager de faire monter les enchères, n'est-ce pas ?

M. Fenton arqua son sourcil quand il dit « monter ».

— Pas un penny de plus, monsieur Fenton.

Le directeur mit délicatement ses doigts en tente, bien conscient de la somme qu'Abel avait déposée à la banque.

— Dans ces circonstances, je ne peux que demander à Mme Leroy quelle serait sa réponse à une telle proposition. Je vous recontacterai dès qu'elle m'aura informé.

Après avoir quitté le bureau de Curtis Fenton, Abel rentra vite à l'hôtel pour revérifier son portefeuille personnel. Son compte de courtage s'élevait à trente-trois mille cent douze dollars et son compte privé, à trois mille huit dollars. Il eut du mal à se concentrer sur ses responsabilités du jour, en se demandant comment Mlle Leroy réagirait à son offre et en rêvassant à ce qu'il ferait si jamais il détenait une participation de vingt-cinq pour cent dans le groupe Richmond.

Il envisagea brièvement d'informer Davis Leroy, de peur que le sympathique Texan ne le considère comme une menace. Mais au bout de quelques jours, il décida que la chose la plus juste serait d'appeler son chef pour lui expliquer exactement ce qu'il avait en tête.

— Je veux que vous sachiez pourquoi je fais cela, Davis. Je pense que le groupe Richmond a un bel avenir, et vous pouvez être sûr que je travaillerais encore plus dur si j'apprenais que mon propre argent est en jeu. *(Il marqua une pause.)* Mais si vous désirez détenir ces vingt-cinq pour cent vous-même, je retirerai naturellement mon offre.

À sa grande surprise, il ne sauta pas sur l'occasion.

— Eh bien, voyez-vous Abel, si vous avez tant confiance dans le groupe, allez-y fiston, et rachetez la part d'Amy. Je serais fier que vous soyez mon associé. Vous l'avez mérité. Au fait, j'assisterai au match des Reds Cubs la semaine prochaine. Ça vous dit de vous joindre à moi ?

— Bien sûr. Et merci, Davis. Vous ne regretterez jamais cette décision.

— J'en suis sûr, associé.

Abel retourna à la banque huit jours plus tard. Cette fois, ce fut lui qui demanda à voir le directeur. Une fois de plus, il s'assit dans le fauteuil de cuir vert, et attendit impatiemment que Curtis Fenton prenne la parole.

— Je suis étonné d'apprendre, commença M. Fenton, sans avoir l'air étonné du tout, que Mlle Leroy acceptera une offre de quarante mille dollars pour son portefeuille de vingt-cinq pour cent du groupe Richmond. Comme j'ai maintenant obtenu son accord, je dois vous demander si vous êtes en mesure de dévoiler le nom de l'acheteur.

— Oui, répondit Abel d'un ton assuré. Je serai l'acheteur principal.

— Je vois, monsieur Rosnovski – une fois de plus, sans trahir la moindre surprise. Puis-je savoir comment vous proposez de payer les quarante mille dollars ?

— Je devrais liquider mon portefeuille d'actions et débloquer mes économies sur mon compte personnel, ce qui laissera un manque de quatre mille dollars environ. J'espère que la banque consentira à me prêter ce montant, puisque vous êtes si sûr que les actions du groupe Richmond sont sous-évaluées. Quoi qu'il en soit, quatre mille dollars ne représentent probablement rien de plus que la commission de la banque sur ce marché.

Curtis Fenton cilla, et tâcha de ne pas se renfrogner. D'habitude, les gentlemen s'abstenaient de ce genre de réflexion dans son bureau ; cela le piqua d'autant plus au vif qu'Abel avait très bien calculé la somme.

— Me donnerez-vous un peu de temps pour réfléchir à votre proposition, monsieur Rosnovski ?

— Si vous attendez assez longtemps, je n'aurai pas besoin de prêt, dit Abel. Vu la croissance du marché en ce moment, mes autres investissements vaudront bientôt les quarante mille dollars.

Abel dut patienter une semaine avant d'être informé que la Continental Trust était disposée à le financer. Il liquida immédiatement ses deux comptes, et emprunta un peu moins de quatre mille dollars pour atteindre les quarante mille.

En six mois, il avait remboursé l'emprunt de quatre mille dollars en achetant et en vendant prudemment les actions entre mars et août 1929, l'une des époques les plus optimistes que la Bourse avait jamais connues. En septembre 1929, ses deux comptes étaient redevenus créditeurs, et il possédait même suffisamment d'économies pour s'offrir une nouvelle Buick qui irait bien avec ses vingt-cinq pour cent du groupe Richmond. Sa participation dans l'empire de Davis Leroy lui donna également la confiance nécessaire pour convoiter sa fille et les soixante-quinze pour cent restants.

Une semaine plus tard, il convia Mélanie à un concert de Mozart, au Chicago Symphony Hall. Dans son costume tout neuf – qui lui fit penser qu'il prenait un peu de poids – et sa première cravate en soie, il était sûr et certain, en se regardant dans le miroir, que la soirée serait une réussite. Après le récital, Abel évita le Richmond, quoique sa nourriture soit devenue excellente, et invita Mélanie à dîner au Loop. Il veilla bien à la laisser parler de sujets qu'elle maîtrisait : sa future licence, et son père, bien qu'elle semblât aussi fascinée par le récent succès de l'hôtel. Enhardi, il lui proposa de venir boire un verre avec lui dans sa chambre. C'était la première fois qu'elle la voyait, et elle parut surprise par la quantité de livres sur les étagères et de tableaux aux murs.

Abel lui servit le Coca-Cola qu'elle demanda, fit tomber deux glaçons dedans, et éprouva une nouvelle assurance du sourire dont elle le gratifia quand il lui donna sa boisson. Il ne put s'empêcher de fixer brièvement ses jambes minces et croisées. Il se servit un bourbon et mit l'interprétation d'*Eine Kleine Nachtmusik* du Chicago Symphony Orchestra.

Il s'installa à côté d'elle et par réflexe, fit tourner la boisson dans son verre.

— Pendant de nombreuses années, je n'ai pas entendu de musique. Quand ce fut le cas, Mozart a parlé à mon cœur comme aucun autre compositeur ne l'a fait.

— Tu es vraiment très européen parfois, Abel. *(Elle tira le bord de sa robe en soie sur lequel il était assis.)* Qui aurait cru qu'un directeur d'hôtel connaîtrait même Mozart ?

— L'un de mes ancêtres, le deuxième baron Rosnovski, expliqua-t-il, a rencontré le maestro un jour, et est devenu un ami proche de la famille de Mozart, et je me suis toujours dit qu'il faisait partie de ma vie.

Le sourire de Mélanie était insondable. Abel se pencha de côté et l'embrassa juste sous l'oreille, où les boucles blondes dégageaient son visage.

— Frederick Stock a traduit à la perfection l'ambiance du troisième mouvement, n'est-ce pas ? lança-t-il.

Il tenta un autre baiser. Cette fois, elle se tourna vers lui et se laissa embrasser sur les lèvres. Puis elle se retira.

— Je pense que je ferais mieux de rentrer à l'université.

— Mais tu viens d'arriver ! protesta Abel.

— Oui, je sais, mais je dois me lever tôt demain matin pour mes cours.

Il l'embrassa de nouveau. Elle tomba sur le divan quand il essaya de toucher sa poitrine. Elle s'empressa de se dégager.

— Je dois y aller, Abel, insista-t-elle.

— Allez, dit-il, tu n'es pas obligée de partir si tôt.

Une fois de plus, il l'attira vers lui.

Cette fois, elle le repoussa plus fermement.

— Abel, que fais-tu donc ? Ce n'est pas parce que tu m'invites à un concert et à dîner de temps en temps que tu as le droit de me tripoter.

— Mais nous sortons ensemble depuis des mois ! Je croyais que ça ne te dérangerait pas.

— Nous ne sortons pas ensemble depuis des mois, Abel. Je dîne parfois avec toi à l'hôtel de mon père, mais tu ne devrais pas en conclure qu'il se passe quelque chose entre nous.

— Je suis désolé. La dernière chose que je voulais que tu penses, c'était que j'allais trop loin. Je désirais simplement que tu saches ce que je ressens.

— Je n'envisagerais jamais d'entamer une histoire avec un homme que je n'épouserai pas.

— Mais moi je veux t'épouser, répondit Abel d'un ton calme.

Mélanie éclata de rire.

— Qu'y a-t-il de si drôle ? s'enquit-il en s'asseyant bien droit.

— Ne sois pas bête, Abel, je ne pourrai jamais me marier avec toi.

— Et pourquoi pas ? demanda-t-il, choqué par le caractère définitif de sa déclaration.

— Une dame du Sud n'envisagerait jamais d'épouser un immigré polonais de première génération, rétorqua-t-elle en remettant sa robe en soie en place.

Mais je suis un baron, répliqua-t-il, avec une légère arrogance.

Mélanie éclata de nouveau de rire.

— Tu n'imagines tout de même pas que l'on te croie, n'est-ce pas, Abel ? Ne te rends-tu pas compte que toute l'équipe rit dans ton dos chaque fois que tu évoques ton titre ?

Abel fut sidéré. Son visage se vida de toute couleur.

— Ils se moquent de moi dans mon dos ? répéta-t-il.

Son accent léger en temps normal ressortait de plein fouet.

— Oui, répondit-elle. Tu dois sûrement être au courant que ton surnom dans cet hôtel, c'est le baron de Chicago.

Il en resta sans voix.

— Ne sois pas bête et n'en fais pas un complexe, Abel. Je trouve que tu as accompli un travail merveilleux pour papa, et je sais qu'il t'admire, mais je ne pourrai jamais t'épouser.

— *Tu ne pourras jamais m'épouser*, répéta-t-il calmement.

— Bien sûr que non. Papa t'aime bien, mais il ne voudrait pas d'un Polonais pour gendre.

— Je suis désolé de t'avoir offensée, dit Abel en se levant du canapé.

— Non, Abel, je suis flattée. Oublions que tu as abordé ce sujet. Peut-être aurais-tu l'amabilité de me raccompagner à l'université ?

Il réussit tant bien que mal à aider Mélanie à enfiler sa grande cape. Il devint plus conscient de sa claudication en la conduisant dans le couloir. Ils prirent l'ascenseur et aucun des deux ne parla jusqu'à l'université. Il gara la voiture et l'escorta jusqu'à la maison du gardien, où il lui baisa la main.

— J'espère que nous pourrons rester amis, lança Mélanie.

— Bien sûr, répondit-il.

— Merci de m'avoir amenée à ce concert, Abel, je suis sûre que tu n'auras aucun mal à trouver une gentille Polonaise qui voudra bien t'épouser. Bonne nuit !

— Au revoir, dit Abel.

Le 21 mars 1929, Blair & Company annonça sa fusion avec la Banque d'Amérique, la troisième d'une série de consolidations bancaires, qui semblait annonciatrice de lendemains qui chantent. Le 25 mars, Tony Simmons envoya un mot à William lui faisant remarquer que le marché avait atteint un record de tous les temps, et qu'il envisageait d'investir encore plus d'argent de leur établissement dans des actions. Entre-temps, William avait écoulé soixante-quinze pour cent de son portefeuille, un geste qui lui avait déjà coûté plus de deux millions. Et qui inquiétait clairement Alan Lloyd.

— J'espère sincèrement que tu sais ce que tu fais, William.

— Alan, je boursicote depuis que j'ai quatorze ans. Et je l'ai toujours fait en me rebiffant contre le système.

Mais comme le marché poursuivait son ascension durant l'été 1929, même William cessa de vendre, et se demanda si l'opinion de Tony Simmons n'avait pas été la bonne tout du long.

Alors que l'heure de la retraite d'Alan Lloyd approchait, l'ambition non dissimulée de Simmons de lui succéder en tant que président commença à revêtir l'aspect d'un fait accompli. Cette perspective troubla William qui trouvait la façon de penser de Simmons beaucoup trop conventionnelle. Il était toujours à la traîne derrière le reste du marché, ce qui est parfait pendant les années de croissance où les investissements vont bien, mais peut s'avérer désastreux dans des moments plus difficiles et plus concurrentiels. Un investisseur malin, de l'avis de William, ne se contentait pas de suivre le mouvement, formidable ou non, mais devinait quelle direction prendrait ensuite ledit mouvement. William estimait toujours que la Bourse était risquée, tandis que Simmons restait convaincu que l'Amérique entrait dans une période dorée.

L'autre problème de William était que Tony Simmons n'avait que quarante-trois ans, et s'il était nommé président de Kane & Cabot, le jeune homme ne pouvait espérer lui succéder avant une vingtaine d'années minimum. Cela cadrait mal avec ce que Harvard décrivait comme « son chemin de carrière ».

En dépit de ses distractions, l'image de Katherine Brookes interrompait continuellement ses pensées. Il lui écrivait le plus souvent possible au sujet de la vente de ses actions et obligations, des lettres formelles tapées à la machine, qui ne suscitaient que des réponses formelles écrites à la main. Elle avait dû se dire qu'il était le banquier le plus consciencieux de Wall Street. Puis au début de l'automne, elle lui annonça qu'elle avait trouvé un acheteur pour la maison de Floride. Il lui répondit de bien vouloir le laisser négocier les conditions de la vente pour le compte de la banque. Elle accepta par retour du courrier.

Il prit le train pour la Floride une semaine plus tard. Pendant le voyage, il avait commencé à se demander si son image de Mme Brookes se transformerait en illusion et il descendit du wagon avec une certaine appréhension, pour être submergé par sa beauté dès qu'elle apparut en personne, encore plus belle que dans ses souvenirs. Le vent léger plaqua sa robe noire contre son corps alors qu'elle l'attendait sur le quai, révélant une silhouette qui garantissait que chaque homme, excepté William, se retournerait sur son passage. William, lui, ne la quittait pas des yeux.

Elle était toujours en deuil, et son comportement envers lui était si réservé et si correct qu'il désespéra dans un premier temps de lui faire de l'effet. Il fit durer les négociations avec l'agriculteur qui achetait Buckhurst Park le plus longtemps possible et persuada Katherine de garder un tiers du prix de vente pendant que la banque conservait les deux autres. Enfin, une fois que les documents légaux furent signés, il ne trouva pas d'autres prétextes pour ne pas rentrer à Boston. Il l'invita à dîner à son hôtel le dernier soir, déterminé à lui révéler ses sentiments pour elle. Ce ne fut pas la première fois qu'elle le prit au dépourvu. Avant qu'il ait abordé le sujet, elle lui demanda en faisant tourner son verre pour éviter de le regarder, s'il voulait bien rester à Buckhurst Park pour le week-end.

— L'occasion pour nous de parler d'autre chose que de finance, suggéra-t-elle.

William garda le silence.

Enfin, elle trouva le courage de poursuivre :

— Ce qui est étrange, c'est que j'ai l'impression de ne pas avoir passé d'aussi bons moments que ces derniers jours. *(Elle rougit de nouveau.)* Je me suis mal exprimée et vous allez penser le plus grand mal de moi.

Le pouls de William s'accéléra.

— Katherine, voilà huit mois que j'ai envie de vous dire la même chose.

— Alors, vous resterez quelques jours ?

— Et comment, répondit-il en lui prenant la main.

Cette nuit-là, elle l'installa dans une chambre d'amis à Buckhurst Park. William reverrait toujours ces jours-là comme l'interlude doré de sa vie. Il fit du cheval avec Katherine, et elle sauta plus loin que lui. Il nagea avec elle, et il se laissa facilement distancer. Il marcha avec elle, et il fallait toujours qu'il rentre le premier. Enfin, il en vint à jouer au poker avec elle et empocha trois millions et demi de dollars sur tout le week-end.

— Acceptez-vous les chèques ? demanda-t-elle pompeusement.

— Vous oubliez que je sais ce que vous valez, madame Brookes. Mais je vais conclure un marché avec vous. Vous devez continuer à jouer jusqu'à ce que vous ayez récupéré tout l'argent que j'ai gagné.

— Ça risque de prendre un certain temps.

— Ça me convient parfaitement.

William se surprit à raconter à Katherine des incidents omis de son passé, des choses dont il n'avait même pas discuté avec Matthew. Son respect pour son père, son amour pour sa mère, sa haine aveugle de Henry Osborne, ses ambitions pour Kane & Cabot. À son tour, elle évoqua son enfance à Boston, ses années d'école en Virginie et son mariage précoce avec Max Brookes.

Quand ils se dirent au revoir à la gare, il l'embrassa pour la première fois.

— Kate, je vais vous confier quelque chose de très présomptueux. J'espère qu'un jour vous ressentirez pour moi ce que vous avez éprouvé pour Max.

— C'est déjà le cas, répondit-elle calmement.

William lui toucha la joue.

— Ne restez pas hors de ma vie huit mois de plus.

— Je ne peux pas. Vous avez vendu ma maison.

En rentrant à Boston, plus heureux et plus posé que jamais depuis la mort de son père, William rédigea un rapport sur la vente de Buckhurst Park, son esprit retournant sans cesse sur Kate et sur ces derniers jours. Juste avant que le train n'entre dans South Station, il griffonna un petit mot rapide dans son écriture illisible :

*Kate,*

*Je me rends compte que tu me manques déjà, et cela ne fait que quelques heures. Écris-moi s'il te plaît pour me dire quand tu reviendras à Boston. En attendant, je vais me remettre au travail et je pourrais peut-être te chasser de ma tête pour de longues périodes – à savoir, 10 plus ou moins 5 minutes au maximum.*

*Affectueusement,*
*William*

*P.-S. Tu me dois toujours 17,5 millions de dollars.*

Il venait de faire tomber l'enveloppe dans la boîte à lettres sur Charles Street, lorsque le cri d'un vendeur de journaux chassa Kate de sa tête.

— *Effondrement de Wall Street!*

William attrapa un exemplaire et passa rapidement la première page en revue. Le marché s'était écroulé pendant la nuit. Certains financiers affirmaient que ce n'était qu'un réajustement. William songea que ce n'était que le début du glissement de terrain qu'il prévoyait depuis des mois. Il rentra à la banque en toute hâte, et courut pratiquement jusqu'au bureau du président.

— Je suis sûr que le marché récupérera au cours des prochaines semaines, déclara Alan Lloyd d'un ton apaisant.

— Non, répondit William, il a été exploité au maximum. Surchargé de petits investisseurs qui pensaient faire du fric facilement et qui doivent maintenant filer se mettre à l'abri. Ne voyez-vous pas que la bulle est sur le point d'exploser ? Je vais vendre toutes les actions en ma possession. D'ici la fin de l'année, le marché se sera effondré. J'ai pourtant prévenu le conseil en février, Alan.

— Je ne suis toujours pas d'accord avec toi, William. Mais je convoque immédiatement une réunion du conseil, afin que nous puissions discuter de tes opinions plus en détail.

— Merci, répondit William.

Il retourna à son bureau et décrocha son téléphone sur-le-champ.

— J'ai oublié de vous dire, Alan. J'ai rencontré la femme que je vais épouser.

— Est-elle déjà au courant ?

— Non.

— Je vois. Alors, ton mariage ressemblera comme deux gouttes d'eau à ta carrière dans la banque : quiconque directement concerné sera informé une fois que tu auras pris ta décision.

William rit, décrocha l'autre téléphone, et passa un ordre de vente du reste de ses titres. Tony Simmons se tenait sur le pas de la porte lorsqu'il raccrocha. À l'expression sur son visage, on aurait dit qu'il pensait que le jeune homme était devenu fou.

— Vous pourriez perdre votre chemise si vous vous débarrassez de toutes vos actions avec le marché dans cet état.

— Je perdrais bien plus si je les gardais, rétorqua William.

La perte qu'il subit la semaine suivante s'éleva à plus d'un million de dollars, ce qui aurait enterré un homme moins confiant. William réinvestit son capital dans tout ce qui possédait un côté tranchant : or, argent, nickel et étain.

À la réunion du conseil le lendemain, il perdit également – par huit voix contre six – sa proposition de liquider immédiatement les actions de la banque. Tony Simmons persuada le conseil qu'il serait irresponsable de ne pas tenir un peu plus longtemps. La seule petite victoire que William décrocha fut de convaincre ses homologues que la banque ne devrait pas acheter d'autres actions.

Le marché gagna quelques points vingt-quatre heures plus tard, ce qui lui donna la possibilité de vendre la plupart de ses actions restantes. À la fin de la semaine, alors que l'indice était monté régulièrement pendant quatre jours d'affilée, il commençait même à se demander s'il n'avait pas exagéré, mais son expérience passée et son instinct lui dirent qu'il avait pris la bonne décision. Alan Lloyd s'abstint de tout commentaire : l'argent que William perdait ne le regardait en rien, et de toute façon, il aspirait à une retraite tranquille.

Le 22 octobre, le marché connut de nouvelles pertes importantes et William implora de nouveau Alan de partir tant qu'il en avait encore l'occasion. Cette fois, Alan l'écouta, et l'autorisa à passer un ordre de vente sur les plus grosses actions de la banque. Le lendemain, le marché s'effondra en une avalanche de ventes et peu importait ce dont la banque essayait de se débarrasser, car il ne restait plus aucun acheteur sur le marché. La semaine suivante, le dumping d'actions céda à la panique alors que chaque petit investisseur d'Amérique passait un ordre de vente, en tâchant de s'échapper le plus vite possible. L'affolement était tel que le téléscripteur était incapable de suivre le rythme des transactions. Ce ne fut que lorsque la Bourse ouvrit le lendemain matin, après que les employés eurent travaillé toute la nuit, que les opérateurs comprirent combien le marché avait perdu.

William avait écoulé presque toutes les actions de son fidéicommis et ses pertes personnelles étaient proportionnellement plus insignifiantes que celles de la banque. Après avoir perdu plus de trois millions de dollars en quatre jours, même Tony Simmons avait entrepris de suivre les conseils de William.

Le 29 octobre, Mardi Noir, tel qu'on l'appela par la suite, le marché recommença à s'effondrer. 16 610 030 titres furent vendus. La vérité, bien que très peu voulussent l'admettre, était que chaque établissement financier d'Amérique était insolvable. Si chacun de leurs clients avait exigé des liquidités – ou s'ils avaient essayé tour à tour de demander le remboursement de tous leurs prêts – tout le système bancaire se serait écroulé du jour au lendemain.

Une réunion du conseil du 9 novembre s'ouvrit par une minute de silence en mémoire de John J. Riordan, président du County Trust, et un directeur de Kane & Cabot, qui s'était donné la mort la veille. C'était le onzième suicide en quinze jours dans le milieu financier de Boston, et le défunt était un ami proche d'Alan Lloyd. Alan annonça ensuite que Kane & Cabot avait perdu près de quatre millions de dollars. Presque tous les petits investisseurs de la banque avaient sombré et les plus gros, pour la plupart, connaissaient d'incroyables problèmes de trésorerie.

Des hordes en colère avaient commencé à se rassembler devant des établissements de Wall Street, et les gardes trop âgés durent être remplacés par des Pinkertons.

— Encore une semaine comme cela, remarqua Alan, et nous serons tous anéantis.

Il proposa sa démission, mais les directeurs refusèrent d'en entendre parler. Sa position ne différait en rien de celle de tout autre président de grosse banque américaine. Tony Simmons présenta aussi la sienne, mais une fois de plus ses homologues directeurs n'exigèrent même pas de vote. Comme Simmons n'avait plus l'air d'être le candidat évident pour succéder à Alan Lloyd, William observa un silence magnanime.

En guise de compromis, Simmons fut envoyé à Londres pour prendre la responsabilité globale des opérations bancaires en Europe. En lieu sûr, songea William, après que le conseil l'eut nommé nouveau directeur des investissements. Il invita immédiatement Matthew Lester à le rejoindre en tant qu'adjoint. Cette fois, Alan Lloyd n'arqua même pas un sourcil, ce qui poussa William à se demander s'il n'aurait pas dû insister pour que Matthew intègre aussi le conseil d'administration, mais c'était trop tard.

Matthew se trouvait dans l'impossibilité de rallier la banque avant le début du printemps, car son père ne consentait pas à le laisser partir plus tôt. Lester's avait aussi rencontré son lot de problèmes.

L'été 1929 n'aurait pu être pire, et William tâcha de rester impassible en observant péricliter de grosses entreprises dirigées par des Bostoniens qu'il avait connues toute sa vie. Il commença même à se demander si Kane & Cabot pourrait survivre.

À Noël, il passa une glorieuse semaine en Floride, avec Kate, qu'il aida à ranger ses affaires dans des malles et des caisses à thé – « Les seules que Kane et Cabot m'ont laissé garder », le taquina-t-elle – pour rentrer à Boston. Les cadeaux de Noël de William remplirent une autre cantine, sa générosité la faisant culpabiliser.

— Qu'est-ce qu'une veuve sans le sou peut-elle espérer te donner en retour ? railla-t-elle.

William revint de belle humeur à Boston, souhaitant que ses moments avec Kate annonçassent le début d'une année meilleure.

# 27

Abel entra dans la salle à manger de l'hôtel sans se presser et fut étonné de voir Mélanie assise à la table de son père. Elle n'était pas tirée à quatre épingles comme d'habitude et semblait fatiguée et inquiète. Il faillit s'approcher d'elle pour lui demander si tout allait bien, mais, se rappelant leur dernier rendez-vous, il se ravisa. En retournant à son bureau, il trouva Davis Leroy debout à la réception. Il arborait la veste écossaise qu'il portait la première fois qu'Abel l'avait vu au Plaza.

— Mélanie est-elle dans la salle à manger ? s'enquit Davis.

— Oui. Je n'avais pas compris que tu venais en ville aujourd'hui, Davis. Je vais te faire préparer immédiatement la suite présidentielle.

— Juste pour une nuit, Abel, et je souhaiterais te toucher un mot en privé plus tard.

— Bien sûr.

Abel n'aimait pas le terme « privé », se demandant si Mélanie s'était plainte de lui auprès de son père. Était-ce pour cela qu'il n'avait pas pu parler à Davis ces jours derniers ?

Leroy le bouscula pour se rendre dans la salle à manger à grands pas, pendant qu'Abel allait vérifier si la suite présidentielle était disponible. La moitié des chambres dans l'hôtel n'étaient pas occupées, ce ne fut donc pas une surprise que celle-ci soit libre. Il réserva cette chambre pour Davis puis attendit plus d'une heure à la réception. Il vit Mélanie quitter la salle à manger, toute rouge, comme si elle avait pleuré. Son père en sortit quelques minutes plus tard.

— Débrouille-toi pour nous trouver du bourbon, Abel – et ne me dis pas que nous n'en avons pas – puis retrouve-moi dans ma suite.

Abel récupéra quelques bouteilles dans son coffre-fort et rejoignit Leroy au dix-septième étage. Il se demandait encore si Mélanie s'était plainte de lui.

— Ouvre la bouteille et sers-moi un grand verre, Abel, ordonna Leroy.

Une fois de plus, Abel ressentit la peur de l'inconnu. Ses paumes se mirent à transpirer. Il n'allait tout de même pas se faire licencier pour avoir voulu épouser la fille du patron ? Leroy et lui étaient amis depuis plus d'un an, de proches amis, songea-t-il.

— Et tu ferais mieux de remplir le tien, toi aussi, Abel.

Celui-ci exécuta les ordres de son chef, mais joua avec son verre en attendant que Leroy parle.

— Abel, je suis ruiné.

Il marqua une pause, but une gorgée puis se resservit.

Abel ne dit rien, en partie parce qu'il ne voyait pas quoi dire. Après avoir avalé une lampée de bourbon, il réussit à sortir :

— Mais tu possèdes encore onze hôtels.

— Possédais, clarifia Davis Leroy. Il faut parler au passé maintenant, Abel. Je n'en détiens plus aucun, la banque en a pris possession jeudi dernier.

— Mais ils t'appartiennent ; ils sont dans ta famille depuis deux générations, protesta Abel.

— C'est vrai, mais plus aujourd'hui. À présent, ils sont à la banque. Je ne vois pas pourquoi tu ne devrais pas connaître toute la vérité, Abel, après tout, la même chose arrive à presque tout le monde en Amérique en ce moment, gros ou petit. Il y a dix ans environ, j'ai emprunté deux millions de dollars à la banque, fournissant les hôtels en nantissement. J'ai systématiquement investi l'argent en actions et obligations, de façon assez conventionnelle et dans des entreprises bien établies. J'ai accru le capital jusqu'à près de cinq millions, l'une des raisons pour lesquelles les pertes de l'hôtel ne m'ont jamais trop dérangé – c'étaient des impôts déductibles contre les bénéfices que je faisais sur le marché. Aujourd'hui, je ne pourrais pas me débarrasser de ces actions. Nous pourrions aussi bien nous en servir comme papier toilette dans les hôtels. Ces trois dernières semaines, j'ai vendu le plus vite possible, mais il n'y a aucun acheteur ici. La banque a saisi mon emprunt jeudi dernier. La plupart des gens touchés par le krach n'ont que des bouts de papier pour couvrir leurs pertes, mais dans mon cas, la banque qui me finançait détenait les actes notariés de l'hôtel en garantie contre l'emprunt original. Donc quand le marché s'est effondré, ils ont pris immédiatement possession des biens. Les salauds vont les vendre dès qu'ils trouveront acquéreur.

— C'est de la folie, déclara Abel. Ils n'obtiendront rien d'eux en ce moment, mais s'ils nous soutenaient, nous pourrions leur montrer un retour sur investissement qui vaut la peine.

— Je sais que tu pourrais le faire, Abel, mais ils m'ont jeté mes antécédents à la figure. Je me suis rendu à leur siège social à Boston, et leur ai parlé de toi. Je leur ai assuré que je consacrerais tout mon temps au groupe s'ils pouvaient juste nous financer à court terme, mais ils n'étaient pas intéressés. Ils m'ont refourgué un jeune loup fade qui connaissait toutes les réponses classiques en trésorerie, aucune base en capital et restrictions de crédit. *(Leroy marqua une pause pour siroter une gorgée de bourbon.)* Pour l'heure, la meilleure chose à faire est de nous saouler, parce que je suis fini, ruiné, en faillite.

— Alors moi aussi, dit tranquillement Abel.

— Non, un bel avenir t'attend, fiston. Quel que soit celui qui reprenne ce groupe, il ne pourra pas faire un seul pas sans toi.

— Tu oublies que je détiens vingt-cinq pour cent de tout le groupe.

Davis Leroy le regarda fixement.

— Oh mon Dieu, Abel. J'espère que tu n'as pas investi *tout* ton argent en moi.

Sa voix devenait pâteuse.

— Jusqu'au dernier cent, lui apprit Abel. Mais je ne le regrette pas, Davis. Mieux vaut perdre avec un homme sage que gagner avec un idiot.

Il se servit un autre verre.

Les larmes emplissaient les yeux de Leroy.

— Tu sais, Abel, tu es le meilleur ami que j'aie jamais eu. Tu as retapé mon hôtel ; tu as investi ton argent, je te ruine et tu ne te plains même pas. Puis pour couronner le tout, ma fille refuse de t'épouser.

— Tu ne m'en veux pas de lui avoir demandé ? s'enquit Abel, plus confiant qu'avant son troisième bourbon.

— Cette snobinarde idiote et prétentieuse ne sait pas reconnaître ce qui est bien, même sous son nez. Elle espère se marier avec un gentleman du Sud, éleveur de chevaux, qui a au moins deux généraux confédérés dans son arbre généalogique. Ou si elle épouse un gars du Nord, son arrière-arrière-arrière-grand-père devra être arrivé ici sur le *Mayflower*. Si tous ceux qui prétendent avoir eu un membre de leur famille sur ce bateau étaient bien montés à bord ensemble, ce foutu truc aurait coulé bien longtemps avant d'avoir quitté l'Angleterre. Dommage que je n'aie pas d'autre fille pour toi, Abel. J'aurais été très fier de t'avoir pour gendre. Toi et moi aurions formé une équipe formidable, mais je reconnais tout de même que tu peux tous les battre tout seul. Tu es jeune – tu as encore tout l'avenir devant toi.

À vingt-quatre ans, Abel se sentit brusquement très vieux.

— Merci pour ta confiance, Davis. Qu'est-ce qu'on en a à faire de la Bourse de toute façon ? Tu sais que tu es le meilleur ami que j'aie jamais eu.

Abel se servit un autre bourbon, qu'il avala en une goulée. À eux deux, ils finirent les deux bouteilles jusqu'au matin. Quand Davis s'endormit dans sa chaise, Abel réussit à descendre dans sa chambre en titubant, au dixième étage, à se déshabiller et à s'écrouler sur son lit.

Un coup frappé fort à la porte le tira de son profond sommeil. Sa tête tournait, tournait et tournait, mais le martèlement se poursuivait, de plus en plus bruyamment. Il parvint tant bien que mal à se frayer un chemin à tâtons jusqu'à la porte. C'était un porteur.

— Venez vite, monsieur Rosnovski, venez vite, dit le garçon en courant dans le couloir.

Abel enfila un peignoir, des chaussons et rejoignit le porteur en titubant, qui lui tenait la porte de l'ascenseur.

— Vite, monsieur Rosnovski, répéta-t-il.

— Qu'est-ce qui presse ? demanda Abel, dont la tête tournait encore quand la cabine descendit lentement.

— Quelqu'un s'est jeté par la fenêtre.

Il dessaoula immédiatement.

— Un client ?

— Oui, je pense. Mais je ne suis pas sûr.

L'ascenseur s'arrêta au rez-de-chaussée. Abel écarta brusquement les portes en fer et sortit dans la rue en courant. Des voitures de police entouraient déjà l'hôtel, phares allumés, sirènes hurlantes. Il n'aurait pas reconnu le corps brisé qui gisait sur le trottoir sans la veste écossaise. Un policier prenait des notes. Un homme en civil alla le rejoindre.

— Vous êtes le gérant ?

— Oui.

— Connaissez-vous cet homme ?

— Oui, dit Abel en articulant mal. Il s'appelle Davis Leroy.

— Savez-vous d'où il vient ou comment nous pouvons contacter ses parents ?

Abel détourna les yeux du cadavre de Davis et répondit automatiquement.

— Il est originaire de Dallas. Mlle Mélanie Leroy est sa fille. Elle est étudiante et vit sur le campus.

— Nous allons y envoyer quelqu'un.

— Non, ne faites pas cela. J'irai la voir moi-même.

— Merci monsieur. C'est toujours mieux s'ils n'apprennent pas la nouvelle d'un étranger.

— Quelle chose affreuse, inutile, dit Abel, les yeux de nouveau attirés par le corps de son ami.

— C'est le septième à Chicago aujourd'hui, déclara le policier sans ambages, en refermant son petit carnet noir. Nous devrons jeter un œil à sa chambre ultérieurement. Ne la louez pas tant que nous ne vous avons pas donné le feu vert.

Il se dirigea sans se presser vers une ambulance qui se garait dans un crissement de pneus.

Abel regarda les brancardiers emporter ce qui restait de Davis Leroy sur le trottoir. Il eut brusquement froid, tomba à genoux et vomit violemment dans le caniveau. Une fois de plus, il venait de perdre son meilleur ami. Peut-être que s'il avait moins bu et plus réfléchi, il aurait pu le sauver. Il se ressaisit, remonta dans sa chambre, prit une longue douche froide, et réussit on ne sait comment à s'habiller. Il commanda un café noir et, la mort dans l'âme, retourna dans la suite présidentielle. À part les deux bouteilles vides, il n'y avait aucune trace du drame qui s'était déroulé quelques minutes auparavant. Puis il vit les lettres sur la table de nuit près d'un lit dans lequel personne n'avait dormi. La première était adressée à Mélanie, la seconde à un avocat à Dallas et la troisième, à Abel Rosnovski. Il l'ouvrit, les mains tremblantes, presque sans pouvoir s'arrêter.

*Cher Abel,*

*Je prends l'unique échappatoire possible suite à la décision de la banque. Je n'ai plus aucune raison de vivre, et je suis trop vieux pour recommencer à zéro. Je veux que tu saches que tu es la seule personne qui pourrait tirer quelque chose de ce terrible gâchis.*

*J'ai rédigé un nouveau testament dans lequel je t'ai laissé mes soixante-quinze pour cent des actions du groupe Richmond. Je me rends compte que c'est inutile, mais cela garantira au moins ton statut de propriétaire légal du groupe. Comme tu avais eu le courage d'acheter vingt-cinq pour cent avec tes fonds propres, tu mérites le droit de voir si tu peux conclure un marché avec la banque. J'ai laissé tout le reste à Mélanie. S'il te plaît, annonce-le-lui.*

*J'aurais été fier de t'avoir pour gendre, partenaire.*

*Ton ami,*
*Davis*

Abel relut la lettre, avant de la ranger dans son portefeuille.

Il conduisit lentement jusqu'au campus peu après les premières lueurs du jour. Il apprit la nouvelle à Mélanie le plus calmement possible. Il s'assit nerveusement sur le divan, ignorant ce qu'il pourrait ajouter au message impitoyable de la mort. Elle le prit étonnamment bien, presque comme si elle avait deviné que cela allait se passer, bien qu'elle fût manifestement émue. Mais elle ne versa pas une seule larme devant Abel, peut-être plus tard, quand il serait reparti. Il la plaignit pour la première fois de sa vie.

# 28

Le 4 janvier 1930, Abel Rosnovski prit un train pour Boston. Il monta dans un taxi pour se rendre chez Kane & Cabot, et arriva à la banque avec quelques minutes d'avance. Il s'assit dans une salle d'attente, plus spacieuse et plus décorée que n'importe quelle chambre du Richmond de Chicago. Il se mit à lire le *Wall Street Journal*, qui tâchait d'assurer à ses lecteurs que 1930 serait une meilleure année. Il en doutait. Une femme guindée d'une cinquantaine d'années entra.

— M. Kane va vous recevoir, monsieur Rosnovski.

Abel se leva et la suivit dans un long couloir puis dans une petite pièce lambrissée de chêne. Derrière un large bureau recouvert d'un sous-main en cuir était assis un type grand et beau, qui devait avoir, songea Abel, à peu près le même âge que lui. Ses yeux étaient aussi bleus que les siens, mais les similitudes s'arrêtaient là. Il y avait une photo sur le mur d'un type plus âgé, à qui le jeune homme derrière le bureau ressemblait énormément. « Je parierais que c'est papa, songea amèrement Abel. Tu peux être sûr qu'il survivra à la débâcle ; les banques sortent toujours gagnantes, visiblement, quoi qu'il arrive. »

— William Kane, annonça l'homme en se levant et en tendant la main. Veuillez vous asseoir, monsieur Rosnovski.

— Merci, répondit Abel d'un ton froid en lui serrant la main.

— Peut-être m'autoriserez-vous à vous informer de la situation actuelle telle que je la vois, déclara William.

— Naturellement.

— Il semblerait que la mort tragique et prématurée de M. Leroy... commença William, qui détestait le caractère pompeux de ses paroles.

« Provoquée par votre attitude impitoyable », songea Abel.

— ... vous ait laissé avec la responsabilité immédiate de diriger le groupe Richmond, jusqu'à ce que la banque soit en mesure de mettre la main sur un acquéreur. Bien que toutes les actions du groupe soient désormais à votre nom, la propriété, sous la forme de onze hôtels, détenus en nantissement de l'emprunt de feu M. Leroy de deux millions de dollars, se trouve légalement en votre possession. Si vous souhaitez vous dissocier de tout le procédé, nous le comprendrons.

« Une proposition insultante, songea William, mais il fallait bien la faire. »

« Le genre de chose à laquelle s'attendrait un banquier de la part d'un homme, s'en aller à l'instant où un problème surgit », songea Abel.

William poursuivit :

— Jusqu'à ce que la dette de deux millions de dollars envers la banque soit réglée, je crains que nous ne dussions considérer la fortune de feu M. Leroy comme en faillite. Nous, à la banque, apprécions votre implication personnelle envers le groupe et nous n'avons rien fait en vue de nous débarrasser des hôtels tant que nous n'avons pas eu l'opportunité de vous parler en personne. Nous nous sommes dit que vous connaissiez peut-être quelqu'un que l'achat de la propriété intéresserait, car les immeubles, le terrain et l'entreprise constituent à l'évidence un patrimoine de grande valeur.

— Mais pas suffisamment pour que votre établissement envisage de me financer, rétorqua Abel. *(Il passa la main avec lassitude dans ses épais cheveux bruns. William ne répondit pas.)* Combien de temps me laisserez-vous avant de trouver un acquéreur ?

William hésita un instant quand il avisa le bracelet en argent autour du poignet d'Abel Rosnovski. Il l'avait déjà vu quelque part, mais il ne se rappelait pas où.

— Trente jours. Vous devez comprendre que la banque subit actuellement les pertes quotidiennes des dix hôtels sur onze. Seul le Richmond de Chicago enregistre un petit bénéfice.

— Si vous me donniez suffisamment de temps, monsieur Kane, je pourrais transformer tous les établissements en entreprises lucratives. Je le sais. Laissez-moi juste la chance de prouver que je peux le faire, monsieur.

Abel sentit que « monsieur » restait coincé dans sa gorge.

— M. Leroy a assuré la banque que vous méritiez tout notre soutien quand il nous a rendu visite en automne dernier, lui confia William, mais les temps sont durs. Rien ne nous indique que l'hôtellerie va reprendre, et nous ne sommes pas hôteliers, monsieur Rosnovski, nous sommes banquiers.

Ce « jeune loup » élégant commençait à faire perdre patience à Abel.

— Les temps seront encore plus durs pour mes employés, dit-il. Que feront-ils si vous vendez le toit qu'ils ont au-dessus de leur tête ? Que leur arrivera-t-il, d'après vous ?

— Je crains que cela ne soit pas notre responsabilité, monsieur Rosnovski. Je dois agir dans les meilleurs intérêts de la banque.

— Ne parlez-vous pas plutôt de *vos* meilleurs intérêts, monsieur Kane ? rétorqua Abel d'un ton sec.

Le banquier rougit.

— Cette remarque était injuste, monsieur Rosnovski, et cela me déplaît fortement que vous pensiez que je ne comprends pas ce que vous traversez.

— Dommage que vous n'ayez pas fait preuve de compréhension envers M. Leroy, dit Abel. Vous l'avez assassiné, monsieur Kane, aussi sûrement que si vous l'aviez vous-même poussé par cette fenêtre. Vous et vos collègues « je m'en lave les mains », assis ici dans vos bureaux chics, pendant que nous nous tuons à la tâche afin que vous puissiez remuer le fric à la pelle lorsque l'économie prospère, et nous traîner dans la boue quand les temps sont durs.

William lui aussi commençait à s'énerver, mais contrairement à Abel, il n'en montrait rien.

— Cette ligne de discussion ne nous mène nulle part, monsieur Rosnovski. Les instructions de mon conseil d'administration sont simplement de se débarrasser des actifs et de clôturer le compte le plus vite possible. Et c'est ce que j'ai l'intention de faire. Peut-être auriez-vous l'amabilité de me contacter au plus tard le… *(il consulta son agenda)* 4 février pour me faire savoir si vous avez trouvé un acquéreur. Bonne journée, monsieur Rosnovski.

William se leva et lui tendit de nouveau la main. Cette fois, Abel l'ignora.

Il se dirigea vers la porte, mais s'arrêta avant de sortir du bureau.

— Je croyais qu'après le décès de Davis Leroy, monsieur Kane, vous seriez suffisamment gêné pour me prêter main-forte. J'ai eu tort. La seule chose qui vous intéresse, c'est de faire de l'argent, mais quand vous vous coucherez le soir, monsieur Kane, n'oubliez pas de penser à moi. Quand vous vous réveillerez le matin, pensez encore à moi parce que moi, je ne risque pas d'oublier les projets que j'ai pour vous.

William regarda la porte se refermer d'un air renfrogné. Ce bracelet en argent le troublait – où l'avait-il déjà vu ?

Sa secrétaire entra dans la pièce.

— Quel petit homme affreux, observa-t-elle.

— Non, pas vraiment, répondit William. Il croit que nous sommes responsables de la mort de son associé d'affaires, et que maintenant nous dissolvons son entreprise sans la moindre pensée pour ses employés, et encore moins pour lui, alors qu'il a prouvé qu'il faisait du très bon travail. M. Rosnovski s'est montré très poli étant donné les circonstances. Je regrette que le conseil ne l'ait pas écouté et ne l'ait pas financé.

William s'assit dans son fauteuil, brusquement épuisé.

# 29

Abel arriva à Chicago un peu plus tard dans la soirée, encore furieux du traitement que William Kane lui avait infligé. Il ne comprit pas exactement ce que le garçon criait au kiosque à l'angle, quand il héla un taxi et s'installa sur la banquette arrière.

— L'hôtel Richmond, s'il vous plaît.

— Travaillez-vous dans la presse ? s'enquit le chauffeur en prenant State Street.

— Non, pourquoi ?

— Oh, juste parce que vous avez demandé à vous rendre au Richmond et qu'il grouille de journalistes.

Abel ne se rappelait pas quelle réception susceptible d'attirer la presse était prévue dans son établissement.

Le chauffeur poursuivit :

— Si vous n'êtes pas journaliste alors il vaudrait mieux que je vous conduise dans un autre hôtel.

— Pourquoi ? voulut savoir Abel, encore plus perplexe.

— Vous ne passerez pas une bonne nuit si vous réservez une chambre là-bas.

— Pourquoi ?

— Parce que le Richmond a été réduit en cendres.

Ils tournèrent à l'angle de Drake Street, et Abel se retrouva nez à nez avec la carcasse fumante du Chicago Richmond Hotel. Il y avait des voitures de police, de pompiers, du bois carbonisé et de l'eau qui inondait la rue, tandis que les badauds tendaient le cou derrière une barrière. Abel regarda fixement les restes calcinés de l'hôtel phare de Davis Leroy.

— Cela fera deux dollars, dit le chauffeur de taxi.

« Le Polonais fait preuve de sagesse quand le mal est fait », songea Abel en serrant le poing et en se mettant à taper sur sa jambe boiteuse. Il ne ressentit aucune douleur – il n'y avait plus rien à ressentir.

— Espèces de salauds ! cria-t-il haut et fort. Je suis tombé plus bas que cela, et je vous battrai tous ! Allemands, Russes, Turcs, ce salaud de Kane et maintenant, ça. Tous. Je vous battrai tous. Personne ne tue Abel Rosnovski.

Le directeur adjoint vit Abel gesticuler près du taxi et courut vers lui. Il se força à rester calme.

— Tout le monde s'en est-il sorti sain et sauf ? furent ses premières paroles.

— Oui, Dieu merci. L'hôtel était presque vide, et par chance, le feu s'est déclaré en milieu d'après-midi, donc ça n'a pas été difficile de faire sortir tout le monde. Il y a eu un ou deux blessés ou petits brûlés – trois personnes ont été transportées au Chicago General – mais vous n'avez aucun souci à vous faire.

— Bon, c'est un soulagement. Heureusement que l'établissement était bien assuré – plus d'un million, si mes souvenirs sont bons. Nous pourrions même tourner cette catastrophe à notre avantage.

— Pas si ce que raconte la presse d'aujourd'hui est vrai.

— Comment ça ? fit Abel.

— Je préférerais que vous lisiez vous-même, chef.

Abel se rendit au kiosque le plus proche et donna deux cents au garçon contre la dernière édition du *Chicago Tribune*.

La une titrait : « HOTEL RICHMOND – ON SUSPECTE UN INCENDIE CRIMINEL. »

Abel secoua la tête d'incrédulité.

— Y a-t-il autre chose qui puisse aller mal ? marmonna-t-il.

— Vous avez un problème ? demanda le marchand de journaux.

— Un petit, répondit Abel, qui retourna voir son directeur adjoint.

— Qui est chargé de l'enquête ?

— Le policier là-bas, adossé à la voiture de police, expliqua le directeur adjoint en désignant un homme à la calvitie naissante et aux yeux profondément enchâssés. C'est le lieutenant O'Malley.

— Soit. Dites au personnel que je convoque tout le monde demain à dix heures à l'annexe. Si quelqu'un souhaite me rencontrer avant, je séjournerai au Stevens.

— Bien, chef.

Abel rejoignit O'Malley et se présenta.

Celui-ci se pencha légèrement et lui serra la main.

— Ah, le directeur perdu de vue depuis longtemps rentre voir ses ruines noircies par le feu.

— Je ne trouve pas cela drôle, officier, déclara Abel.

— Je suis désolé, monsieur. Ce n'est pas drôle. La nuit a été longue. Allons boire un verre.

Il prit Abel par le coude et lui fit traverser Michigan Avenue vers un petit restaurant du coin où il commanda deux milk-shakes.

Abel rit lorsque l'on déposa le mélange blanc et mousseux devant lui. Comme il n'avait jamais eu d'enfance, c'était son premier milk-shake.

— Je sais, c'est drôle, tout le monde dans cette ville boit du bourbon et de la bière en cachette, dit le policier. Il faut bien que quelqu'un se conduise honorablement. De toute façon, la Prohibition ne durera pas éternellement, et là, mes problèmes commenceront pour de bon, parce que les gangsters s'apercevront que j'aime sincèrement les milk-shakes.

Abel rit pour la deuxième fois.

— Revenons à vos soucis, monsieur Rosnovski. Je dois vous dire que je ne crois pas que vous ayez la moindre chance de récupérer l'argent de l'assurance de votre hôtel. Les experts ont passé les restes au crible et ont découvert que tout l'immeuble était inondé de kérosène. N'ont même pas essayé de le cacher. Il restait des traces de ce truc partout au sous-sol. Une seule allumette et elle se serait enflammée comme une chandelle romaine.

— Savez-vous qui est responsable ? demanda Abel.

— Laissez-moi poser les questions. Connaissez-vous quelqu'un qui puisse en vouloir à l'hôtel ou à vous personnellement ?

Abel grommela.

— Environ cinquante personnes, lieutenant. Je me suis débarrassé d'un véritable nid de vipères quand je suis arrivé ici. Je peux vous donner une liste, si vous pensez que cela vous aidera.

— Peut-être, mais vu la façon dont les gens parlent ici, ce sera probablement inutile. Si vous apprenez quelque information précise, faites-le-moi savoir, monsieur Rosnovski, parce que je vous avertis, vous avez des ennemis.

— Quelqu'un en particulier ?

— Quelqu'un suggère que vous l'avez fait car vous avez tout perdu dans le krach, et que vous aviez besoin de l'argent de l'assurance.

Abel descendit de son tabouret d'un bond.

— Du calme, du calme. Je sais que vous avez passé toute la journée à Boston, et surtout, vous êtes réputé, à Chicago, pour remettre des hôtels sur pied, pas les brûler. Mais quelqu'un a mis le feu au Richmond, et vous pouvez être sûr que je découvrirai qui. Restons-en là pour l'instant.

Il fit pivoter son tabouret pour descendre.

— Le milk-shake est pour moi, monsieur Rosnovski. Il se peut que je vous demande un service dans le futur.

Lorsque les deux hommes se dirigèrent vers la porte, le policier sourit à la fille qui prit ses cinquante cents, admirant ses chevilles et maudissant la nouvelle mode des jupes longues.

— Gardez la monnaie, ma belle, lança-t-il.

— Un grand merci, répondit-elle.

— Personne ne m'apprécie à ma juste valeur, dit le lieutenant.

Abel rit pour la troisième fois, ce qu'il n'aurait pas cru possible une demi-heure plus tôt.

— Au fait, ajouta O'Malley. Les assureurs vous cherchent. Je ne me rappelle pas le nom du type, mais je parie qu'il vous trouvera bientôt. Ne lui en voulez pas s'il insinue que vous êtes impliqué. Qui peut lui en vouloir ? Restez en contact, Rosnovski – je souhaiterai vous parler de nouveau, et là, les milk-shakes seront pour vous.

Abel observa le lieutenant disparaître dans la foule de badauds, puis se dirigea lentement vers le Stevens Hotel, où il réserva une chambre pour la nuit. Le réceptionniste, qui avait déjà enregistré la plupart des clients du Richmond, ne put réprimer un sourire à l'idée d'ajouter le gérant.

Une fois seul dans sa chambre, Abel s'assit et écrivit une longue lettre à M. William Kane, lui fournit toutes les informations sur l'incendie qu'il pouvait lui donner, et l'informa qu'il avait l'intention de mettre à profit sa liberté inattendue pour faire le tour des autres établissements du groupe. Il ne voyait aucune raison de rester à Chicago à se réchauffer sur les braises du Richmond dans le vain espoir que quelqu'un vienne le tirer d'affaire.

Après un excellent petit déjeuner au Stevens le lendemain matin – séjourner dans un hôtel bien tenu avait toujours eu le don de réconforter Abel –, il retira cinq mille dollars en liquide sur le compte de l'hôtel et distribua deux semaines de salaire à chaque membre du personnel, en leur annonçant qu'ils pouvaient loger à l'annexe pour un mois minimum ou jusqu'à ce qu'ils aient trouvé un nouvel emploi. Il se rendit ensuite à la Continental Trust pour informer Curtis Fenton de l'attitude de Kane & Cabot ou plutôt, de celle de William Kane. Il ajouta, sans grand espoir, qu'il cherchait un acquéreur pour le groupe Richmond à deux millions de dollars.

— Cet incendie ne nous aidera pas, mais je verrai ce que je peux faire, lança Fenton, l'air beaucoup plus positif qu'Abel l'aurait cru. À l'époque où vous avez acheté les vingt-cinq pour cent à Mlle Leroy, je vous ai confié que je pensais que l'hôtel était un patrimoine de valeur. En dépit du krach, je ne vois pas pourquoi je changerais d'avis à ce sujet, monsieur Rosnovski. Je vous ai vu diriger votre établissement depuis près de deux ans à présent, et je vous soutiendrais si la décision n'appartenait qu'à moi, mais je crains que la banque n'accepte jamais de financer le groupe Richmond. Nous sommes conscients des combines financières depuis bien trop longtemps pour croire à l'avenir du groupe, et cet incendie fut la goutte d'eau. Quoi qu'il en soit, j'ai bien des contacts extérieurs et je verrai s'ils peuvent faire quelque chose pour vous aider. Si ça se trouve, vous avez plus d'admirateurs dans cette ville que vous ne le pensez, monsieur Rosnovski.

# 30

Abel partit vers le sud dans la Buick qu'il s'était offerte juste avant le krach financier. Il avait décidé de commencer sa tournée du groupe par le Richmond de St. Louis.

Faire le tour de tous les établissements prit près de quatre semaines, et même si la plupart étaient délabrés et que tous, sans exception, perdaient de l'argent, aucun n'était, selon Abel, un cas désespéré. Ils étaient tous bien situés : certains, même, les mieux situés de la ville. Le vieux Leroy avait dû être un homme beaucoup plus rusé que son fils, songea Abel. Il examina soigneusement chaque police d'assurance de chaque hôtel : aucun problème. Lorsqu'il finit par arriver au Richmond de Dallas, le dernier arrêt de son itinéraire, il était sûr que celui qui réussirait à acheter le groupe pour deux millions de dollars ferait un investissement solide, et que s'il décidait de l'employer, il connaissait précisément la marche à suivre pour rendre le groupe rentable.

De retour à Chicago, il reprit une chambre au Stevens. Plusieurs messages l'attendaient. Le lieutenant O'Malley voulait qu'il le contacte au plus vite. Ainsi que William Kane, Curtis Fenton, et enfin, un certain M. Henry Osborne. Il commença par la loi et partit retrouver O'Malley au petit restaurant de Michigan Avenue.

Abel s'assit sur un tabouret, dos au comptoir, fixant les restes calcinés du Richmond en face, tout en attendant le lieutenant. O'Malley avait quelques minutes de retard et ne prit pas la peine de s'excuser quand il s'installa à côté de lui.

— Vous me devez un service, déclara le lieutenant, et personne à Chicago ne s'en tire s'il doit un milk-shake à O'Malley.

Abel en commanda deux : un géant et un normal.

— Qu'avez-vous trouvé ? s'enquit-il en donnant à l'inspecteur deux pailles à rayures rouges et blanches.

— Les pompiers avaient raison – c'était un incendie criminel. Nous avons arrêté un dénommé Desmond Pacey – l'ancien directeur du Richmond, en l'occurrence. C'était bien à votre époque, n'est-ce pas ?

— J'en ai peur, répondit Abel.

— Pourquoi dites-vous cela ? demanda le lieutenant.

— J'ai viré Pacey pour détournement de fonds. Il a déclaré qu'il se vengerait de moi, même s'il devait mourir pour cela. Je n'y ai pas prêté attention, j'ai affronté trop de menaces dans ma vie, lieutenant, pour toutes les prendre au sérieux, surtout de la part d'un sale type comme Pacey.

— Eh bien, je dois vous avouer que nous l'avons pris au sérieux, et les assureurs aussi, parce qu'ils ne débourseront pas un seul centime tant que l'on n'aura pas prouvé que Pacey et vous n'avez pas agi de connivence.

— C'est exactement ce dont j'ai besoin en ce moment. Mais comment pouvez-vous être sûr qu'il s'agissait de lui ?

— Il a débarqué aux urgences de l'hôpital le plus proche le même jour que l'incendie, avec des brûlures graves sur les mains et le torse. Il est vite passé aux aveux, mais j'ignorais son mobile jusqu'à maintenant. Voilà donc qui règle l'affaire, monsieur Rosnovski.

Le lieutenant aspira sur sa paille jusqu'à ce qu'un gargouillis bruyant l'avertisse qu'il avait vidé la dernière goutte.

— Un autre milk-shake ? demanda Abel.

— Non, il ne vaut mieux pas. J'ai promis à ma femme d'arrêter. *(Il se leva.)* Bonne chance, monsieur Rosnovski. Si vous pouvez prouver aux assureurs que vous n'avez rien à voir avec Pacey, vous obtiendrez votre argent. Je ferai tout ce que je peux pour vous aider si jamais l'affaire passait devant les tribunaux. On se tient au courant.

Abel observa l'inspecteur disparaître par la porte. Il donna un dollar à la serveuse. Une fois sur le trottoir, il regarda dans le vide, où se trouvait l'hôtel Richmond moins d'un mois auparavant. Il tourna les talons et repartit en direction du Stevens.

Un autre message de Henry Osborne, qui ne lui dévoilait toujours aucun indice sur son identité, l'attendait. Il n'y avait qu'un seul moyen de le savoir. Abel appela le numéro et fut mis en contact avec le répartiteur de la Great Western Casualty Insurance Company.

Il prit rendez-vous avec Osborne à midi. Il contacta ensuite William Kane à Boston et lui fit son rapport sur tous les hôtels.

— Permettez-moi, monsieur Kane, de vous répéter que je pourrais transformer les pertes de ces hôtels en bénéfices, si votre banque acceptait de m'en donner l'opportunité. Ce que j'ai fait à Chicago, je sais que je pourrai l'appliquer au reste du groupe.

— Probablement, monsieur Rosnovski, mais je crains que ce ne soit pas avec l'argent de Kane & Cabot. Puis-je vous rappeler qu'il ne vous reste que quelques jours pour trouver un commanditaire ? Bonne journée, monsieur.

— Snob d'universitaire, lança Abel une fois la communication coupée. Je ne suis pas assez classe pour mériter ton argent, n'est-ce pas ? Un jour, espèce de salaud…

La prochaine entrée au programme d'Abel était l'assureur.

Henry Osborne, plutôt bel homme, grand, les yeux foncés et la tignasse brune qui grisonnait aux tempes, était sympathique et décontracté. Il n'avait pas grand-chose à ajouter à ce qu'avait dit le lieutenant O'Malley à Abel. La Great Western Casualty Insurance Company n'avait pas l'intention de payer la demande d'indemnités tant que la police demandait instamment que Desmond Pacey soit inculpé d'incendie volontaire et tant que l'on n'avait pas prouvé qu'Abel ne fût nullement impliqué. En dépit d'une franchise abrupte, Osborne se montra très compréhensif.

— Le groupe Richmond a-t-il assez d'argent pour reconstruire l'hôtel ? s'enquit-il.

— Pas un centime, répondit Abel. Le reste du groupe est endetté jusqu'au cou, et la banque me met la pression pour que je vende.

— Pourquoi vous ? demanda Osborne.

Abel expliqua comment il en était venu à détenir les actions du groupe sans posséder véritablement les établissements.

— La banque peut sûrement voir par elle-même que vous avez bien géré cet hôtel ? Chaque homme d'affaires à Chicago sait que vous avez été le premier directeur à faire faire un bénéfice à Davis

Leroy. Je comprends que les temps soient durs pour les institutions financières, mais elles devraient tout de même faire une exception de temps en temps, surtout lorsque c'est dans leur propre intérêt.

— Pas celle-ci.

— Continental Trust ? lança Osborne. J'ai toujours trouvé ce vieux Curtis Fenton un peu guindé, mais assez souple.

— Ce n'est plus la Continental. C'est désormais une équipe de Boston qui détient les hôtels. Kane & Cabot.

Henry Osborne blêmit et s'enfonça dans son fauteuil.

— Vous allez bien ? demanda Abel.

— Oui.

— Avez-vous eu affaire à Kane & Cabot dans le passé ?

— Cela restera entre nous ?

— Bien sûr.

— Oui, ma compagnie a été confrontée à elle une fois auparavant et nous avons fini par perdre le moindre centime.

— Comment cela ?

— Je ne peux pas entrer dans les détails. Une histoire très embrouillée. Disons juste que l'un des directeurs a tiré profit d'un contrat rédigé avec le plus grand soin.

— Lequel d'entre eux ? Avec qui avez-vous traité ?

— William Kane.

Osborne ne reprit pas ses couleurs.

— Faites attention. C'est le plus gros salaud qui soit. Je pourrais vous renseigner à son sujet, mais dans la plus stricte confidence, car c'est un homme qu'il vaut mieux ne pas croiser.

— J'en ai pourtant bien l'intention, répliqua Abel. Donc je vous recontacterai. J'ai un vieux compte à régler avec M. Kane.

— Bon, vous pouvez compter sur moi pour vous aider, comme je le peux, tant que cela concerne William Kane, dit Osborne en se levant derrière son bureau. Mais cela doit rester strictement entre nous. Et si la cour décrète que Desmond Pacey a mis le feu au Richmond, qu'il était le seul impliqué, la société vous indemnisera intégralement le même jour.

Il ouvrit la porte à Abel :

— Ensuite, nous pourrons probablement faire de nouvelles affaires avec vos autres hôtels.

— Peut-être, répondit Abel.

Il retourna au Stevens où il trouva un message qui l'attendait : un certain David Maxton se demandait s'il accepterait de déjeuner avec lui à treize heures.

— David Maxton, fit-il à voix haute, et le réceptionniste leva les yeux. Pourquoi ce nom me dit-il quelque chose ?

— Il possède cet hôtel, monsieur Rosnovski.

— Ah oui, bien sûr. Veuillez l'informer que je serais ravi de déjeuner avec lui. *(Abel consulta sa montre.)* Et pourriez-vous le prévenir que j'aurai quelques minutes de retard ?

— Certainement, monsieur.

Abel monta dans sa chambre et enfila une nouvelle chemise blanche, en se demandant ce que David Maxton pouvait bien lui vouloir.

La salle à manger était déjà noire de monde quand il entra. Le maître d'hôtel le conduisit vers une table privée dans une alcôve où le propriétaire du Stevens était assis tout seul. Il se leva pour saluer son invité.

— Abel Rosnovski, monsieur.

— Oui, je vous connais, dit Maxton. Ou plutôt, de réputation, pour être plus précis. Installez-vous, je vous prie.

Abel fut obligé d'admirer le Stevens. La nourriture et le service n'avaient rien à envier au Plaza. S'il devait diriger le meilleur établissement de Chicago, ce serait à celui-ci qu'il s'attaquerait.

Le maître d'hôtel réapparut avec les menus. Abel examina soigneusement le sien, refusa poliment une entrée et choisit le bœuf, le moyen le plus rapide de savoir si un restaurant traitait avec le bon boucher. David Maxton ne regarda pas sa carte, mais commanda simplement le saumon.

— Vous devez vous demander pourquoi je vous ai invité à déjeuner, monsieur Rosnovski, poursuivit Maxton.

— J'ai supposé, dit Abel en riant, que vous alliez me prier de reprendre le Stevens.

— Vous avez tout à fait raison, monsieur Rosnovski.

Abel en resta sans voix. Ce fut au tour de Maxton de s'esclaffer. Même l'arrivée du serveur, qui poussait un chariot de la meilleure viande, ne fit pas diversion. On aiguisa son couteau. Maxton pressa une rondelle de citron au-dessus de son saumon et poursuivit :

— Mon directeur est censé prendre sa retraite dans cinq mois, après vingt-deux ans de bons et loyaux services et le directeur adjoint partira lui aussi peu après, je cherche donc du sang neuf.

— Cet établissement m'a l'air plutôt propre, remarqua Abel.

— Cela ne veut pas dire qu'on ne peut pas l'améliorer, monsieur Rosnovski. Ne jamais se satisfaire de l'immobilisme, ajouta Maxton. J'ai soigneusement observé vos activités ces deux dernières années. Il a fallu que vous repreniez le Richmond pour qu'il puisse enfin être classé en hôtel. Avant, c'était plus un immense motel. En deux ou trois ans, il aurait fait de la concurrence au Stevens si un idiot ne l'avait pas incendié.

— Des pommes de terre, monsieur ?

Abel leva les yeux sur une jeune serveuse séduisante. Elle lui sourit.

— Non merci. Eh bien, je suis flatté, monsieur Maxton, tant par vos commentaires que par votre proposition.

— Je pense que vous seriez heureux ici, monsieur Rosnovski. Le Stevens est un hôtel bien tenu, et je serais prêt à vous embaucher à cinquante dollars par semaine, et deux pour cent des bénéfices. Et vous pourriez commencer dès que cela vous convient.

— Il me faut quelques jours pour y réfléchir, monsieur Maxton, dit Abel, bien que je doive vous avouer que je suis tenté. Mais j'ai encore quelques problèmes à régler au Richmond.

— Petits pois ou chou, monsieur ?

La même serveuse, le même sourire.

Ce visage lui était familier. Abel était sûr qu'il l'avait déjà vue quelque part. Peut-être avait-elle travaillé au Richmond autrefois.

— Du chou, s'il vous plaît.

Il la regarda s'en aller. Elle lui disait assurément quelque chose.

— Et si vous séjourniez quelques jours à l'hôtel, vous êtes mon invité, proposa Maxton, pour voir comment nous le gérons. Cela pourrait vous aider à prendre une décision.

— Ce ne sera pas nécessaire, monsieur Maxton. Après être resté un seul jour en tant que client, j'ai compris que cet hôtel était bien tenu. Mon problème, c'est que je possède le groupe Richmond.

La surprise envahit le visage de David Maxton.

— Je l'ignorais, fit-il. Je pensais que la fille du vieux Davis Leroy aurait hérité de son capital.

— C'est une longue histoire, dit Abel. *(Et il passa vingt minutes à expliquer à Maxton comment il était devenu le propriétaire des actions du groupe, et la situation dans laquelle il se trouvait désormais.)* Ce que je veux vraiment faire, c'est mettre moi-même la main sur les deux millions de dollars, et faire du groupe quelque chose qui en vaut la peine, afin de pouvoir donner du fil à retordre au Stevens.

— Je vois, dit Maxton tandis qu'un serveur enlevait son assiette vide.

Une serveuse arriva avec leur café. La même jeune femme. Le même visage familier. Cela commençait à déconcerter Abel.

— Et vous affirmez que Curtis Fenton de la Continental Trust cherche un acheteur pour vous ?

— Depuis presque un mois, oui, acquiesça Abel. En fait, je saurai plus tard dans l'après-midi si cela a porté ses fruits, mais je ne suis pas optimiste.

— Tout cela est très intéressant. Je n'avais aucune idée que le groupe Richmond recherchait un acquéreur. Voudrez-vous bien me tenir informé quoi qu'il en soit ?

— Certainement.

— Combien de temps la banque vous laisse-t-elle pour trouver les deux millions ?

— Seulement quelques jours, donc je ne devrais pas tarder à vous faire connaître ma décision.

— Merci, dit Maxton en se levant. Ça a été un plaisir de vous rencontrer, monsieur Rosnovski. Je suis sûr que j'apprécierai de travailler avec vous.

Il serra chaleureusement la main d'Abel.

La serveuse sourit de nouveau à Abel lorsqu'il la croisa en sortant de la salle à manger. Quand il arriva devant le maître d'hôtel, il s'arrêta et lui demanda comment elle s'appelait.

— Je suis désolé, monsieur, mais nous n'avons pas le droit de donner le nom de notre personnel à nos clients – cela va strictement à l'encontre de la politique de la société. Si vous avez une plainte, peut-être auriez-vous l'amabilité de me la transmettre, monsieur.

— Pas de plainte, dit Abel. Au contraire, un excellent déjeuner.

Avec une offre d'emploi à son actif, Abel se sentait plus confiant à la perspective d'affronter Curtis Fenton. Il était sûr et certain que le banquier n'aurait pas trouvé d'acquéreur, mais il se rendit néanmoins à la Continental Trust d'un pas alerte. Il aimait l'idée d'être le gérant du meilleur hôtel de Chicago. Peut-être pourrait-il le transformer en meilleur hôtel d'Amérique. Dès qu'il arriva à la banque, on le fit entrer dans le bureau de Curtis Fenton. Le banquier grand et mince – portait-il le même costume tous les jours ou en possédait-il trois identiques ? – lui proposa de s'asseoir, un large sourire traversant son visage habituellement solennel.

— Monsieur Rosnovski, quelle joie de vous revoir ! Si vous étiez venu ce matin, je n'aurais pas eu de nouvelles à vous annoncer. Mais il y a seulement quelques minutes, j'ai reçu un coup de fil d'une partie intéressée.

Le cœur d'Abel bondit de surprise et de plaisir.

— Pouvez-vous me dire qui c'est ?

— J'ai bien peur que non. La partie concernée m'a donné de strictes instructions pour qu'il garde l'anonymat, car la transaction serait un investissement privé qui entrerait en conflit potentiel avec sa propre entreprise.

— David Maxton, murmura Abel. Dieu le bénisse.

— Comme je l'ai précisé, monsieur Rosnovski, je ne suis pas en mesure…

— Tout à fait, tout à fait, le parodia Abel. D'après vous, combien de temps faudra-t-il avant que vous ne soyez en mesure de m'informer de la décision du monsieur, dans un sens ou dans l'autre ?

— J'aurai sûrement d'autres nouvelles pour vous d'ici lundi, répondit Fenton. Donc si par hasard vous passiez par là…

— « Si par hasard je passais par là ? » C'est de mon avenir dont vous parlez, tout de même !

— Et si nous prenions rendez-vous pour dix heures lundi matin ?

Abel sifflota *Stardust* en descendant Michigan Avenue pour rentrer au Stevens. Il prit l'ascenseur pour monter dans sa chambre, et appela William Kane afin de lui réclamer un délai jusqu'au lundi suivant, en lui expliquant qu'il avait peut-être trouvé un acquéreur. Kane accepta sans broncher.

« Tu gagnes d'une façon ou d'une autre, n'est-ce pas ? » fit Abel en reposant le combiné sur son support.

Il s'assit sur son lit, tambourina des doigts sur le marchepied, et se demanda comment il pourrait passer le temps jusqu'à lundi. Il descendit dans le hall de l'hôtel. Elle était encore là, la serveuse qui l'avait servi au déjeuner, à présent de service au Jardin Tropical pour le thé. La curiosité d'Abel l'emporta. Il alla s'installer à l'autre bout de la pièce.

— Bon après-midi, monsieur, dit-elle. Souhaiteriez-vous du thé ?

Le même sourire familier.

— Nous nous connaissons, n'est-ce pas ?

— Oui, Wladek.

Abel eut envie de rentrer sous terre en entendant ce nom et rougit légèrement, se souvenant que les cheveux courts et blonds étaient autrefois longs et frisés, et les lèvres si engageantes.

— Zaphia. Nous sommes arrivés en Amérique ensemble sur le *Black Arrow.* Bien sûr, tu es allée à Chicago. Que fais-tu ici ?

— Je travaille, comme tu peux le constater. Voudriez-vous du thé, monsieur ?

Son accent polonais lui réjouit le cœur.

— Dîne avec moi ce soir.

— Je ne peux pas, Wladek. Nous n'avons pas le droit de sortir avec les clients. Sinon nous perdons automatiquement notre emploi.

— Je ne suis pas un client, répliqua Abel, mais un vieil ami.

— Un vieil ami qui devait me rendre visite à Chicago dès qu'il serait installé à New York, riposta Zaphia. Et quand il est enfin venu, il ne se rappelait même pas que j'étais là.

— Je sais, je sais, pardonne-moi, Zaphia. S'il te plaît, dîne avec moi ce soir, juste cette fois.

— Juste cette fois, répéta-t-elle.

— Retrouve-moi chez Brundage's, à sept heures. Cela te conviendrait-il ?

Zaphia rougit en entendant le nom du restaurant. C'était le plus classe de la ville, et elle aurait totalement perdu pied là-bas en qualité de serveuse, et encore plus en tant que cliente.

— Non, allons dans un endroit moins majestueux, Wladek.

— Où ?

— Connais-tu le Sausage, à l'angle de la 43e ?

— Non, mais je trouverai. Sept heures.

— Sept heures, Wladek. Au fait, veux-tu du thé ?

— Non, je crois que je n'en prendrai pas.

Elle sourit et s'en alla. Elle était beaucoup plus belle que dans ses souvenirs. Peut-être que tuer le temps jusqu'à lundi ne serait pas si difficile, après tout.

Le Sausage fit ressurgir les plus mauvais souvenirs des premiers jours qu'Abel passa en Amérique. Il sirota une limonade au gingembre très froide en attendant Zaphia, et observa les serveuses travailler avec une désapprobation professionnelle. Il était incapable de savoir ce qui était pire : le service ou la nourriture.

Abel pivota sur lui-même et vit Zaphia, debout sur le pas de la porte, nerveuse et peu sûre d'elle. Elle portait une longue robe jaune qu'elle avait dû rallonger de quelques centimètres pour suivre la dernière mode, mais qui révélait tout de même une silhouette bien galbée. Elle passa les tables en revue pendant un moment, et ses joues rougirent quand elle comprit que les yeux de plusieurs hommes suggéraient qu'elle n'était pas une cliente, mais qu'elle cherchait un client.

Elle s'empressa de retrouver Abel.

— Bonsoir Wladek, dit-elle en polonais en s'asseyant à côté de lui.

— Je suis tellement content que tu aies pu venir, répondit Abel en anglais.

— Je suis désolée d'être en retard, fit-elle en anglais après une minute d'hésitation.

— Ce n'est pas grave. Veux-tu boire quelque chose, Zaphia ?

— Juste un Coca, s'il te plaît.

Tous deux se turent pendant un moment, puis se mirent à parler en même temps.

— J'avais oublié comme tu étais jolie… reprit-il.

— Comment as-tu… fit Zaphia.

Elle lui adressa un sourire timide. Il se surprit à avoir envie de la toucher. Il se rappela avoir éprouvé la même chose lors de leur première rencontre, plus de huit ans auparavant.

— Comment va George ? demanda-t-elle.

— Je ne l'ai pas vu depuis deux ans, avoua Abel, qui culpabilisait légèrement. Je travaillais dans un hôtel ici à Chicago et…

— Je sais. Quelqu'un l'a incendié.

— Pourquoi n'es-tu pas passée me dire bonjour ?

— Je ne pensais pas que tu te souviendrais, Wladek. Et j'avais raison.

— Comment m'as-tu reconnu ? J'ai pris tellement de poids.

— Le bracelet d'argent, répondit-elle simplement.

Abel baissa les yeux sur son poignet et rit.

— Il faut déjà que je le remercie pour des tas de choses et maintenant, je peux ajouter qu'il nous a réunis.

Elle évita son regard.

— Que fais-tu maintenant que tu n'as plus d'hôtel à diriger ?

— Je cherche un emploi, expliqua Abel qui ne voulait pas l'intimider avec l'éventualité qu'il puisse devenir son chef dans quelques semaines.

— Un gros poste se libère au Stevens. Mon copain me l'a dit.

— Ton copain, fit Abel, répétant ce terme importun.

— Oui, l'hôtel va bientôt embaucher un nouveau directeur adjoint. Et si tu postulais ? Je suis sûre que tu aurais de grandes chances de le décrocher, Wladek. J'ai toujours su que tu réussirais en Amérique.

— Peut-être. C'est gentil de ta part de m'avoir prévenu. Ton petit ami posera-t-il sa candidature ?

— Oh non, il est bien trop inexpérimenté. Il n'est que serveur débutant en salle.

Abel sourit.

— Et si on dînait ?

— Je ne suis pas habituée à manger dehors, admit Zaphia en contemplant le menu, impuissante.

Il se demanda si elle savait lire l'anglais, et commanda pour eux deux.

Elle dévorait tout ce que l'on déposait devant elle et n'arrêtait pas de dire merci, même lorsqu'un serveur renversa de la sauce au jus de viande sur sa robe. Abel trouva son enthousiasme sans réserve rafraîchissant après la sophistication lasse de Mélanie. Ils échangèrent des anecdotes sur ce qui leur était arrivé depuis leur venue en Amérique. Zaphia avait déniché un emploi de domestique avant de gravir les échelons pour devenir serveuse au Stevens, où elle travaillait depuis six ans. Abel continua à parler de ses propres expériences jusqu'à ce qu'elle finisse par jeter un œil à sa montre.

— Regarde l'heure, Wladek, il est plus de onze heures ! Et je suis de petit déjeuner demain à six heures pour le premier service.

Abel n'avait pas vu le temps passer. Il serait volontiers resté assis toute la nuit à discuter avec Zaphia, flatté par son admiration, qu'elle exprimait si naïvement.

— Pourrons-nous nous revoir, Zaphia ? s'enquit-il quand ils retournèrent au Stevens bras dessus bras dessous.

— Si tu veux, Wladek.

Ils s'arrêtèrent devant l'entrée des domestiques derrière l'hôtel.

— C'est ici que je vais devoir te laisser, dit-elle. Si jamais tu devenais directeur adjoint, Wladek, tu aurais le droit de passer par l'entrée principale.

— Est-ce que ça te dérangerait de m'appeler Abel ?

— Abel ? fit-elle, comme si elle essayait le nom comme un nouveau gant. Mais tu t'appelles Wladek !

— Plus maintenant. Je m'appelle Abel Rosnovski.

— Abel... répéta-t-elle, semblant hésiter. Je ne me souviens plus si c'est Abel qui a tué Caïn ou Caïn qui a tué Abel.

Abel se le rappelait très bien.

— Merci pour le dîner. Ce fut un plaisir de te revoir. Bonne nuit... Abel.

— Bonne nuit, Zaphia, dit-il, et elle était partie.

Il fit lentement le tour du pâté de maisons et pénétra dans l'hôtel par l'entrée principale.

Il pensa à Zaphia tout le week-end, et aux souvenirs associés à elle – la puanteur de l'entrepont, les files d'attente d'immigrés désorientés sur Ellis Island et surtout, leur rencontre brève mais passionnée dans le canot de sauvetage. Il se mit à prendre tous ses repas dans la salle à manger, pour rester près d'elle tout en gardant un œil sur son petit copain, qui, conclut-il, devait être le jeune boutonneux. Il croyait qu'il avait des boutons. Il espérait qu'il avait des boutons. Oui, il avait bien des boutons. Il était aussi, Abel dut le reconnaître, le plus beau de tous les serveurs, avec ou sans boutons.

Abel redemanda à Zaphia de sortir avec lui samedi soir, mais elle était de service. Cependant, il réussit à l'accompagner à l'église dimanche matin, et écouta avec un mélange de nostalgie et d'agacement le prêtre polonais entonner les élocutions inoubliables de la messe et faire un sermon sur la chasteté. C'était la première fois qu'Abel se rendait dans une église depuis le château. À cette époque, il n'avait pas encore connu la cruauté qui, aujourd'hui, l'empêchait totalement de croire en une déité bienveillante. Sa récompense pour être allé à l'église fut lorsque Zaphia l'autorisa à lui donner la main quand ils retournèrent à l'hôtel.

— As-tu réfléchi au poste au Stevens ? demanda-t-elle.

— J'ai un rendez-vous demain qui décidera des événements.

— Oh, comme je suis contente, Abel ! Je suis sûre que tu ferais un très bon directeur adjoint.

— Merci, répondit Abel, en comprenant qu'ils parlaient de sujets différents.

— Ça te dirait de dîner avec mes cousins et moi ce soir ? proposa Zaphia. Je passe toujours le dimanche soir avec eux.

— Oui, j'aimerais beaucoup.

Les cousins de Zaphia vivaient au cœur de la communauté polonaise. Ils furent très impressionnés quand elle arriva accompagnée d'un ami au volant d'une Buick toute neuve. La famille, comme la jeune femme l'appelait, était composée de deux sœurs, Katya et Janina, et de Janek, le mari de Katya. Abel offrit un bouquet de roses aux filles et répondit à toutes leurs questions sur son avenir dans un polonais courant. Zaphia était manifestement gênée, mais Abel savait que l'on attendrait la même chose de n'importe quel garçon qui rendrait visite à un ménage américano-polonais pour la première fois. Conscient de la jalousie qu'il détectait dans les yeux de Janek, il fit un effort pour minimiser son ascension depuis ses débuts à l'abattoir. Katya servit un repas polonais simple à base de *pierogi* et de *bigos*, qu'Abel aurait avalé avec un plus grand plaisir il y a quinze ans. Il ignora Janek et se concentra sur les sœurs. Peut-être le boutonneux leur plaisait-il davantage.

En rentrant au Stevens, Zaphia demanda avec un brin de coquetterie si c'était bien prudent de conduire une voiture et de tenir la main d'une dame en même temps. Abel rit et reposa la main sur le volant.

— Auras-tu le temps de me voir demain ? s'enquit-il.

— Je l'espère, Abel, répondit-elle. Peut-être que d'ici là tu seras mon chef.

Il sourit intérieurement en l'observant passer la porte du fond, curieux de savoir comment elle réagirait si elle connaissait les véritables conséquences du rendez-vous du lendemain. Il ne bougea pas tant qu'elle n'eut pas disparu par l'entrée de service.

— Directeur adjoint, songea-t-il en riant.

Il se mit au lit et jeta son oreiller par terre.

Abel se réveilla peu avant cinq heures le lendemain matin. Il faisait encore nuit dehors, lorsqu'il demanda une première édition du *Tribune*. Machinalement, il lut les pages financières avant de s'habiller et entra dans la salle du petit déjeuner quand elle ouvrit à sept heures. Zaphia n'était pas de service ce matin, mais le petit copain boutonneux, si, ce qu'Abel prit pour un mauvais présage. Après le repas, il retourna dans sa chambre, où il fit les cent pas en attendant que les minutes passent. Il vérifia sa cravate dans le miroir pour la vingtième fois, et consulta de nouveau sa montre. Il estima que s'il marchait très lentement, il arriverait à la banque au moment de l'ouverture des portes. En fait, il avait cinq minutes d'avance et dut faire une fois le tour du quartier, regarder vainement les vitrines de bijoux, radios et costumes sur mesure hors de prix. Pourrait-il un jour s'offrir un costume taillé sur mesure ? se demanda-t-il. Il revint à la banque à dix heures quatre.

— M. Fenton est en train de prendre un appel interurbain, expliqua la secrétaire à Abel. Pourriez-vous repasser dans une demi-heure ou préférez-vous attendre ?

— Je repasserai, répondit Abel, qui ne souhaitait pas avoir l'air trop inquiet.

Ce furent les trente minutes les plus longues de sa vie depuis qu'il était monté dans le train pour Moscou. Il examina chaque vitrine des boutiques sur LaSalle Street, même les vêtements de femme, ce qui ne servit qu'à lui faire penser à Zaphia.

Lorsqu'il retourna à la Continental Trust, la secrétaire s'empressa de le faire entrer dans le bureau de M. Fenton. Il ne voulait pas serrer la main du directeur parce que la sienne était moite.

— Bonjour, monsieur Rosnovski. Asseyez-vous, je vous prie.

Curtis Fenton sortit un dossier d'un tiroir. Abel put lire « Confidentiel » sur la couverture.

— J'espère, commença M. Fenton que les nouvelles que je vais vous annoncer vous conviendront. Le principal intéressé a l'intention de mener le projet d'achat des hôtels à bien.

— Je n'y crois pas, fit Abel.

— Vous n'avez pas encore entendu les conditions. *(Fenton le regarda et sourit.)* Mais je pense que vous les approuverez. Le principal avancera les deux millions de dollars requis pour effacer la dette de M. Leroy, et en même temps, constituera une nouvelle société dans laquelle les actions seront partagées : soixante pour cent pour lui, et quarante pour cent pour vous. Vos quarante pour cent sont, de ce fait, évalués à huit cent mille dollars, que la nouvelle société considérera comme un prêt, qui sera souscrit pour une période qui ne devra pas dépasser dix ans, à quatre pour cent d'intérêt, qui pourra être remboursé sur les bénéfices de la société. En d'autres termes, si celle-ci enregistre un gain de cent mille dollars sur une année donnée, quarante mille dollars de ce bénéfice seront déduits de votre dette de huit cent mille dollars, plus l'intérêt de quatre pour cent. Si vous vous acquittez de l'emprunt en moins de dix ans, vous vous verrez proposer une option unique d'acheter les soixante pour cent restant de la société pour trois millions de dollars supplémentaires. Cela offrirait un excellent retour sur investissement à mon client et, à vous, la chance de posséder entièrement le groupe Richmond.

Abel avait envie de bondir de sa chaise, mais ne bougea pas et laissa M. Fenton poursuivre.

— En plus de cela, vous recevrez un salaire de cinq mille dollars par an, et votre statut de président du groupe vous octroiera un contrôle quotidien complet de la société. On vous demandera de vous en remettre à moi uniquement pour des sujets financiers. On m'a confié la tâche de m'en référer directement à votre principal, lequel m'a prié de représenter ses intérêts au conseil d'administration du nouveau groupe Richmond. Je m'y conformerai volontiers à condition que cela vous convienne. Mon client souhaite insister sur le fait qu'il ne tient pas à être impliqué personnellement. Comme je l'ai expliqué, un conflit d'intérêts pourrait survenir si ses collègues devaient apprendre son engagement, ce que vous comprendrez sans aucun doute. Il insiste également pour que vous ne tentiez à aucun moment de découvrir son identité. Il vous donnera quatorze jours pour réfléchir à ses modalités, qui ne sont pas négociables, car il estime – et je dois reconnaître que je suis d'accord avec lui – qu'elles sont justes.

Abel fut incapable de parler.

— Je vous en prie, dites quelque chose, monsieur Rosnovski.

— Il ne me faudra pas quatorze jours pour prendre une décision, réussit enfin à articuler Abel. J'accepte les modalités de votre client sans discuter. Veuillez le remercier et l'assurer que je respecterai naturellement son besoin d'anonymat, et que je suis ravi que vous le représentiez au conseil.

— C'est magnifique ! s'exclama Fenton, qui s'autorisa un rare sourire. Maintenant, quelques points mineurs. Les comptes bancaires de tous les établissements du groupe seront hébergés par les filiales de la Continental Trust, et le compte principal restera dans ce bureau sous mon contrôle direct. Je recevrai mille dollars par an en tant que directeur de la nouvelle société.

— Je me réjouis que vous tiriez quelque chose de ce marché, lança Abel, rayonnant.

— Pardon ?

— Je me réjouis de travailler avec vous, monsieur Fenton.

— Votre principal a également déposé deux cent cinquante mille dollars à la banque, qui serviront pour les dépenses quotidiennes des hôtels au cours des prochains mois. Ce sera aussi considéré comme un emprunt à quatre pour cent. Vous devez m'informer si ce montant s'avère insuffisant. Toutefois, je crois que mon client n'aurait qu'une opinion de vous encore meilleure si les deux cent cinquante mille dollars vous suffisaient.

— C'est plus que suffisant, acquiesça Abel.

— Excellent, déclara Fenton en ouvrant un tiroir de son bureau d'où il sortit un gros cigare cubain. Fumez-vous ?

— Oui, répondit Abel qui ne s'était jamais essayé au cigare de sa vie.

Il toussa comme un forcené en redescendant LaSalle Street jusqu'au Stevens. David Maxton se tenait dans l'entrée, possessif, quand il arriva. Abel éteignit son cigare à moitié fini avec soulagement et s'approcha de lui.

— Monsieur Rosnovski, vous m'avez l'air d'un homme heureux ce matin.

— Oui, monsieur, et j'ai simplement le regret de vous annoncer que je ne travaillerai pas pour vous en tant que gérant de cet hôtel.

— Je suis désolé de l'apprendre, monsieur Rosnovski, mais franchement, cette nouvelle ne m'étonne pas.

— Merci pour tout, dit Abel, en administrant le maximum de conviction dans ses paroles et dans la poignée de main qui les accompagnait.

Il alla chercher Zaphia dans la salle à manger, mais elle n'avait pas encore commencé son service. Il prit l'ascenseur jusque dans sa chambre, ralluma son cigare, tira une bouffée prudente et attendit un moment avant d'appeler Kane & Cabot. Une secrétaire lui passa William Kane.

— Monsieur Kane, j'ai trouvé le moyen de réunir l'argent nécessaire pour reprendre le groupe Richmond. Un certain M. Curtis Fenton de la Continental Trust vous contactera plus tard dans la journée pour vous donner toutes les informations. Il sera donc inutile de mettre les hôtels en vente libre.

S'ensuivit une courte pause, durant laquelle Abel songea avec satisfaction que cette nouvelle devait exaspérer William Kane.

— Merci de m'en informer, monsieur Rosnovski. Permettez-moi de vous dire que je suis ravi que vous ayez trouvé quelqu'un pour vous financer. Je vous souhaite beaucoup de succès pour le futur.

— Je ne vous en souhaite pas autant, monsieur Kane.

Abel raccrocha, s'allongea sur son lit et réfléchit à son avenir.

« Un jour, promit-il au plafond, je te donnerai envie de sauter du dix-septième étage d'une chambre d'hôtel. »

Il décrocha de nouveau le téléphone, et demanda à la standardiste de lui passer M. Henry Osborne à la Great Western Casualty.

# 31

L'attitude belligérante de Rosnovski amusait plus William qu'elle ne l'ennuyait. Il regrettait de ne pas avoir réussi à persuader la banque de soutenir le Polonais orgueilleux, qui demeurait tellement convaincu qu'il pourrait remettre le groupe Richmond sur pied. Il remplit ses autres responsabilités en informant le comité financier qu'Abel Rosnovski avait trouvé un commanditaire et préparait les documents légaux pour le rachat des hôtels, avant de fermer le dossier sur le groupe Richmond.

Quelques jours plus tard, Matthew Lester arriva à Boston pour occuper le poste de directeur du portefeuille d'investissement de la banque. Son père ne lui avait pas caché qu'il estimait que toute expérience gagnée dans un établissement concurrent constituerait une partie précieuse de la préparation à long terme de Matthew pour devenir président de Lester's. La charge de travail de William fut instantanément divisée par deux lorsque son ami le rejoignit, bien qu'il eût de moins en moins de temps. Il se retrouva traîné de force, feignant l'horreur, sur des courts de tennis et dans des piscines à chaque moment libre ; seule la proposition de Matthew d'une virée au ski dans le Vermont provoqua un « Non » déterminé de la part de William, mais le regain d'activité servit au moins à le distraire de son impatience de revoir Kate.

Matthew était franchement incrédule.

— Il faut absolument que je rencontre la femme qui fait rêvasser William Kane à une réunion du conseil où l'on tâche de savoir si la banque devrait acheter plus d'or.

— Attends de la voir, Matthew. Je suis sûr que tu reconnaîtras que c'est de l'or pur.

— Je te crois. Je veux juste ne pas être celui qui l'annoncera à ma sœur. Elle se figure encore que tu l'attends.

William rit. Il avait complètement oublié Susan Lester.

Le petit tas de lettres de Kate, qui grossissait chaque semaine, reposait dans un tiroir fermé du bureau de William dans la Maison rouge. Il les relut inlassablement, jusqu'à ce qu'il les connaisse presque par cœur. Enfin, celle qu'il espérait arriva, convenablement datée.

*Buckhurst Park,*
*14 février 1930*

*Très cher William,*

*J'ai enfin fini mes cartons, vendu la maison, et me suis débarrassée de tout ce qui restait ici, et je devrais arriver à Boston le 19. Je suis presque effrayée à l'idée de te revoir. Et si tout cet enchantement merveilleux éclatait comme une bulle dans l'hiver froid de la côte Est ? Mon Dieu, je n'espère pas. Je ne suis pas sûre que j'aurais pu traverser tous ces mois de solitude sans ton soutien.*
*Je suis impatiente de te revoir.*

*Affectueusement,*
*Kate*

La veille de son arrivée, William se promit de ne pas l'inciter à quoi que ce soit qu'ils puissent regretter par la suite. Comme il le confia à Matthew, il était impossible d'estimer dans quelle mesure l'étendue de ses sentiments pour lui n'était pas due à une vulnérabilité émotionnelle liée à la mort de son mari.
— Je n'ai jamais entendu pareilles foutaises, déclara Matthew. Vous vous aimez, point final.

⁂

À la minute où William aperçut Kate descendre du train de Miami et vit le sourire contagieux illuminer son visage, il abandonna ses promesses de prudence. Il se fraya un chemin à travers la foule de voyageurs et la prit dans ses bras.
— Bienvenue chez toi, Kate.

Il allait l'embrasser quand, à sa grande surprise, elle recula.

— William, je ne crois pas que tu aies rencontré mes parents.

Ce soir-là, William dîna avec la famille Higginson, et découvrit comme Kate serait belle une fois qu'elle serait une vieille dame. Ils profitèrent du moindre moment ensemble, dès qu'il pouvait s'échapper de la banque et esquiver la raquette de tennis de Matthew. Lorsque ce dernier fit sa connaissance, il offrit à William toutes ses valeurs aurifères en échange d'une seule Kate.

— Je ne brade jamais rien, répondit William. Et contrairement à toi, Matthew, la quantité ne m'a jamais intéressé, juste la qualité.

— Alors, j'insiste pour que tu me dises, demanda Matthew, où je pourrais trouver une denrée aussi rare ?

— Dans le service liquidation.

— Transforme-la en actif personnel, William, et vite, sinon tu peux être sûr que quelqu'un d'autre s'en chargera.

Abel éteignit le Corona pour la deuxième fois, jurant qu'il n'en allumerait pas d'autre tant qu'il ne se serait pas acquitté des deux millions de dollars nécessaires pour disposer d'un contrôle total du groupe Richmond. Ce n'était pas le moment de fumer des cigares cubains pendant que l'indice du Dow Jones atteignait son point le plus bas de toute l'histoire et que de longues files d'attente pour de la soupe se formaient dans chaque ville d'Amérique. Il contempla le plafond et réfléchit à ses priorités. D'abord, il devrait sauver les meilleurs éléments du Richmond de Chicago.

Il sauta du lit, enfila sa veste, et se rendit jusqu'à l'annexe du Richmond où la plupart des sans-emploi depuis l'incendie vivaient encore. Abel offrit un travail dans l'un des dix autres hôtels à tous ceux en qui il avait confiance et qui étaient prêts à quitter Chicago. Il leur expliqua bien qu'en ces temps difficiles, leurs emplois n'étaient assurés qu'à condition que le groupe commence à enregistrer un bénéfice. Il savait que tous les autres établissements étaient dirigés aussi malhonnêtement que l'ancien Richmond de Chicago l'avait été. Cela changerait, leur promit-il, et vite. Il confia à ses trois ex-directeurs adjoints la gestion du Richmond de Dallas, de Miami et de St. Louis. Et nomma de nouveaux directeurs adjoints pour les sept hôtels restants – à Houston, Mobile, Charleston, Atlanta, Memphis, La Nouvelle-Orléans et Louisville.

Abel établit son siège social dans l'annexe du Richmond de Chicago, et décida d'ouvrir un petit restaurant au rez-de-chaussée. Il était logique d'être installé près de son commanditaire et de son banquier plutôt que d'élire domicile dans l'un des hôtels du Sud. Et, tout aussi important, Zaphia se trouvait à Chicago, et Abel commençait à être sûr qu'avec du temps, il parviendrait à remplacer le jeune boutonneux.

Quand il fut prêt de se rendre à New York pour recruter du personnel, Zaphia l'assura qu'elle ne s'intéressait plus au jeune boutonneux. La veille de son départ, ils firent l'amour pour la deuxième fois. Après leur première expérience dans le canot de sauvetage, ses attentions et son doux savoir-faire la surprirent.

— Combien de filles y a-t-il eu depuis le *Black Arrow* ? le taquina-t-elle.

— Aucune qui n'ait vraiment compté pour moi.

— Suffisamment pour que tu *m'*aies oubliée.

— Je ne t'ai jamais oubliée, mentit-il.

Il se pencha et l'embrassa de nouveau, comme pour mettre un terme à cette conversation.

La perte nette de Kane & Cabot en 1929 s'éleva à plus de sept millions de dollars, rien d'anormal pour une banque de cette taille. De nombreux établissements plus petits avaient fait faillite, et William dut conduire une opération de maintien soutenue qui le mettait sous pression constante.

Lorsque Franklin Roosevelt fut élu président des États-Unis pour son programme d'aides sociales, de reprise et de réforme, William craignit que le New Deal ait peu à proposer à Kane & Cabot. Les affaires reprirent lentement, et William se retrouva à nourrir des projets d'expansion provisoires.

Entre-temps, Tony Simmons accomplit plusieurs rachats à succès à Londres, et réalisa un meilleur bénéfice que prévu pour Kane & Cabot au cours de ses deux premières années. Ses exploits semblaient d'autant plus impressionnants comparés à ceux de William, qui avait tout juste réussi à rentrer dans ses fonds pendant la crise.

À l'automne, Alan Lloyd rappela Simmons à Boston pour lui remettre un rapport complet sur les activités de la banque à Londres. Lors de cette réunion, Simmons fut en mesure d'annoncer que les chiffres annuels pour le bureau de Londres afficheraient un profit de plus d'un million de dollars pour la première fois. Il les informa également qu'il avait l'intention de se présenter à la présidence une fois qu'Alan Lloyd partirait à la retraite. Cela prit William complètement au dépourvu, car il avait écarté les chances de Simmons lorsque celui-ci avait disparu de l'autre côté de l'Atlantique, en disgrâce. Il semblait inexplicable que ces soupçons aient été chassés, non pas grâce à l'acuité de Simmons, mais simplement parce que l'économie britannique avait été moins paralysée que celle de l'Amérique. La soudaineté du retour en grâce de Tony Simmons laissa peu de temps à William pour convaincre le comité de direction de le soutenir avant que l'on ne puisse plus arrêter l'élan de son adversaire pour accéder à la présidence.

Kate écouta les problèmes de William avec compassion, offrit souvent une suggestion judicieuse, et le réprimanda de temps en temps d'être trop pessimiste. Matthew, qui était les yeux et les oreilles de William, l'informa que le comité était divisé entre ceux qui estimaient William trop jeune pour occuper un poste avec de telles responsabilités, et ceux qui imputaient à Simmons l'étendue des pertes de la banque en 1929. Apparemment, la plupart des membres consultants du conseil étaient plus influencés par la différence d'âge entre les deux prétendants que par n'importe quel autre facteur. Encore et encore, Matthew entendit : « L'heure de William viendra bientôt. » Une fois, en hésitant, il joua le rôle de l'avocat du diable.

— Avec ton portefeuille à la banque, William, tu pourrais nommer trois autres membres du conseil et te faire tranquillement élire.

William rejeta cette idée, qu'il estimait sans grand intérêt. Il voulait devenir président uniquement au mérite. C'était ainsi, après tout, que son père avait obtenu ce poste et il savait que Kate n'en attendrait pas moins de lui.

En janvier 1932, Alan Lloyd annonça qu'une réunion aurait lieu le jour de son soixante-cinquième anniversaire. Son seul but, les informa-t-il, était d'élire son successeur. Alors que la réunion cruciale se rapprochait, Matthew se retrouva en train de porter le département investissements à bout de bras, tandis que William se consacrait à sa campagne pour devenir président.

Lorsque Abel arriva à New York, la première chose qu'il fit fut de chercher George Novak. Il découvrit sans surprise qu'il ne travaillait pas et vivait dans une mansarde sur la 3e Rue Est. Abel avait oublié à quoi ressemblaient les maisons de ce quartier, dont certaines étaient partagées par vingt familles. L'odeur de nourriture rassise imprégnait chaque pièce, la chasse d'eau des toilettes ne fonctionnait pas, et trois personnes différentes minimum se relayaient pour dormir dans le même lit toutes les vingt-quatre heures. La boulangerie avait fermé et l'oncle de George travaillait désormais dans une grande usine en périphérie de New York, laquelle ne pouvait pas aussi embaucher George. Quand Abel lui proposa un emploi, George n'hésita pas à rejoindre son vieil ami dans le groupe Richmond – à n'importe quel titre.

Abel recruta plusieurs autres Polonais qui, l'assura George, se donneraient sans compter, et en dépit de leurs problèmes personnels, se montraient d'une honnêteté sans faille, parmi lesquels un chef pâtissier, un réceptionniste et un maître d'hôtel. La plupart des hôtels sur la côte Est avaient réduit leur personnel au strict minimum, ce qui lui avait permis de choisir des personnes d'expérience, dont trois avaient collaboré avec lui au Plaza.

La semaine suivante, Abel et George entreprirent de faire la tournée de tous ceux du groupe. Abel demanda à Zaphia de se joindre à eux, lui offrit même l'opportunité de travailler dans un établissement de son choix, mais elle refusa de quitter Chicago, la seule ville d'Amérique où elle se sentait chez elle. En guise de compromis, elle emménageait dans l'appartement d'Abel, dans l'annexe du Richmond, chaque fois qu'il venait à Chicago. George, qui avait acquis un sens moral bourgeois en même temps que sa citoyenneté américaine, vanta les avantages du mariage auprès d'Abel, bien que lui-même ne semblât pas tenir compte de ce conseil.

Abel ne fut pas étonné que les autres établissements du groupe soient encore dirigés sans compétence et, dans la plupart des cas, avec malhonnêteté, mais la grande majorité des employés, de peur de perdre leur emploi dans un contexte de chômage massif, l'accueillit comme le sauveur potentiel des fortunes du groupe. Il n'estima pas nécessaire de licencier du personnel en grand comme il l'avait fait en arrivant à Chicago. Dans certains cas, Abel découvrit que déplacer du personnel d'un hôtel à un autre permettait tout simplement de redresser la situation. La plupart de ceux qui connaissaient sa réputation et craignaient les représailles étaient déjà partis. Mais des têtes devaient encore tomber, et elles restaient invariablement vissées aux cous des employés qui avaient travaillé pour le groupe depuis des années et qui ne pouvaient pas, ou ne voulaient pas, changer leurs habitudes uniquement parce que Davis Leroy n'était plus le patron.

Les dix-sept membres du conseil étaient tous présents pour fêter le soixante-cinquième anniversaire d'Alan Lloyd. Le président commença la réunion par un discours d'adieu qui ne dura que quatorze minutes, mais dont William craignit qu'il ne s'arrête jamais. Tony Simmons tapotait nerveusement un bloc-notes jaune avec son stylo, jetant de temps en temps des coups d'œil à William. Aucun des deux n'écoutait ce qu'Alan Lloyd disait. Enfin, Alan se rassit sous de bruyants applaudissements – aussi bruyants qu'il convient pour seize banquiers de Boston. Quand les acclamations se turent, Alan se leva pour la dernière fois en tant que président de Kane & Cabot.

— Et maintenant, messieurs, nous devons désigner mon successeur. Le conseil présente deux candidats exceptionnels : le président de notre division étrangère, M. Tony Simmons, et le directeur du département d'investissement américain, M. William Kane. Vous les connaissez tous les deux très bien, messieurs, et je n'ai pas l'intention de m'attarder sur leurs mérites respectifs. J'inviterais plutôt chacun à adresser au conseil ses projets pour l'avenir de Kane & Cabot, s'il devait être élu président.

William se leva le premier, comme cela avait été décidé la veille à pile ou face. Il parla pendant vingt minutes, expliqua en détail qu'il comptait élargir la base de la banque en visitant des domaines que Kane & Cabot n'avait pas encore explorés. Il aspirait également à forger des liens plus forts avec New York, et mentionna l'opportunité d'ouvrir une société en holding spécialisée dans la banque commerciale. Des membres du conseil plus âgés secouèrent la tête, sans faire mine de dissimuler leur désapprobation. Il conclut en déclarant qu'il souhaitait que la banque s'agrandisse et défie la nouvelle génération de financiers qui dirigeaient désormais l'Amérique. Il espérait que Kane & Cabot entrerait dans la deuxième moitié du XXe siècle comme l'une des plus grosses institutions financières du pays. Lorsqu'il se rassit, les murmures d'approbation le galvanisèrent et il se cala dans son siège pour écouter le discours de son rival.

Quand Tony Simmons se leva, il adopta une ligne de conduite bien plus conservatrice et insista sur son âge et son expérience, ce que William considéra comme son atout. La banque devrait consolider sa position pour les prochaines années, affirma-t-il, ne devrait s'adonner qu'à des investissements soigneusement sélectionnés, et se conformer aux modes traditionnels d'opérations bancaires qui avaient donné à l'établissement la réputation dont il jouissait actuellement. Il avait tiré sa leçon du krach de 1929 et son souci principal, ajouta-t-il, provoquant l'hilarité, était de s'assurer que Kane & Cabot entrerait dans la seconde moitié du XXe siècle. Lorsque Simmons se rassit, William n'avait aucun moyen de savoir en faveur de quel candidat le conseil ferait pencher la balance, bien qu'il crût que la majorité soit plus encline à opter pour l'expansion que pour l'immobilisme.

Alan Lloyd informa les directeurs que ni lui ni les deux candidats ne voteraient. On distribua des bulletins de vote aux quatorze autres membres qui les remplirent obligeamment avant de les rendre à Alan. Celui-ci les compta lentement. William se surprit à ne pas pouvoir lever les yeux de son bloc-notes tout gribouillé, qui portait aussi l'empreinte moite de sa main. Lorsque Alan eut fini, le silence envahit la salle de conférences.

Il annonça six voix pour Kane et six pour Simmons, avec deux abstentions. Un brouhaha gagna l'assemblée qu'Alan rappela à l'ordre. William respira profondément dans le calme qui s'ensuivit, ignorant ce que le président allait faire.

Alan Lloyd marqua une pause avant de déclarer :

— Je pense que la meilleure des choses à faire, étant donné les circonstances, est de voter une seconde fois. Si l'un des membres qui s'est abstenu au premier tour pouvait désormais soutenir un candidat, cela permettrait de donner une majorité absolue à l'un d'eux.

On distribua de nouveau les petits bulletins de vote. William ne put supporter de même regarder, bien qu'il fût obligé d'entendre les stylos à la plume en fer griffonner leur décision. De nouveau, les bulletins furent remis à Alan Lloyd. Une fois de plus, il les ouvrit lentement un par un, mais cette fois, il annonça les résultats :

— William Kane, Tony Simmons. Tony Simmons, Tony Simmons.

Trois voix pour Simmons.

— William Kane, William Kane. Tony Simmons, William Kane, William Kane, William Kane.

Six en faveur de William.

— Tony Simmons, Tony Simmons, William Kane.

Sept voix contre six en faveur de William. William trouvait qu'Alan mettait une éternité pour décacheter le dernier bulletin.

— Tony Simmons. Sept voix chacun, messieurs.

Bien qu'Alan n'ait jamais confié à personne quel candidat il souhaitait voir prendre la présidence, tout le monde dans la salle savait que sa voix serait prépondérante.

— Les votes ayant abouti à une impasse à deux reprises, et supposant qu'aucun membre ne changera d'avis, je dois voter pour celui que j'estime le plus qualifié pour me succéder en tant que président de Kane & Cabot. Ce candidat est Tony Simmons.

William ne parvenait pas à croire ce qu'il entendait, et Simmons eut presque l'air choqué. Il se leva de son siège sous une salve d'applaudissements, changea de place avec Alan Lloyd en bout de table, et s'adressa au conseil d'administration de Kane & Cabot pour la première fois en qualité de président de la banque. Il remercia le conseil de son soutien, et loua William de ne pas avoir profité de son puissant actionnariat et de l'histoire de sa famille dans la banque pour tâcher d'influencer le vote. Il l'invita à devenir vice-président, et suggéra que Matthew Lester remplace Alan Lloyd au conseil d'administration ; les deux propositions reçurent un accueil unanime.

La seule pensée de William fut que s'il avait insisté pour que Matthew Lester soit nommé au conseil quand il avait intégré l'établissement, il serait désormais président.

À la fin de la première année d'Abel en tant que président, le groupe Richmond tournait avec seulement la moitié de ses effectifs de 1929, mais affichait toujours une perte légèrement supérieure à cent mille dollars. Peu d'employés partirent d'eux-mêmes, et pas uniquement parce qu'ils craignaient de ne jamais trouver d'autre emploi, mais parce qu'ils avaient désormais foi en l'avenir du groupe Richmond.

Abel se fixa comme objectif de rentrer dans ses fonds en 1932. Il croyait que le seul moyen d'y parvenir était de laisser chaque directeur du groupe prendre la responsabilité de son propre hôtel et de leur offrir une participation aux bénéfices, comme Davis Leroy l'avait fait quand Abel était arrivé au Richmond de Chicago.

Pendant plusieurs mois, il passa son temps à voyager d'hôtel en hôtel, sans jamais séjourner dans l'un d'entre eux plus de quelques jours. Il n'autorisa personne, à part son loyal George, ses yeux et ses oreilles de substitution à Chicago, à savoir quel serait le prochain dans lequel il risquait de débarquer. Il cassait sa routine exténuante en partageant de temps en temps une nuit avec Zaphia, ou en rendant visite à Curtis Fenton à la banque.

Après une estimation complète de la situation financière du groupe, Abel dut prendre des décisions plus désagréables. La plus draconienne consistait à fermer les hôtels à Mobile et Charleston, qui perdaient tant d'argent qu'il craignait qu'ils n'épuisent les finances du reste du groupe de façon insurmontable. Le personnel des autres établissements regarda le couperet tomber et travailla encore plus dur. Chaque fois qu'il retournait dans son petit bureau de Chicago, une série de notes de service l'attendait, exigeant son attention immédiate – tuyaux explosés dans les toilettes, cafards dans les chambres, crises de nerfs en cuisine, et l'inévitable client insatisfait qui le menaçait de poursuites.

Henry Osborne fit son retour dans la vie d'Abel avec un chèque bienvenu de sept cent cinquante mille dollars de la Great Western Casualty Insurance, une fois qu'ils eurent établi qu'aucun indice ne l'impliquait dans l'incendie du Richmond de Chicago. Les preuves du lieutenant O'Malley s'étaient avérées décisives, d'autant plus qu'il répéterait volontiers ses conclusions devant le tribunal, ajouta-t-il. Abel se rendit compte qu'il devait plus qu'un milk-shake à l'inspecteur, et fut ravi de s'entendre avec la Great Western sur ce qu'il estimait un prix juste. Henry Osborne, en revanche, lui suggéra d'exiger une plus grosse somme et de partager avec lui un pourcentage de la différence. Abel refusa, et perdit tout respect qu'il eût éprouvé pour Osborne. S'il était prêt à se montrer déloyal envers sa propre société, il n'aurait sûrement aucun scrupule à œuvrer dans le dos d'Abel quand bon lui semblerait.

Au printemps 1932, Abel fut étonné de recevoir une lettre de Mélanie Leroy, plus cordiale qu'elle-même ne l'avait jamais été. Il fut flatté, voire excité, et l'appela pour prendre rendez-vous pour dîner au Stevens, un choix qu'il regretta à la minute où ils entrèrent dans la salle à manger et qu'il constata que Zaphia était de service, l'air las alors qu'elle était sur le point de finir son service. Mélanie, quant à elle, était éblouissante dans une robe orange qui révélait clairement comment son corps serait si on le déshabillait. Il aurait dû l'inviter dans un autre restaurant. Pourquoi avait-il choisi le Stevens ? Comment pouvait-il se montrer aussi adroit en affaires, et aussi gauche dans sa vie personnelle ?

— C'est merveilleux de constater que vous allez si bien, Abel, dit Mélanie en s'asseyant. Bien sûr, tout le monde sait que vous vous en sortez parfaitement avec le groupe Richmond.

— Le groupe Baron, la reprit Abel.

Elle rougit légèrement.

— Je ne m'étais pas aperçue que vous aviez changé le nom.

— Oui, très récemment, mentit-il.

Il venait en fait de décider à l'instant que chaque établissement serait à l'avenir connu sous le nom d'hôtel Baron. Il se demanda pourquoi il n'y avait pas pensé plus tôt.

— Un nom approprié, observa Mélanie en souriant.

Abel était conscient que Zaphia les fixait depuis l'autre bout de la salle, mais il était trop tard pour y remédier.

— Vous ne travaillez pas ? s'enquit-il en griffonnant « Groupe Baron » au dos de son menu.

— Non, pas pour l'instant. Une femme titulaire d'une licence en sciences humaines dans cette ville doit attendre que chaque homme trouve un emploi avant de pouvoir espérer en dénicher un.

— Si jamais vous voulez travailler pour le groupe Baron, dit Abel, en insistant légèrement sur le mot, vous n'aurez qu'à m'en informer.

— Non, non. Tout va bien.

Elle s'empressa de changer de sujet et d'embrayer sur la musique et le théâtre. Lui parler constituait un défi inhabituel et agréable pour Abel ; elle le taquinait encore, mais avec intelligence, ce qui lui fit gagner plus d'assurance en sa compagnie qu'il ne l'avait jamais fait dans le passé. Ils ne prirent pas leur café avant onze heures, et Zaphia avait déjà quitté son service. Il raccompagna Mélanie chez elle, et fut surpris lorsqu'elle l'invita à boire un verre. Il s'installa sur le canapé pendant qu'elle lui servait un whisky interdit et mit un disque sur le phonographe.

— Je ne peux pas rester longtemps, annonça-t-il. Beaucoup de travail demain.

— C'est ce que *moi* je suis censée dire, lança Mélanie. Ne t'enfuis pas, s'il te plaît. Cette soirée a été si sympa, comme au bon vieux temps.

Elle s'assit à côté de lui, sa robe remontant au-dessus de ses genoux. Pas tout à fait comme au bon vieux temps, songea Abel. Il n'essaya pas de résister quand elle s'approcha de lui. Quelques minutes plus tard, il l'embrassait – ou l'embrassait-elle ? Ses mains s'aventurèrent sur ses jambes, puis sur ses seins, et cette fois, elle répondit de bon cœur. Ce fut elle qui finit par le prendre par la main et le conduire dans sa chambre, qui ôta le dessus-de-lit, se retourna et lui demanda de descendre sa fermeture. Abel s'exécuta dans une incrédulité nerveuse, et éteignit la lumière. Mélanie ne manquait assurément pas d'expérience et elle lui fit clairement comprendre qu'elle prenait beaucoup de plaisir. Une fois qu'ils eurent fait l'amour, il resta éveillé, et elle s'endormit dans ses bras.

Le lendemain matin, ils firent l'amour une deuxième fois.

— Je vais suivre le Baron avec un intérêt renouvelé, lui lança-t-elle alors qu'il commençait à s'habiller. Mais nul ne doute que ce sera un énorme succès.

— Merci, répondit Abel.

— Peut-être que l'on pourrait se revoir.

— Pourquoi pas ?

Elle l'embrassa sur la joue comme une épouse qui dit au revoir à son mari qui part au travail.

— Je me demande quel genre de femme tu finiras par épouser, observa-t-elle d'un ton innocent, en l'aidant à enfiler son manteau.

Il la regarda et lui adressa un sourire affectueux.

— Quand je prendrai cette décision, Mélanie, tu pourras être sûre que je n'oublierai pas ton excellent conseil.

— Comment ça ? s'enquit-elle avec une timidité feinte.

— Je ferai en sorte de me trouver une gentille Polonaise.

Abel et Zaphia se marièrent un mois plus tard à Holy Trinity Polish Mission. Janek, le beau-frère de Zaphia, la conduisit à l'autel et George fut le témoin. La réception eut lieu au Stevens, et ils burent et dansèrent tard dans la nuit. George ne resta pas en place, se démena dans toute la salle pour faire des photos des invités dans toutes les permutations et combinaisons possibles. Par tradition, chaque homme versait une somme symbolique pour danser avec Zaphia, et ce ne fut qu'après minuit, après un souper de *barszcz*, de *pierogi* et de *bigos* arrosé de vin, de brandy et de vodka de Dantzig, que les jeunes mariés furent autorisés à se retirer dans la suite nuptiale.

Abel fut agréablement surpris lorsque Curtis Fenton lui annonça le lendemain matin que M. Maxton avait réglé la réception au Stevens, en guise de cadeau de mariage. Abel se servit de l'argent qu'il avait mis de côté pour la réception comme acompte pour une petite maison sur Rigg Street.

Pour la première fois de sa vie, Abel possédait son chez-lui.

# QUATRIÈME PARTIE

# 1932-1941

# 32

William choisit de partir en vacances un mois en Angleterre avant de se décider définitivement quant à son avenir. Il envisagea brièvement de démissionner de Kane & Cabot, mais Matthew le convainquit que cela ne servirait à rien, et dans tous les cas, que son père n'aurait pas approuvé.

Matthew sembla prendre la défaite de son ami encore plus mal que lui. Deux fois la semaine suivante, il arriva à la banque avec les signes évidents d'une gueule de bois, et s'en alla tôt, une importante charge de travail inachevée. William ne releva pas ces incidents, et vendredi, il l'invita à dîner avec Kate et lui. Il refusa, prétextant une accumulation de travail en retard. William n'y aurait plus pensé s'il n'avait pas vu son ami dîner au Ritz-Carlton ce soir-là avec une femme séduisante qui, il l'aurait juré, était mariée à l'un des chefs de service de Kane & Cabot. Kate se garda de tout commentaire, si ce n'est que leur copain n'avait pas l'air très en forme.

William espérait juste que Matthew saurait gérer les deux bureaux en son absence. Ce fut alors qu'il décida qu'il ne pouvait pas passer un mois entier en Angleterre sans Kate, et suggéra qu'elle fasse le voyage avec lui.

— Un mois à l'étranger avec un étranger ? dit-elle en posant une main sur ses lèvres, faussement timide. Qu'auraient pensé tes grands-mères ?

— Que tu n'es qu'une gourgandine dévergondée.

William et Kate montèrent à bord du *Mauretania*, où ils dormirent dans des cabines distinctes. Une fois qu'ils se furent installés au Savoy, dans des chambres séparées, à des étages différents, William se rendit à la branche londonienne de Kane & Cabot sur Lombard Street où il accomplit l'objectif officiel de son voyage et effectua un examen méticuleux des activités européennes de la banque. Les troupes avaient bon moral, et il découvrit que l'équipe de Londres admirait et appréciait Tony Simmons ; William se vit donc contraint de murmurer son approbation.

Kate et lui passèrent un mois glorieux à Londres, visitèrent l'opéra, l'Old Vic et l'Albert Hall de nuit, tandis que de jour il lui montra la tour de Londres, Fortnum's et la Royal Academy, où il acheta un tableau de William Sickert.

Kate se fit photographier à côté d'un garde devant Buckingham Palace. Bien que William ne tâchât pas de les distraire cette fois, ils ne cillèrent toujours pas. Cela fit ressurgir des souvenirs de sa mère. Les amoureux se promenèrent main dans la main sur Whitehall, et on les prit en photo devant le 10, Downing Street.

— Voilà, nous avons fait tout ce que l'on attend d'un Américain qui se respecte, lança William.

— Sauf visiter Oxford, répondit Kate. Mon père était étudiant à Rhodes et j'adorerais voir son ancienne faculté.

Le lendemain matin, William loua une Bullnose Morris et partit sur les routes sinueuses et les chemins de campagne qui menaient à la ville universitaire. Il gara la voiture devant le Radcliffe, et ils firent le tour des universités le reste de la matinée – Magdalen, superbe, au bord de la rivière ; Christ Church, grandiose mais sans cloître ; Balliol, où le père de Kate avait passé quelques années improductives et Merton, où ils s'installèrent simplement sur l'herbe et rêvèrent.

— Interdiction de s'asseoir sur la pelouse, monsieur, fit la voix d'un appariteur.

Ils rirent, se levèrent d'un bond, et se baladèrent main dans la main comme un couple d'étudiants le long de l'Isis, où ils observèrent huit Matthew essayer de faire avancer leur bateau le plus rapidement possible.

Après un déjeuner tardif, ils se remirent en route pour Londres, s'arrêtèrent à Henley-on-Thames pour prendre le thé au Bell Inn qui surplombait la rivière. Après des scones et une grande théière de thé anglais fort, Kate suggéra qu'ils s'en aillent s'ils voulaient être de retour au Savoy avant la tombée de la nuit. Mais lorsque William inséra la manivelle dans la Bullnose Morris, en dépit de plusieurs tentatives, il ne réussit pas à la faire démarrer. Enfin, il abandonna et comme il commençait à faire sombre, décida qu'ils passeraient la nuit à Henley. Il retourna à la réception du Bell et demanda deux chambres.

— Désolé, monsieur, je n'ai qu'une chambre double disponible, répondit le réceptionniste.

William hésita un instant puis affirma :

— Nous la prenons.

Kate tâcha de dissimuler sa surprise, mais ne dit rien : le réceptionniste les regardait d'un air méfiant.

— Monsieur et madame... ?

— M. et Mme William Kane, répondit William d'un ton ferme. Nous reviendrons plus tard.

— Dois-je monter vos valises dans la chambre, monsieur ? demanda le porteur.

— Nous n'en avons pas, rétorqua-t-il, tout sourire.

— Je vois, monsieur.

Un sourcil arqué.

William conduisit une Kate médusée dans la grand-rue de Henley, avant de prendre le chemin de l'église paroissiale.

— Puis-je savoir ce que nous faisons, William ?

— Quelque chose que j'aurais dû faire depuis longtemps, chérie.

Dans la sacristie normande, il tomba sur un bedeau qui rangeait des livres de cantiques.

— Où puis-je trouver le pasteur ? demanda-t-il.

Le bedeau se redressa complètement et le regarda avec compassion.

— Au presbytère, si je puis me permettre.

— Où est-il situé ?

— Vous êtes américain, n'est-ce pas, monsieur ?

— Oui, répondit William, tâchant de dissimuler son impatience.

— Le presbytère est la porte à côté de l'église, n'est-ce pas ? fit le bedeau.

— J'imagine. Pouvez-vous rester dix minutes ici ?

— Pourquoi devrais-je le faire, monsieur ?

William extirpa un gros billet blanc de cinq dollars de sa poche intérieure et le déplia.

— Disons quinze minutes, par acquit de conscience, s'il vous plaît.

Le bedeau examina soigneusement le billet avant de le ranger dans le tronc.

— Ces Américains, marmonna-t-il.

William fit rapidement sortir Kate de l'église. Quand ils passèrent devant le panneau d'affichage dans le porche, il lut : « Le Très Révérend Simon Tukesbury, MA (Cantab), vicaire de cette paroisse » et à côté de cette déclaration, accroché par un clou, un appel pour changer le toit de l'église. « Le moindre penny qui nous permettra de recueillir les cinq cents dollars nécessaires sera utile », déclarait-il, pas très audacieusement. William remonta le chemin à la hâte jusqu'au presbytère, Kate quelques pas derrière lui. Une femme ronde, souriante et aux joues roses, répondit à son coup sec à la porte.

— Madame Tukesbury ?

— Oui ? sourit-elle.

— Puis-je parler à votre mari ?

— Il prend un thé en ce moment. Vous serait-il possible de repasser un peu plus tard ?

— J'ai peur que ce ne soit plutôt urgent, insista William.

Kate ne dit toujours rien.

— Eh bien, dans ce cas, je suppose que vous feriez mieux d'entrer.

Le presbytère datait du début du XVI^e siècle, et un feu de bois accueillant réchauffait le petit salon agrémenté de poutres. Le pasteur, un homme grand et maigre, mangeait des sandwichs au concombre fins comme du papier à cigarette. Il se leva pour les accueillir.

— Bonjour, monsieur… ?

— Kane, monsieur. William Kane.

— Que puis-je faire pour vous, monsieur Kane ?

— Kate et moi, expliqua William, désirons nous marier.

Kate, bouche bée, ne put dire un seul mot.

— Oh, comme c'est merveilleux ! s'exclama Mme Tukesbury.

— Oui, en effet, acquiesça le pasteur. Faites-vous partie de cette paroisse ? Je ne me souviens pas...

— Non, monsieur, je suis américain. Je fais mes dévotions à St. Paul's, à Boston...

— Massachusetts, je présume, pas Lincolnshire, lança le très révérend Tukesbury.

— C'est exact, répondit William qui se rendit compte pour la première fois qu'il y avait un Boston en Angleterre.

— Excellent ! fit le pasteur, les mains levées, comme s'il allait donner une bénédiction. Et quelle date envisagiez-vous pour cette union des âmes ?

— Aujourd'hui, monsieur.

— Aujourd'hui ? s'enquit le pasteur.

— Aujourd'hui ? répéta Kate.

— Je ne connais pas très bien les traditions aux États-Unis qui entourent l'institution solennelle, sainte et obligatoire du mariage, monsieur Kane, dit le pasteur, bien que l'on entende parler d'événements très étranges impliquant certains de vos compatriotes du Nevada. Je peux toutefois vous informer que ces usages n'ont pas encore gagné Henley-on-Thames. En Angleterre, vous devez résider un mois calendaire entier dans une paroisse avant de pouvoir vous marier dans son église, et les bans doivent être publiés à trois occasions différentes, sauf circonstances exceptionnelles et atténuantes. Même si de telles circonstances existent, il me faudrait également demander la dispense de l'évêque, et je ne pourrais pas le faire en moins de trois jours.

Kate prit la parole pour la première fois.

— Combien devez-vous encore recueillir pour le nouveau toit de l'église ?

— Ah, le toit. C'est une triste histoire, mais je ne me lancerais pas là-dedans pour l'instant – début du XIe siècle, vous comprenez...

— De combien avez-vous besoin ? insista William, qui resserra son étreinte sur la main de Kate.

— Nous espérons récolter cinq cents livres. Nous nous en sommes tirés de façon très louable jusqu'à présent, nous avons gagné vingt-sept livres, quatre shillings et quatre pence en sept semaines seulement.

— Non, non, chéri, dit Mme Tukesbury. Tu as omis la livre et les onze shillings et les deux pence que j'ai réunis lors de ma vente de charité il y a huit jours.

— En effet, ma chère. Comme c'est irréfléchi de ma part d'oublier ta contribution personnelle ! Ce qui nous fera un total de... commença le révérend Tukesbury, en essayant d'additionner les chiffres dans sa tête, levant les yeux au ciel pour trouver l'inspiration.

William sortit son portefeuille d'une poche intérieure, rédigea un chèque de cinq cents livres, et sans rien dire, le tendit au très révérend Tukesbury.

— Ah... je vois qu'il y a des circonstances exceptionnelles, monsieur Kane, fit le pasteur. *(Son ton changea.)* L'un d'entre vous a-t-il déjà été marié ?

— Oui, fit Kate. Mon mari a trouvé la mort dans un accident d'avion voilà quatre ans.

— Oh, comme cela a dû être pénible pour vous, lança Mme Tukesbury. Je suis vraiment désolée, je ne...

— Chut, ma chérie, lui intima l'homme de Dieu, que le toit de l'église intéressait désormais plus que les sentiments de sa femme. Et vous, monsieur ?

— Je n'ai jamais été marié, répondit-il.

— Je dois tout de même appeler l'évêque.

Le chèque de William à la main, le très révérend M. Tukesbury disparut dans son bureau.

Mme Tukesbury invita Kate et William à s'asseoir, et leur proposa des sandwichs au concombre et une tasse de thé. Elle bavarda, mais les amoureux, trop occupés à se dévorer des yeux, ne l'écoutaient pas.

Le pasteur revint, trois sandwichs plus tard.

— Cela ne se fait pas, cela ne se fait absolument pas, mais l'évêque est d'accord, à une condition, monsieur Kane, que vous confirmiez que le mariage a eu lieu auprès de l'ambassade d'Amérique demain matin, puis de votre propre évêque, à St. Paul's à Boston

– Massachussets –, qui doit donner sa bénédiction à votre retour chez vous.

Il ne lâchait pas le chèque de cinq cents livres.

— Il ne nous manque plus que deux témoins, poursuivit le pasteur. Mon épouse peut être l'un des deux et nous devons espérer que le bedeau est toujours de service, ainsi il pourra être l'autre.

— Il l'est, l'assura William.

— Comment pouvez-vous en être aussi sûr, monsieur Kane ?

— Il m'a coûté un pour cent.

— Un pour cent ? fit le très révérend M. Tukesbury, sidéré.

— Un acompte sur le toit de l'église, expliqua Kane.

Le pasteur conduisit William, Kate et sa conjointe sur le petit chemin qui menait à l'église, où le bedeau attendait.

— En effet, je constate que M. Sprogget est toujours de service... Il n'a jamais fait cela pour moi ; vous avez le don, visiblement, monsieur Kane.

Simon Tukesbury enfila son vêtement sacerdotal et un surplis sous le regard incrédule du bedeau.

William se tourna vers Kate et l'embrassa doucement.

— Je sais que c'est une question idiote étant donné les circonstances, ma chérie, mais veux-tu m'épouser ?

— Grands dieux ! s'écria le très révérend M. Tukesbury, qui n'avait jamais blasphémé au cours des cinquante-sept années de son existence mortelle. Vous voulez dire que vous ne l'avez même pas demandée en mariage ?

Vingt minutes plus tard, M. et Mme William Kane quittèrent l'église paroissiale de Henley-on-Thames, Oxfordshire. À la dernière minute, Mme Tukesbury dut fournir l'alliance, qu'elle ôta d'une tringle à rideaux dans la sacristie. Elle allait parfaitement. Le très révérend M. Tukesbury avait un nouveau toit ; M. Sprogget, une histoire à dormir debout à raconter au Green Man, et Mme Tukesbury décida après avoir consulté son mari qu'elle n'informerait pas la Mother's Union[11] de la façon dont l'argent pour le toit avait été recueilli.

Devant la porte de la sacristie, le pasteur tendit un morceau de papier à William.

— Deux shillings et six pence, s'il vous plaît.

— Pour quoi faire ?

— Votre certificat de mariage, monsieur Kane.

— Vous auriez dû être banquier, monsieur, dit William en donnant une demi-couronne au pasteur.

Les jeunes mariés repartirent dans un silence bienheureux jusqu'à High Street, au Bell Inn. Ils dînèrent tranquillement dans la salle à manger du XVe siècle en chêne, et se retirèrent dans leur suite quelques minutes après que l'horloge de grand-père dans le hall eut sonné neuf coups. Quand ils disparurent dans l'escalier en bois craquant jusqu'à leur chambre, le réceptionniste se tourna vers le portier et le gratifia d'un clin d'œil :

— Si ces deux-là sont mariés, je suis le roi d'Angleterre.

William se mit à fredonner *God Save the King*.

Le lendemain matin, M. et Mme Kane prirent tranquillement leur petit déjeuner pendant que l'on réparait la voiture dans un garage local. Un jeune serveur leur servit du café.

— L'aimes-tu noir ou dois-je ajouter du lait ? demanda William.

Un vieux couple à la table à côté leur sourit avec bienveillance.

— Avec du lait, s'il te plaît, répondit Kate en touchant doucement la main de William.

Il lui sourit, conscient que toute la salle les dévisageait désormais.

Ils rentrèrent à Londres capote baissée, de sorte qu'ils purent apprécier l'air frais du printemps lorsqu'ils traversèrent Henley, franchirent la Tamise, puis continuèrent sur Beaconsfield et enfin Londres.

---

11. Institution caritative chrétienne internationale.

— As-tu remarqué comment le portier t'a regardée ce matin, chérie ? s'enquit William.

— Oui. Nous aurions peut-être dû lui montrer notre certificat de mariage.

— Non, non, tu aurais gâché l'image qu'il se fait de la dévergondée américaine. La dernière chose qu'il veuille annoncer à sa femme en rentrant ce soir, c'est que nous sommes vraiment mariés.

Ils arrivèrent au Savoy pour le déjeuner, et le réceptionniste fut étonné qu'on lui demande d'annuler la chambre de Kate. On l'entendit raconter plus tard : « Le jeune M. Kane avait l'air d'un tel gentleman. Son défunt père si distingué ne se serait jamais comporté de la sorte. »

William et Kate prirent l'*Aquitania* pour rentrer à New York, mais pas avant d'avoir effectué un détour par l'ambassade américaine de Grosvenor Gardens pour informer l'ambassadeur de leur récent statut marital. Le consul leur donna un long formulaire à remplir, leur demanda une livre et les fit patienter plus d'une heure. L'ambassade, semblait-il, n'avait pas besoin d'un nouveau toit. William voulut passer chez Cartier sur Bond Street pour acheter une alliance en or à Kate, mais celle-ci refusa d'en entendre parler – rien ne la ferait se séparer de l'anneau de rideau en cuivre.

# 33

L'Amérique toujours en pleine dépression, Abel était plus qu'inquiet pour l'avenir du groupe Baron. Deux mille banques avaient mis la clé sous la porte au cours de ces deux dernières années, et d'autres fermaient chaque semaine. Neuf millions de personnes étaient au chômage, mais, au moins, Abel n'eut aucun mal à trouver du personnel qualifié pour tous ses hôtels. Malgré cela, le groupe Baron perdit soixante-douze mille dollars en 1932, l'année durant laquelle Abel avait prédit qu'ils rentreraient dans leurs frais. Il commença à se demander si la patience et le porte-monnaie de son commanditaire tiendraient le coup suffisamment longtemps pour lui laisser la chance de redresser la situation.

Récemment, il avait entrepris de s'intéresser activement à la politique, à la suite de la campagne à succès d'Anton Cermak pour devenir maire de Chicago. Cermak avait insisté pour qu'Abel intègre le parti démocrate, à l'origine d'une croisade virulente contre la Prohibition ; Abel avait soutenu ce candidat corps et âme, parce que la Prohibition avait compromis très sérieusement le marché de l'hôtellerie. Le fait que Cermak fût un immigré de Tchécoslovaquie avait créé un lien immédiat entre les deux hommes, et Abel avait été ravi qu'on l'ait choisi comme délégué de la Convention nationale démocrate organisée à Chicago en 1932, où Cermak avait fait se lever une salle noire de monde pour acclamer ces paroles : « C'est vrai que je ne suis pas venu à bord du *Mayflower*, mais je suis venu aussi vite que j'ai pu. »

À la Convention, Cermak présenta Abel à Franklin D. Roosevelt, qui lui fit une impression durable. Plus tard cette année, Roosevelt remporta facilement l'élection présidentielle, portant au pouvoir des candidats démocrates dans tout le pays. Henry Osborne faisait partie des conseillers municipaux tout récemment élus à la mairie de Chicago.

En 1933, le groupe Baron fit la part du feu à vingt-trois mille dollars, et l'un des hôtels, le Baron de St. Louis, déclara même un bénéfice. Lorsque la première causerie du président Roosevelt fut diffusée sur les ondes le 12 mars, exhortant ses compatriotes à « croire de nouveau en l'Amérique », la confiance d'Abel grimpa en flèche, et il décida de rouvrir les deux établissements qu'il avait fermés en 1929.

Zaphia commençait à mal vivre ses longues absences à Charleston et Mobile, quand il partit remettre les deux hôtels sur pied. Elle n'avait jamais désiré qu'il devienne autre chose que le sous-directeur du Stevens. À chaque mois qui passait, elle se rendait de plus en plus compte qu'elle n'arrivait pas à suivre les ambitions de son époux, et craignait même qu'il ne s'intéresse plus à elle.

Elle commençait aussi à s'inquiéter de ne toujours pas porter l'enfant d'Abel, bien que le médecin lui ait assuré que rien ne pouvait l'empêcher d'être enceinte. Il lui suggéra que son conjoint subisse lui aussi des examens, mais Zaphia ne lui dit rien, sachant qu'il considérerait cela comme une atteinte à sa virilité. Enfin, lorsqu'elle avait presque perdu espoir, et que le sujet était devenu si épineux qu'ils avaient du mal à l'aborder, elle n'eut pas ses règles.

Pleine d'espoir, elle attendit encore un mois avant d'en parler à Abel ou de voir un médecin. Trente jours plus tard, celui-ci lui confirma sa grossesse.

Zaphia donna naissance à une petite fille le jour de l'an 1934. Ils l'appelèrent Florentyna, en souvenir de la sœur d'Abel. Celui-ci l'adora à la minute où il posa les yeux sur elle, et Zaphia comprit immédiatement qu'elle ne serait plus le premier amour de sa vie.

George et une cousine de Zaphia devinrent les *Kums* de l'enfant, et Abel organisa un dîner traditionnel polonais de dix plats le soir du baptême. De nombreux cadeaux furent offerts au bébé, y compris une magnifique bague d'époque de la part du commanditaire inconnu d'Abel. Il la remboursa en nature lorsque le groupe Baron enregistra un bénéfice de soixante-trois mille dollars à la fin de l'année. Seul le Baron de Mobile continuait à perdre de l'argent.

Après la naissance de Florentyna, Abel passa de plus en plus de temps chez lui, et décida que le moment était venu de construire un nouveau Baron dans la cité venteuse. Il avait l'intention de faire de son nouvel hôtel l'établissement phare du groupe en souvenir de Davis Leroy. La société possédait encore le site sur Michigan Avenue, et bien qu'Abel ait reçu plusieurs offres pour la terre, il avait toujours tenu bon, espérant qu'un jour il se trouverait dans une situation financière suffisamment forte pour reconstruire le vieux Richmond. L'entreprise nécessitait de l'argent et Abel se réjouissait de ne pas avoir touché aux sept cent cinquante mille dollars de dédommagement de la Great Western Casualty.

Il confia son intention à Curtis Fenton lors de la réunion mensuelle du conseil, ajoutant la seule condition que si David Maxton ne voulait pas de concurrent au Stevens, Abel renoncerait à tout le projet. Quelques jours plus tard, Curtis Fenton l'assura que son commanditaire ne voyait aucune objection à l'idée d'un Baron à Chicago.

Il lui fallut quinze mois pour construire le nouvel hôtel, avec un coup de main du conseiller municipal Henry Osborne qui accéléra les choses pour que les autorisations requises par la mairie lui parviennent le plus rapidement possible. Le maire, Edward J. Kelly, inaugura le Baron de Chicago en mai 1936, maire qui, après l'assassinat d'Anton Cermak, était devenu le leader du parti démocrate en Illinois. En souvenir de Davis Leroy, l'hôtel ne possédait pas de dix-septième étage – une tradition que perpétuerait Abel dans chaque Baron qu'il bâtissait.

La presse loua le Baron de Chicago tant pour sa conception que pour la vitesse de sa construction. Abel finit par dépenser plus d'un million de dollars pour le nouvel hôtel, et chaque penny sembla correctement investi. Les salles de réception étaient spacieuses et somptueuses, aux hauts plafonds en stuc et agrémentées de teintes pastel de vert, agréables et relaxantes ; les tapis étaient épais et luxueux. Le « B » vert foncé et gaufré, discret mais omniprésent, décorait tout, du drapeau qui flottait au-dessus de l'entrée de l'immeuble à quarante-deux étages, jusqu'au revers bien net du plus jeune porteur. Les deux sénateurs de l'Illinois étaient présents pour s'adresser aux deux mille convives réunis pour l'inauguration officielle. M. Maxton prit place parmi les invités, médusé d'être assis à la table d'honneur.

— Cet hôtel porte déjà la marque du succès, déclara J. Hamilton Levis, le sénateur, parce que, mes amis, c'est l'homme, pas le bâtiment, que l'on appellera toujours le « baron de Chicago ».

Abel resplendit d'un plaisir non dissimulé quand les deux mille invités hurlèrent leur approbation.

Lorsqu'il se leva pour répondre, il commença par remercier le maire, les sénateurs et une dizaine de membres du Congrès américain d'assister à l'inauguration. Il termina son discours par le slogan populaire : « Vous n'avez encore rien vu. »

On avait demandé à George de lancer une ovation. Il n'eut pas besoin de le faire, car tout le monde était déjà debout quand Abel se rassit. Il sourit. Il commençait à se sentir bien parmi les grands hommes d'affaires et politiciens, qui le traitaient en égal. Zaphia, timide, resta dans son coin durant la somptueuse fête. Tout cela était un peu trop pour elle, et elle n'était pas à l'aise avec les nouveaux amis de son époux. Elle ne comprenait pas l'ampleur de sa réussite, et s'en moquait éperdument, et bien qu'elle pût désormais s'offrir la plus chère des garde-robes, elle réussissait tout de même à paraître peu chic et peu à sa place ; et n'était que trop consciente que cela ennuyait son conjoint. Elle resta en retrait pendant qu'il discutait avec Henry Osborne, le conseiller municipal.

— Ce doit être l'apogée de votre vie, déclara Osborne en tapant dans le dos d'Abel.

— L'apogée ? Je viens seulement d'avoir trente ans, répondit celui-ci.

Un flash se déclencha quand il passa un bras sur les épaules du conseiller municipal. Abel rayonna en réalisant pour la première fois comme c'était excitant d'être pris pour un personnage public.

— Je vais construire des hôtels Baron dans le monde entier, lança-t-il, suffisamment fort pour que le journaliste aux oreilles qui traînent l'entende. J'ai l'intention d'être à l'Amérique ce que César Ritz a été à l'Europe. Chaque fois qu'un Américain voyagera, il devra considérer le Baron comme son deuxième chez-lui.

# 34

William eut du mal à prendre ses marques chez Kane & Cabot une fois que son nouveau président se fut installé. Les promesses du New Deal de Roosevelt furent honorées avec une rapidité sans précédent, et William et Tony Simmons ne parvinrent pas à se mettre d'accord pour savoir si les conséquences sur les investissements étaient bonnes ou mauvaises. Mais l'expansion – sur un front, du moins – devint inévitable lorsque Kate annonça peu après leur retour d'Angleterre qu'elle était enceinte. Une nouvelle qui transporta de joie ses parents et son mari. William tâcha de modifier ses horaires de travail pour s'adapter à son nouveau rôle d'homme marié, mais il se retrouva enchaîné à son bureau les longues soirées d'été. Kate, détendue et heureuse dans sa robe de maternité à fleurs, supervisait la décoration de la nursery à la Maison rouge, pendant que le futur papa découvrait pour la première fois de sa vie professionnelle qu'il se moquait bien de ne plus être le dernier à quitter la banque le soir.

⁂

Tandis que Kate et le bébé, attendu pour Noël, apportaient à William un grand bonheur chez lui, au travail, Matthew l'inquiétait de plus en plus.

Il s'était mis à boire avec des compagnons que William ne connaissait pas et à arriver tard au bureau sans explication. À mesure que les mois passaient, William comprit qu'il ne pouvait plus se fier au jugement de son ami. Au début, il ne dit rien, espérant que ce n'était qu'une réaction à l'abrogation de la Prohibition. Mais il devint vite clair que ce n'était pas le cas : le problème allait de mal en pis.

Le comble, ce fut lorsque Matthew arriva un matin au bureau avec deux heures de retard, souffrant visiblement d'une gueule de bois. Il commit ensuite une erreur simple et évitable, liquida un investissement important qui fit perdre un peu d'argent à un client, lequel comptait réaliser un joli bénéfice. William comprit que le moment était enfin venu d'avoir une confrontation désagréable, mais nécessaire.

Quand William eut terminé son discours d'encouragement, Matthew reconnut sa faute et s'excusa à profusion. William était content d'avoir crevé l'abcès et allait lui proposer de déjeuner ensemble lorsque sa secrétaire fit irruption dans son bureau.

— C'est votre épouse, monsieur, on l'a amenée à l'hôpital.

— Pourquoi ? Qu'est-ce qui ne va pas ?

— Je crois que c'est le bébé.

— Mais le terme n'est que dans six semaines !

— Je sais, monsieur, mais le docteur MacKenzie semblait inquiet et voulait que vous veniez le plus vite possible.

Matthew qui, une minute plus tôt, n'avait pas l'air fiable du tout, se ressaisit immédiatement et conduisit son ami à l'hôpital. Des souvenirs du décès de la mère de William et de sa fille mort-née ressurgirent pour tous les deux lorsque Matthew se gara sur le parking.

William n'eut pas besoin qu'on le mène à la maternité Richard Kane que Kate avait officiellement inaugurée quelques mois plus tôt. Il trouva une infirmière devant la salle d'accouchement, qui l'informa que le docteur MacKenzie était avec sa femme, et qu'elle avait perdu beaucoup de sang. William, impuissant, arpenta le couloir, attendit mollement, exactement comme il l'avait fait des années auparavant. Comme cela n'avait aucune importance d'être président de cette banque, à présent, par rapport à l'idée de perdre Kate ! Quand lui avait-il dit « Je t'aime » pour la dernière fois ?

Matthew resta assis avec William, fit les cent pas avec William, se leva avec William, mais ne dit rien. Il n'y avait rien à dire. De temps en temps, une infirmière sortait de la salle d'accouchement en courant. Les secondes devinrent des minutes, et les minutes, des heures. Enfin, le docteur MacKenzie apparut, un masque chirurgical lui couvrant le nez et la bouche, le front brillant de petites gouttes de sueur. William ne parvint pas à déchiffrer l'expression sur le visage du médecin tant qu'il n'eut pas enlevé le masque blanc pour dévoiler un grand sourire.

— Félicitations, William, vous avez un fils, et Kate va bien.

— Dieu merci, souffla William en s'accrochant à Matthew.

— Autant je respecte le pouvoir du Tout-Puissant, dit le docteur MacKenzie, autant je pense que j'y suis pour quelque chose dans cette naissance.

William rit.

— Puis-je voir Kate ?

— Non, pas pour l'instant. Je lui ai donné un sédatif, et elle dort. Elle a perdu beaucoup plus de sang que ce qu'elle aurait dû, mais elle ira bien après une nuit de sommeil. Un peu faible, peut-être, mais prête à te recevoir demain à la première heure. Mais rien ne t'empêche de voir ton fils. Ne sois pas étonné par sa taille, souviens-toi, il est prématuré.

Le docteur MacKenzie amena William et Matthew dans le couloir jusqu'à une pièce dans laquelle ils regardèrent à travers un carreau une rangée de six minuscules têtes roses dans des berceaux.

— Celui-ci, annonça MacKenzie en désignant le nouveau-né tout au bout.

William fixa le petit visage ridé ; l'idée qu'il se faisait d'un fils bien comme il faut, destiné à devenir le futur président de la banque, s'estompa rapidement.

— Bon, je dirais une chose en faveur de ce petit diable, lança MacKenzie d'un ton taquin, il est plus beau que toi au même âge.

William rit de soulagement.

— Comment allez-vous l'appeler ?

— Richard Higginson Kane.

Le médecin tapota affectueusement son épaule.

— J'espère vivre assez longtemps pour mettre le premier enfant de Richard au monde.

Ce même après-midi, William envoya un télégramme au directeur de St. Paul's qui inscrivit le garçon pour la rentrée de septembre 1945. Après avoir posé le premier jalon de la carrière de Richard, le jeune papa et Matthew se saoulèrent consciencieusement, dormirent trop et arrivèrent en retard à l'hôpital le lendemain matin pour rendre visite à Kate. William amena Matthew jeter un nouveau coup d'œil au jeune Richard.

— Affreuse petite brute, lança Matthew. Rien à voir avec sa magnifique mère.

— C'est bien ce que je pensais, acquiesça William.
— Ton portrait tout craché, en revanche.
William retourna dans la chambre de Kate remplie de fleurs.
— Aimes-tu ton fils ? demanda celle-ci à son mari. Il te ressemble tellement.
— Je frappe la prochaine personne qui me sortira ça, rétorqua William, tout sourire. C'est la plus affreuse des petites brutes que j'aie jamais vues.
— Oh, non ! s'exclama Kate, faussement indignée. Il est magnifique !
— Un visage que seule une mère pourrait aimer, riposta William en la serrant dans ses bras.
Elle l'étreignit et demanda :
— Qu'est-ce que grand-mère Kane aurait dit du fait que notre premier enfant vienne au monde après moins de huit mois de mariage ?
— « Je ne veux pas avoir l'air peu charitable, dit William, imitant sa grand-mère, mais quiconque né après moins de quinze mois doit être considéré comme d'origine douteuse. Moins de neuf mois est assurément inacceptable dans notre société, et on devrait les envoyer à l'étranger... » Au fait, j'ai oublié de te dire quelque chose avant qu'ils ne te transportent d'urgence à l'hôpital.
— Quoi donc ?
— Je t'aime.
Kate et le jeune Richard durent séjourner près de trois semaines à la maternité, et elle ne récupéra pas pleinement avant Noël. William devint le premier Kane masculin à changer une couche et à pousser une poussette. Il confia à Matthew qu'il était grand temps qu'il se trouve une femme bien, et qu'il s'installe.
Matthew rit, sur la défensive.
— Tu deviens incontestablement vieux jeu. La prochaine fois, je te chercherai des cheveux gris.
Un ou deux étaient déjà apparus au cours de la bataille pour la présidence, mais Matthew s'était gardé de tout commentaire.

William était incapable de savoir précisément quand ses relations avec Tony Simmons commencèrent à se détériorer. Simmons se mit à s'opposer à toutes ses propositions de principe, et son attitude négative envers toutes les offres qu'il faisait poussa William à envisager sérieusement de démissionner en tant que membre du conseil.

Pour tout arranger, Matthew reprit ses anciennes habitudes. La période de réforme n'avait pas duré plus de quelques semaines, et il buvait désormais encore plus qu'avant, si tant est que ce fût possible, et arrivait à la banque de plus en plus tard chaque matin. William, qui ne savait pas comment gérer la situation, se retrouva en train de couvrir continuellement son ami. À la fin de chaque journée, il vérifiait deux fois le courrier de Matthew, et rappelait toutes les personnes qu'il n'avait pas rappelées.

L'été 1934, avec l'application du New Deal du président Roosevelt, les investisseurs reprirent confiance, sortirent leur argent de sous leur lit pour le déposer dans les établissements bancaires. Certains surgirent en portant littéralement des valises pleines de liquide. William se dit que le moment était peut-être venu de remettre un pied timide dans la Bourse, voire de commencer à agrandir son propre portefeuille, mais Simmons s'opposa à sa proposition selon laquelle la banque devrait suivre son exemple dans une note brusque adressée au comité financier. William entra en trombe dans le bureau de Simmons sans frapper et lui demanda s'il voulait sa démission.

— Certainement pas, William. Comme vous le savez, diriger cette institution de manière conservatrice a toujours été ma politique. Je n'ai pas l'intention de me précipiter sur le marché tête baissée, et de risquer l'argent de nos investisseurs.

— Mais nous en perdons à une vitesse phénoménale en n'intervenant pas, alors que les autres le font. Des institutions bancaires que nous n'aurions même pas considérées comme des concurrentes voilà quelques années vont bientôt nous dépasser.

— Nous dépasser en quoi, William ? Pas en réputation. En bénéfices rapides, peut-être, mais pas en réputation.

— Mais nous devons aussi nous intéresser aux profits, insista William. C'est le devoir d'une banque de faire de bons retours pour ses investisseurs, pas d'attendre son heure en agissant en gentleman.

— Je préférerais ne pas bouger que de perdre la réputation que cette institution a acquise sous ton grand-père et sous ton père la meilleure partie d'un demi-siècle.

— Oui, mais tous les deux étaient ouverts à de nouvelles idées pour élargir ses activités.

— Dans les bons moments, observa Simmons.

— Dans les mauvais aussi.

— Pourquoi êtes-vous si énervé, William ? Vous avez encore carte blanche pour gérer votre propre département.

— Mais bien sûr ! Vous bloquez tout ce qui ne fait qu'évoquer l'entreprise.

— Commençons par être honnêtes l'un envers l'autre, William. L'une des raisons pour lesquelles j'ai dû me montrer particulièrement prudent ces derniers temps, c'est que l'opinion de Matthew n'est plus fiable.

— Laissez Matthew en dehors de tout ça. C'est moi que vous bloquez. Je dirige ce département.

— Je ne peux pas. J'aimerais bien, pourtant... Je suis responsable des actions de quiconque faisant partie du conseil et il est le numéro deux de notre département le plus important.

— Il est donc sous ma responsabilité, parce que je suis le numéro un de ce département.

— Non, William, cela ne peut pas être de votre responsabilité seule, lorsqu'il arrive au bureau saoul à onze heures du matin – que vous soyez ou pas des amis de longue date.

— N'exagérez pas.

— Je n'exagère pas, William. Depuis plus d'un an à présent, cette banque emploie Matthew et la seule chose qui m'a empêché de vous en parler plus tôt, ce sont vos relations proches avec sa famille et lui. Ça ne me dérangerait pas de le voir me remettre sa démission. Un homme plus grand l'aurait fait il y a très longtemps, et un ami intime le lui aurait conseillé.

— Jamais, protesta William. S'il s'en va, je m'en vais.

— Alors soit, William. Ma première responsabilité est envers nos investisseurs, pas vos vieux camarades d'école.

— Vous le regretterez toute votre vie, Tony, déclara William.

Il sortit comme un ouragan du bureau du président et retourna dans le sien, furieux.

— Où est M. Lester ? demanda-t-il en passant devant sa secrétaire.

— Il n'est pas encore arrivé, monsieur.

William, exaspéré, consulta sa montre.

— Dites-lui que j'aimerais lui toucher un mot dès qu'il sera là.

— Oui, monsieur.

Il fit les cent pas dans son bureau, jurant. Tout ce que Simmons avait raconté au sujet de Matthew était vrai, ce qui ne faisait qu'empirer les choses. Il se mit à repenser au moment où ses beuveries avaient commencé, et chercha une explication. Sa secrétaire vint interrompre ses pensées.

— M. Lester vient d'arriver, monsieur.

Matthew, l'air piteux, entra dans la pièce, affichant tous les signes d'une nouvelle gueule de bois. Il avait pris un coup de vieux au cours de l'année précédente, et sa peau avait perdu son bel éclat athlétique. William reconnaissait à peine l'homme qui avait été son plus proche ami pendant près de vingt ans.

— Matthew, où étais-tu donc passé ?

— Je ne me suis pas réveillé, répondit-il sans ménagement en se grattant le visage. Me suis couché tard, j'en ai peur.

— Tu veux dire que tu as trop bu.

— Non, pas tant que ça. C'est une nouvelle copine qui m'a gardé éveillé toute la nuit. Elle était insatiable.

— Quand t'arrêteras-tu, Matthew ? Tu as couché avec presque toutes les célibataires de Boston.

— N'exagère pas, William. Il doit en rester une ou deux – du moins, j'espère. Et n'oublie pas les mille femmes mariées.

— Ce n'est pas drôle, Matthew.

— Allez, William, fiche-moi la paix.

— Te ficher la paix ? Je viens d'avoir Simmons sur le dos, qui s'est plaint de toi et surtout, il a raison. Ton jugement n'est plus crédible. Tu couches avec tout ce qui porte une jupe, et pire, tu te saoules jusqu'à la mort. Pourquoi, Matthew ? Explique-moi pourquoi. Il doit bien y avoir une explication. Jusqu'à l'an dernier, tu étais l'un des hommes les plus fiables que j'aie jamais rencontrés de ma vie. Que se passe-t-il, Matthew ? Que suis-je censé répondre à Simmons ?

— D'aller au diable et de s'occuper de ses affaires.

William fut incapable de dissimuler sa colère.

— Matthew, sois juste, ce sont ses affaires. Nous dirigeons une banque, pas un bordel, et tu es entré ici comme directeur sur ma recommandation personnelle.

— Et maintenant, je ne me montre plus à la hauteur de tes exigences élevées, c'est bien ce que tu prétends ?

— Non, ce n'est pas ce que je prétends.

— Alors que dis-tu donc ?

— Mets-toi au travail et remue-toi pendant quelques semaines. En un rien de temps, tout le monde aura oublié tout cela.

— Est-ce ce que tu veux ?

— Oui.

— À vos ordres, ô Maître, lança Matthew.

Il claqua les talons et sortit de la pièce.

— Et mince ! s'exclama William en s'affalant de nouveau dans son siège.

Cet après-midi-là, il devait examiner le portefeuille d'un client avec Matthew, mais personne ne put le trouver. Il n'était pas retourné au bureau après le déjeuner, et on ne le revit plus de la journée.

Même le plaisir de mettre le jeune Richard au lit ce soir-là ne put distraire William du souci que lui inspirait son ami. Il essaya d'apprendre à compter à son fils, mais sans grand succès.

— Si tu ne sais pas compter, Richard, comment peux-tu espérer devenir un banquier un jour, disait-il lorsque Kate entra dans la nursery.

— Il finira peut-être par faire quelque chose de bien, lança-t-elle.

— Qu'y a-t-il de mieux que banquier ?

— Eh bien, il pourrait être musicien, joueur de base-ball, voire président des États-Unis.

— Des trois, je préférerais qu'il soit joueur de base-ball – c'est le seul métier qui paie décemment, rétorqua William en bordant Richard.

— Tu sembles épuisé, chéri. J'espère que tu n'as pas oublié que nous sommes invités chez Andrew MacKenzie ce soir.

— Oh non, cela m'est complètement sorti de la tête. À quelle heure nous attend-il ?

— Dans une heure environ.

— Bon, je vais d'abord prendre un long, long bain.

— Je croyais que c'était un privilège réservé aux femmes ?

— Ce soir, j'ai besoin de me dorloter. J'ai eu une journée éprouvante.

— Tony Simmons te fait encore des misères ?

— Oui, mais je crains que cette fois, il ait raison. Il se plaint de l'alcoolisme de Matthew. J'étais juste content qu'il n'ajoute pas que c'était un coureur de jupons. Aujourd'hui, il est devenu impossible de l'amener nulle part sans mettre l'alcool et la fille aînée sous clé – sans parler de l'épouse le cas échéant – avant son arrivée.

William fit trempette dans la baignoire pendant plus d'une demi-heure et Kate dut le sortir de force avant qu'il ne s'endorme. Elle eut beau le presser, ils arrivèrent tout de même chez les MacKenzie avec vingt-cinq minutes de retard, pour trouver Matthew déjà ivre, en train d'essayer de draguer la femme d'un membre du Congrès. William voulut intervenir, mais Kate l'en empêcha.

— Ne dis rien, l'adjura-t-elle.

— Je ne peux pas rester ici sans rien faire et regarder mon meilleur ami s'écrouler sous mes yeux, protesta-t-il. Je dois faire quelque chose.

Mais il finit par suivre les conseils de Kate, et passa une mauvaise soirée à voir Matthew s'enivrer de plus en plus. Depuis l'autre extrémité de la pièce, Tony Simmons jetait des regards entendus à William, qui fut soulagé que Matthew s'en aille tôt, bien qu'en compagnie de la seule célibataire de la salle. Il commença enfin à se détendre pour la première fois de la journée.

— Comment va le petit Richard ? demanda le docteur MacKenzie.

— Il ne sait pas encore compter, répondit William.

— C'est une excellente nouvelle. Il pourrait bien finir par faire quelque chose de bien, après tout.

— Exactement ce que je lui ai dit, acquiesça Kate. Quelle bonne idée, William, il pourrait devenir médecin.

— Il devrait pouvoir s'en sortir, lança MacKenzie. Je ne connais pas beaucoup de docteurs qui savent compter.

— Sauf quand ils envoient leur facture, répliqua William.

MacKenzie rit.

— Voulez-vous boire autre chose, Kate ?

— Non merci, Andrew. Il est l'heure de rentrer. Si nous nous attardons, il ne restera plus que Tony Simmons et William et nous devrons les écouter parler de la banque le reste de la soirée.

— Merci pour la réception, Andrew, dit William. Au fait, je dois m'excuser pour le comportement de Matthew.

— Pourquoi ? fit le docteur MacKenzie.

— Allez, Andrew, non seulement était-il ivre, mais il n'y a pas eu une seule femme dans la salle à qui il n'ait pas fait de propositions.

— Je me comporterais peut-être de la sorte si j'étais dans le même pétrin que lui, observa le docteur MacKenzie.

— Qu'est-ce qui vous fait penser cela ? s'enquit William. On ne peut pas approuver son comportement simplement parce qu'il est célibataire.

— Non, mais j'essaie de comprendre et je pourrais sûrement me montrer un peu irresponsable si je me retrouvais confronté au même problème.

— Comment ça ?

— Oh mon Dieu ! Tu es son meilleur ami et il ne t'a rien dit ?

— Rien dit de quoi ? firent Kate et William en chœur.

MacKenzie les regarda, de l'incrédulité plein les yeux.

— Vous feriez mieux de venir dans mon bureau. Tous les deux.

William et Kate le suivirent dans une petite pièce, tapissée du sol au plafond de livres essentiellement médicaux, parfois entrecoupés de photos du docteur MacKenzie quand il était étudiant à Cornell et du vieux certificat encadré.

— Veuillez vous asseoir. William, je te prie de m'excuser pour ce que je vais t'annoncer, mais je pensais que tu savais que Matthew était gravement malade, qu'il souffrait de la maladie de Hodgkin. Il est au courant de son état depuis plus d'un an.

William tomba à la renverse dans son siège, incapable de parler pendant un moment.

— La maladie de Hodgkin ?

— Une inflammation presque fatale, et une hypertrophie des ganglions lymphatiques, déclara le médecin d'un ton assez formel.

William secoua la tête avec incrédulité.

— Mais pourquoi ne m'a-t-il rien dit ?

— Je suppose qu'il est trop fier pour importuner les autres avec ses problèmes. Il préférerait mourir dans son coin plutôt que quelqu'un apprenne ce qu'il traverse. Cela fait six mois que je l'implore d'en parler à son père et j'ai assurément brisé mon serment professionnel en te le confiant, mais je ne peux pas te laisser critiquer son comportement sans connaître la vérité.

— Merci, Andrew. Comment ai-je pu être aveugle et stupide à ce point ?

— Tu n'as rien à te reprocher, dit le docteur MacKenzie. Tu ne pouvais pas savoir.

— N'y a-t-il vraiment aucun espoir ? s'enquit Kate.

— Aucun. La seule chose dont je ne sois pas sûr, c'est du temps qui lui reste à vivre.

— N'existe-t-il pas des cliniques ? Des spécialistes ? L'argent ne serait pas un problème.

— L'argent ne peut pas tout acheter, William. J'ai déjà consulté les trois meilleurs chirurgiens d'Amérique, et même un en Suisse. Je crains qu'ils ne soient tous d'accord avec mon diagnostic. La médecine n'a pas encore trouvé de remède à la maladie de Hodgkin.

— Combien de temps lui reste-t-il à vivre ? s'enquit Kate dans un murmure.

— Six mois au maximum, d'après moi, mais plutôt trois.

— Et dire que je pensais avoir des problèmes, lança William. *(Il serra la main de Kate bien fort.)* Nous devons y aller, Andrew. Merci de nous avoir informés.

— Faites ce que vous pouvez pour lui, mais pour l'amour de Dieu, montrez-vous compréhensifs. Laissez-le faire ce qu'il veut. Ce sont les derniers mois de Matthew, pas les vôtres. Et ne lui répétez jamais que je vous l'ai dit.

William et Kate rentrèrent en silence. Dès qu'ils arrivèrent à la Maison rouge, William appela la femme avec qui Matthew avait quitté la soirée.

— Pourrais-je parler à Matthew Lester, s'il vous plaît ?

— Il n'est pas là, fit une voix assez irritée. Il m'a traînée jusqu'au Revue Club et après quelques verres, il est parti avec une autre.

Elle raccrocha.

Le Revue Club. William chercha dans l'annuaire puis se rendit au nord de la ville, et après avoir interrogé un chauffeur de taxi, finit par trouver le club. Il frappa à la porte. Une trappe s'ouvrit.

— Êtes-vous membre ?

— Non, répondit William d'un ton ferme en glissant un billet de dix dollars sous la grille.

La trappe se referma et la porte s'ouvrit. Il gagna la piste de danse, légèrement incongru dans son costume trois-pièces de banquier. Les danseurs s'enlaçaient, et s'éloignaient de lui en se trémoussant sans la moindre curiosité. Il passa la salle enfumée en revue à la recherche de Matthew, mais il n'était pas là. Enfin, il crut identifier l'une des plus récentes conquêtes de son ami, assise dans un coin avec un marin. Il alla la voir.

— Excusez-moi, mademoiselle.

Elle leva les yeux, mais à l'évidence, elle ne reconnaissait pas William.

— Cette dame est avec moi. Casse-toi, lança le marin.

— Avez-vous vu Matthew Lester ?

— Matthew qui ? fit la fille.

— Je t'ai dit d'aller te faire voir, répéta le marin en se mettant debout.

— Encore un mot de ta part et tu retournes sur le pont, riposta William.

La seule fois dans sa vie où le matelot avait décelé une telle colère dans le regard d'un homme, il avait failli perdre un œil. Il se rassit.

— Où est Matthew ?

— Je ne connais pas de Matthew, chéri.

À présent, elle avait l'air terrorisée.

— Un mètre quatre-vingt-dix, blond, habillé comme moi et probablement ivre.

— Ah, Martin. Il se fait appeler Martin ici, pas Matthew. *(Elle commença à se détendre.)* Laissez-moi réfléchir, avec qui est-il parti ce soir ? *(Elle tourna la tête vers le bar et cria au barman.)* Terry, avec qui Martin est parti ce soir ?

Le serveur ôta une cigarette éteinte du coin de sa bouche.

— Jenny, répondit-il, et il remit la cigarette en place.

— Jenny, c'est ça, acquiesça la fille. Attendez que je réfléchisse, elle va vite en besogne. Ne donne jamais plus d'une demi-heure à un homme, donc ils ne devraient pas tarder.

— Merci, dit William.

Il s'assit au bar et commanda un whisky avec beaucoup d'eau, se sentant de moins en moins dans son élément. Enfin, le barman, la cigarette éteinte toujours à la bouche, opina en direction d'une fille qui passait la porte.

— C'est Jenny, si vous voulez encore la voir, annonça-t-il.

Aucune trace de Matthew.

Le barman fit signe à Jenny de le rejoindre. Une petite brune mince, pas laide, gratifia William d'un clin d'œil et se dirigea vers lui en balançant des hanches.

— Tu me cherches, chéri ? Eh bien, je suis disponible, mais c'est dix dollars la demi-heure.

— Non, je ne veux pas de toi, dit William.

— Charmant, répondit Jenny.

— Je cherche l'homme avec qui tu étais – Matthew, enfin, Martin.

— Martin, il était trop saoul pour bander même avec l'aide d'une grue, mais il m'a donné mes dix dollars – il le fait toujours. Un vrai gentleman.

— Où est-il en ce moment ? demanda-t-il, impatient.

— Je ne sais pas. Il a dit qu'il allait rentrer chez lui.

William conduisit tout doucement à travers les rues inondées de pluie, regardant soigneusement chaque homme qu'il croisait. Certains hâtèrent le pas en le voyant les dévisager, d'autres tâchèrent d'engager la conversation. Il s'était arrêté à un feu devant un restaurant ouvert toute la nuit lorsqu'il aperçut Matthew derrière la vitre embuée, se frayer un chemin entre les tables, une tasse à la main. William gara la voiture, pénétra dans l'établissement et s'assit en face de lui. Matthew était effondré sur la table, à côté d'une tasse de café intacte.

— Matthew, c'est moi, dit William, en regardant son camarade tout froissé.

Des larmes se mirent à ruisseler sur ses joues.

Matthew leva les yeux et renversa du café.

— Tu pleures, mon vieux. Perdu ta copine, c'est ça ?

— Non, mon meilleur ami.

— Ah, ils sont plus difficiles à retrouver.

— Je sais.

— J'ai un bon pote, reprit Matthew en articulant mal. Il m'a toujours soutenu jusqu'à ce que nous nous disputions pour la première fois l'autre jour. Ma faute, en revanche. Tu sais, je l'ai gravement déçu.

— Non, tu ne l'as pas déçu.

— Comment peux-tu le savoir ? fit Matthew, en colère. Tu ne le connais même pas.

— Rentrons, Matthew.

— Je m'appelle Martin, déclara celui-ci.

— Pardon Martin, rentrons.

— Non, je veux rester ici. Une fille va peut-être passer plus tard. Je crois que je suis prêt maintenant.

— J'ai un bon vieux whisky au malt chez moi. Si tu venais avec moi ?

— Des femmes chez toi ?

— Oui, plein.

— Alors, ça marche.

William l'aida à se relever et le conduisit lentement vers la porte. Quand ils croisèrent deux policiers assis au bar, il en entendit un lancer : « Pauvres pédés ! »

Il aida Matthew à monter dans la voiture et l'emmena à Beacon Hill. Kate les attendait.

— Tu aurais dû te coucher, chérie.

— Je ne pouvais pas dormir, avoua-t-elle.

— Je crains qu'il ne soit plutôt incohérent.

— C'est la fille que tu m'as promise ? demanda Matthew.

— Oui, elle va s'occuper de toi, acquiesça William alors que Kate et lui l'accompagnaient dans la chambre d'amis et le couchaient.

Kate entreprit de le dévêtir.

— Tu dois aussi te déshabiller chérie, dit-il. J'ai déjà payé mes dix dollars.

— Quand tu seras au lit, fit-elle d'un ton doux.

— Pourquoi as-tu l'air si triste, jolie dame ? demanda Matthew.

— Parce que je t'aime, répondit Kate, des larmes commençant à picoter ses yeux.

— Ne pleure pas. Il n'y a aucune raison de pleurer. Je vais y arriver cette fois, tu sais.

Une fois qu'ils l'eurent déshabillé, William le recouvrit avec un drap et une couverture et elle éteignit la lumière.

— Tu as promis de venir au lit avec moi, fit Matthew, somnolent.

Elle ferma doucement la porte.

William dormit dans un fauteuil devant la chambre de Matthew de crainte qu'il ne se lève dans la nuit et essaie de partir. Kate le réveilla le matin avant d'apporter le petit déjeuner à leur ami.

« Qu'est-ce que je fais ici, Kate ? » furent ses premières paroles lorsqu'elle ouvrit les rideaux et qu'il cilla dans la lumière matinale.

— Tu es rentré avec nous après la fête d'Andrew MacKenzie hier soir, répondit-elle sans grande conviction.

— Non, je suis allé au Revue Club avec cette fille horrible, Patricia machin truc, mais heureusement Jenny était là, non pas qu'elle ait dû faire grand-chose pour gagner ses dix dollars. Mon Dieu, j'ai une de ces gueules de bois ! Pourrais-je avoir du jus de tomate ? Je ne voudrais pas paraître asocial, mais la dernière chose qu'il me faut, c'est bien un petit déjeuner.

— Bien sûr, Matthew, acquiesça Kate en enlevant le plateau.

William entra. Matthew et lui se dévisagèrent en silence.

— Tu sais, n'est-ce pas ? réussit à dire Matthew.

— Oui, admit William. J'ai été idiot, et j'espère que tu me pardonneras.

— Ne pleure pas, William. Je ne t'ai pas vu sangloter depuis que tu avais douze ans, quand Convington te tabassait et que j'ai dû l'arracher à toi de force. Tu te souviens ? Je me demande ce qu'est devenu Convington aujourd'hui ? Il tient sûrement une maison close à Tijuana, c'est à peu près tout ce qu'il savait faire. Remarque, si Convington la dirige, ça doit être un bordel super-efficace, alors emmène-moi là-bas. Ne pleure pas, William. Les adultes ne pleurent pas. On ne peut rien faire. J'ai vu tous les spécialistes, de New York à Los Angeles, à Zurich, et ils ne peuvent rien faire. Ça t'embête si je ne viens pas au bureau ce matin ? Je me sens encore très mal. Kate peut me réveiller si je reste trop longtemps ou si je dérange trop, et je retrouverai le chemin pour rentrer chez moi.

— C'est chez toi, maintenant, déclara William.

La voix de Matthew changea.

— Vas-tu l'annoncer à mon père, William ? Je ne peux pas l'affronter. Tu es fils unique – tu comprends le problème.

— Oui. Je descends à New York demain, et je le lui dirai, si tu me promets de ne pas bouger. Je ne t'empêcherai pas de te saouler, si c'est ce que tu veux faire, ou d'avoir toutes les femmes que tu souhaites, mais tu dois rester ici.

— La meilleure proposition que l'on m'ait faite depuis des semaines, William. Bon, je crois que je vais dormir encore un peu. Je me fatigue tellement vite en ce moment.

William observa Matthew sombrer dans un profond sommeil et ôta le verre à moitié vide de sa main. Une tache de jus de tomate se formait sur les draps.

— Ne meurs pas, dit-il doucement. S'il te plaît, ne meurs pas, Matthew. As-tu oublié que toi et moi allions diriger la plus grosse banque d'Amérique ?

William se rendit à New York le lendemain matin pour voir Charles Lester. Le grand homme se tassa dans son siège et sembla vieillir d'un coup quand William lui apprit la nouvelle.

— Merci, William, d'être venu me l'annoncer en personne. J'avais compris que quelque chose n'allait pas, lorsque Matthew a cessé d'un seul coup de me rendre visite. Je me rendrai à Boston tous les week-ends. Comme je suis content qu'il soit chez Kate et toi, et j'essaierai de ne pas trop montrer combien la nouvelle m'a ébranlé. Dieu sait ce qu'il a fait pour mériter ça. Depuis que sa mère est morte, j'ai tout construit pour lui et voilà qu'il n'y a plus personne à qui le transmettre.

— Venez à Boston quand vous voulez, monsieur. Vous serez toujours le bienvenu.

— Merci, William, pour tout ce que tu fais pour mon garçon. *(Le vieil homme leva les yeux sur lui.)* Si seulement ton père était là pour constater comme son fils mérite le nom de Kane… Si seulement je pouvais changer de place avec le mien et le laisser vivre…

— Je ferais mieux de ne pas tarder, monsieur.

— Oui, bien sûr. Dis-lui que je l'aime. Que j'ai pris la nouvelle stoïquement. Mais rien d'autre.

— Bien, monsieur.

William rentra à Boston cette nuit-là pour apprendre que Matthew était resté à la maison avec Kate et lisait *Autant en emporte le vent*, le dernier best-seller américain, dans la véranda. Il leva les yeux lorsque William entra.

— Comment le vieux a-t-il réagi ?

— Il a pleuré, répondit-il.

— Le président de Lester's Bank a pleuré ? J'espère que personne ne le répétera aux actionnaires.

Matthew cessa de boire, retourna à la banque et travailla très dur jusqu'aux derniers jours. Sa détermination stupéfia William qui tâchait continuellement de lui faire ralentir le rythme. Mais il s'en sortit très bien et taquina William en vérifiant *son* courrier à la fin de chaque journée. Le soir, avant le théâtre ou le dîner, il jouait au tennis avec Kate ou faisait de l'aviron contre William sur la rivière Charles.

— Je saurai que je serai mort quand je ne pourrai pas te battre, railla-t-il.

Matthew n'entra jamais à l'hôpital, préférant rester à la Maison rouge. Pour William, les semaines passèrent si lentement et pourtant si vite, à se réveiller chaque matin en se demandant si son ami serait encore en vie.

Matthew mourut un jeudi, à quarante pages de la fin d'*Autant en emporte le vent*.

Les funérailles de Matthew eurent lieu en la cathédrale St. Patrick's à New York. William et Kate séjournèrent chez Charles Lester. Ces temps-ci, il avait beaucoup vieilli, et, sur la tombe de sa femme et de son fils unique, il confia à William qu'il ne voyait plus aucun intérêt à vivre. William ne dit rien ; aucune parole ne pouvait aider ce père en deuil.

William et Kate rentrèrent à Boston le lendemain. La Maison rouge semblait étrangement vide sans Matthew. Les mois derniers avaient été à la fois les plus heureux et les plus malheureux de la vie de William. La maladie de son ami les avait plus rapprochés, Kate et lui, que le cours normal de leur vie.

Lorsqu'il retourna à la banque, il eut du mal à reprendre une routine un tant soit peu normale. Il se levait et se dirigeait vers le bureau de Matthew pour avoir un conseil ou pour plaisanter, mais il n'était plus là. Il fallut des semaines avant qu'il puisse accepter que cette pièce fût vide.

Tony Simmons n'aurait pu se montrer plus compréhensif, mais cela ne servit à rien. William perdit tout intérêt dans la banque, même dans Kane & Cabot, quand pendant des mois, il songea, pris de remords, à la mort de son ami. Il avait toujours considéré comme acquis que Matthew et lui partageraient une destinée commune, qu'ils vieilliraient ensemble. Nul ne fit de commentaires sur le fait que William n'était plus aussi exigeant dans son travail, mais les heures qu'il passait tout seul commencèrent à inquiéter Kate.

Puis un matin, elle se réveilla et le vit assis au bord du lit, en train de la fixer. Elle cilla.

— Quelque chose ne va pas, chéri ?

— Non, je regarde juste mon plus bel actif, et je m'assure de ne jamais le considérer comme acquis.

# 35

Au petit déjeuner le lendemain matin, Kate désigna un petit encart page 17 du *Globe*, qui parlait de l'ouverture du Baron de Chicago.

William sourit en découvrant l'article. Kane & Cabot avait été stupide de ne pas l'écouter quand il lui avait conseillé de financer le groupe Richmond. Cela lui fit plaisir que le jugement qu'il s'était fait de Rosnovski se soit avéré fondé, même si la banque était passée à côté du marché. Son sourire s'élargit lorsqu'il lut le surnom « le baron de Chicago ». Puis d'un seul coup, il se sentit mal. Il examina de plus près la photo qui accompagnait l'article, mais on ne pouvait pas s'y méprendre, et la légende confirmait sa pire crainte. « Abel Rosnovski, le président-directeur général du groupe Baron, en pleine conversation avec Mieczyslaw Szymczak, un gouverneur de la Banque centrale des États-Unis, et le conseiller municipal Henry Osborne. »

William fit tomber le journal sur la table du petit déjeuner et ne finit pas son café. Il quitta la maison sans rien ajouter. Dès qu'il arriva au bureau, il appela Thomas Cohen, chez Cohen, Cohen et Yablons.

— Cela fait longtemps, monsieur Kane, lança Cohen. J'ai appris avec regret le décès de votre ami, M. Lester. Comment vont votre femme et votre fils – Richard, n'est-ce pas ?

William avait toujours admiré la capacité de l'avocat à se rappeler instantanément les noms et les liens de parenté.

— Tous les deux vont bien, merci, monsieur Cohen. Et Thaddeus ?

— Il vient de devenir associé du cabinet, et de faire de moi un grand-père. Alors en quoi puis-je vous être utile, monsieur Kane ?

Thomas Cohen se souvenait aussi que William ne supportait pas les menus propos qui s'éternisaient.

— Je souhaiterais engager, par votre intermédiaire, les services d'un détective privé de confiance. Je ne tiens pas à ce que mon nom soit associé à l'enquête, mais j'ai besoin d'une mise au point complète sur Henry Osborne, qui, semble-t-il, est à présent conseiller municipal à Chicago. Je veux tout savoir depuis qu'il a quitté Boston et en particulier, s'il existe un lien professionnel ou personnel entre lui et Abel Rosnovski, le président du groupe Baron.

Une pause s'ensuivit avant que l'avocat ne dise :

— Je comprends.

— Pouvez-vous me remettre votre rapport dans une semaine ?

— Deux s'il vous plaît, monsieur Kane, deux, répondit Cohen.

Thomas Cohen se montra toujours aussi fiable, et un rapport complet apparut sur le bureau de William le quinzième matin. Il lut le dossier plusieurs fois, souligna certains passages. Manifestement, il n'existait pas de lien professionnel formel entre Abel Rosnovski et Henry Osborne. Rosnovski, semblait-il, se servait d'Osborne comme de combinard politique, mais rien de plus. Osborne avait enchaîné les boulots depuis son départ de Boston, pour finir répartiteur à la Great Western Casualty Insurance Company. C'était sûrement comme cela qu'il était entré en contact avec Rosnovski, car l'ancien Richmond de Chicago était assuré par la Great Western. Lorsque l'hôtel fut réduit en cendres, la compagnie d'assurances avait initialement refusé la demande d'indemnisation. Un dénommé Desmond Pacey, l'ex-directeur, purgea dix ans de prison après avoir plaidé coupable d'incendie criminel, et il y avait eu des soupçons selon lesquels Rosnovski aurait pu être impliqué. Mais rien ne fut prouvé, et les assurances réglèrent les trois quarts d'un million de dollars. Osborne, poursuivait le rapport, était désormais conseiller municipal et politicien à temps plein à la mairie de Chicago. Tout le monde savait qu'il espérait devenir le prochain représentant de l'Illinois au Congrès américain. Il venait d'épouser une Mlle Marie Axton, la fille d'un riche fabricant de médicaments, et jusqu'ici, ils n'avaient pas d'enfants.

William relut le compte-rendu une fois de plus pour s'assurer qu'il n'avait rien manqué, même d'inconséquent. Bien qu'il y ait apparemment peu de choses unissant les deux hommes, il ne put s'empêcher de songer que l'association entre Abel Rosnovski et Henry Osborne, qui le détestaient tous les deux, pour des raisons complètement différentes, était potentiellement dangereuse. Il envoya un chèque par courrier à Thomas Cohen, et demanda à ce qu'il mette le dossier à jour tous les trimestres. Mais à mesure que les mois passaient et que les rapports trimestriels ne révélaient rien de nouveau, il cessa de s'inquiéter, et se dit qu'il avait peut-être réagi de manière exagérée à la photo du *Boston Globe*.

Au printemps 1936, Kate offrit à William une fille qu'ils baptisèrent Virginia. William se remit à changer les couches et sa fascination pour la « petite jeune fille » était telle que Kate dut venir à la rescousse de l'enfant tous les soirs de crainte qu'*elle* ne dorme jamais. Richard, qui avait désormais trois ans, s'efforça d'abord d'ignorer la nouvelle venue, avant que le temps et un nouveau train électrique ne soulagent sa jalousie.

À la fin de l'année, le département de William chez Kane & Cabot avait permis à la banque de réaliser un joli bénéfice. Il s'était sorti de la léthargie qui l'avait envahi à la mort de Matthew, et retrouvait vite sa réputation d'investisseur rusé en Bourse, notamment lorsque « Sell'em Short Smith[12] » avoua qu'il n'avait fait que parfaire une technique que William Kane de Boston avait mise au point. Même la direction de Tony Simmons l'irritait moins. Cependant, William était secrètement frustré de savoir qu'il ne pourrait pas espérer devenir président de Kane & Cabot avant que Simmons ne prenne sa retraite, dans quinze ans, mais il ne voyait pas trop ce qu'il pouvait y faire.

---

12. Smith est l'initiateur de la vente à découvert (*shortselling*), qui consiste à vendre haut pour racheter bas et qui permet de gagner en Bourse lorsque des entreprises sont en difficulté.

# 36

Charles Lester avait beaucoup vieilli en trois ans, depuis la mort de Matthew, et dans les milieux financiers, la rumeur disait qu'il n'éprouvait plus aucun intérêt pour son travail, et qu'on le voyait rarement à la banque. Ce ne fut donc pas une surprise lorsque William apprit le décès du vieil homme dans le *New York Times.*

Les Kane se rendirent aux funérailles à New York. Tout le monde était présent, y compris John Nance Garner, vice-président des États-Unis. Après l'enterrement, William et Kate reprirent le train pour Boston, vaguement conscients qu'ils venaient de perdre leur dernier lien proche avec les Lester.

Trois mois plus tard, William reçut une lettre de Sullivan et Cromwell, les éminents avocats new-yorkais, qui lui demandaient s'il aurait l'amabilité d'assister à la lecture du testament de feu Charles Lester dans leur cabinet de Wall Street.

William décida d'y aller, plus par loyauté envers les Lester que par envie de savoir ce que Charles Lester lui avait laissé. Il espérait un petit souvenir qui lui rappellerait Matthew et rejoindrait « l'aviron de Harvard » accroché au mur de son bureau à la Maison rouge. Il attendait aussi avec impatience l'opportunité de raviver ses relations avec tous les membres de la famille Lester qu'il avait connus durant ses vacances scolaires et universitaires.

Il descendit à New York dans la nouvelle Daimler qu'il venait d'acheter la veille et séjourna au Harvard Club. Le testament devait être lu le lendemain matin à dix heures, et il fut étonné de constater à son arrivée au cabinet de Sullivan et Cromwell que plus de cinquante personnes étaient déjà présentes. Beaucoup levèrent les yeux sur lui quand il entra dans la salle, et il salua plusieurs cousins et tantes de Matthew, qui paraissaient beaucoup plus âgés que dans ses souvenirs : il en conclut donc qu'ils devaient penser la même chose de lui. Il chercha Susan, la sœur de Matthew, dans la pièce, mais il ne la trouva pas. Il supposa que, depuis le temps, elle devait être mariée et avoir une nombreuse et jeune progéniture.

À dix heures précises, M. Arthur Cromwell fit son entrée, accompagné d'un assistant qui portait un dossier en cuir marron. Tout le monde se tut, plein d'espoir. L'avocat commença par expliquer que le contenu du testament n'avait pas été révélé avant aujourd'hui, trois mois après le décès de Charles Lester, sur les ordres spécifiques de M. Lester. N'ayant aucun fils à qui léguer sa fortune, il avait voulu que les choses se calment à sa mort, avant que ses ultimes intentions ne soient divulguées.

William passa la pièce en revue et scruta les visages, qui étaient pour la majorité absorbés par chaque syllabe qui sortait de la bouche de l'avocat. Arthur Cromwell mit près d'une heure à lire le testament manuscrit. Après avoir récité les legs habituels aux domestiques de la famille, œuvres de charité et une importante donation à l'université de Harvard, il révéla que Charles Lester avait partagé le reste de son patrimoine entre ses relations, plus ou moins en fonction de leur degré de parenté. Sa fille Susan reçut la majeure partie de sa fortune, tandis que ses cinq neveux et trois nièces obtinrent chacun une portion équivalente du reste. Tout leur argent et leurs actions devaient être administrés par fidéicommis par la banque jusqu'à ce qu'ils aient trente ans. Plusieurs autres cousins, tantes et famille éloignés devaient percevoir des paiements en liquide.

William fut étonné lorsque M. Cromwell annonça :

— Ceci règle tous les actifs connus de feu Charles Lester.

L'assistance se mit à s'agiter et des propos nerveux s'échangèrent à voix basse.

— Ce n'est toutefois pas la fin des dernières volontés de M. Lester, reprit l'avocat, imperturbable.

Tout le monde cessa de gigoter, craignant un coup de tonnerre tardif et importun.

M. Cromwell reprit :

— Je poursuis désormais avec les propres termes de M. Lester : « J'ai toujours estimé qu'une banque et sa réputation ne sont qu'à la mesure de ceux qui les servent. D'aucuns étaient au courant que j'avais espéré que mon fils Matthew me succéderait en tant que président de Lester, mais sa mort tragique et prématurée est tristement survenue. Jusqu'à présent, je n'ai jamais divulgué le nom du successeur que j'avais choisi. Je souhaiterais donc que l'on sache que je désire que William Lowell Kane, fils de l'un de mes plus chers amis, le défunt Richard Lowell Kane, et actuellement vice-président de Kane & Cabot, soit nommé président de Lester's Bank & Trust Company, à la suite de la prochaine réunion du conseil d'administration. »

Cela déclencha un tollé immédiat. Tout le monde chercha le mystérieux William Lowell Kane dans la salle, dont personne, à part la famille proche de Lester, n'avait jamais entendu parler.

— Je n'ai pas encore fini, annonça tranquillement Arthur Cormwell.

Le silence se fit de nouveau. Certains des futurs légataires semblaient désormais pleins d'appréhension.

L'avocat poursuivit :

— Toutes les cessions et répartitions des actions chez Lester & Company susmentionnées dépendent expressément du fait que les légataires voteront pour M. Kane à la prochaine assemblée générale annuelle et continueront à le faire pendant cinq ans minimum, à moins que M. Kane n'indique lui-même qu'il ne désire pas accepter la présidence.

Le tumulte remplaça de nouveau les murmures calmes. William souhaitait se trouver à un million de kilomètres, ne sachant pas trop s'il devait sauter de joie ou reconnaître qu'il était la personne la plus détestée de la pièce.

— Ceci met un terme aux dernières volontés de feu Charles Lester, déclara M. Cromwell, mais seul le premier rang l'entendit.

William leva les yeux pour voir Susan Lester se diriger vers lui. Les rondeurs de l'adolescence avaient disparu, mais pas les séduisantes taches de rousseur. Il sourit, mais elle passa devant lui comme s'il n'existait pas.

Alors que William gagnait la porte, un grand homme aux cheveux gris en costume à fines rayures et cravate argentée le rattrapa.

— Vous êtes William Kane, n'est-ce pas, monsieur ?

— Oui, répondit-il nerveusement.

— Je m'appelle Peter Parfitt, dit l'inconnu.

— L'un des vice-présidents de la banque.

— Tout à fait, monsieur. Je ne vous connais pas, mais votre réputation, si, et je m'estime heureux d'avoir rencontré votre éminent père. Si Charles Lester a supputé que vous étiez l'homme qu'il fallait pour devenir le président de cette banque, alors cela me suffit.

William n'avait jamais été aussi soulagé de sa vie.

— Où séjournez-vous à New York ?

— Au Harvard Club.

— Formidable ! Puis-je vous demander si vous êtes libre pour dîner ce soir, par hasard ?

— J'avais l'intention de rentrer à Boston, mais j'imagine que je vais devoir rester quelques jours de plus à New York.

— Bien. Et si vous vous joigniez à mon épouse et moi pour dîner, chez nous, à vingt heures ?

Le banquier lui donna sa carte, laquelle arborait une adresse gaufrée en écriture moulée.

— J'aimerais profiter de l'occasion pour bavarder avec vous dans une ambiance plus conviviale, et de connaître vos projets pour l'avenir de la banque.

— Merci monsieur, dit William en rangeant la carte alors que d'autres personnes se réunissaient autour de lui. Certains le dévisageaient avec hostilité, d'autres voulaient le féliciter.

Lorsqu'il réussit enfin à s'échapper et à retourner au Harvard Club, la première chose qu'il fit fut de téléphoner à Kate pour lui annoncer la nouvelle.

Elle déclara très calmement :

— Comme Matthew aurait été content pour toi, chéri.

William ne répondit pas, conscient que son ami aurait dû être le prochain président.

— Quand rentres-tu ?

— Dieu seul le sait. Je dîne ce soir avec un certain M. Parfitt, un vice-président de Lester's. Il se réjouit de ma nomination, ce qui pourrait me faciliter considérablement la vie. Je passerai la nuit ici au club, et je t'appellerai demain matin pour te dire comment les choses se précisent.

— Très bien, chéri.

— Tout va bien sur la côte Est ?

— Virginia a sorti une dent et semble penser qu'elle mérite une attention toute particulière. Richard a été envoyé au lit tôt hier soir, pour avoir été malpoli avec la nounou et tu nous manques à tous.

William rit.

— À côté de ça, mes problèmes ont l'air tout à fait ordinaires. Je t'appellerai demain, ma chérie.

— Oui, s'il te plaît. Au fait, toutes mes félicitations. J'approuve le jugement de Charles Lester, même si nous devons déménager à New York.

William arriva chez Peter Parfitt sur la 64e Rue Est peu après huit heures ce soir-là, et fut pris au dépourvu en découvrant que son hôte s'était habillé pour dîner. Il se sentit légèrement mal à l'aise dans son costume de banquier sombre et expliqua à son hôtesse qu'il avait initialement eu l'intention de rentrer à Boston dans la soirée. Diana Parfitt, en l'occurrence la seconde épouse de Peter, était on ne peut plus charmante et semblait aussi ravie que son mari que William soit le prochain président de Lester's. Au cours d'un excellent dîner, il ne put s'empêcher de demander à Parfitt comment, d'après lui, le reste du conseil d'administration réagirait à la dernière bombe de Charles Lester.

— Ils se rangeront tous à son avis, déclara-t-il. J'ai déjà parlé à la plupart. Une assemblée générale aura lieu lundi matin pour confirmer votre nomination, et je ne vois qu'un seul petit nuage à l'horizon.

— Lequel ? s'enquit William, qui tâcha de dissimuler son anxiété.

— De vous à moi, Ted Leach, l'autre vice-président, espérait plutôt qu'il serait nommé président. En fait, j'irais même jusqu'à dire qu'il s'imaginait le successeur naturel. Nous avons tous été informés qu'aucune nomination n'interviendrait avant la lecture du testament, mais les vœux de Charles ont été un gros choc pour Ted.

— Se défendra-t-il ?

— Je le crains, mais vous n'avez aucun souci à vous faire.

— Je dois bien reconnaître, lança Diana Parfitt en contemplant le soufflé plat devant elle, que je n'ai jamais vraiment aimé Ted Leach.

— Écoute, chérie, fit Parfitt d'un ton réprobateur, nous ne devons rien dire dans le dos de Ted avant que William ne puisse se faire une opinion par lui-même. Je ne doute pas que le conseil confirme la nomination de William lors de la réunion de lundi, et il existe même l'éventualité que Ted démissionne.

— Je ne veux pousser personne à la démission, lança William.

— Une attitude très honorable, observa Parfitt. Mais ne vous alarmez pas pour rien. Je suis sûr et certain que toute cette histoire est en bonne voie. Rentrez à Boston, et je vous tiendrai informé de la situation.

— Peut-être vaudrait-il mieux que je passe à la banque demain. Vos collègues ne trouveraient-ils pas un peu étrange que je n'essaie pas de les rencontrer ?

— Non, je vous le déconseille, étant donné les circonstances. En fait, il serait préférable que vous restiez à l'écart jusqu'à ce que le conseil ait confirmé votre nomination. Ses membres n'auront pas envie que l'on touche à leur indépendance et certains ont déjà l'impression de l'avoir approuvée sans avoir eu leur mot à dire. Écoutez-moi, Bill, et retournez à Boston. Je vous appellerai pour vous annoncer la bonne nouvelle lundi vers midi.

William acquiesça, la mort dans l'âme, et passa ensuite un agréable moment à discuter avec les Parfitt sur le quartier où Kate et lui devraient séjourner quand ils chercheraient un domicile permanent. Il fut quelque peu surpris que Peter Parfitt n'ait visiblement aucune envie de partager son point de vue personnel sur la direction que la banque devrait prendre, mais supposa que c'était en raison de la présence de sa femme. La soirée se termina avec un peu trop de brandy, et William rentra au Harvard Club à plus d'une heure du matin.

La première chose qu'il fit, de retour à Boston, fut d'informer Tony Simmons de ce qui s'était passé à New York ; il ne voulait pas que quelqu'un d'autre l'avertisse de sa nomination. En l'occurrence, Simmons se montra quelque peu nerveux lorsqu'il apprit la nouvelle.

— Je suis désolé que vous nous quittiez, William. Lester's a beau faire deux ou trois fois la taille de Kane & Cabot, ce sera très difficile de vous remplacer. J'espère que vous réfléchirez très soigneusement avant d'accepter cette offre.

La réaction de Tony étonna William.

— Franchement, Tony, j'aurais cru que vous n'auriez été que trop heureux de me voir partir.

— William, quand comprendrez-vous que mon premier intérêt a toujours été la banque ? Je n'ai jamais douté le moins du monde que vous étiez l'un des investisseurs les plus rusés d'Amérique aujourd'hui. Si vous quittez Kane & Cabot maintenant, la plupart des clients les plus importants voudront vous suivre.

— Je ne transférerai jamais mon propre fonds en fidéicommis chez Lester's, et je ne souhaite pas que nos clients déplacent leurs comptes en raison de mon départ.

— Bien sûr que vous ne leur demanderez pas de vous rejoindre, William, ce n'est pas votre genre, mais certains aimeront que vous continuiez à gérer leur portefeuille. Comme votre père et Charles Lester, ils croient à juste titre que la banque, c'est une question de personnes et de réputation.

William et Kate passèrent un week-end tendu à attendre l'appel de Peter Parfitt à la suite de la réunion du conseil d'administration à New York. William resta nerveusement assis toute la matinée du lundi dans son bureau, répondit personnellement à chaque coup de fil, mais il n'avait toujours aucune nouvelle alors que l'après-midi se profilait. Il ne sortit même pas déjeuner. Parfitt finit par appeler peu après cinq heures.

— Je crains qu'il n'y ait un rebondissement inattendu, Bill, commença-t-il.

Le cœur de William se serra.

— Pas de quoi s'inquiéter, mais le conseil veut le droit de s'opposer à votre nomination et de proposer son propre candidat. L'un d'eux a produit des avis juridiques selon lesquels la clause du testament en question n'aurait aucune validité. On m'a confié la tâche désagréable de vous demander si vous seriez prêt à disputer une élection contre le candidat du conseil.

— Qui serait-il ? s'enquit William.

— Aucun nom n'a encore été divulgué, mais j'imagine qu'il s'agira de Ted Leach. Personne d'autre n'a montré le moindre intérêt à se présenter contre vous.

— J'aimerais un peu de temps pour y réfléchir. Quand la prochaine réunion du conseil aura-t-elle lieu ?

— Dans une semaine. Mais ne vous énervez pas à cause de Ted Leach. Je reste confiant : vous remporterez facilement l'élection. Je vous tiens informé des événements.

— Voulez-vous que je descende à New York, Peter ?

— Non, pas pour l'instant. Je ne crois pas que cela soit très utile.

William le remercia et raccrocha, puis remplit son vieux porte-documents en cuir et sortit de son bureau, plutôt déprimé. Tony Simmons, qui tirait une valise, le rattrapa dans le parking des directeurs.

— J'ignorais que vous quittiez la ville, Tony.

— C'est juste l'un de ces dîners de banquiers mensuels à New York. Je serai de retour demain après-midi. Je crois que je peux sans risque laisser Kane & Cabot pendant vingt-quatre heures entre les mains compétentes du futur président de Lester's.

William rit.

— Si ça se trouve, je suis déjà ex-président, dit-il, avant de lui expliquer les derniers rebondissements.

Une fois de plus, la réaction de Simmons l'étonna.

— C'est vrai que Ted Leach a toujours espéré devenir le futur président de Lester's, affirma-t-il. Tout le monde le sait dans les milieux financiers. Mais c'est un fidèle serviteur de la banque, et je ne peux pas croire qu'il s'opposerait aux souhaits de Charles Lester.

— Je n'avais pas compris que vous le connaissiez, observa William.

— Pas si bien que cela. Il fréquentait Yale en même temps que moi, une classe au-dessus de moi, et je le croise de temps en temps à ces satanés dîners auxquels on se doit d'assister une fois que l'on est président. Il est censé être là ce soir. Je lui toucherai un mot si vous le désirez.

— Oui, faites, mais soyez prudent, voulez-vous ?

— Mon cher William, vous avez passé les dix dernières années de votre vie à m'asséner que j'étais bien trop prudent.

— Je suis désolé, Tony. C'est drôle comme notre jugement est influencé quand on se retrouve confronté à un problème personnel, même s'il peut sembler sérieux comparé à ceux des autres. Je m'en remets à vous, et ferai tout ce que vous me conseillerez.

— Bien. Comptez sur moi. Je verrai ce que Leach a à dire pour sa défense et je vous appellerai demain à la première heure.

Tony Simmons appela de New York peu après minuit, tirant William d'un sommeil agité.

— Vous ai-je réveillé, William ?

— Oui, mais ce n'est pas grave, Tony.

Il alluma la lampe près du lit et regarda son réveil.

— Vous aviez dit que vous me contacteriez à la première heure, en effet.

Simmons rit.

— Je crains que ce que j'ai à vous annoncer ne soit pas aussi amusant. L'homme qui s'oppose à vous pour la présidence de Lester's est Peter Parfitt.

— *Quoi* ? fit William, brusquement bien réveillé.

— Il essaie de forcer le conseil à le soutenir dans votre dos. Ted Leach, comme je m'y attendais, est pour votre nomination en tant que président. Toutefois, le conseil est divisé en son centre.

— Zut. Premièrement, merci Tony. Et deuxièmement, que puis-je donc faire ?

— Si vous désirez être le prochain président de Lester's, vous feriez mieux de vous amener le plus vite possible. Certains membres du conseil demandent pourquoi vous vous cachez à Boston.

— Me cacher ?

— C'est ce que Parfitt raconte depuis quelques jours.

— Le salaud.

— Maintenant que vous abordez le sujet, je ne suis pas en mesure de me porter garant de ses liens de parenté, dit Simmons.

William rit.

— Venez séjourner au Yale Club. Nous pourrons parler de tout cela demain matin à la première heure.

— J'y serai le plus vite possible.

Il raccrocha et regarda Kate endormie, parfaitement inconsciente de son tout dernier problème. Comme il aimerait être comme elle ! Il suffisait qu'un rideau batte dans le vent et il était réveillé alors qu'elle dormirait sûrement pendant le second avènement du Messie. Il griffonna quelques lignes d'explication et posa le mot sur sa table de nuit. Puis il s'habilla, fit ses bagages – avec cette fois, un smoking – et partit pour New York.

À une heure du matin, les routes étaient désertes, et le voyage dans la Daimler lui parut le plus rapide qu'il ait jamais effectué. Il arriva à New York en compagnie de femmes de ménage, de facteurs, de crieurs de journaux, et du soleil matinal. Il se présenta au Yale Club quand l'horloge de l'entrée sonna une fois. Il était six heures et quart. Il défit ses bagages et décida de se reposer une heure avant de réveiller Tony Simmons, mais il entendit quelqu'un frapper à la porte avec insistance. Ensommeillé, il alla ouvrir, et trouva Simmons debout dans le couloir.

— Jolie robe de chambre, William, observa-t-il en souriant.

— J'ai dû m'endormir. Si vous voulez attendre une minute, je suis à vous.

— Non, non, je dois prendre un train pour Boston. Il faut bien que quelqu'un dirige la banque. Vous vous douchez et vous vous habillez pendant que l'on parle.

William se rendit dans la salle de bains et laissa la porte ouverte.

— Donc, votre plus gros problème… commença Simmons.

William passa la tête par la porte.

— Je n'entends rien quand l'eau coule.

Simmons attendit qu'elle s'arrête.

— Peter Parfitt est votre plus gros problème. Il a cru qu'il serait le prochain président et que son nom figurerait dans le testament de Charles Lester. Depuis, il joue les politiciens au conseil d'administration et essaie de monter les directeurs contre vous. Ted Leach aimerait que vous déjeuniez avec lui aujourd'hui au Metropolitan

Club où il vous informera des subtilités. Il pourrait amener un ou deux autres membres du conseil en qui vous pouvez avoir une confiance totale. Le conseil, d'ailleurs, a l'air encore bien divisé en son centre.

William se coupa avec le rasoir.

— Mince. Quel club, avez-vous dit ?

— Le Metropolitan, juste derrière la Cinquième Avenue, sur la 60e Rue Est.

— Pourquoi pas sur Wall Street ?

— William, lorsque vous avez affaire à des Peter Parfitt, vous ne dévoilez pas vos intentions. Soyez prudent et jouez-la très discrètement. D'après les dires de Leach, il croit que vous pouvez encore gagner.

William, une serviette autour de la taille, revint dans la chambre.

— J'essaierai, dit-il. D'être discret, bien sûr.

Simmons sourit.

— Maintenant je dois rentrer à Boston. Mon train part de Grand Central dans dix minutes. *(Il consulta sa montre.)* Mince, six minutes. *(Il marqua une pause à la porte.)* Vous savez, votre père n'a jamais fait confiance à Peter Parfitt. Un peu trop lisse, affirmait-il. Jamais rien d'autre, juste « un peu trop lisse ». Bonne chance, William.

— Comment pourrais-je jamais vous remercier, Tony ?

— Vous ne pourrez pas. Estimez juste que j'essaie de me rattraper pour m'être montré aussi vache avec Matthew. Mais franchement, pour Kane & Cabot, j'espère que vous allez perdre.

William sourit en regardant la porte se fermer. Après avoir attaché son bouton de col, il réfléchit et songea que c'était curieux d'avoir passé toutes ces années à travailler en collaboration étroite avec Tony Simmons, sans jamais apprendre à vraiment le connaître. Après quelques jours de crise personnelle, il se surprenait à apprécier cet homme et à lui faire confiance. Il descendit dans la salle à manger, où il prit un petit déjeuner typique du club : un œuf dur, une tartine grillée, du beurre et de la marmelade provenant d'une autre table. Le portier lui donna le *Wall Street Journal*, qui insinuait sur une page intérieure que tout ne se déroulait pas aussi bien chez Lester's à la suite de la nomination de William Kane comme futur président. Au moins, le *Journal* n'avait pas l'air de connaître l'identité de son rival.

William retourna dans sa chambre et demanda un numéro à Boston à l'opératrice. On le fit patienter quelques minutes avant d'être mis en communication.

— Veuillez m'excuser, monsieur Kane. Je ne savais pas que c'était vous qui étiez en ligne. Permettez-moi de vous féliciter pour votre nomination en tant que président de Lester's. J'espère que cela signifie que notre bureau de New York vous verra beaucoup plus à l'avenir.

— Cela pourrait bien dépendre de vous, monsieur Cohen.

— Je ne suis pas sûr de comprendre, répondit l'avocat.

William relata les événements de ces derniers jours et lut la clause correspondante du testament de Charles Lester.

— Pensez-vous que ses souhaits tiendraient bon devant un tribunal ? finit-il par demander.

— Qui sait ? Je ne vois aucun précédent dans ce genre de situation. Un parlementaire au XIXe siècle a autrefois légué sa circonscription électorale dans un testament, et personne n'a protesté, et le légataire est par la suite devenu Premier ministre. Mais cela remonte à plus de cent ans. En Angleterre. Aujourd'hui, dans cette affaire, si le conseil décidait de contester le testament de M. Lester, et que vous l'assigniez en justice, je n'aimerais pas prédire la réaction du juge. Lord Melbourne n'avait pas été confronté à un magistrat du comté de New York. Quoi qu'il en soit, un joli casse-tête juridique, monsieur Kane.

— Que me conseillez-vous ?

— Je suis juif, monsieur Kane. Je suis arrivé dans ce pays sur un bateau en provenance d'Allemagne, au tournant du siècle, et j'ai toujours dû me battre pour tout ce que j'ai voulu. Dans quelle mesure souhaitez-vous devenir président de Lester's ?

— Plus que tout.

— Alors, vous devriez écouter un vieillard qui, au fil des années, en est venu à vous considérer avec un grand respect et, si je puis me permettre, avec aussi beaucoup d'affection. Je vais vous dire exactement ce que je ferais si je me retrouvais dans le même pétrin.

Une heure plus tard, William raccrocha et, ayant du temps à tuer, flâna sur Park Avenue en pensant aux conseils judicieux de Cohen. En se rendant au Metropolitan Club, il passa devant un site sur lequel un immeuble immense était en construction. Un grand panneau d'affichage annonçait : « Le prochain hôtel Baron sera à New York. Quand on a goûté au Baron, on ne veut plus jamais séjourner ailleurs. »

Il sourit et s'en alla, le pas plus léger, pour son déjeuner professionnel.

Ted Leach, un homme petit et tiré à quatre épingles, les cheveux châtain foncé et la moustache plus claire, l'attendait dans l'entrée et lui serra chaleureusement la main. William admira le style Renaissance du club, qui, lui apprit Leach, avait été construit par Otto Kuhn et Stanford White en 1891. J.P. Morgan l'avait créé lorsque l'un de ses plus proches amis s'était fait blackbouler à l'Union League, lui expliqua Leach quand ils entrèrent dans le bar sans se presser.

— Un geste extravagant, même pour un intime, observa William, tâchant de faire la conversation.

— Certes, acquiesça Leach. Que voulez-vous boire, monsieur Kane ?

— Un sherry sec, s'il vous plaît.

Un garçon en uniforme bleu chic revint quelques minutes plus tard avec un sherry sec et un scotch à l'eau ; il n'avait pas eu besoin de demander à M. Leach ce qu'il désirait.

— Au prochain président de Lester's, lança Leach en levant son verre.

William hésita.

— Ne buvez pas, monsieur Kane. Comme vous le savez, on ne doit jamais trinquer à sa santé.

William rit, ignorant quoi ajouter.

Quelques instants plus tard, deux hommes plus âgés les rejoignirent dans le bar, tous les deux grands et sûrs d'eux, dans leur uniforme de banquier – costume trois-pièces, cols amidonnés et cravates unies sombres. S'ils s'étaient promenés sur Wall Street, William ne se serait pas retourné sur leur passage. Au Metropolitan Club, il les examina soigneusement pendant que Leach procédait aux présentations.

— M. Alfred Rodgers et M. Winthrop Davies. Tous les deux membres du conseil.

Le sourire de William était réservé ; il ignorait dans quel camp ils se trouvaient. Les deux nouveaux venus le scrutèrent avec intérêt. Personne ne parla pendant un moment.

— Par où commençons-nous ? demanda Rodgers, un monocle tombant de son nez.

— Par monter déjeuner, répondit Leach.

Tous les trois tournèrent les talons, sachant exactement où ils se rendaient. William suivit. La salle à manger au deuxième étage, spacieuse, était agrémentée d'un autre haut plafond magnifique. Le maître d'hôtel les installa sur une banquette sous la fenêtre qui donnait sur Central Park, où personne ne pouvait entendre leur conversation.

— Commandons d'abord et parlons ensuite, proposa Leach.

Par la vitre, William voyait l'hôtel Plaza. Des souvenirs de ses repas de fête avec les grands-mères et Matthew lui revinrent en mémoire – et il essayait de se rappeler autre chose en rapport avec le thé au Plaza…

— Monsieur Kane, jouons cartes sur table, déclara Leach. La décision de Charles Lester de vous nommer président de son institution nous a tous surpris, pour être franc. Mais si le conseil devait ignorer ses souhaits, la banque pourrait se retrouver plongée dans le chaos et aucun de nous ne le souhaite. C'était une vieille buse rusée, et il aura eu ses raisons de vouloir que vous deveniez président. Pour moi, cela suffit.

William avait déjà entendu quelqu'un exprimer ces sentiments – Peter Parfitt.

— Tous les trois, poursuivit Davis, prenant le relais, nous devons tout à Charles Lester, et nous exaucerons ses désirs si c'est la dernière chose que nous pouvons faire en qualité de membres de ce conseil.

— Si ça se trouve, cela s'arrêterait là, déclara Leach, si Parfitt réussissait à devenir président.

— Je suis désolé, messieurs, dit William, de vous avoir plongés dans une telle consternation. Si ma nomination en tant que président a pu vous surprendre, pour moi, elle était totalement inattendue. Lorsque j'ai assisté à la lecture du testament, j'ai imaginé que je recevrais un petit souvenir personnel en mémoire du fils de M. Lester, pas l'opportunité de diriger sa banque.

Leach sourit en entendant le mot « opportunité ».

— Nous comprenons la situation dans laquelle vous vous êtes retrouvé, monsieur Kane, et vous devez nous faire confiance quand nous vous affirmons que nous sommes de votre côté. Nous sommes bien conscients que vous pourriez avoir du mal à l'admettre, après le traitement que Peter Parfitt vous a infligé.

— Je dois vous croire, monsieur Leach, parce que je n'ai d'autre choix que de m'en remettre à vous. Comment résumeriez-vous la conjoncture actuelle ?

— Elle est claire, expliqua Leach. La campagne de Parfitt est parfaitement organisée, et il pense désormais agir en position de force. Je suppose, monsieur Kane, que vous avez l'envie de vous battre.

— Je ne serais pas ici si ce n'était pas le cas, monsieur Leach. Et maintenant que vous avez exposé si succinctement les faits, peut-être me laisserez-vous suggérer comment nous devrions nous y prendre pour vaincre M. Parfitt.

— Certainement, acquiesça Leach.

Les yeux des trois banquiers étaient rivés sur William.

— Vous avez parfaitement raison lorsque vous affirmez que Parfitt s'estime en position de force parce que jusqu'à présent il est toujours passé à l'attaque, sachant ce qui se produirait ensuite. Le moment est venu pour *nous* de passer à l'attaque, où et quand il s'y attend le moins – dans sa propre salle de conférences.

— Comment proposez-vous de nous y prendre, monsieur Kane ? demanda Davis.

— Je vais vous l'expliquer si vous me permettez d'abord de vous poser deux questions. Combien de directeurs peuvent-ils voter ?

— Seize, rétorqua instantanément Leach.

— Et dans quel camp se trouvent-ils en ce moment ?

— Ce n'est pas très facile de répondre à cette question, monsieur Kane, intervint Davis. *(Il sortit une enveloppe froissée de sa poche intérieure dont il examina le verso avant de reprendre.)* J'estime que nous pouvons compter sur six votes certains, et Parfitt, sur cinq. Mais j'ai été choqué d'apprendre ce matin que Rupert Cork-Smith

– c'était le plus vieil ami de Charles Lester – n'a pas l'intention de vous soutenir. C'est très étrange, parce que je sais qu'il se moque bien de Parfitt. Cela ferait six voix chacun.

— Il nous reste donc jusqu'à jeudi, en déduisit Leach, pour en gagner trois de plus.

— Pourquoi jeudi ? s'enquit William.

— C'est le jour de la prochaine réunion du conseil, expliqua Leach en caressant sa moustache. Et le point numéro un à l'ordre du jour est l'élection d'un nouveau président.

— On m'a affirmé qu'elle n'aurait pas lieu avant lundi, s'étonna William.

— Qui vous a prétendu cela ? demanda Davies.

— Peter Parfitt.

— Sa tactique, observa Leach, est loin d'être celle d'un gentleman.

— J'en ai suffisamment appris sur ce gentleman, répliqua William en insistant, ironique, sur « gentleman », pour savoir que je vais devoir jouer au plus fin avec lui.

— Plus facile à dire qu'à faire, monsieur Kane. C'est lui qui tient les rênes en ce moment, affirma Davis, et je ne vois pas comment nous pourrions les lui enlever.

— Mettons le feu au rouge, répondit William. *(Les trois hommes eurent l'air perplexe, mais se gardèrent de tout commentaire.)* Qui a l'autorité de convoquer une réunion du conseil ?

— Tant que le conseil n'a pas de président, l'un des vice-présidents, expliqua Ted Leach, en d'autres termes, Parfitt ou moi.

— Combien faut-il de membres pour constituer un quorum ?

— Neuf, expliqua Davies.

— Et qui est le secrétaire général ?

— Moi, répondit Alfred Rodgers, qui n'avait jusqu'alors pratiquement pas ouvert la bouche, l'une des nombreuses qualités que William recherchait chez un secrétaire général.

— Combien de temps vous faut-il pour prévoir une réunion du conseil en urgence, monsieur Rodgers ?

— Chaque directeur doit être informé au moins vingt-quatre heures à l'avance, bien que cela ne soit jamais arrivé depuis le krach de 1929. Charles Lester a toujours essayé de laisser un délai de six jours au minimum.

— Mais le règlement de la banque autorise bien qu'une réunion en urgence ait lieu dans un délai de vingt-quatre heures ?

— Oui, monsieur Kane, affirma Rodgers, son monocle bien en place et concentré sur William.

— Parfait. Alors, prévoyons notre propre réunion du conseil.

Les trois banquiers le dévisagèrent comme s'ils ne l'avaient pas très bien entendu.

— Réfléchissez, messieurs, poursuivit William. M. Leach, en qualité de vice-président, convoque le conseil, et M. Rodgers, en tant que secrétaire général, informe immédiatement tous les directeurs.

— Quand souhaitez-vous qu'elle ait lieu ? demanda Leach.

— Demain après-midi, quinze heures.

— Grands dieux, c'est un peu juste, lança Rodgers. Je ne suis pas sûr...

— C'est un peu juste seulement pour Parfitt, vous ne trouvez pas ? fit William.

— Bien vu, acquiesça Leach. Et qu'avez-vous prévu pour cette réunion ?

— Faites-moi confiance. Assurez-vous simplement d'agir dans la légalité et de donner à chaque directeur un délai minimum de vingt-quatre heures.

— Je me demande comment Parfitt va réagir ? dit Leach.

— Je m'en moque éperdument, répondit William. C'est l'erreur que nous avons commise tout le long. Qu'il commence donc à se soucier de nous, pour une fois. Tant qu'on lui laisse vingt-quatre heures et qu'il est le dernier informé, nous n'avons rien à craindre. Nous n'avons pas intérêt à ce qu'il ait plus de temps que nécessaire pour riposter. Et messieurs, ne soyez pas étonnés par tout ce que je pourrai dire ou faire demain. Ayez confiance en mon jugement, et veillez simplement à être là pour me soutenir.

— Vous ne pensez pas que nous devrions savoir ce que vous avez en tête ?

— Non, monsieur Leach. Vous ne devez pas avoir l'air impliqué et montrer uniquement que vous accomplissez votre devoir de directeur de banque. Toutefois, il sera important que M. Rodgers soit prêt à procéder à une élection sans avoir l'air d'être au courant qu'elle allait se produire.

Ted Leach et ses deux collègues commençaient à comprendre pourquoi Charles Lester avait choisi William Kane pour devenir leur futur président. Ils quittèrent le Metropolitan Club quelques minutes plus tard, plus confiants qu'à leur arrivée, bien qu'ignorant totalement ce que Kane avait prévu pour la réunion qu'ils comptaient organiser. William, quant à lui, ayant réalisé la première partie des instructions de Thomas Cohen à sa convenance, avait en réalité hâte de passer à la deuxième, plus difficile.

Il resta la plupart de l'après-midi et de la soirée dans sa chambre au Yale Club, où il prit de nombreuses notes et revit sa stratégie pour la réunion du lendemain. À six heures, il marqua une courte pause pour appeler Kate.

— Où es-tu, chéri ? s'enquit-elle. Parti furtivement en plein milieu de la nuit je ne sais où.

— Voir ma maîtresse new-yorkaise, rétorqua William.

— La pauvre. Quel conseil donne-t-elle sur le sournois M. Parfitt ?

— Pas eu le temps de lui demander, on a été trop occupés à faire d'autres choses. Tant que je t'ai au téléphone, quel est ton conseil ?

— Ne fais rien que Charles Lester ou ton père n'auraient pas approuvé, répondit Kate, brusquement sérieuse.

— Ils sont probablement en train de jouer au golf ensemble sur le dix-huitième nuage et de prendre des paris, tout en gardant un œil sur moi tout le temps.

— Quoi que tu fasses, William, tu seras sûr de ne pas te tromper si tu n'oublies pas qu'ils t'ont à l'œil.

# 37

Aux premières lueurs du jour, William était déjà réveillé, n'ayant dormi que par à-coups. Il se leva peu après six heures, prit une douche bien froide, partit faire une longue promenade dans Central Park pour s'éclaircir les idées, et retourna au Yale Club pour un petit déjeuner léger. Un message l'y attendait, de la part de sa femme, dans l'entrée. Il le lut et rit aux éclats. « Si tu as le temps, pourrais-tu penser à acheter une casquette des New York Yankees pour Richard ? »

Il prit un numéro du *Wall Street Journal*, qui racontait encore les frictions survenues dans la salle de conférences de Lester's à propos du choix d'un nouveau président. Parfitt donnait désormais sa version des événements, et insinuait que sa nomination devrait être confirmée à la réunion du conseil de jeudi. William se demanda quelle interprétation figurerait dans l'édition du lendemain. Comme il aurait déjà voulu lire le *Journal* de vendredi !

Après un autre coup de fil à Thomas Cohen, il passa la matinée à contre-vérifier les statuts de Lester's Bank. Il ne déjeuna pas et passa acheter une casquette de base-ball pour son fils chez FAO Schwartz.

À deux heures et demie, il prit un taxi pour la banque Lester à Wall Street et arriva devant la porte peu avant trois heures. Le jeune portier lui demanda avec qui il avait rendez-vous.

— Je suis William Kane.

— Bien monsieur. Vous souhaiterez sans doute vous rendre dans la salle de conférences.

« Grands dieux, songea William, je ne sais même pas où elle se trouve. »

Le portier constata son embarras.

— Prenez le couloir sur la gauche, monsieur, et c'est la deuxième porte à droite.

— Merci, répondit William et il remonta lentement le long couloir.

Jusqu'à cet instant, il avait toujours trouvé l'expression « avoir le trac » stupide. Il pensait que les battements de son cœur devaient faire plus de bruit que le tic-tac de l'horloge dans le hall. Il n'aurait pas été surpris d'entendre frapper trois coups.

Ted Leach était posté à l'entrée de la salle de conférences.

— Il va y avoir du grabuge, annonça-t-il.

— Ça ne m'étonne pas, répondit William. Mais c'est ce qu'aurait souhaité Charles Lester, qui a toujours pris les problèmes de front.

William entra à grandes enjambées dans l'impressionnante pièce lambrissée de chêne, où des hommes, en pleine conversation, se tenaient par groupes de deux ou trois. Il n'eut pas besoin de compter les têtes pour savoir que chaque directeur était présent. Il ne s'agissait pas de l'une de ces réunions du conseil qu'un directeur pouvait manquer. Les bavardages cessèrent à la minute où William pénétra dans la salle. Il prit la place du président en tête de la longue table en acajou, avant que Peter Parfitt ne se rende compte de ce qui se passait.

— Messieurs, veuillez vous asseoir, dit-il, espérant que sa voix fût autoritaire.

Ted Leach et certains directeurs obéirent immédiatement, d'autres semblèrent plus hésitants.

— Avant que quiconque ne prenne la parole, tenta William, je souhaiterais, si vous le permettez, commencer par un bref discours de présentation, et vous pourrez ensuite décider comment vous désireriez procéder. Je pense que c'est le moins que nous puissions faire pour respecter les souhaits de feu Charles Lester.

Un ou deux membres réticents du conseil s'installèrent. Tous les yeux dans la salle étaient rivés sur William.

— Merci messieurs. Avant tout, j'aimerais éclaircir les choses : je n'ai absolument aucune envie d'être le président de cette banque. *(Il marqua une pause pour l'effet.)* À moins que ce ne soit l'aspiration de la majorité de ses directeurs. Je suis, messieurs, actuellement vice-président de Kane & Cabot, et je possède cinquante et un pour cent des actions de cet établissement. Kane & Cabot a été fondée par mon grand-père et je pense qu'elle n'a rien à envier, de réputation, sinon de taille, à Lester's. Si je devais quitter Boston et déménager à New York pour devenir le prochain président de cette institution, selon les vœux de Charles Lester, ce ne serait pas facile pour ma famille et moi. Toutefois, puisque tel était le désir de Charles Lester – et ce n'était pas le genre d'homme à faire une telle proposition à la légère –, je me vois dans l'obligation de prendre ses souhaits au sérieux. J'aimerais également ajouter que son fils, Matthew Lester, était mon meilleur ami depuis plus de quinze ans, et c'est pour moi une tragédie, que ce soit moi, et non lui, qui m'adresse à vous aujourd'hui en tant qu'éventuel président de votre banque.

Certains directeurs opinèrent en signe d'approbation.

— Messieurs, si j'avais la chance de m'assurer votre soutien, je serais prêt à sacrifier tout ce que je possède à Boston afin de vous servir. J'espère qu'il n'est pas nécessaire que je vous fasse un compte-rendu détaillé de mon expérience de banquier. J'imagine que vous vous êtes donné le mal de découvrir pourquoi Charles Lester a estimé que j'étais l'homme qu'il fallait pour lui succéder. Mon propre président, Tony Simmons, que beaucoup d'entre vous connaissent, m'a demandé de rester chez Kane & Cabot, et d'ignorer les souhaits de Charles Lester.

Il poursuivit :

— J'avais l'intention d'informer M. Parfitt de ma décision hier – s'il avait pris la peine de m'appeler. J'ai eu le plaisir de dîner avec M. et Mme Parfitt la semaine dernière chez eux, et à cette occasion, M. Parfitt m'a certifié qu'il n'avait aucun intérêt à devenir le prochain président de cette banque. Mon seul rival, selon lui, était M. Leach, votre autre vice-président. J'ai depuis consulté M. Leach, et il m'informe que j'ai toujours eu son appui pour la présidence. J'ai donc supposé que les deux vice-présidents me soutenaient. Mais après avoir lu le *Wall Street Journal* de ce matin, non pas que je me sois fié à ses prédictions depuis mes huit ans – quelques rires –, je me suis dit que je devrais assister à la réunion de ce jour pour m'assurer que je n'avais pas perdu le soutien des deux vice-présidents, et que l'article du *Journal* était exact. M. Leach a prévu cette réunion, et je dois maintenant lui demander s'il m'appuie encore pour succéder à Charles Lester en tant que futur président de cette banque.

William regarda Leach, qui gardait la tête baissée. L'attente de son verdict sembla interminable, bien qu'elle ne durât que quelques secondes. Un refus de sa part et les parfittiens allaient massacrer les chrétiens.

Leach leva lentement les yeux, et dit :

— Messieurs, je soutiens M. Kane sans réserve.

William fixa Peter Parfitt pour la première fois de la journée. Il transpirait abondamment, et quand il prit la parole, il garda le regard rivé au bloc-notes jaune devant lui.

— Certains membres du conseil, commença-t-il, pensaient que je devais me mettre sur les rangs…

— Et tout cela s'est produit depuis que nous nous sommes parlé la semaine dernière, lorsque vous m'avez assuré que vous respecteriez bien volontiers les souhaits de Charles Lester ? interrompit William, laissant une petite note de surprise imprégner sa voix.

Parfitt leva un peu la tête.

— La situation n'est pas aussi simple, monsieur Kane.

— Oh si, elle l'est, monsieur Parfitt. Avez-vous changé d'avis depuis que j'ai dîné chez vous ou continuez-vous à me soutenir ?

— On m'a assuré que plusieurs directeurs souhaitaient que je me présente contre vous.

— Alors que vous m'avez affirmé il y a une semaine à peine que vous ne désiriez pas devenir président ?

— J'aimerais pouvoir faire connaître ma position à ce sujet, dit Parfitt, avant que vous ne fassiez trop de suppositions. Ce n'est pas encore votre conseil d'administration, monsieur Kane.

— Je vous en prie, monsieur Parfitt.

Jusque-là, la réunion s'était déroulée exactement comme William l'avait prévu. Il avait soigneusement préparé son discours, et désormais Parfitt peinait, désavantagé d'avoir perdu la main, et encore plus d'avoir été publiquement dénoncé de jouer double jeu.

— Messieurs, commença-t-il, comme s'il cherchait ses mots. Eh bien…

Tous les yeux étaient dorénavant rivés sur Parfitt, ce qui donna à William l'occasion de se détendre quelque peu et d'examiner le visage des autres directeurs.

— Plusieurs membres du conseil m'ont approché en privé, après mon dîner avec M. Kane, déclara Parfitt. Et je me suis dit que ce n'était que mon devoir de me conformer à leur désir et de me présenter à l'élection. À aucun moment, je n'ai voulu m'opposer aux souhaits de M. Lester que j'ai beaucoup admiré et respecté. Naturellement, j'aurais informé M. Kane de mon intention avant la réunion prévue jeudi prochain, mais j'avoue que les événements d'aujourd'hui m'ont quelque peu pris au dépourvu.

Il respira profondément.

— Voilà vingt-deux ans que je sers Lester's, dont six en tant que vice-président. J'estime, de ce fait, avoir le droit que l'on pense à moi pour la présidence. Je serais ravi si M. Kane devait rejoindre le conseil comme vice-président, mais je me retrouve dans l'impossibilité d'appuyer sa nomination de président. J'espère que mes homologues directeurs soutiendront quelqu'un qui a travaillé pour cette banque depuis plus de vingt ans, plutôt qu'un inconnu choisi sur un coup de tête par un homme rendu fou de douleur à cause de la mort de son fils unique. Merci messieurs.

Étant donné les circonstances, William fut plutôt impressionné par ce discours, mais Parfitt ne bénéficiait pas des indications de M. Cohen sur le pouvoir du dernier mot dans un combat serré. William se releva.

— Messieurs, M. Parfitt a observé que vous ne me connaissiez pas personnellement. Je souhaite donc qu'aucun d'entre vous ne doute du genre de personne que je suis. Comme je l'ai dit, je suis petit-fils et fils de banquiers. J'ai exercé cette profession toute ma vie, et ce serait moins qu'honnête de prétendre que je ne serais pas honoré de devenir le prochain président de Lester's. Si, en revanche, après tout ce que vous avez entendu aujourd'hui, vous décidez de soutenir M. Parfitt, alors soit. Je rentrerai à Boston et continuerai à servir bien volontiers ma banque. Je compte, de plus, annoncer publiquement que je n'ai aucun intérêt à être président de Lester's. Personne ne pourra donc vous accuser d'avoir manqué à votre devoir de vous plier aux dispositions du testament de Charles Lester. Je ne souhaite pas devenir président par défaut, mais gagner par acclamation. Toutefois, en aucune condition, je ne serai prêt à servir votre conseil sous la direction de M. Parfitt. Je me retrouve devant vous, messieurs, gravement désavantagé, d'être, pour reprendre les termes de M. Parfitt, « un inconnu ». J'ai cependant l'avantage d'être soutenu par un homme qui ne peut pas être là aujourd'hui, un homme que vous avez tous respecté et admiré, un homme connu pour ne pas céder à des caprices ou prendre des décisions hâtives. Je suggère donc que le conseil ne perde pas plus de temps à décider qui il souhaiterait voir devenir le futur président de Lester's. Si l'un de vous doute de mon aptitude à diriger cette banque, alors qu'il choisisse M. Parfitt. Quant à moi, je ne voterai pas, messieurs, et je suppose que M. Parfitt s'en abstiendra également.

— Vous ne pouvez *pas* voter, répliqua Parfitt d'un ton sec. Vous ne faites pas partie de ce conseil. Moi si, et je compte bien exercer ce privilège.

— Alors soit, monsieur Parfitt. Personne ne pourra dire que vous n'avez pas profité de toutes les opportunités pour tirer parti de la situation.

William attendit que ses paroles produisent leur effet. Un directeur qu'il ne connaissait pas sembla sur le point de parler et il s'empressa donc de poursuivre :

— Je vais demander à M. Rodgers, en tant que secrétaire général, d'exécuter la procédure électorale. Une fois que vous aurez voté, messieurs, merci de lui remettre vos bulletins.

Le monocle d'Alfred Rodgers avait fait des siennes pendant toute la réunion. Nerveusement, il passa les bulletins à ses homologues directeurs. Lorsque chacun eut écrit le nom du candidat qu'il soutenait, ils les lui rendirent.

— Peut-être serait-il prudent, étant donné les circonstances, monsieur Rodgers, que les votes soient comptabilisés à voix haute, afin de s'assurer qu'aucune erreur n'a été commise par inadvertance, qui puisse conduire à la nécessité d'un deuxième vote.

— Bien sûr, monsieur Kane.

— Cela vous convient-il, monsieur Parfitt ?

Celui-ci opina sans lever les yeux.

— Merci. Et si vous aviez l'amabilité de lire les résultats haut et fort, monsieur Rodgers ?

Le secrétaire général ouvrit le premier bulletin.
— Parfitt.
Puis le deuxième.
— Parfitt.
La décision ne se trouvait maintenant plus entre les mains de William. Le destin du prix dont il avait parlé à Charles Lester à l'âge de douze ans serait le sien, révélé dans quelques secondes.
— Kane. Parfitt. Kane.
Trois voix contre deux pour lui. Allait-il connaître le même sort que dans son combat contre Tony Simmons ?
— Kane. Kane. Parfitt.
Quatre chacun. Parfitt continuait à transpirer abondamment, et lui-même n'était pas vraiment détendu.
— Parfitt.
Aucune expression ne traversa le visage de William. Parfitt s'autorisa un sourire. Cinq contre quatre.
— Kane. Kane. Kane.
Le sourire de Parfitt s'évanouit.
Plus que deux, plus que deux, implora William, presque à voix haute.
— Parfitt. Parfitt.
Rodgers mit du temps à déplier un bulletin que quelqu'un avait plié et replié.
— Kane.
Huit voix contre sept, pour William.
Le dernier morceau de papier allait être ouvert. William regarda les lèvres d'Alfred Rodgers. Le secrétaire général leva les yeux : à cet instant précis, il était l'homme le plus important de la salle.
— Kane.
Parfitt laissa tomber sa tête entre ses mains.
— Messieurs, annonça le secrétaire général, le résultat est de neuf voix pour M. Kane, sept pour M. Parfitt. Je déclare donc M. William Kane élu dans les règles président de la banque Lester's.
Un silence envahit la pièce, quand toutes les têtes, sauf celle de Parfitt, se tournèrent vers William et attendirent les premières paroles de leur nouveau président.

William expira un grand souffle d'air et se releva, cette fois pour affronter son conseil d'administration.

— Merci, messieurs, pour la confiance que vous avez placée en moi. Que je devienne votre prochain président était le désir de Charles Lester, et je me réjouis que vous ayez confirmé ses souhaits par votre vote. Je promets que je servirai cette banque du mieux possible, mais je ne serai pas en mesure de m'y atteler sans le soutien sans faille du conseil. Si M. Parfitt avait l'amabilité...

Parfitt leva les yeux, plein d'espoir.

— ... de me rejoindre dans le bureau du président dans quelques minutes, je lui en saurais gré. Après avoir vu M. Parfitt, j'aimerais rencontrer M. Leach. J'espère, messieurs, qu'au cours des jours à venir, j'aurai la possibilité de voir individuellement chacun d'entre vous. La prochaine réunion du conseil aura lieu dans un mois comme prévu. Celle-ci est maintenant suspendue.

Les directeurs se levèrent, et se mirent à discuter entre eux. William s'empressa de sortir dans le couloir, évitant le regard de Peter Parfitt. Ted Leach le rattrapa et le conduisit dans le bureau du directeur.

— Vous avez pris un sacré risque, dit Leach. Et vous avez réussi haut la main ! Qu'auriez-vous fait si vous n'aviez pas remporté l'élection ?

— Je serais rentré à Boston et j'aurais continué mon boulot, répondit William qui tâcha de rester impassible.

Leach ouvrit la porte du bureau du directeur. La pièce était presque exactement comme dans les souvenirs de William ; peut-être lui avait-elle semblé un peu plus vaste quand, à l'école primaire, il avait annoncé à Charles Lester qu'un jour, il dirigerait sa banque. Il jeta un œil au portrait derrière son bureau, fit un clin d'œil au défunt président, puis s'assit dans le grand fauteuil en cuir rouge et posa les coudes sur la table en acajou. Il sortit un petit livre relié de cuir de la poche de sa veste, le déposa sur le bureau devant lui et attendit. Un instant plus tard, on frappa à la porte. Un vieil homme entra, appuyé péniblement sur une canne noire à la poignée en argent. Ted Leach les laissa seuls.

— Je m'appelle Rupert Cork-Smith, annonça-t-il, avec un léger accent anglais.

William se leva pour le saluer. C'était le membre le plus âgé du conseil. Ses longues pattes grises et sa lourde montre en or venaient d'une autre époque, mais sa réputation de probité était légendaire dans les milieux financiers. Nul n'avait besoin de signer de contrat avec Rupert Cork-Smith : il n'avait toujours eu qu'une parole. Il regarda William fixement dans les yeux.

— J'ai voté contre vous, monsieur, et naturellement, vous pouvez vous attendre à recevoir ma démission sur votre bureau dans l'heure.

— Voulez-vous vous asseoir, monsieur? demanda William d'un ton doux.

— Merci, monsieur.

— Je crois que vous connaissiez mon père et mon grand-père.

— J'ai eu ce privilège. Votre grand-père et moi étions à Harvard ensemble, et je me souviens du décès prématuré de votre père avec une immense tristesse.

— Et Charles Lester?

— C'était mon meilleur ami. La clause de son testament a pesé sur ma conscience. Tout le monde savait que Peter Parfitt n'aurait pas été le premier président que j'aurais choisi. J'aurais appuyé Ted Leach, mais je ne me suis jamais abstenu de rien dans ma vie, et je me suis donc dit que je devais soutenir le candidat qui se présenterait contre vous, quel qu'il soit, car j'étais incapable de voter pour un individu que je n'avais jamais rencontré.

— Je vous remercie de votre honnêteté, monsieur Cork-Smith, mais j'ai maintenant une banque à diriger. J'ai besoin de vous à cet instant bien plus que vous avez besoin de moi; voilà pourquoi je vous supplie de ne pas démissionner.

Le vieil homme regarda William dans les yeux.

— Je ne suis pas sûr que cela marche, jeune homme. Je ne peux pas changer d'avis du jour au lendemain, déclara Cork-Smith, les deux mains sur sa canne.

— Donnez-moi six mois, monsieur, et si vous ressentez encore la même chose, je ne me défendrai pas.

Un long silence s'ensuivit avant que Cork-Smith reprenne la parole.

— Charles Lester avait raison : vous êtes bien le fils de Richard Kane.

— Allez-vous continuer à servir cette banque, monsieur?

— Oui, jeune homme. Il n'y a pire imbécile qu'un vieil imbécile, n'est-ce pas ?

Rupert Cork-Smith se redressa lentement à l'aide de sa canne. William se leva d'un bond pour l'aider, mais il le chassa d'un geste.

— Bonne chance, mon garçon. Vous pouvez compter sur mon soutien sans faille.

— Merci, monsieur.

Lorsqu'il ouvrit la porte, William vit Parfitt qui attendait dans le couloir. Quand Cork-Smith s'en alla, les deux hommes n'échangèrent pas un seul mot.

Parfitt fanfaronna :

— Bon, j'ai essayé et j'ai perdu. On ne peut rien faire de plus, déclara-t-il en riant. Pas de rancune, Bill ?

Il tendit la main.

— Pas de rancune, monsieur Parfitt, répondit William sans lui proposer de s'asseoir. Comme vous l'avez dit à juste titre, vous avez essayé et vous avez perdu. Vous allez maintenant démissionner en tant que directeur de cette banque.

— Je vais faire *quoi* ? demanda Parfitt, incrédule.

— Démissionner.

— C'est un peu exagéré, non, Bill ? Mon combat n'était pas dirigé contre vous. Je pensais simplement…

— Je ne veux pas de vous dans mon établissement, monsieur Parfitt. Vous partirez ce soir et ne remettrez plus jamais les pieds ici.

— Et si je refusais ? Je détiens beaucoup d'actions dans cette banque, et je bénéficie d'un grand soutien dans cette institution. De plus, je pourrais vous traîner devant les tribunaux.

— Je vous conseillerais de consulter les statuts de la banque, monsieur Parfitt. *(William s'empara du petit livre relié de cuir posé sur le bureau et tourna quelques pages. Ayant trouvé un paragraphe qu'il avait marqué ce matin, il le lut à voix haute.)* « Le président a le droit de renvoyer tout membre du conseil d'administration en qui il a perdu confiance. » J'ai perdu confiance en vous, monsieur Parfitt et vous allez donc devoir démissionner. Vous recevrez deux ans de salaire et tous les avantages auxquels vous avez droit. Si, en revanche, vous me contraignez à vous licencier, vous quitterez la banque avec rien d'autre que vos actions et votre réputation, pour ce que cela vaut. À vous de choisir.

— Refusez-vous de m'octroyer une seconde chance ?

— Je vous l'ai donnée la semaine dernière lorsque vous m'avez invité à dîner, et vous avez menti et dissimulé. Ce ne sont pas les traits que je recherche chez mon vice-président. Démissionnez-vous ou bien suis-je obligé de vous mettre à la porte, monsieur Parfitt ?

— Allez vous faire voir, Kane, je démissionne.

— Bien. Alors, asseyez-vous et écrivez la lettre maintenant.

— Non, je vous la ferai parvenir demain matin, quand bon me semblera.

— Tout de suite – ou je vous licencie.

Parfitt hésita, puis s'affala lourdement dans un fauteuil. William lui donna un papier à en-tête de la banque et un stylo. Parfitt sortit le sien et se mit à écrire. Une fois la lettre finie, William la lut soigneusement.

— Bonne journée, monsieur Parfitt.

Parfitt partit sans rien dire. William s'autorisa un sourire lorsque Ted Leach entra dans la salle.

— Vous avez demandé à me voir, monsieur le président ?

— Oui. Je désire vous nommer nouveau vice-président. M. Parfitt a cru bon de démissionner.

— Oh, cela m'étonne. J'aurais pensé...

William lui tendit la lettre. Leach la lut puis le regarda.

— Je serais ravi d'être vice-président. Merci pour la confiance que vous avez en moi.

— Bon. Je vous saurais gré de bien vouloir prendre vos dispositions afin que je rencontre chaque directeur les jours prochains. Je serai à mon bureau à huit heures demain matin.

— Bien, monsieur le président.

— Peut-être auriez-vous également l'amabilité de donner la lettre de démission de M. Parfitt au secrétaire général ?

— Comme vous le souhaitez, monsieur le président.

— Je m'appelle William – c'est une autre erreur de la part de M. Parfitt.

Leach se fendit d'un sourire hésitant.

— Je vous verrai demain matin… *(il hésita)*, William.

Une fois qu'il fut parti, William s'installa dans le fauteuil de Charles Lester et le fit pivoter dans un accès d'allégresse absolue qui ne lui ressemblait pas, jusqu'à ce qu'il eût la tête qui tourne. Il contempla ensuite Wall Street par la fenêtre, exalté par la foule qui grouillait et la vue des grandes banques et maisons de courtage d'Amérique. C'était là où il avait toujours rêvé d'être toute sa vie.

— Et qui êtes-vous, je vous prie ? demanda une voix féminine derrière lui.

Il virevolta sur lui-même pour trouver une dame d'une cinquantaine d'années, tirée à quatre épingles, qui le regardait d'un air irrité.

— Je pourrais vous poser la même question, répliqua-t-il.

— Je suis la secrétaire du président, répondit la femme d'un ton froid.

— Et moi, déclara William, je suis le président.

William déménagea à New York le lundi suivant, mais il fallut plusieurs semaines avant que Kate et la famille puissent le rejoindre. Il fallut d'abord trouver une maison convenable pour le nouveau président de la Lester's Bank et surtout, une école qui garantisse à Richard une place à St. Paul's, puis à Harvard.

Les trois mois suivants, alors que William essayait de s'extirper de Boston tout en continuant de travailler à New York, il regretta que les journées ne fassent pas quarante-huit heures. Il découvrit que le cordon ombilical était plus dur à couper qu'il ne l'avait cru. Tony Simmons lui fut d'un grand soutien, et William commença à comprendre pourquoi Alan Lloyd l'avait soutenu pour être président de Kane & Cabot. Pour la première fois, il était même prêt à admettre qu'Alan puisse avoir raison.

À New York, Kate fut vite bien occupée. Virginia pouvait presque traverser une pièce en trottinant, et trouva le chemin du bureau de son père avant que sa mère ne puisse la rattraper, et tout ce que Richard souhaitait, c'était un nouveau coupe-vent pour pouvoir ressembler à tous les petits New-Yorkais. En tant qu'épouse du président de la banque de New York, Kate devait organiser régulièrement des cocktails et des dîners tout en s'assurant discrètement que les directeurs et les gros clients avaient toujours la possibilité de toucher un mot en privé à William, qu'ils puissent lui demander son avis ou formuler leurs opinions. Elle gérait ces réceptions avec beaucoup de charme et de diplomatie, et William serait éternellement reconnaissant au département liquidation de Kane & Cabot de lui avoir fourni son plus bel actif.

Lorsque Kate l'informa qu'elle allait avoir un autre enfant, il ne put que dire : « Quand ai-je trouvé le temps ? » Virginia fut enchantée par la nouvelle, sans comprendre complètement pourquoi maman prenait autant de poids, et Richard refusa d'en parler.

Quand William affronta sa première assemblée générale annuelle, un mois plus tard, il fut confirmé à l'unanimité dans ses fonctions de président. Il tâcha de ne pas sourire lorsque M. Cohen lui rappela que plusieurs actionnaires n'hériteraient pas d'un centime s'ils ne votaient pas pour lui. Il fut étonné de voir Peter Parfitt assis au dernier rang, les bras croisés, et surtout, Susan Lester installée à côté de lui. Une fois l'heure du vote, leurs bras restèrent croisés.

Kate accoucha de leur troisième enfant à la fin de la première année de William à la présidence de Lester's, une deuxième fille qu'ils baptisèrent Lucy. William apprit à Virginia à bercer Lucy dans son berceau, et Richard, prêt à entrer en primaire à la Buckley School, profita de cette nouvelle arrivée pour convaincre son père de lui acheter une casquette de base-ball. Lucy, incapable de formuler une demande précise, devint toutefois la troisième femme à pouvoir faire n'importe quoi de William.

Durant la première année de William à la tête de la Lester's, les bénéfices de la banque augmentèrent légèrement, et il assura les actionnaires qui assistèrent à sa deuxième assemblée générale annuelle qu'il ne voyait pas pourquoi il n'y aurait pas d'amélioration encore plus importante l'année suivante.

# 38

Le 1er septembre 1939, les troupes allemandes entrèrent en Pologne.

L'une des premières réactions de William fut de penser à Abel Rosnovski. Le nouvel hôtel Baron sur Park Avenue devenait déjà la coqueluche des New-Yorkais, et les rapports trimestriels de Thomas Cohen montraient que Rosnovski avait le vent en poupe. Mais ses dernières idées d'expansion en Europe devraient sûrement être suspendues un moment. Cohen n'arrivait toujours pas à découvrir de lien direct entre Rosnovski et Henry Osborne.

William n'avait jamais cru que l'Amérique s'engagerait dans une autre guerre européenne, mais il garda le bureau londonien de Lester's ouvert, pour indiquer de quel bord il était, et n'envisagea pas une seule minute de vendre ses douze mille hectares dans le Hampshire et le Lincolnshire. Tony Simmons, quant à lui, annonça à William qu'il avait l'intention de fermer la branche londonienne de Kane & Cabot.

Les deux présidents se rencontraient désormais régulièrement, dans des conditions amicales et détendues, maintenant qu'ils n'avaient plus aucune raison de se considérer comme des rivaux. Chacun en était venu à tester toutes ses nouvelles idées sur l'autre. Comme Tony l'avait prévu, Kane & Cabot avait perdu certains de ses clients les plus importants lorsque William était devenu président de Lester's, mais ce dernier continuait à le tenir informé chaque fois qu'un ancien client exprimait le désir de déplacer son compte, et il ne sollicita jamais personne pour le rejoindre. Quand ils s'assirent à une table dans un coin de Locke-Ober's, pour leur déjeuner mensuel, Tony s'empressa de répéter son intention de fermer la branche londonienne de Kane & Cabot.

— Mais pourquoi ? s'enquit William.

— Ma première raison est simple, expliqua Tony en sirotant son bourgogne importé, sans réfléchir un seul instant à la possibilité que des bottes allemandes fussent sur le point de piétiner les raisins de la plupart des vignobles de France. Je pense que l'établissement perdra de l'argent si nous ne sauvons pas les meubles et ne partons pas d'Angleterre.

— Bien sûr que vous risquez d'en perdre un peu, acquiesça William, mais il faut que l'on voie que nous soutenons les Anglais.

— Pourquoi ? Nous sommes une banque, pas un club de supporters.

— L'Angleterre n'est pas une équipe de base-ball, Tony. C'est une nation à qui nous devons tout notre héritage...

— Vous devriez vous lancer dans la politique. Je commence à me dire que vous gâchez vos talents dans la banque. Cependant, il existe une autre raison, bien plus importante, pour laquelle nous devrions fermer cette branche. Si les Allemands devaient envahir l'Angleterre comme la Pologne et la France – et de l'avis de Joe Kennedy, c'est exactement ce qu'ils ont l'intention de faire –, l'établissement serait repris et nous perdrions le moindre penny que nous avons à Londres.

— Il faudra d'abord me tuer ! rétorqua William. Si Hitler ne met ne serait-ce qu'un seul pied sur le sol britannique, l'Amérique entrera en guerre le même jour, quoi que prétende notre ambassadeur à Londres.

— Jamais, répliqua Tony. Roosevelt l'a répété : « Toute aide sauf la guerre. » Et dans tous les cas, le comité America First[13] crierait haro dessus.

— Ne jamais écouter un homme politique qui dit « jamais », observa William. Surtout Roosevelt. Quand il dit « jamais », cela signifie simplement « pas aujourd'hui », ou au moins pas ce matin. Souvenez-vous donc de Woodrow Wilson qui n'arrêtait pas de rabâcher « jamais » en 1916.

Tony rit.

— Quand allez-vous vous présenter au Sénat, William ?

— Jamais, répondit celui-ci, tout sourire.

— Je respecte ce que vous ressentez, William, mais pour moi, c'est non. Je ne veux plus continuer.

13. Le Comité America First « Les États-Unis d'abord » est le principal groupe de pression américain à s'opposer au début des années 1940 à l'entrée des États-Unis dans la Seconde Guerre mondiale. Fondé en 1940, il fut dissous en 1941.

— Vous êtes le président. Si le conseil vous soutient, vous pouvez fermer la branche londonienne demain. Je ne me servirai jamais de mon statut pour agir contre une décision à la majorité, comme vous le savez.

— Jusqu'à ce que vous fusionniez Kane & Cabot avec Lester's. Alors, cela deviendrait votre décision.

— Je vous l'ai déjà dit, Tony, je n'essayerai jamais de faire cela pendant que vous serez président.

— Mais je suis d'avis que nous *devrions* fusionner.

— Quoi ? fit William, qui renversa du bourgogne sur la nappe, incrédule. Grands ciels, Tony, je dois reconnaître que vous êtes totalement imprévisible.

— J'ai les meilleurs intérêts de la banque à cœur, comme toujours, William. Pensez un instant à la situation actuelle. New York est à présent, plus que jamais, le centre de la finance américaine, et lorsque Hitler envahira l'Angleterre, elle deviendra le centre du monde financier. En fait, j'irais même jusqu'à dire qu'étant donné ces circonstances, le dollar remplacera la livre en tant que première monnaie mondiale. C'est là que doit se trouver Kane & Cabot. Et si nous fusionnions, nous créerions une institution composée d'éléments plus variés, parce que nos spécialités sont complémentaires. Kane & Cabot a toujours réalisé beaucoup d'investissements maritimes et d'industrie lourde, contrairement à Lester's. Inversement, vous faites beaucoup de souscriptions, et nous y touchons à peine. Sans parler du fait que dans plusieurs villes européennes, nous dupliquons inutilement des bureaux.

— Tony, je suis d'accord avec tout ce que vous avez dit, mais je tiens tout de même à rester présent en Angleterre.

— Ce qui prouve que j'ai entièrement raison. La branche londonienne de Kane & Cabot pourrait fermer, mais nous aurions encore celle de Lester's. Puis, si Londres traversait une mauvaise passe, ce ne serait pas très grave, car nous serions consolidés et par conséquent, plus forts.

— Mais les restrictions de Roosevelt sur les banques marchandes signifieraient que nous ne pourrions travailler qu'à partir d'un seul État. Une fusion ne pourrait donc fonctionner que si nous dirigions toute l'opération depuis New York, Boston n'étant plus qu'une succursale.

— Je vous soutiendrai tout de même, affirma Tony. Vous pourriez même envisager d'orienter Lester's vers la banque commerciale, ce qui résoudrait tout le problème.

— Non, Tony. Roosevelt a décrété qu'il était impossible qu'un honnête homme fasse les deux. Quoi qu'il en soit, mon père m'a appris que l'on pouvait soit servir un petit groupe de riches, soit un grand groupe de pauvres, mais pas les deux. Lester's demeurera donc une banque d'affaires traditionnelle, aussi longtemps que je resterai président. Mais si nous décidions de fusionner les banques, ne prévoyez-vous pas d'autres problèmes ?

— Très peu que nous ne pourrions surmonter, tant que chacun y met du sien. Mais vous devriez réfléchir soigneusement aux implications, William, parce qu'à la suite d'une fusion, vous deviendriez actionnaire minoritaire et perdriez tout contrôle du nouvel établissement. Cela vous laisserait vulnérable à une offre publique d'achat.

— Je prendrais ce risque, si pour cela je devenais président de l'une des plus grosses institutions financières d'Amérique.

William rentra à New York ce soir-là et convoqua immédiatement une réunion du conseil d'administration de Lester's pour expliquer la proposition de Tony Simmons dans ses grandes lignes. Une fois qu'il apprit que le conseil approuvait une fusion par principe, il ordonna à chaque vice-président de réfléchir aux conséquences plus en détail.

Les chefs de service mirent trois mois avant de présenter leur rapport au conseil, et à l'unanimité, ils arrivèrent à la même conclusion : une fusion tombait sous le sens, notamment parce que les deux établissements étaient complémentaires à bien des égards. De plus, l'actionnariat de William garantissait que Lester's détiendrait cinquante et un pour cent de Kane & Cabot, faisant de la fusion un simple mariage de convenance. Certains directeurs ne comprenaient pas pourquoi William n'avait pas songé à cette idée plus tôt. Ted Leach était d'avis que Charles Lester avait dû y penser lorsqu'il avait désigné William pour lui succéder.

Il fallut plus d'un an pour peaufiner le concept ; des équipes d'avocats travaillèrent jusqu'au petit matin pour préparer la paperasserie nécessaire. Dans l'échange d'actions, William finit comme l'actionnaire le plus important avec huit pour cent, et fut nommé président du nouvel établissement. Tony Simmons resta à Boston en qualité de vice-président, et Ted Leach, à New York, dans les mêmes fonctions. La nouvelle banque d'affaires fut renommée Lester, Kane & Company, mais continua à être connue sous le nom de Lester's.

William organisa une conférence de presse à New York pour annoncer la réussite de la fusion, et il choisit le lundi 8 décembre 1941 pour mettre le monde financier au courant de sa vision de l'avenir. Mais elle fut annulée quand, quelques heures auparavant, les Japonais lancèrent leur attaque sur Pearl Harbor.

Un communiqué de presse interdit avait été envoyé aux journaux quelques jours plus tôt, mais la nouvelle de la déclaration de guerre de l'Amérique au Japon fit que les pages financières du mardi matin ne laissèrent que quelques centimètres-colonnes à l'annonce de la fusion. Ce manque de couverture, toutefois, n'était pas la priorité de William.

Il ne savait pas quand ni comment il allait annoncer à Kate qu'il avait l'intention de s'engager.

# CINQUIÈME PARTIE

# 1941-1948

# 39

Abel examina l'article sur la fusion de Lester, Kane & Company dans les pages financières du *Chicago Tribune*.

Avec toute la place consacrée à l'entrée en guerre de l'Amérique, il aurait pu manquer cette annonce si elle n'avait pas été accompagnée d'une petite photo de William Kane, tellement vieille qu'on aurait dit qu'il n'avait pas changé depuis sa rencontre avec Abel à Boston plus de dix ans auparavant. Certes, il semblait bien trop jeune pour correspondre à la description que le journal faisait de lui, celle du président brillant et incisif de la toute nouvelle banque Lester, Kane & Company. L'article prédisait même : « La nouvelle société, un rapprochement de deux banques familiales établies depuis longtemps, pourrait bien devenir l'une des plus prestigieuses institutions financières d'Amérique. » La *Trib* en conclut que les actions seraient divisées entre une vingtaine d'actionnaires, proches ou étroitement liés aux familles Lester et Kane. Les plus gros devraient être M. Kane avec huit pour cent, et la fille du défunt M. Lester avec six pour cent.

Cette information enchanta Abel, qui réalisa que cela signifiait que Kane avait dû sacrifier un contrôle total de la banque pour devenir président d'une institution bien plus importante. Il relut l'article, et ne put nier la belle ascension de William Kane dans le monde depuis qu'ils avaient croisé le fer, mais il en était de même pour lui. Et il lui restait encore un vieux compte à régler avec le tout nouveau dirigeant de Lester, Kane & Company.

La fortune du groupe Baron avait si joliment prospéré au cours de la décennie passée, qu'Abel avait pu s'acquitter de toutes ses dettes à son commanditaire pendant la période de dix ans stipulée, lui assurant cent pour cent de la société.

Non seulement avait-il remboursé l'emprunt au dernier trimestre de 1939, mais les bénéfices de 1940 avaient franchi la barre du demi-million. Ce jalon coïncidait avec l'ouverture de deux nouveaux Baron, à Washington et à San Francisco.

Bien qu'Abel soit devenu un époux moins attentionné durant cette période, principalement à cause de la réticence de Zaphia à suivre ses ambitions, il n'aurait pu être un père plus aimant. Sa femme, qui désirait un autre bébé, réussit enfin à le pousser à consulter un médecin. Lorsqu'il apprit qu'en raison d'un nombre de spermatozoïdes peu élevés, probablement lié à la maladie et à la malnutrition quand il était prisonnier des Allemands et des Russes, Florentyna serait presque certainement son enfant unique, il abandonna tout espoir d'avoir un garçon, et entreprit de tout donner à sa fille.

La réputation d'Abel comme hôtelier se répandit rapidement à travers toute l'Amérique, et la presse s'était mise à parler de lui comme du « baron de Chicago ». Dorénavant, il se moquait bien des blagues que l'on faisait dans son dos. Wladek Koskiewicz avait réussi, et surtout, il ne comptait pas s'arrêter là. Les bénéfices de ses quatorze hôtels pour l'année fiscale passée atteignaient presque le million de dollars, et avec ce nouveau surplus de capital, il décida que le moment d'une expansion encore plus importante était arrivé.

Puis les Japonais attaquèrent Pearl Harbor.

Depuis ce terrible 1er septembre 1939, lorsque les Nazis étaient entrés en Pologne pour retrouver ultérieurement les Russes à Brest-Litovsk et partager une fois de plus sa patrie entre eux, Abel envoyait de grosses sommes d'argent à la Croix-Rouge britannique pour venir en aide à ses compatriotes. Il avait mené une bataille acharnée à la fois au sein du parti démocrate et dans la presse, pour pousser une Amérique réticente à faire la guerre, même si cela signifiait se ranger du côté des Russes. Ses efforts jusque-là avaient été vains, mais ce dimanche de décembre, chaque station de radio beuglant des informations sur l'attaque japonaise d'une nation incrédule, il comprit que l'Amérique ne pouvait plus rester neutre.

Le lendemain, il écouta le président Roosevelt informer le pays que l'Amérique était en guerre contre le Japon, et trois jours plus tard, le 11 décembre, Hitler annonça au monde que l'Allemagne et l'Italie avaient déclaré la guerre aux États-Unis.

Abel était bien déterminé à aider les forces alliées, mais d'abord, il avait une déclaration de guerre privée à faire, et à cet effet, il passa un coup de fil à Curtis Fenton, à la Continental Trust Bank. Au fil des années, Abel s'était mis à faire confiance au jugement de Fenton, et il l'avait gardé au conseil d'administration du groupe Baron longtemps après qu'il a eu obtenu un contrôle total, souhaitant conserver un lien proche avec la Continental Trust.

Fenton prit la ligne, son ton toujours formel, mais prudent.

— Combien d'argent disponible est-ce que je détiens sur le compte de réserve du groupe ? demanda Abel.

Fenton sortit le dossier intitulé « Compte numéro six », se rappelant l'époque où il aurait pu ranger toutes les affaires de M. Rosnovski dans un petit classeur. Il passa quelques chiffres en revue.

— Un peu moins de deux millions de dollars.

— Bien, je veux que vous vous mettiez à vous intéresser à un établissement bancaire qui s'appelle Lester, Kane & Company. Trouvez l'identité de chaque actionnaire, le pourcentage qu'ils détiennent, et les conditions dans lesquelles ils seraient prêts à vendre. Tout cela, sans que M. William Kane, le président de la banque, ne soit au courant, ni que mon nom ne soit mentionné.

Fenton respira profondément, mais ne dit rien. Il était ravi qu'Abel ne puisse pas voir la douleur immense sur son visage. Pourquoi voudrait-il investir de l'argent dans quelque chose qui avait un rapport avec William Kane ? Fenton avait aussi lu dans le *Wall Street Journal* l'article sur la fusion des deux institutions, bien qu'avec Pearl Harbor et l'anniversaire de sa femme, il eût failli manquer l'annonce. La requête de Rosnovski lui rafraîchit la mémoire ; il devait envoyer un télégramme de félicitations à William Kane. Il griffonna un mot en bas du dossier du groupe Baron tout en écoutant les instructions d'Abel.

— Lorsque vous aurez une analyse complète, je veux être informé en personne, rien par écrit.

— Bien, monsieur Rosnovski.

— J'aimerais également que vous ajoutiez à vos rapports trimestriels les informations de chaque déclaration officielle publiée par Lester's, et découvriez avec quelles entreprises elle fait des affaires.

— Bien sûr, monsieur Rosnovski.

— Merci, monsieur Fenton. Au fait, mon chargé d'études de marché me conseille d'ouvrir un nouveau Baron à Montréal.

— La guerre ne vous inquiète pas, monsieur Rosnovski ?

— Oh que non. Si les Allemands arrivent à Montréal, nous pourrons tous fermer, Continental Trust y compris. Quoi qu'il en soit, nous avons battu ces salauds la dernière fois, et nous recommencerons. La seule différence, c'est que cette fois, j'ai l'intention de participer activement. Bonne journée, monsieur Fenton.

« Comprendrai-je un jour ce qui se passe dans la tête d'Abel Rosnovski ? » se demanda Fenton en raccrochant. Ses pensées revinrent sur l'autre demande de M. Rosnovski, concernant les informations sur les actions de Lester's. Cela l'inquiétait encore plus que son attitude envers les Allemands, car il les considérait tous les deux comme des ennemis. Bien que William Kane n'ait plus aucun rapport avec Rosnovski, Fenton craignait que cela ne change si Rosnovski obtenait des intérêts substantiels dans la nouvelle banque. Il décida de ne pas exprimer ses craintes à Rosnovski pour l'instant, supposant que le jour viendrait où l'un d'eux dévoilerait ce qu'il avait en tête.

Abel s'était demandé s'il devait expliquer à Fenton pourquoi il voulait acheter des actions chez Lester's, mais en conclut que moins de monde en savait, mieux cela valait.

Il chassa temporairement Kane de son esprit, et ordonna à sa secrétaire de trouver George, qui venait d'être nommé vice-président du groupe Baron responsable des nouvelles acquisitions. George, qui avait évolué sous l'aile d'Abel, était désormais son second le plus fiable. Assis dans son bureau au quarante-deuxième étage du Baron de Chicago, Abel contempla le lac Michigan, mais ne pensait qu'à la Pologne. Il savait qu'il ne pourrait plus jamais revivre dans sa patrie, mais il tenait tout de même à ce qu'on lui rende son château. Il craignait de ne jamais le revoir, maintenant qu'il se trouvait en territoire russe et sous le contrôle de Staline. À l'idée que les Allemands ou les Russes occupent de nouveau son magnifique château, il eut envie de… George interrompit ses pensées.

— Tu voulais me voir, Abel ?

George était le seul membre du groupe à appeler le baron de Chicago par son prénom.

— Oui, George. Te sens-tu capable de faire tranquillement tourner les hôtels pendant quelques mois si je devais partir en congé exceptionnel ?

— Bien sûr. Cela signifie-t-il que tu vas enfin les prendre, ces vacances ?

— Non, je pars à la guerre.

— Quoi ? Avec qui ?

— Je m'envole pour New York demain matin pour m'engager.

— Tu es fou. Tu pourrais te faire tuer.

— Ce n'est pas ce à quoi je pensais, rétorqua Abel. En revanche, massacrer des Allemands, voilà ce que je compte faire. Ces salauds ne m'ont pas eu la première fois, et je n'ai pas l'intention que cela se produise cette fois non plus.

George continua à protester que l'Amérique pourrait remporter la guerre sans l'aide d'Abel. Zaphia renâcla, elle aussi. Elle détestait l'idée même du conflit. Florentyna, presque huit ans, ne comprenait pas trop ce qu'elle voulait dire, mais elle sentit que papa s'en irait pour très longtemps. Elle fondit en larmes.

En dépit de leurs vitupérations conjuguées, Abel prit le premier vol pour New York le lendemain. L'Amérique entière semblait voyager dans des directions différentes, et il trouva la ville pleine de jeunes hommes en treillis ou uniforme bleu marine qui disaient adieu à leurs parents, fiancées et épouses, et leur assuraient – mais sans forcément le croire – que maintenant que l'Amérique était entrée en guerre, elle serait terminée dans quelques semaines.

Il arriva au Baron de New York à temps pour le dîner. La salle à manger était noire de monde, de filles qui s'accrochaient désespérément à leurs soldats, marins et pilotes, pendant que Frank

Sinatra chantait sur les rythmes du big band de Tommy Dorsey. En regardant les jeunes gens sur la piste de danse, Abel se demanda combien auraient jamais la chance de revivre ce genre de soirée. Il ne put s'empêcher de se rappeler l'explication de Sammy, qui lui avait raconté comment il était devenu maître d'hôtel au Plaza. Ses trois supérieurs étaient rentrés du front occidental avec une seule jambe à eux trois. Aucun des jeunes qui dansaient ce soir ne pourrait même comprendre ce qu'était vraiment la guerre. Il ne pouvait pas faire la fête avec eux – si tant est que c'en fût une. Il décida de monter dans sa chambre.

Le matin, il enfila un costume croisé foncé et uni, et se rendit au bureau de recrutement sur Times Square. Abel signa sous le nom de Wladek Koskiewicz, douloureusement conscient que s'ils savaient que le baron de Chicago tâchait de s'enrôler, il se retrouverait sur une chaise pivotante, un galon en or à la manche.

Le bureau de recrutement était encore plus bondé que la piste de danse de l'hôtel la veille au soir, mais personne n'était collé à personne. Abel ne put s'empêcher de constater que les autres recrues étaient beaucoup plus jeunes et en bien meilleure forme que lui. Toute la matinée passa avant qu'on ne lui donne un formulaire et qu'il le remplisse – une tâche, qui, estima-t-il, aurait pris dix minutes à sa secrétaire. Il fit ensuite la queue pendant deux heures, attendit qu'un sergent recruteur l'interroge, et celui-ci lui demanda quel métier il faisait.

— Gérant d'hôtel, répondit Abel, avant de raconter à l'officier ses expériences au cours de la Première Guerre. Le sergent contempla, dans un silence médusé, l'homme d'un mètre soixante-treize et quatre-vingt-six kilos debout devant lui.

— Vous devrez vous adonner à un entraînement physique complet demain, expliqua-t-il une fois le monologue d'Abel terminé, comme si ce n'était ni plus ni moins que son devoir. Merci de vous être porté volontaire, monsieur Koskiewicz.

Le lendemain, Abel dut encore attendre plusieurs heures avant qu'on ne l'examine. Le médecin chargé de l'examen ne mâcha pas ses mots. Son statut et son succès l'avaient protégé pendant plusieurs années de ce genre de remarque, et lorsqu'il fut classé 4 F, cela lui fit l'effet d'un réveil brutal.

— Vous êtes en surpoids, votre vue n'est pas très bonne, et vous boitez. Franchement, Koskiewicz, vous êtes inapte. Nous ne pouvons pas envoyer se battre des soldats qui risqueront une crise cardiaque avant même de trouver l'ennemi. Cela ne signifie pas que nous ne pourrons pas utiliser vos talents : il y a beaucoup de tâches administratives à accomplir dans cette guerre, si cela vous intéresse.

— Non merci, monsieur. Je veux combattre les Allemands, pas leur expédier des lettres.

Ce soir-là, il regagna son hôtel déprimé, mais décida qu'il n'avait pas encore dit son dernier mot. Le lendemain, il essaya un autre sergent recruteur, mais il retourna au Baron avec le même verdict. Le deuxième médecin s'était montré un peu plus poli, mais tout aussi ferme sur l'état d'Abel, et une fois de plus, il se retrouva avec une classification 4 F. Abel avait bien compris qu'il n'aurait pas le droit de combattre qui que ce soit dans son état de santé actuel.

À sept heures le lendemain matin, il s'inscrivit dans un club de sport sur la 57e Rue Ouest, où il embaucha un professeur particulier pour remédier à sa condition physique. Pendant trois mois, il travailla tous les jours pour perdre du poids et améliorer son état général. Il fit de la boxe, du catch, courut, sauta, sauta à la corde, fit des développés et s'affama. Lorsqu'il ne pesa plus que soixante-dix kilos, le professeur lui annonça qu'il ne pourrait jamais être plus mince ni en meilleure forme. Abel retourna dans le premier bureau de recrutement où il remplit le même questionnaire, signant une fois de plus Wladek Koskiewicz. Un autre sergent recruteur se montra bien plus enthousiaste cette fois. Et le médecin militaire l'inscrivit sur la réserve.

— Mais je veux faire la guerre tout de suite, protesta Abel. Avant qu'elle ne soit terminée.

— Nous vous contacterons, Koskiewicz. Continuez à vous maintenir en forme. On ne peut pas savoir quand on aura besoin de vous.

Abel s'en alla, furieux, alors que des types plus minces et plus jeunes étaient engagés en service actif sans qu'on leur pose de questions. Lorsqu'il passa la porte en trombe, il rentra dans un individu grand et dégingandé, dont l'uniforme avait les épaules ornées de médailles et d'étoiles.

— Je suis désolé, monsieur, dit Abel.

— Jeune homme... fit le général.

Abel continua sa route, sans penser qu'il puisse s'adresser à lui, car personne ne l'avait jamais appelé « jeune homme » depuis – il préférait ne pas savoir combien de temps, même s'il n'avait que trente-cinq ans.

Le général réessaya.

— Jeune homme, répéta-t-il un peu plus fort.

Cette fois, il se retourna.

— Moi, monsieur ?

— Oui, vous, monsieur. Veuillez venir dans mon bureau, je vous prie, monsieur Rosnovski.

« Mince alors, songea Abel. Personne ne va me laisser m'engager dans cette guerre. »

Le bureau temporaire du général se trouvait en l'occurrence au fond du bâtiment, une petite pièce avec une table, deux chaises en bois, de la peinture verte qui s'écaillait, et pas de porte. Abel n'aurait pas laissé le membre le moins expérimenté de son équipe du Baron travailler dans de telles conditions.

— Monsieur Rosnovski, commença le général, je m'appelle Mark Clark et je dirige la cinquième armée américaine. Je suis venu ici faire une inspection, et tomber littéralement sur vous fut une agréable surprise. Je vous admire depuis longtemps. Votre histoire devrait inspirer n'importe quel Américain. Alors, racontez-moi ce que vous faites dans un bureau de recrutement.

— À votre avis ? fit Abel, sans réfléchir. Désolé, monsieur. *(Il se reprit rapidement.)* Je ne voulais pas être malpoli. C'est juste que personne ne désire me laisser participer à cette fichue guerre.

— Que souhaitez-vous faire dans cette fichue guerre ?

— M'enrôler et battre les Allemands.

— Comme fantassin ? s'enquit le général incrédule.

— Oui, monsieur. N'avez-vous pas besoin de tous les hommes que vous pouvez trouver ?

— Si, très certainement, répondit le général Clark. Mais je pourrais faire un meilleur usage de vos talents qu'en tant que fantassin.

— Je ferais n'importe quoi. N'importe quoi.

— Vraiment ? N'importe quoi ? Si je vous demandais de mettre votre hôtel à ma disposition pour servir de siège à notre armée, à New York, comment réagiriez-vous à cela ? Parce que franchement, monsieur Rosnovski, cela me serait bien plus utile que si vous réussissiez personnellement à tuer une douzaine d'Allemands.

— Le Baron est à vous. Maintenant me laisserez-vous partir à la guerre ?

— Vous savez que vous êtes fou, n'est-ce pas ? fit le général Clark.

— Je suis polonais, répondit Abel, et tous les deux rirent. Vous devez comprendre, poursuivit-il, de nouveau sérieux, que je suis né en Pologne. J'ai vu ma maison se faire prendre par les Allemands, ma sœur, violer par les Russes. Je me suis échappé d'un camp de travail russe, et j'ai eu la chance de débarquer sur cette terre, en sécurité. Je ne suis pas fou. C'est le seul pays au monde où l'on peut arriver sans rien et faire quelque chose de soi en travaillant dur, sans se soucier de ses antécédents. Maintenant, voilà que ces mêmes salauds qui ont essayé de m'arrêter une première fois veulent une autre guerre. Je vais juste m'assurer qu'ils la perdent.

— Eh bien, si vous êtes si impatient de vous enrôler, monsieur Rosnovski, je pourrais me servir de vous, mais pas comme vous l'imaginez. Le général Deniers a besoin de quelqu'un pour prendre la responsabilité générale d'intendant militaire dans la cinquième armée, pendant qu'ils se battent au front. Napoléon avait raison quand il affirmait qu'une armée avance avec son ventre, vous pourriez donc jouer un rôle vital. Vous porterez le grade de commandant. Voilà comment vous pourriez indéniablement aider l'Amérique à remporter la guerre. Qu'en dites-vous ?

— Je le ferai, général.

— Merci, commandant Rosnovski.

Abel passa le week-end à Chicago avec Zaphia et Florentyna. Zaphia lui demanda ce qu'il désirait qu'elle fasse de ses quinze costumes.

— Garde-les, répondit-il. Je ne vais pas à la guerre pour me faire tuer.

— Je suis sûre et certaine que tu ne te feras pas tuer dans un hôtel Baron. Ce n'était pas ce que je voulais dire. C'est juste qu'ils sont maintenant trois tailles trop grands pour toi.

Abel rit et apporta tous ses vieux vêtements dans un centre de réfugiés polonais. Il repartit ensuite à New York, annula toutes les réservations au Baron, et douze jours plus tard, céda l'immeuble à la cinquième armée américaine. La presse salua ce geste qu'elle qualifia d'« altruiste de la part d'un homme qui avait été un réfugié au cours de la Première Guerre mondiale ».

Les huit mois suivants, Abel veilla à la bonne marche du Baron de New York pour le général Clark et ce ne fut que parce qu'il se plaignit en permanence qu'on l'appela enfin en service actif. Il se présenta au Fort Benning pour réaliser un programme de formation d'officiers. Lorsqu'il reçut en fin de compte ses ordres pour rejoindre les Deniers généraux de la cinquième armée, on l'envoya quelque part en Afrique du Nord. Il commença à se demander s'il mettrait un jour un pied en Allemagne.

La veille de son départ pour l'étranger, Abel rédigea un testament, ordonnant à ses exécuteurs testamentaires de céder le groupe Baron à David Maxton dans de bonnes conditions si jamais il ne revenait pas. Il partageait le reste de sa fortune entre Zaphia et Florentyna. C'était la première fois en deux décennies qu'il avait songé à la mort – bien qu'il se vît mal se faire tuer dans une cantine de régiment.

Lorsque son navire de transport quitta le port de New York, Abel regarda la statue de la Liberté, se rappelant ce qu'il avait ressenti la première fois qu'il l'avait vue, près de vingt ans auparavant. Une fois que le navire dépassa la Dame, il ne la regarda plus, mais dit à voix haute : « La prochaine fois que je vous regarderai dans les yeux, madame, l'Amérique aura remporté cette guerre. »

Abel traversa l'Atlantique avec deux de ses grands chefs cuisiniers et cinq personnels de cuisine qui venaient de s'enrôler. Le navire accosta à Alger en mai 1942. Abel réquisitionna immédiatement le seul hôtel à peu près décent d'Alger dont il fit le quartier général de l'officier Clark. Il passa près d'un an dans la chaleur, la poussière et le sable du désert, à s'assurer que chaque membre de la division était le mieux nourri possible.

— Nous mangeons mal, mais je parie que nous nous nourrissons un tout petit mieux que les Allemands, observa le général Clark.

Bien qu'il sût qu'il jouait un rôle essentiel dans la guerre, cela continuait à le démanger de se mettre vraiment au combat, mais on envoie rarement au front un directeur de l'intendance militaire, à part pour remplir des gamelles vides.

Il écrivait régulièrement à Zaphia et George, et regardait grandir sa Florentyna adorée par photographies interposées. Il reçut même un courrier de Curtis Fenton, qui lui annonçait la bonne progression du groupe Baron : chaque hôtel de la côte Est était bondé en raison du mouvement continuel des troupes et des civils. Abel était triste de ne pas s'être rendu à l'inauguration du Baron de Montréal, où George l'avait représenté. C'était la première fois qu'il avait manqué le lancement d'un nouvel hôtel, mais cela lui fit réaliser l'ampleur de tout ce qu'il avait accompli en Amérique, et combien il désirait retourner dans le pays qu'il considérait désormais comme son chez-lui – mais pas avant la fin de la guerre.

Abel commença à se lasser rapidement de l'Afrique, et de ses gamelles, de ses haricots blancs à la sauce tomate, de ses couvertures et de ses tapettes à mouches. Il y avait eu une ou deux escarmouches pleines de fougue dans le désert occidental, ou du moins, c'était ce dont l'avaient assuré les hommes de retour du front, mais lui-même n'assistait jamais à rien. Il conduisit même l'un des camions de ravitaillement jusqu'au front, afin de pouvoir entendre les coups de feu, mais cela ne servit qu'à accroître davantage sa frustration.

Un jour, à son plus grand bonheur, on ordonna que la cinquième armée soit affectée en Italie. Abel espérait que cela puisse enfin lui donner la possibilité de revoir sa patrie.

La cinquième armée, dirigée par le général Clark, débarqua en bateau amphibie sur la côte sud de l'Italie, l'avion offrant une couverture tactique. Ils rencontrèrent une résistance importante, d'abord à Anzio, puis à Monte Cassino, mais Abel ne fut jamais impliqué. Son torse était désormais recouvert de médailles qui montraient où il s'était rendu, pas ce qu'il avait fait. Il commença à redouter la fin d'une guerre dans laquelle il n'aurait vu aucun combat, et qu'il finisse décoré pour avoir servi un million de repas. Mais il ne trouva jamais de plan qui lui permette d'aller au front. Il n'eut pas plus de chance lorsqu'il fut promu lieutenant-colonel et envoyé à Londres où il attendit d'autres ordres.

Après le débarquement en juin 1944, la grande poussée à travers la Manche puis l'Europe commença. Abel fut transféré dans la première armée, sous le commandement du général Omar N. Bradley, et affecté à la neuvième division blindée. Les Alliés libérèrent Paris le 25 août, et Abel parada avec les soldats américains et ceux de la France libre sur les Champs-Élysées, jusqu'à une réception en l'honneur des héros, même s'il était un peu loin derrière de Gaulle. Il examina la cité magnifique non bombardée, et décida sur place où il construirait le premier Baron en Europe.

Les Alliés traversèrent la France puis la frontière allemande dans la poussée finale en direction de Berlin. Les provisions locales étaient quasi inexistantes, parce que la campagne que les Alliés sillonnèrent avait été ravagée par l'armée allemande qui se retirait. Chaque fois qu'Abel arrivait dans une nouvelle ville, il mobilisait le plus grand hôtel et les réserves avant même que tout autre intendant américain ait compris où poser les yeux. Les officiers britanniques et américains étaient généralement contents de dîner avec la neuvième division armée, et se demandaient comment elle réussissait à réquisitionner des denrées aussi fraîches. Une fois, lorsque le général George S. Patton dîna avec le général Bradley, on présenta Abel au général combattant qui conduisait toujours ses troupes au front en brandissant un revolver à la crosse en ivoire.

— Le meilleur repas que j'aie jamais avalé de toute cette fichue guerre, déclara Patton.

En février 1945, Abel portait l'uniforme depuis près de trois ans, et il s'aperçut que la guerre en Europe serait terminée dans quelques mois. Le général Bradley ne cessait de lui envoyer des mots de félicitations et des décorations futiles pour orner son uniforme toujours plus large, mais elles ne servirent pas à grand-chose. Abel les suppliait de se battre au moins une fois, mais Bradley continuait à faire la sourde oreille.

Bien que ce fût la responsabilité d'un jeune officier de conduire les camions de ravitaillement au front et de superviser la nourriture pour les troupes, Abel exécutait souvent cette tâche lui-même. Et comme il le faisait dans la gestion de ses hôtels, il veillait à ce que personne de son équipe ne sache ni quand ni où il débarquerait.

Ce fut le flot continuel de soldats recouverts de couvertures sur des civières qui retournaient au camp ce matin de mars qui incita Abel à aller jeter un œil par lui-même. Il ne pouvait plus supporter le trafic à sens unique de corps démembrés. Il rassembla un lieutenant, un sergent, deux caporaux et vingt-huit soldats de deuxième classe et partit au front.

Le trajet de trente-cinq kilomètres lui parut d'une lenteur atroce, ce matin-là. Abel prit le volant du camion de tête – cela lui donnait un peu l'impression d'être le général Patton – alors que son convoi se frayait un chemin sous une pluie battante dans la boue épaisse : il dut plusieurs fois quitter la route pour laisser l'ambulance rentrer du front. Les corps estropiés étaient prioritaires sur les estomacs vides. Abel pria pour que la plupart ne soient pas plus que blessés, mais seul un hochement de tête occasionnel ou un geste de la main suggéraient un signe de vie. Abel comprit davantage à chaque kilomètre crotté qu'il se passait quelque chose d'énorme près de Remagen, et il sentit son pouls s'accélérer.

Lorsqu'il parvint enfin au poste de commandement, il entendit l'ennemi tirer à proximité. Il tapa sur sa jambe, de colère, en observant les brancardiers ramener d'autres camarades morts et blessés. Il en avait assez d'apprendre des nouvelles sur la guerre de seconde main. Il pensait que n'importe quel lecteur du *New York Times* était mieux informé que lui.

Abel fit arrêter son convoi près de la cuisine roulante et descendit du camion d'un bond, en s'abritant de la pluie battante. Il avait honte qu'à quelques kilomètres de là d'autres se protégeaient d'une pluie de balles. Il supervisa le déchargement de cent gallons de soupe, une tonne de corned-beef, deux cents poulets, une demi-tonne de beurre, trois tonnes de pommes de terre, et cent boîtes de dix livres de haricots blancs à la sauce tomate – plus les cartons des incontournables rations alimentaires – préparés pour ceux qui se rendaient au champ de bataille ou en rentraient. Il laissa ses cuisiniers s'occuper des repas et les plantons éplucher les pommes de terre pendant qu'il se dirigeait droit vers la tente du commandant, le général de brigade John Leonard, croisant encore d'autres soldats morts et blessés en route.

Alors qu'il allait pénétrer sous la tente, le général Leonard, accompagné de son aide, en sortait en trombe. Il engagea la conversation avec Abel tout en avançant.

— Que puis-je faire pour vous, colonel ? s'enquit Leonard.

— J'ai commencé à préparer les provisions pour votre bataillon, monsieur, comme vous l'avez demandé dans vos consignes de nuit.

— Vous n'avez pas besoin de vous tracasser avec ça pour l'instant, colonel. Aux premières lueurs du jour, ce matin, le lieutenant Burrows de la neuvième a découvert un pont de chemin de fer non endommagé au nord de Remagen, le pont de Ludendorff, et j'ai donné l'ordre de le franchir immédiatement, et que l'on établisse une tête de pont de l'autre côté de la rivière. Jusqu'à présent, les Allemands ont fait exploser tous ceux sur le Rhin bien avant que nous n'y arrivions, par conséquent nous ne pouvons pas traîner en attendant le déjeuner avant qu'ils ne démolissent celui-ci.

— La neuvième l'a-t-elle traversé ? demanda Abel.

— Bien sûr, répondit le général, mais elle a rencontré une vive résistance dans une forêt en face. Les premières sections sont tombées dans une embuscade, et Dieu sait combien d'hommes nous avons perdus. Vous feriez donc mieux de conserver cette nourriture, colonel, parce que mon seul intérêt, pour l'instant, est de savoir combien d'hommes je peux ramener vivants ici pour qu'ils puissent dîner avec nous.

— Que puis-je faire pour vous aider ? demanda Abel.

Leonard cessa de marcher un instant, et scruta le colonel en surpoids qui n'avait visiblement vu aucun combat.

— Combien d'hommes avez-vous sous vos ordres directs ?

— Un lieutenant, un sergent, deux caporaux, et vingt-huit soldats. Trente-trois en tout, dont moi-même, monsieur.

— Alors, présentez-vous à l'hôpital de campagne avec eux. Transformez-les en brancardiers, et ramenez le maximum de blessés.

— Bien monsieur.

Abel courut jusqu'à la cuisine roulante où il trouva la majorité de son unité assise dans un coin en train de fumer.

— Debout, pauvres paresseux ! Au boulot, pour une fois !

Trente-deux hommes se mirent au garde-à-vous.

— Suivez-moi ! cria Abel. Au pas de course !

Il reprit sa course, cette fois en direction de l'hôpital de campagne. Un jeune médecin donnait des instructions à seize personnes du service de santé lorsque Abel et son unité à bout de souffle et non entraînée apparurent à l'entrée de la tente.

— Puis-je vous aider, monsieur ? demanda le médecin.

— Non, mais j'espère que moi, je peux vous prêter main-forte. J'ai trente-deux hommes que le général Leonard a affectés à votre groupe.

C'était la première fois qu'ils en entendaient parler.

Le docteur médusé fixa le colonel.

— Bien, monsieur.

— Ne m'appelez pas monsieur, dit Abel. Nous sommes ici pour vous donner un coup de main.

— Bien, monsieur, répéta-t-il.

Il lui tendit une boîte en carton de brassards de la Croix-Rouge, que les cuisiniers, plantons de cuisine et éplucheurs de pommes de terre enfilèrent pendant que le médecin les informait des événements survenus dans la forêt de l'autre côté du pont de Ludendorff.

— La neuvième a essuyé beaucoup de victimes. Ceux d'entre vous qui ont un savoir-faire médical vont rester dans la zone de bataille tandis que les autres ramèneront le maximum de blessés.

Abel fut enchanté de jouer enfin un rôle actif dans la guerre. Le médecin, qui dirigeait désormais quarante-neuf hommes, alloua dix-huit civières, et chaque soldat reçut une trousse de secours complète. Il conduisit ensuite son groupe hétéroclite à travers la boue et la pluie, en direction du pont de Ludendorff, Abel juste un mètre derrière lui. Une fois qu'ils parvinrent sur le Rhin, ils virent plusieurs rangées de couvertures qui recouvraient des corps sans vie. Ils traversèrent silencieusement le pont en file indienne, passèrent devant les vestiges de l'explosion allemande qui n'avait pas réussi à détruire les fondations du pont.

Ils avancèrent vers la forêt, le bruit des coups de feu gagnant en intensité. Abel se sentit à la fois exalté à l'idée de se trouver si proche de l'ennemi, et horrifié par la preuve de ce que des armements modernes pouvaient infliger à ses compatriotes. De partout provenaient des cris de douleur immense de la part de ses camarades qui, jusqu'à ce jour-là, avaient cru, tristes et rêveurs, que la fin de la guerre approchait. Pour beaucoup d'entre eux, c'était terminé.

Le jeune médecin s'arrêtait sans cesse, faisait tout ce qu'il pouvait pour chaque homme qu'il croisait. Parfois, il mettait heureusement un terme à la souffrance d'un éclopé d'un coup de pistolet. Abel guida les blessés en direction du pont de Ludendorff, et organisa les brancardiers pour qu'ils aident ceux qui étaient incapables de le faire. Quand ils arrivèrent en lisière du bois, seul le docteur, un éplucheur de pommes de terre et Abel restaient du groupe initial ; tous les autres accompagnaient les blessés à l'hôpital de campagne.

Lorsque tous les trois pénétrèrent dans la forêt, ils entendirent des canons ennemis rugir devant eux. Abel reconnut la silhouette d'un gros canon allemand, caché dans les sous-bois et dirigé vers le pont, mais irréparable. Puis il perçut une salve de balles, si forte qu'il réalisa que l'ennemi ne devait se trouver qu'à quelques centaines de mètres.

Il s'agenouilla, tous ses sens en éveil. D'un seul coup, un autre coup de feu retentit devant lui. Abel se leva et courut, suivi à contrecœur par le médecin et l'éplucheur de pommes de terre. Ils parcoururent cent mètres, jusqu'à ce qu'ils arrivent dans un pré vert luxuriant, recouvert de crocus blancs et jonché de cadavres.

— C'est un massacre ! hurla Abel en entendant les tirs qui s'éloignaient.

Le médecin se garda de tout commentaire ; il avait braillé la même chose trois ans auparavant.

— Ne vous occupez pas des morts, dit-il simplement. Veillez juste à trouver quelqu'un qui a une demi-chance de survivre.

— Par ici ! cria Abel en s'agenouillant à côté d'un sergent qui gisait dans la gadoue allemande.

Il ne pouvait pas le voir – il avait perdu ses yeux.

Abel plaça de petits morceaux de gaze dans les orbites et attendit impatiemment.

— Il est mort, colonel, constata le docteur, sans jeter un regard à l'homme.

Abel courut jusqu'à un autre corps, puis un autre, mais c'était toujours la même chose, et seule la vue d'une tête décapitée, dressée toute droite dans la boue, le fit s'arrêter net. Il se surprit à réciter les paroles apprises aux pieds du baron : « Le sang et la destruction seront choses si banales, et les objets d'horreur si familiers que les mères ne feront que sourire en voyant leurs enfants écartelés par les mains de la guerre ! »

— N'y a-t-il donc rien qui change ? s'enquit-il.

— Seulement le champ de bataille, répondit le docteur.

Lorsque Abel compta trente – ou était-ce quarante ? – hommes, il se tourna de nouveau vers le médecin, qui tâchait de sauver la vie d'un capitaine dont la tête, hormis un œil fermé et la bouche, était emmaillotée de bandages ensanglantés.

Il resta auprès du médecin, à le regarder, impuissant, et à examiner la pièce sur l'épaule du capitaine – le neuvième blindé. Il se rappela ce qu'avait dit le général Leonard : « Dieu sait combien d'hommes nous avons perdus. »

— Putains d'Allemands, jura Abel.

— Oui, monsieur, dit le médecin.

— Est-il mort ? s'enquit Abel.

— Peut-être bien, répondit mécaniquement le docteur. Il perd tant de sang que ça ne peut être qu'une question d'heures. *(Il leva les yeux.)* Vous n'avez plus rien à faire ici, colonel. Et si vous essayiez de ramener celui-ci à l'hôpital de campagne ? Il pourrait s'en sortir. Et informez le commandant de la base que j'ai l'intention de continuer, et j'ai besoin de tous les hommes qu'il pourra trouver.

Abel l'aida à soulever délicatement le capitaine sur une civière, puis, avec l'éplucheur de pommes de terre, ils traversèrent lentement la forêt jusqu'au pont, le docteur l'ayant averti que tout mouvement brusque du brancard pourrait provoquer une perte de sang fatale. Abel ne laissa pas son compagnon se reposer une seule minute au cours de leur trajet de trois kilomètres jusqu'à l'hôpital de campagne. Il voulait donner toutes les chances de survie au blessé. Ensuite, il retournerait prêter main-forte au médecin dans les bois.

Quand ils parvinrent enfin à l'hôpital, les deux hommes étaient exténués. Lorsqu'ils transmirent la civière à une équipe médicale, Abel était sûr que le capitaine était déjà mort.

Alors que les brancardiers poussaient le capitaine, celui-ci ouvrit un œil non bandé qui se concentra sur Abel. Il tâcha de lever un bras. Abel aurait pu sauter de joie en voyant l'œil ouvert et la main qui bougeait. Il salua et pria pour que l'homme vive.

Il sortit de l'hôpital en boitant, impatient de retourner dans la forêt, mais l'officier en service l'arrêta.

— Colonel, dit-il, je vous ai cherché partout. Il y a plus de trois cents individus ici qui ont besoin de manger. Bon sang, où étiez-vous donc passé ?

— Je faisais quelque chose d'utile, pour une fois.

Abel songea au jeune capitaine en regagnant lentement la cuisine roulante.

Pour eux deux, la guerre était terminée.

# 40

On amena le capitaine sous la tente avant de l'allonger délicatement sur la table d'opération.

William vit une infirmière le regarder, mais il était bien incapable d'entendre ce qu'elle disait. Il ne savait pas si c'était parce que sa tête était emmaillotée de bandages ou parce qu'il avait perdu l'ouïe. Il ferma son œil, et pensa. Il pensa beaucoup au passé ; il pensa un peu à l'avenir, il pensa vite, au cas où il mourrait. S'il vivait, il aurait largement le temps de penser. Son esprit se porta sur Kate. L'infirmière vit une larme ruisseler du coin de son œil unique.

Kate n'avait pas compris sa détermination à s'enrôler. Il avait admis qu'elle ne s'y fasse jamais, et qu'il ne soit pas capable de lui expliquer ses raisons ; il avait donc cessé d'essayer. Le souvenir de son visage désespéré quand ils s'étaient séparés continuait à le hanter. Il n'avait jamais vraiment songé à la mort – aucun jeune homme n'y pense jamais –, mais voilà qu'il désirait ardemment vivre et retrouver sa famille.

William avait laissé Lester's sous la direction collective de Ted Leach et Tony Simmons jusqu'à son retour. Jusqu'à son retour... Il ne leur avait donné aucune instruction au cas où il ne reviendrait pas. Tous les deux l'avaient imploré de ne pas partir. Deux autres qui ne comprenaient pas. Lorsqu'il s'était enfin engagé, il avait été incapable d'affronter les enfants. Richard, âgé de neuf ans, avait retenu ses larmes jusqu'à ce que son père lui explique qu'il ne pouvait pas venir se battre avec lui contre les Allemands. Virginia et Lucy, Dieu merci, étaient trop jeunes pour comprendre.

Ils envoyèrent tout d'abord William à l'Officers' Candidate School dans le Vermont. La dernière fois qu'il avait visité le Vermont, c'était pour skier avec Matthew, monter lentement les collines et les descendre rapidement. Matthew toujours devant lui dans les montées comme dans les descentes. Une chose était sûre, si Matthew n'était pas mort, il se serait sûrement enrôlé. Le cours dura trois mois et lui permit d'être en meilleure forme que depuis qu'il avait quitté Harvard.

Sa première affectation eut lieu à Londres, remplie d'Amerloques, où il officia en tant qu'agent de liaison entre les Américains et les Anglais. On le cantonna à Dorchester, que le ministère de la Défense britannique avait détaché pour le haut commandement américain. William lut quelque part qu'Abel Rosnovski avait mis à disposition le Baron de New York pour les mêmes objectifs, et applaudit sa magnanimité en silence. Les black-out, les bombes volantes et les sirènes d'alerte antiaérienne, tout lui faisait prendre conscience qu'il était impliqué dans une guerre, mais il se sentait étrangement éloigné de ce qui se produisait à seulement mille kilomètres au sud-est de Hyde Park Corner. Toute sa vie, il avait toujours pris les devants, sans jamais être spectateur. Passer du quartier général de l'état-major d'Eisenhower à St. James au centre des opérations de guerre de Churchill à Storey's Gate n'était pas la conception que William se faisait d'une initiative. Apparemment, il ne risquait pas de se trouver nez à nez avec un Allemand pendant toute la durée des combats, à moins qu'Hitler ne marche sur Whitehall et n'entre à Trafalgar Square, où même Nelson descendrait d'un bond de sa colonne et viendrait se battre.

Lorsqu'une division de la première armée américaine fut postée en Écosse pour faire ses classes avec le régiment écossais du Black Watch, William y fut envoyé en observateur. Durant le long voyage en train vers le nord, il commença à se dire qu'il n'était rien de plus qu'un vulgaire coursier, et se demanda pourquoi donc il s'était enrôlé. Mais une fois en Écosse, tout changea. Là-bas, l'air grouillait du bruit de la bataille, alors que les soldats s'apprêtaient à affronter l'ennemi. Quand il rentra à Londres, il fit une requête pour son transfert immédiat dans la première armée. Son commandant, qui ne croyait pas que l'on puisse laisser un homme qui voulait voir le combat derrière un bureau, le libéra.

Une fois qu'ils estimèrent que William Kane était suffisamment en forme pour mourir, celui-ci retourna en Écosse où il intégra son nouveau régiment à Inveraray, se préparant à l'invasion qui, ils le savaient tous, allait bientôt se produire. L'instruction fut difficile et intense. Les nuits à feindre de se battre dans les collines écossaises avec le Black Watch contrastaient fortement avec les soirées passées au Dorchester à rédiger des rapports, à courir se mettre à l'abri en sous-sol à la moindre sirène antiaérienne.

Trois mois plus tard, le capitaine William Kane fut parachuté dans le Nord de la France, où il rejoignit l'armée du général Bradley qui traversait l'Europe. L'odeur de la victoire flottait dans l'air, et William voulait être le premier soldat allié à Berlin.

La première armée avançait en direction du Rhin, déterminée à sillonner tous les ponts qu'elle trouverait. Le capitaine Kane reçut des instructions ce matin-là : sa division devait franchir le pont de Ludendorff et engager le combat avec l'ennemi à mille six cents mètres au nord-est de Remagen, dans une forêt de l'autre côté de la rivière. Du sommet d'une colline, il observa le neuvième blindé traverser le pont, s'attendant à ce qu'il explose à tout moment dans le ciel.

Le capitaine Kane suivit avec cent vingt hommes sous ses ordres, dont la plupart, comme lui, partaient se battre pour la première fois. Plus d'exercices avec les Écossais rusés à feindre de se tuer avec des cartouches à blanc – suivis d'un repas ensemble au mess. C'étaient de vrais Allemands, de vraies balles et de vrais morts – et très peu dîneraient ensuite ensemble.

Une fois que William parvint en lisière de la forêt, son unité et lui ne rencontrèrent aucune résistance, et ils décidèrent donc de poursuivre leur chemin. Il commençait à se dire que la neuvième avait fait un travail si minutieux que sa section n'aurait qu'à lui emboîter le pas, lorsque, de nulle part, survint une brusque volée de balles et de mortiers. Tout semblait les assaillir en même temps. Les hommes tombèrent, tâchèrent de trouver un arbre pour se protéger, mais plus de la moitié de la section fut perdue en quelques secondes. La bataille, si l'on pouvait la décrire ainsi, avait duré moins d'une minute, et William n'avait pas vu un seul Allemand. Quand il rampa dans les sous-bois mouillés, il aperçut, horrifié, la prochaine vague de la neuvième division traverser la forêt. Sans réfléchir, il sortit de son abri en courant pour l'avertir de l'embuscade.

La première balle le heurta sur le côté de la tête, et lorsqu'il tomba à genoux, il continua à faire des signes et à hurler un avertissement frénétique à ses camarades qui avançaient. La seconde balle le toucha dans le cou, et une troisième dans la poitrine. Il resta allongé sans bouger dans la boue allemande, et attendit de mourir, sans jamais avoir rencontré l'ennemi – une mort sale, non héroïque.

La prochaine chose dont William se souvint, c'était qu'on le transportait sur une civière, mais il ne voyait rien et n'entendait rien, et il se demanda si c'était la nuit ou s'il était aveugle. Le voyage lui parut long, puis son œil s'ouvrit et se concentra sur un colonel qui le salua avant de sortir de la tente en boitant. Il était sûr d'avoir déjà croisé cet homme quelque part, mais il ne se rappelait pas où. Les aides-infirmiers l'emmenèrent sous la tente et le déposèrent sur la table d'opération. Il tâcha de lutter contre le sommeil, de peur que la mort ne l'emporte.

Il était conscient que deux personnes essayaient de le déplacer. Elles le tournèrent le plus délicatement possible, puis l'une d'elles enfonça une aiguille dans son corps. Il sombra dans un profond sommeil, et rêva de Kate, de sa mère, puis de Matthew qui jouait au football avec son fils Richard. Il dormit.

Il se réveilla. Elles avaient dû le transférer sur un autre lit ; une lueur d'espoir remplaça la pensée d'une mort inévitable. Il resta allongé, immobile, son œil unique fixé sur le toit de la tente en toile, incapable de remuer la tête. Une infirmière vint examiner un diagramme, puis lui. Il dormit.

Il se réveilla. Combien de temps s'était-il écoulé ? Une autre infirmière. Cette fois, il voyait un peu plus, et il pouvait désormais bouger la tête, du moins avec une grande douleur. Il demeura éveillé le plus longtemps possible, il voulait vivre. Il dormit.

Il se réveilla. Quatre médecins l'examinaient. Pour décider de quoi ? Il ne pouvait pas les entendre parler, donc il n'apprit rien. On le déplaça de nouveau, cette fois dans une ambulance. Les portes se fermèrent derrière lui, et le véhicule démarra sur un terrain rocailleux tandis qu'une infirmière assise à son côté le stabilisait. Le voyage parut durer une heure, mais il avait perdu toute notion du temps. L'ambulance arriva sur une route moins accidentée où elle s'arrêta enfin. Une fois de plus, on le transféra, cette fois sur une surface plate, avant de lui faire gravir une colline puis entrer dans une pièce sombre. Après une autre attente, la salle se mit à bouger, une autre ambulance peut-être. La salle démarra. Une infirmière lui fit une nouvelle piqûre et il ne se rappela rien, jusqu'à ce qu'il sente l'avion atterrir, rouler au sol puis stationner. Ils le déplacèrent encore. Une autre ambulance, une autre infirmière, une autre odeur, une autre ville. New York. L'odeur de New York était unique. La dernière ambulance le conduisit sur une surface plus lisse, s'immobilisa et redémarra sans cesse, puis arriva enfin à destination.

Ils le transportèrent de nouveau, lui firent gravir d'autres marches puis entrer dans une petite pièce aux murs blancs, où ils le déposèrent sur un lit confortable. Il sentit sa tête heurter un oreiller doux, et lorsqu'il ouvrit l'œil, il crut qu'il était seul. Mais son œil valide fit la mise au point et il reconnut Kate, debout à ses côtés. Il s'efforça de lever la main pour la toucher, de parler, mais aucun mot ne sortit. Elle sourit, même si elle savait qu'il ne pouvait pas la voir, et quand il se réveilla de nouveau, elle était encore là, mais vêtue d'une autre robe. Combien de fois était-elle allée et venue ? Elle sourit encore. Il tâcha de bouger un peu la tête, et avisa son fils Richard. Il avait tellement grandi, il était si beau. Il voulait voir ses filles, mais il ne pouvait pas tourner davantage la tête. Elles se déplacèrent dans son champ de vision. Virginia – elle ne pouvait pas être aussi grande, si ? Et Lucy – ce n'était pas possible. Où étaient passées les années ? Il dormit.

Il se réveilla. Il pouvait désormais bouger la tête d'un côté et de l'autre, des bandages avaient été enlevés, et il voyait plus clairement. Il tâcha de dire quelque chose, mais aucun mot ne sortit. Kate le regardait, ses cheveux blonds plus courts ne tombaient plus sur ses épaules, ses yeux noisette doux et son sourire inoubliable, si belle, si belle. Il prononça son nom. Elle sourit. Il dormit.

Il se réveilla. Moins de pansements qu'avant. Cette fois, son fils parla.

— Salut, papa.

Sa voix s'était cassée.

Il l'entendit et lui répondit. « Bonjour Richard. » Mais ne reconnut pas le son de sa propre voix. Une infirmière l'aida à s'asseoir. Il la remercia. Un médecin toucha son épaule.

— Le pire est passé, monsieur Kane. Vous pourrez bientôt rentrer chez vous.

Il sourit lorsque Kate entra dans la chambre, suivie de Virginia et de Lucy. Tant de questions à leur poser. Par où commencer ? Il y avait des trous dans sa mémoire qui exigeaient d'être remplis. Kate lui raconta qu'il avait failli mourir. Il le savait, mais il n'avait pas réalisé que plus d'un an était passé depuis que sa division était tombée dans l'embuscade dans la forêt de Remagen.

Qu'était-il advenu de ces mois d'inconscience, de vie perdue, de semblant de mort ? Richard, qui avait maintenant douze ans, se préparait déjà à rentrer à St. Paul's. Virginia en avait neuf et Lucy, presque sept. Il devrait réapprendre les connaître.

Kate était encore plus belle que dans ses souvenirs. Elle lui confia qu'elle n'avait jamais accepté l'éventualité qu'il puisse mourir, que Richard travaillait très bien à l'école, et que Virginia et Lucy lui donnaient du fil à retordre. Elle prit son courage à deux mains pour lui parler des cicatrices sur son visage et sa poitrine ; elles mettraient longtemps à guérir. Elle remercia Dieu que les médecins soient sûrs et certains qu'il ne garderait aucune lésion cérébrale, et que, avec le temps, il recouvrerait complètement la vue. Tout ce qu'elle désirait faire, c'était l'aider à récupérer. Quand il put enfin parler, sa première question fut : « Qui a remporté la guerre ? »

Chaque membre de la famille joua un rôle dans le processus de guérison. Richard aida son père à marcher jusqu'à ce qu'il n'ait plus besoin de béquilles. Lucy l'aida à manger jusqu'à ce qu'il puisse de nouveau tenir un couteau et une fourchette. Virginia lui lut Mark Twain – William ne savait pas si la lecture était pour son bien à elle ou à lui, mais tous les deux adorèrent ces moments. Kate resta éveillée la nuit quand il ne pouvait pas dormir. Puis, en fin de compte, les docteurs lui permirent de rentrer chez lui pour Noël.

Une fois William de retour sur la 68e Rue Est, sa guérison s'accéléra et les médecins prévoyaient qu'il serait en mesure de retourner travailler d'ici six mois. Légèrement balafré, mais très vivant, il fut enfin autorisé à recevoir des visiteurs.

Le premier fut Ted Leach, quelque peu déconcerté par l'apparence de William, à laquelle il n'avait pas été préparé. Il lui apprit que Lester's avait prospéré en son absence, et que ses collègues avaient hâte de l'accueillir chaleureusement. Il lui annonça également que Ruppert Cork-Smith était décédé. Son prochain visiteur, Tony Simmons, avait à son tour de tristes nouvelles : Alan Lloyd était mort lui aussi. Leur sagesse prudente manquerait à William. Thomas Cohen appela pour dire qu'il se réjouissait de savoir que William récupérait et pour confirmer, comme si cela était nécessaire, que le temps s'était écoulé inexorablement, en l'informant qu'il était désormais en préretraite et qu'il avait envoyé la majorité de ses clients à son fils Thaddeus qui avait ouvert un cabinet à New York. William constata que les deux Cohen portaient le nom d'apôtres.

— Au fait, j'ai une information que je ferais mieux de vous communiquer.

William écouta le vieil avocat en silence et se mit très, très en colère.

# 41

Le général Alfred Jodl signa la capitulation inconditionnelle de l'Allemagne à Reims le 7 mai 1945. La guerre en Europe était terminée. Trois mois plus tard, Abel retourna à New York, se préparant aux célébrations de la victoire qui marqueraient la fin des combats.

Une fois de plus, les rues grouillaient de jeunes hommes en uniforme, mais cette fois leurs visages affichaient une allégresse soulagée, pas une gaieté forcée. Abel fut attristé par la vue de tous ces hommes avec une seule jambe, un seul bras, aveugles ou bien balafrés. Pour eux, la guerre ne serait jamais finie, quels que soient les morceaux de papier signés à l'autre bout du monde.

Il entra au Baron en tenue de colonel, mais personne ne le reconnut. La dernière fois qu'ils l'avaient vu, en civil, plus de trois ans auparavant, pas une ride ne ternissait son visage alors jeune. Il faisait maintenant plus âgé que ses trente-neuf ans, et les sillons profonds sur son front montraient que la guerre avait laissé ses marques. Il prit l'ascenseur jusqu'à son bureau du quarante-deuxième, où un agent de sécurité lui annonça d'un ton ferme qu'il s'était trompé d'étage.

— Où est George Novak ? demanda Abel.

— À Chicago, colonel, répondit le garde.

— Alors, appelez-le.

— De la part de qui ?

— Abel Rosnovski.

Le garde s'exécuta promptement.

La voix familière de George grésilla sur la ligne. Abel comprit immédiatement que c'était bon d'être de retour et qu'il désirait maintenant rentrer chez lui.

Il décida de ne pas rester une minute de plus à New York, mais de parcourir les mille cent cinquante-cinq kilomètres jusqu'à Chicago. Il emporta les derniers rapports de George pour les étudier dans l'avion. Il lut chaque information sur l'évolution du groupe Baron durant les années de guerre, et il était évident que George avait réussi à maintenir le groupe à flot en son absence. Mais s'ils voulaient aller de l'avant, Abel comprit qu'il devrait employer immédiatement une nouvelle équipe avant que ses concurrents ne choisissent les meilleurs parmi ceux qui revenaient du front.

Lorsque Abel arriva au Midway Airport, George l'attendait à la porte. Il avait à peine changé – il avait pris un peu de poids et perdu quelques cheveux, mais c'était tout –, et après avoir passé une heure à échanger des anecdotes et à s'informer des événements des trois dernières années, c'était presque comme si Abel n'était jamais parti. Il serait éternellement reconnaissant au *Black Arrow* de lui avoir présenté son vice-président senior.

George fit une remarque au sujet de la claudication de son ami, qui semblait plus prononcée qu'avant la guerre.

— Le Hopalong Cassidy[14] de l'hôtellerie, dit-il d'un ton moqueur. Bientôt tu n'auras plus de jambe sur laquelle te tenir.

— Il n'y a bien qu'un Polonais pour sortir une vanne aussi bête.

George le gratifia d'un grand sourire ; il ressemblait à un chiot qui venait de se faire gronder par son maître.

— Heureusement que j'ai eu un idiot de Polonais pour s'occuper de tout pendant que j'étais parti à la recherche des Allemands, lança Abel.

— En as-tu trouvé ?

— Non. À la minute où ils ont entendu que j'arrivais, ils ont détalé à toutes jambes.

— Ils ont dû goûter à ta cuisine, plaisanta George.

Abel ne put résister et fit le tour du Baron de Chicago avant de rentrer chez lui. Le vernis de luxe ne prenait plus, en raison des pénuries de la guerre. Il voyait plusieurs choses qui auraient besoin d'être rénovées, pour ne pas dire remplacées, mais cela devrait attendre. Pour l'heure, tout ce qu'il désirait, c'était retrouver sa femme et sa fille. Mais quand il arriva chez lui, il eut son premier choc. Si George avait très peu changé en trois ans, Florentyna avait désormais onze ans, et elle était devenue une jeune fille magnifique.

14. Cow-boy de fiction inventé par Clarence Mulford, qui a inspiré des romans, bandes dessinées et séries télévisées et apparaît dans des dizaines de films entre 1930 et 1950.

Zaphia, quant à elle, n'avait que trente-huit ans, mais elle était dodue, inélégante, et paraissait beaucoup plus vieille que son âge.

Pour commencer, Abel et elle ne surent pas comment se comporter l'un envers l'autre, et au bout de quelques semaines seulement, il s'aperçut que leur histoire ne pourrait plus jamais être comme avant. Zaphia faisait peu d'efforts pour lui faire comprendre qu'il lui avait manqué, et n'avait pas l'air fière de ses exploits. Son manque d'intérêt l'attristait, et quand il essayait de l'intégrer à sa vie et à son travail, elle ne réagissait simplement pas et semblait ravie de rester à la maison et de s'impliquer le moins possible dans le groupe Baron. Il commençait à se demander comment il pourrait lui rester fidèle. Les rares fois où ils faisaient l'amour, il se surprit à penser à d'autres femmes. Bien vite, il trouva un prétexte pour fuir Chicago et le visage silencieusement accusateur de Zaphia.

Il passa la majeure partie des six premiers mois après son retour en Amérique à visiter chaque établissement du groupe Baron, comme il l'avait fait lorsqu'il avait repris le groupe Richmond après la mort de Davis Leroy. Si un voyage tombait pendant les vacances scolaires, Florentyna l'accompagnait souvent. En un an, tous les hôtels retrouvèrent le niveau d'excellence escompté, et Abel était prêt à aller de l'avant. Il informa Curtis Fenton à la réunion trimestrielle du groupe que ses chargés d'études de marché lui conseillaient maintenant de bâtir un établissement au Mexique et un autre au Brésil, tout en cherchant de nouveaux sites.

— Le Baron de Mexico City et le Baron de Rio de Janeiro, lança Abel. Qui l'eût cru ?

— Eh bien, vous disposez des fonds suffisants pour couvrir les coûts de construction, observa Fenton. Les liquidités se sont assurément accumulées en votre absence. En fait, vous pourriez édifier un Baron presque où vous le désirez. Dieu seul sait où vous vous arrêterez, monsieur Rosnovski.

— Un jour, monsieur Fenton, je construirai un Baron à Varsovie. C'est seulement à ce moment-là que j'envisagerai d'arrêter. J'ai beau avoir vaguement contribué à la raclée flanquée aux Allemands, il me reste encore un vieux compte à régler avec les Russes.

Fenton rit. Ce soir-là, lorsqu'il répéta l'histoire à sa femme, celle-ci rétorqua : « Pourquoi pas le Baron de Moscou ? »

— Alors comment suis-je positionné par rapport à la banque Lester's ? demanda Abel.

Le changement de ton brusque déconcerta Fenton. Cela le tracassait qu'Abel tienne encore William Kane pour responsable de la mort prématurée de Davis Leroy. Il ouvrit un dossier sans nom, et se mit à le lire.

— Les actions de Lester's, Kane & Company sont réparties parmi les quatorze membres de la famille Lester et six employés actuels et passés. M. William Kane, le plus gros actionnaire, détient huit pour cent dans son fonds en fidéicommis.

— Y a-t-il un Lester prêt à vendre ses titres ?

— Peut-être, si nous offrions le juste prix. Mlle Susan Lester, la fille du défunt Charles Lester, nous donne des raisons de croire qu'elle pourrait envisager de s'en séparer, et M. Peter Parfitt, un ancien vice-président de Lester's, a lui aussi montré un intérêt.

— Quels pourcentages détiennent-ils ?

— Susan Lester, six pour cent, et Parfitt, deux pour cent.

— Combien veulent-ils ?

Pendant que Fenton consultait son dossier, Abel jeta un coup d'œil au dernier rapport annuel de Lester's. Ses yeux s'arrêtèrent sur l'article sept, qui avait été souligné. Il sourit.

— Mlle Lester réclame deux millions de dollars pour ses six pour cent, et M. Parfitt un million de dollars pour ses deux pour cent.

— M. Parfitt est gourmand, observa Abel. Attendons qu'il ait faim. Achetez immédiatement les actions de Susan Lester, sans révéler qui vous représentez, et tenez-moi informé de tout changement d'avis de Parfitt.

Curtis Fenton toussa.

— Y a-t-il quelque chose qui vous dérange, monsieur Fenton ?

Fenton hésita.

— Non, rien, dit-il, peu convaincant.

— Bien, parce que je nomme quelqu'un d'autre responsable de ce compte particulier, dont vous avez dû entendre parler. Henry Osborne.

— Le député Osborne ?
— Oui. Le connaissez-vous ?
— Seulement de réputation, répondit Fenton, avec une légère once de désapprobation.
Abel ignora l'insinuation. Il ne connaissait que trop la réputation d'Osborne, mais celui-ci avait l'opportunité de contourner la bureaucratie et de prendre des décisions politiques rapides, ce qui faisait de lui, selon Abel, un risque utile. Et ils avaient autre chose en commun : tous les deux détestaient William Kane.
— Je devrais aussi inviter M. Osborne à devenir un directeur du groupe Baron.
— Comme vous voulez, rétorqua Fenton, sans joie, en se demandant s'il devait exprimer ses appréhensions personnelles à propos d'Osborne.
— Informez-moi dès que vous avez signé avec Mlle Lester.
— Bien, monsieur Rosnovski, acquiesça Fenton en refermant le dossier.
Abel retourna au Baron où il trouva Henry Osborne qui l'attendait dans l'entrée.
— Député, lança-t-il en lui serrant la main. Et si vous déjeuniez avec moi ?
— Merci, baron, répondit Osborne.
Ils rirent et se rendirent bras dessus bras dessous dans la salle à manger où ils s'installèrent à une table dans un coin. Abel réprimanda un serveur à qui il manquait un bouton à sa tunique.
— Comment va votre épouse, Abel ?
— Bien. Et la vôtre, Henry ?
— Très bien.
Ils savaient tous les deux qu'ils mentaient.
— Rien d'intéressant à signaler ?
— Nous nous sommes occupés de cette concession qu'il vous fallait à Seattle, annonça Henry à voix basse. Le conseil municipal validera les documents dans quelques jours. Vous devriez pouvoir commencer à construire le nouveau Baron de Seattle le mois prochain.
— Nous ne faisons rien de trop illégal, n'est-ce pas ?

— Rien que vos concurrents ne soient prêts à entreprendre, l'assura Henry. Je peux vous le promettre.

— Je suis ravi de l'entendre, Henry. Je ne veux pas de problèmes avec la loi.

— Non, non. Seuls vous et moi savons exactement ce qui se passe.

— Bien. Vous vous êtes montré très utile au fil des années, Henry, et j'ai une petite récompense pour les services rendus. Que diriez-vous de devenir directeur du groupe Baron ?

— Je serais flatté, Abel, répondit le député.

— N'exagérez pas, Henry. Après tout, cela fait un moment que vous le cherchiez. *(Les deux hommes rirent.)* Mais pour être juste, vous m'avez été d'une aide inestimable avec ces permis de construire. Je suis bien trop occupé pour avoir affaire à des politiciens et des bureaucrates. Quoi qu'il en soit, Henry, ils préfèrent traiter avec un individu de Harvard – même si, pour lui, ouvrir des portes se résume à les enfoncer à coups de pied.

— Vous vous montrez très généreux en retour, Abel.

— C'est uniquement ce que vous avez mérité. Maintenant, je veux que vous vous attaquiez à un problème beaucoup plus délicat. Il concerne notre ami commun de Boston.

# 42

La lettre était posée sur la table près du fauteuil de William dans le salon. Il la prit et la lut pour la troisième fois, tâchant de comprendre pourquoi Abel Rosnovski tenait tant à acheter une participation dans Lester's, et pourquoi il avait nommé Henry Osborne directeur du groupe Baron. Il composa un numéro qu'il connaissait par cœur.

Lorsque Thaddeus Cohen arriva sur la 68e Rue Est, il n'eut pas besoin de se présenter. C'était le portrait craché de son père : ses cheveux commençaient à grisonner et à tomber exactement aux mêmes endroits, et sa silhouette maigre et élancée portait un costume identique. Peut-être s'agissait-il du même.

— Vous ne vous souvenez pas de moi, monsieur Kane, dit l'avocat.

— Bien sûr que si, répondit William en se levant pour lui serrer la main. Le grand débat à Harvard. Mille neuf cent vingt…

— Huit. Vous avez remporté le débat, mais sacrifié votre adhésion au Porcellian.

William éclata de rire.

— Peut-être que nous nous en sortirions mieux si nous étions du même bord. À supposer que votre socialisme particulier vous autorisera à servir un capitaliste patenté.

L'espace d'un instant, tous les deux se sentir redevenir étudiants. William sourit.

— Vous n'avez jamais pu prendre ce verre au Porcellian. Qu'est-ce que je vous offre ?

Thaddeus Cohen déclina sa proposition.

— Je ne bois pas, dit-il, cillant de cette façon désarmante dont William se souvenait parfaitement. Et je crains d'être devenu un capitaliste patenté, moi aussi.

Et il s'avéra qu'il avait aussi, comme son père, la tête sur les épaules. On l'avait bien informé du dossier Rosnovski/Osborne. Et il put répondre à toutes les questions de William. Celui-ci expliqua exactement ce qu'il attendait de lui.

— Un rapport immédiat et plus tard, une mise à jour tous les trois mois. Le secret est d'une importance capitale. Je dois découvrir pourquoi Abel Rosnovski achète les actions de Lester's. M'estime-t-il encore responsable de la mort de Davis Leroy ? Continue-t-il à se battre contre Kane & Cabot, même si celle-ci fait maintenant partie de Lester's ? Quel rôle Henry Osborne joue-t-il dans tout cela ? Une rencontre entre Rosnovski et moi servirait-elle à quelque chose, surtout si je lui avouais que c'était la banque, et pas moi, qui avait refusé de financer le groupe Richmond ?

Le stylo de Thaddeus Cohen grattait aussi frénétiquement que son père avant lui.

— Je dois avoir une réponse à ces questions le plus vite possible, afin de décider s'il est nécessaire d'informer mon conseil d'administration.

Thaddeus Cohen le gratifia du sourire timide de son père en fermant son porte-documents.

— Je suis désolé que vous soyez préoccupé de la sorte alors que vous êtes encore convalescent. Je reviendrai vers vous dès que je serai en mesure de vérifier les faits. *(Il marqua une pause à la porte.)* J'admire grandement ce que vous avez accompli à Remagen.

Le 7 mai 1946, Abel se rendit à New York pour fêter le premier anniversaire de l'Armistice. Il avait organisé un dîner pour plus de mille vétérans américano-polonais à l'hôtel Baron et convié le général Kazimierz Sosnkowski, commandant en chef des forces polonaises en France, qui serait l'invité d'honneur. Voilà des semaines qu'il attendait cet événement, et il avait invité Florentyna à l'accompagner à New York, car Zaphia avait bien précisé qu'elle ne voulait pas venir.

La nuit des festivités, la salle de banquet du Baron de New York fut magnifiquement décorée. Chacune des cent vingt tables était ornée des étoiles et des rayures de l'Amérique ainsi que du rouge et blanc du drapeau national polonais. D'immenses photos d'Eisenhower, Patton, Bradley, Clark, Paderewski et Sikorsky agrémentaient les murs. Abel s'assit au centre de la table d'honneur, le général à sa droite et Florentyna à sa gauche.

Après un repas de sept plats, le général Sosnkowski se leva pour s'adresser à l'assemblée. Il annonça que le colonel Rosnovski avait été nommé président à vie de la société des vétérans polonais, en reconnaissance des sacrifices personnels qu'il avait faits pour la cause américano-polonaise et, en particulier, son don généreux du Baron de New York à l'armée américaine pendant toute la durée de la guerre. Quelqu'un qui avait bu un peu trop cria du fond de la salle : « Ceux d'entre nous qui ont survécu aux Allemands ont réussi on ne sait comment à survivre à la cuisine d'Abel ! »

Les mille vétérans rirent, applaudirent et portèrent un toast à Abel à la vodka de Dantzig. Mais tous se turent lorsque le général évoqua de façon émouvante la situation désespérée de la Pologne après-guerre, désormais sous l'emprise de la Russie stalinienne, et pressa ses compatriotes expatriés de mener une campagne soutenue pour assurer la souveraineté de leur terre natale. Abel, comme tout le monde dans la salle, voulait croire que la Pologne pourrait un jour retrouver sa liberté. Il rêvait aussi que son château lui soit restitué, mais doutait que ce soit un jour possible, suite au coup d'État de Staline à Yalta.

Le général entreprit de rappeler aux invités que les Américano-Polonais avaient, par tête, sacrifié plus de vies à la guerre que tout autre groupe ethnique aux États-Unis.

— Combien d'Américains sont-ils au courant que la Pologne a perdu six millions des siens et la Tchécoslovaquie, cent mille ? Certains ont déclaré que nous étions stupides de ne pas nous rendre, alors que nous savions que nous étions vaincus. Comment une nation qui a organisé une charge de cavalerie contre la puissance des blindés nazis peut-elle croire qu'elle s'est fait battre ? Et mes amis, je vous le dis, nous ne serons jamais vaincus !

Le général conclut en racontant à son public captivé comment Abel avait conduit son unité à sauver des troupes blessées à la bataille de Remagen. Quand il eut terminé, les vétérans se levèrent et applaudirent bruyamment les deux hommes. Le sourire de Florentyna montrait à quel point elle était fière de son père.

Abel fut étonné que son expérience sur le champ de bataille de Remagen soit publiée dans les journaux le lendemain matin, parce que l'on rendait rarement compte des exploits polonais ailleurs que dans *Dziennik Zwiazkowy*. Il se réjouit de cette toute récente gloire de héros américain méconnu et passa la majeure partie de la journée à poser pour des photographes et à accorder des interviews.

Le soir, alors que le soleil avait fini par disparaître, Abel ressentit un grand vide. Le général était rentré assister à une réception à Los Angeles, Florentyna était repartie à l'école à Lake Forest, George à Chicago et Henry Osborne à Washington. Le Baron de New York lui parut brusquement grand et vide, mais il n'avait aucune envie de retrouver Chicago, ni Zaphia.

Il décida de manger tôt et d'examiner les rapports hebdomadaires des autres établissements du groupe avant de se retirer dans sa suite de luxe privée. Il y dînait rarement, préférant l'une des salles à manger – ce qui l'assurait de rester en contact permanent avec ce qui se passait à l'hôtel. Plus il achetait ou construisait d'hôtels, plus il craignait de s'isoler de son personnel sur le terrain.

Il prit l'ascenseur jusqu'à la réception où il demanda combien de clients avaient réservé pour la nuit, mais il fut distrait par une femme magnifique qui signait le registre. Il aurait pu jurer qu'il la connaissait, mais il n'arrivait pas à discerner distinctement son visage. Lorsqu'elle eut fini d'écrire, elle se tourna et lui sourit.

— Abel, dit-elle. Quelle joie de te revoir.

— Grands dieux, Mélanie, je ne t'avais presque pas reconnue.

— Tout le monde te reconnaîtrait, toi, Abel.

— Je ne savais même pas que tu étais à New York.

— Juste pour une nuit. Je suis ici pour affaires, pour mon magazine.

— Tu es journaliste ?

— Non, conseillère économique d'un groupe de revues qui a son siège à Dallas. Je suis là pour un projet d'études de marché.

— Très impressionnant.

— Je peux t'assurer que non. Mais cela m'occupe.

— Serais-tu libre pour dîner par hasard ?

— Quelle bonne idée, Abel ! Mais j'ai besoin de prendre un bain et de me changer, si ça ne te dérange pas de patienter.

— Bien sûr, je peux attendre. Je te retrouverai dans la salle à manger. Et si tu me rejoignais dans une heure ?

Elle sourit une deuxième fois et suivit un porteur jusqu'à l'ascenseur. Abel prit conscience de son parfum quand elle s'éloigna.

Il jeta un coup d'œil dans la salle à manger pour s'assurer que sa table était décorée de fleurs fraîches, puis se rendit dans la cuisine afin de choisir les plats qu'il pensait qu'elle apprécierait le plus. Il se surprit à consulter sa montre toutes les deux minutes, et à regarder l'entrée dans l'espoir que Mélanie apparaisse. Elle mit un peu plus d'une heure, mais lorsque le maître d'hôtel la conduisit vers sa table, il s'avéra qu'il avait bien fait d'attendre. Elle portait une longue robe moulante, hors de prix, qui chatoyait et étincelait sous les lumières de la salle à manger. Elle était éblouissante. Abel vint l'accueillir tandis qu'un serveur débouchait une bouteille de Krug millésimé.

— Bienvenue Mélanie, dit-il en levant son verre. C'est bon de voir que tu continues à séjourner au Baron.

— C'est bon de voir le baron en personne, répondit-elle. Surtout en ce jour de victoire.

— Comment ça ?

— J'ai lu l'article sur le dîner d'hier soir dans le *New York Post* et appris que tu avais risqué ta vie en sauvant les blessés à Remagen. Ils te font passer pour un croisement entre Audie Murphy et le soldat inconnu.

— Tout est plutôt exagéré, observa Abel.

— Je ne t'ai pas connu ne pas faire gloire de tes exploits, Abel, j'en déduis donc que chaque mot doit être vrai.

— La vérité, c'est que j'ai toujours eu un peu peur de toi, Mélanie.

— Le baron a peur de quelqu'un ? Je n'y crois pas.

— Eh bien, je ne suis pas un gentleman du Sud, comme tu me l'as bien fait comprendre à l'époque.

— Et tu n'as jamais cessé de me le rappeler. *(Elle sourit, taquine.)* As-tu épousé ta gentille Polonaise ?

Il lui servit une deuxième coupe de champagne.

— Oui.

— Comment cela s'est-il passé ?

— Pas si bien. Nous nous sommes éloignés et en vérité, c'est ma faute. Trop de soirées à l'extérieur.

— Avec d'autres femmes ?

— Non, d'autres hôtels.

Mélanie rit et le gratifia d'un sourire chaleureux.

— Et toi, t'es-tu trouvé un mari ?

— Bien sûr. J'ai épousé un vrai gentleman du Sud avec toutes les références qu'il faut.

— Toutes mes félicitations.

— Nous avons divorcé l'an dernier – après que j'ai eu accepté une grosse compensation.

— Oh, je suis désolé, dit Abel, l'air ravi. Une autre coupe ?

— Serais-tu par hasard en train d'essayer de me séduire, Abel ?

— Pas avant que tu aies fini ta soupe, Mélanie. Même les immigrés polonais de première génération ont des principes. Mais j'avoue que c'est à mon tour de te séduire.

— Alors, je dois te prévenir, Abel, je n'ai couché avec aucun homme depuis mon divorce. Non pas par manque de propositions, mais aucun ne m'a plu. Trop de mains baladeuses et pas assez d'affection.

Devant du saumon fumé, de l'agneau, de la crème brûlée et un Mouton Rothschild d'avant-guerre, ils évoquèrent leur vie depuis leur dernière rencontre.

— Café dans la suite, Mélanie ?

— Ai-je le choix, après un repas si excellent ?

Abel rit et l'accompagna hors de la salle à manger. Elle titubait très légèrement sur ses talons hauts quand elle entra dans l'ascenseur. Abel toucha le bouton marqué « 42 ». Mélanie regarda les chiffres défiler.

— Pourquoi n'y a-t-il pas de dix-septième étage ? demanda-t-elle.

Il ne trouva pas les mots pour lui expliquer.

— La dernière fois que j'ai bu un café dans ta chambre... réessaya-t-elle.

— Ne me le rappelle pas.

Ils sortirent de l'ascenseur au quarante-deuxième, et le porteur leur ouvrit la porte de ses appartements.

— Grands dieux, s'écria Mélanie alors que ses yeux passaient la suite de luxe en revue. Je dois reconnaître, Abel, que tu as bel et bien appris à t'adapter au style d'un multimillionnaire. Je n'ai jamais rien vu de plus somptueux de ma vie.

Un coup porté à la porte arrêta Abel, sur le point de la toucher. Un jeune serveur apparut, avec une cafetière et une bouteille de Rémy Martin.

— Merci, Mike, dit Abel. Ce sera tout pour ce soir.

— Vraiment ? fit Mélanie, en souriant.

Le serveur s'empressa de détaler.

Abel leur servit du café et du brandy. Mélanie, assise en tailleur par terre, le sirota lentement. Il s'installa à côté d'elle. Elle caressa ses cheveux et il entreprit timidement d'avancer sa main sur sa jambe. Dieu qu'il se souvenait parfaitement de ses jambes ! Quand ils s'embrassèrent, Mélanie ôta une chaussure d'un coup de pied et renversa son café sur le tapis persan.

— Oh zut ! s'écria-t-elle. Ton beau tapis !

— Ça n'a aucune importance, rétorqua Abel en la prenant dans ses bras et en défaisant la fermeture de sa robe.

Elle déboutonna sa chemise, et il essaya de l'enlever tout en l'embrassant, mais ses manchettes se coincèrent en chemin, et il l'aida donc à se déshabiller. Sa silhouette était exactement comme dans ses souvenirs, mais plus rondelette, et il en eut l'eau à la bouche. Ses seins fermes, ses longues jambes gracieuses. Il abandonna le combat avec ses manchettes et la libéra de son étreinte pour se dévêtir rapidement, conscient du contraste physique qu'il offrait à son corps magnifique, et espérant que tout ce qu'il avait lu sur les femmes fascinées par des hommes puissants était vrai. Doucement, il caressa ses seins, et commença à écarter ses jambes. Le doux tapis persan s'avérait bien mieux que n'importe quel lit. Ce fut à son tour à elle d'essayer de se déshabiller complètement pendant qu'ils s'embrassaient. Elle aussi capitula et finit par se dégager pour tout enlever sauf – à la demande d'Abel – son porte-jarretelles et ses bas en nylon.

Lorsqu'il l'entendit gémir, il réalisa qu'il n'avait pas connu une telle extase depuis une éternité, mais cette sensation disparut bien vite. Personne ne parla pendant plusieurs minutes ; tous les deux respirèrent bruyamment.

Puis Abel gloussa.

— Qu'est-ce qui te fait rigoler ? s'enquit Mélanie.

— Je me rappelais juste la remarque du docteur Johnson sur la position qui était ridicule, et le plaisir, momentané.

Mélanie rit et posa sa tête sur son épaule. Abel fut étonné de découvrir qu'il ne la trouvait plus irrésistible. Il se demandait comment il pouvait se débarrasser d'elle sans être malpoli, quand elle lança :

— J'ai peur de ne pas pouvoir rester toute la nuit, Abel. J'ai un petit déjeuner professionnel en face, au Stevens. Je ne veux pas avoir l'air d'avoir dormi sur ton tapis persan.

— Tu dois y aller ? fit-il, faussement désespéré.

— Je suis désolée, chéri, oui.

Elle se leva et se rendit dans la salle de bains.

Abel la regarda s'habiller et l'aida à remonter sa fermeture. Qu'il était plus facile de l'attacher tranquillement que de la détacher à la hâte ! Il l'embrassa galamment sur la main quand elle partit.

— J'espère que nous nous reverrons, mentit-il.

— Moi aussi, dit-elle, consciente qu'elle ne le pensait pas.

Il ferma la porte derrière elle, et décrocha le téléphone près de son lit.

— Dans quelle chambre Mélanie Leroy séjourne-t-elle ? demanda-t-il.

S'ensuivit une pause momentanée. Il tapa impatiemment des doigts sur la table, en écoutant son interlocuteur passer les fiches d'enregistrement en revue.

— Personne n'est enregistré sous ce nom, monsieur, lui répondit-on enfin. Nous avons une Mme Mélanie Seaton de Dallas, Texas, arrivée ce soir et qui repart demain matin.

— Oui, c'est elle. Veillez à mettre sa note sur mon compte.

— Bien, monsieur.

Abel reposa le combiné et prit une longue douche froide avant de se coucher. Il allait éteindre la lampe qui avait illuminé son premier adultère lorsqu'il remarqua la grosse tache de café en plein milieu du tapis persan.

— Garce maladroite, jura-t-il en éteignant la lumière.

William retrouva rapidement sa vigueur et une impression de bien-être au cours des mois suivants, et les cicatrices sur son visage et sa poitrine se mirent à s'estomper. Le soir, Kate veillait à ses côtés jusqu'à ce qu'il s'endorme. Les affreuses migraines et périodes d'amnésie appartenaient désormais au passé, et la force avait fini par regagner son bras droit.

Kate ne le laissa pas reprendre le travail tant qu'ils n'avaient pas entrepris une longue croisière dans les Caraïbes, durant laquelle il put se détendre pour la première fois depuis leur séjour en tête à tête en Angleterre. Kate savoura pleinement le fait qu'il n'y avait pas de banques à bord avec lesquelles faire affaire, bien qu'elle craignît que si la croisière durait encore un mois, il achèterait le bateau pour le compte de Lester's, réorganiserait l'équipage, les itinéraires et les horaires. Quand ils entrèrent dans le port de New York, elle fut incapable de le dissuader de retourner travailler le lendemain matin.

Les mois suivants, plusieurs autres taches de café apparurent sur le tapis persan d'Abel à mesure que Zaphia et lui s'éloignaient. Certaines étaient faites par des serveuses complaisantes, d'autres par des clientes qui ne payaient pas,.

Ce qu'il n'avait pas prévu, c'était que sa femme embaucherait un détective privé pour le surveiller, et demanderait le divorce ensuite. Divorcer était une pratique presque inconnue du cercle d'amis polonais d'Abel. Il tâcha de la dissuader de poursuivre son action en justice, conscient que non seulement cela ne servirait qu'à nuire à sa réputation au sein de la communauté polonaise, mais pire encore, que cela compromettrait sérieusement toute ambition sociale ou politique qu'il avait commencé à nourrir. Il fut étonné de constater que la femme qui n'avait pas été très au fait de sa victoire se montrait, pour reprendre les termes de George, quelque peu « mégère » dans sa vengeance.

Lorsque Abel consulta son avocat, il découvrit combien de serveuses et de clientes gracieusement invitées il avait diverties l'année passée. Il abandonna. La seule chose pour laquelle il se battit fut la garde de Florentyna, qui avait maintenant presque treize ans, et la personne qui comptait le plus dans sa vie.

Après une longue bataille, Zaphia se plia à ses exigences, accepta une compensation de cinq cent mille dollars, les actes notariés de la maison de Chicago, et le droit de voir Florentyna le dernier week-end de chaque mois.

Abel déménagea son quartier général et sa résidence permanente à New York. George le surnomma le « baron en exil » quand il écuma l'Amérique du nord au sud pour construire de nouveaux hôtels. Il ne rentrait à Chicago que lorsqu'il avait besoin de consulter Curtis Fenton.

Lorsque arriva le premier rapport de Thaddeus Cohen, William n'eut plus aucun doute. Rosnovski recherchait activement des actions chez Lester's : il avait contacté tous les autres bénéficiaires du testament de Charles Lester, mais une seule transaction avait été conclue. Susan Lester avait refusé de voir Cohen, il n'était donc pas en mesure d'apprendre pourquoi elle avait vendu ses six pour cent. Tout ce qu'il pouvait assurer, c'était qu'elle n'avait aucune raison financière d'agir ainsi.

Le compte-rendu était admirablement complet. Henry Osborne, semblait-il, avait été nommé directeur du groupe Baron en mai 1946, spécialement chargé de se procurer des titres Lester. Ceux de Susan avaient été acquis de telle sorte qu'il était impossible de retrouver la source de l'acquisition, soit Rosnovski, soit Osborne. Cohen était sûr que Rosnovski était prêt à débourser au moins sept cent cinquante mille dollars pour s'assurer les deux pour cent de Parfitt. William n'avait pas besoin qu'on lui rappelle les ravages que pouvait causer Rosnovski une fois qu'il serait en possession des huit pour cent des actions de Lester et pourrait invoquer l'article sept. Le problème que rencontrait William, c'était que la croissance de Lester's supportait mal la comparaison avec celle du groupe Baron qui rattrapait déjà ses principaux concurrents, les groupes Hilton et Sheraton.

Il se demanda de nouveau s'il devrait informer son conseil d'administration de ce qu'il venait d'apprendre, voire s'il devrait contacter Rosnovski directement. Après plusieurs nuits sans sommeil, il demanda conseil à Kate.

— Ne fais rien, dit-elle, tant que tu n'es pas absolument certain que ses intentions ne sont pas aussi perturbatrices que tu ne le crains. Si ça se trouve, toute cette histoire n'est qu'une tempête dans un verre d'eau.

— Avec Henry Osborne, tu peux être sûre que la tempête va se répandre partout et je ne peux pas rester assis à me tourner les pouces en attendant de connaître ses ambitions.

— Il s'est peut-être adouci, William. Cela fait plus de vingt ans que tu n'as pas eu affaire personnellement à cet homme.

William se détendit quelques jours, jusqu'à ce qu'il lise le prochain rapport de Thaddeus Cohen.

# SIXIÈME PARTIE

# 1948-1952

# 43

Le président Truman remporta une victoire surprise pour un deuxième mandat à la Maison-Blanche, en dépit des titres du *Chicago Tribune* qui informèrent le monde entier que Thomas E. Dewey était le prochain président des États-Unis. William savait très peu de choses sur le mercier du Missouri, excepté ce qu'il lisait dans la presse, et en républicain convaincu, il espérait que son parti trouverait l'homme qu'il fallait pour les conduire dans la campagne de 1952.

Le groupe Baron profita pleinement de l'explosion de l'économie américaine de l'après-guerre. Depuis les années vingt, il n'avait jamais été aussi facile de gagner de l'argent si vite et, au début des années cinquante, on commença à croire que cette fois, ça allait durer.

Abel ne se satisfaisait pas de son succès financier seul : en vieillissant, il se mit à s'inquiéter de l'avenir de la Pologne et à estimer qu'il ne pouvait plus demeurer simple spectateur. Qu'avait déclaré Pawel Zaleski, le consul polonais en Turquie ? « Peut-être que vous verrez la Pologne se redresser de votre vivant. »

Abel estimait, à force de regarder les gouvernements communistes de marionnettes s'enchaîner au pouvoir les uns à la suite les autres, qu'il avait risqué sa vie à Remagen pour rien. Il entreprit de faire tout ce qu'il pouvait pour persuader le Congrès américain d'adopter une attitude plus militante envers le contrôle russe de ses satellites en Europe de l'Est. Il fit pression sur les hommes politiques, informa les journalistes et organisa des dîners à Chicago,

New York et d'autres centres de la communauté américano-polonaise, jusqu'à ce que la cause polonaise en soi devînt synonyme du « baron de Chicago ».

Le Dr Teodor Szymanowski, ancien professeur d'histoire à l'université de Cracovie, rédigea un éditorial élogieux sur le rôle qu'Abel avait joué dans le « Combat de la Pologne pour être reconnue » dans le journal *Liberté*, ce qui incita Abel à le contacter. Parfaitement conscient de la vigueur des opinions du professeur, quand on le fit entrer dans son bureau de Princeton, Abel fut étonné par sa fragilité physique.

Szymanowski l'accueillit chaleureusement et lui servit une vodka de Dantzig sans même lui demander ce qu'il désirait boire.

— Baron Rosnovski, dit-il en lui tendant son verre. Je vous admire depuis longtemps, ainsi que votre travail pour notre cause. Bien que vous ne progressiez pas trop, vous ne semblez pas perdre la foi.

— Pourquoi le devrais-je ? J'ai toujours cru que tout était possible en Amérique.

— Mais je crains, baron, que ces hommes que vous essayez d'influencer soient les mêmes que ceux qui ont laissé ces atrocités se produire et ils ne le reconnaîtront jamais à tête reposée.

— Je ne comprends pas ce que vous voulez dire, professeur. Pourquoi refuseront-ils de nous aider ? Après tout, à long terme, ce doit être dans leur intérêt.

Le professeur se cala dans son fauteuil.

— Vous devez sûrement savoir, baron, que les armées américaines ont reçu des ordres spécifiques en 1944 de ralentir leur avancée vers l'est, et de laisser les Russes prendre le contrôle de la plus grande partie de l'Europe centrale sur laquelle elles pouvaient mettre la main. Patton aurait pu entrer dans Berlin longtemps avant les Russes, mais Eisenhower lui a ordonné de rester en arrière. Ce furent nos dirigeants à Washington – les mêmes hommes que ceux que vous essayez de convaincre de ramener les canons et les troupes américaines en Europe – qui ont donné ces ordres à Eisenhower.

— Mais ils n'auraient pas pu deviner quel grand empire l'URSS deviendrait, dit Abel. Les Russes ont été nos alliés. Je reconnais que nous nous sommes montrés trop conciliants envers eux à la fin de la guerre, mais ce ne sont sûrement pas les Américains qui ont pu trahir le peuple polonais.

Avant de prendre la parole, Szymanowski ferma les yeux d'un air las.

— Je regrette que vous n'ayez pas rencontré mon frère, baron. J'ai appris pas plus tard que la semaine dernière qu'il était mort dans un camp soviétique pas très différent de celui dont vous vous êtes échappé.

Abel allait lui présenter ses condoléances, mais Szymanowski leva une main.

— Non, ne dites rien. Vous-même avez connu les camps. Vous seriez le premier à reconnaître que la compassion n'est pas une solution. Nous devons tâcher de changer le monde pendant que les autres dorment. *(Szymanowski marqua une pause.)* Les Américains ont envoyé mon frère en Russie.

Abel le fixa, incrédule.

— Les Américains ? Comment est-ce possible ? S'il s'est fait capturer en Pologne par les troupes russes…

— Mon frère ne s'est pas fait capturer en Pologne. Il a été libéré d'un camp de prisonniers allemand, près de Francfort. Les Américains l'ont gardé dans un camp de personnes déplacées pendant un mois, avant de le remettre aux Russes.

— Pourquoi auraient-ils fait cela ?

— Les Russes voulaient rapatrier tous les Slaves. Les rapatrier pour ensuite les exterminer ou les asservir. Ceux qu'Hitler n'a pas tués, Staline s'en est chargé. Et je peux prouver que mon frère s'est trouvé dans la zone américaine pendant plus d'un mois.

— Mais, fit Abel, était-ce une exception ou y en a-t-il eu d'autres comme lui ?

— Des centaines de milliers, dit Szymanowski, sans aucune émotion. Voire un million. Je doute que nous apprenions le vrai chiffre un jour. Toute cette sale affaire était connue sous le nom d'Opération Kee Chanl.

— Mais si les gens découvraient que les Américains renvoyaient des prisonniers libérés mourir en Russie, ils seraient sûrement horrifiés ?

— Il n'existe aucune preuve, aucune documentation officielle. Mark Clark, comme Nelson, a fermé les yeux, laissant quelques détenus, avertis par de sympathiques GI, s'échapper avant que les Américains ne puissent les envoyer dans des camps. L'un des veinards était avec mon frère. *(Le professeur marqua une pause.)* De toute façon, il est trop tard pour agir aujourd'hui.

— Mais on devrait en informer le peuple américain ! Je vais constituer un comité, imprimer des pamphlets, faire des discours. Le Congrès nous écoutera sûrement si les preuves sont accablantes.

— Baron Rosnovski, je pense que là, vous vous attaquez à trop grand, même pour vous. Vous devez comprendre la mentalité des dirigeants mondiaux. Les Américains ont accepté de livrer ces pauvres diables, parce que Staline l'a exigé, comme partie d'un marché global. Je suis sûr qu'ils n'ont jamais cru qu'il y aurait des procès, des camps de prisonniers et des exécutions. Et personne ne risque de reconnaître sa responsabilité indirecte dans l'extermination de milliers d'innocents. J'avais plutôt espéré que vous en arriveriez à la conclusion que vous devriez jouer un rôle plus direct en politique.

— Je n'ai aucune envie de me présenter aux élections, rétorqua Abel. Pour ce job, il faut être un croisement entre Babe Ruth et Henry Fonda, et je ressemble davantage à Hopalong Cassidy. Mais cela ne m'empêchera pas de faire entendre ma voix, et je crois connaître exactement la bonne personne à contacter parce qu'il déteste les communistes encore plus que moi.

À la minute où Abel rentra à New York, il se rendit directement dans son bureau, décrocha son téléphone et somma sa secrétaire de localiser un homme qui commençait à se faire un nom pour ne pas avoir peur de porter un jugement sur quiconque.

La secrétaire de John McCarthy fut en ligne, et voulut savoir qui désirait parler au sénateur.

— Je vais voir s'il est libre, répondit-elle quand elle apprit qui était au bout du fil.

— Monsieur Rosenevski, fit la voix du sénateur, reconnaissable entre mille. *(Abel se demanda si McCarthy avait délibérément écorché son nom ou si la liaison était simplement mauvaise.)* Quelle est cette affaire de grande importance dont vous souhaitez vous entretenir avec moi ? *(Abel hésita.)* Vos secrets ne craignent rien avec moi, entendit-il dire le sénateur.

— Bien sûr, répondit Abel, concentré. Vous, sénateur, êtes le porte-parole direct de ceux d'entre nous qui aimeraient voir les nations d'Europe de l'Est libérées du joug du communisme.

— Je suis ravi que vous appréciiez mes efforts, Rosenevski.

Cette fois, il était sûr que McCarthy avait délibérément écorché son nom, mais décida de s'abstenir de tout commentaire.

— Vous réalisez bien, poursuivit le sénateur, que ce n'est qu'une fois que les traîtres auront été chassés de notre propre gouvernement que l'on pourra entreprendre une véritable action pour mettre vos prisonniers en liberté.

— C'est précisément ce dont je souhaite vous parler, sénateur. Vous avez brillamment réussi à révéler la traîtrise au sein de notre propre gouvernement. Mais à ce jour, l'un des plus grands crimes communistes n'a pas été dévoilé.

— Auquel songez-vous au juste, monsieur Rosenevski ? J'en ai connu tellement depuis mon arrivée à Washington.

— Je pense... *(Abel se redressa un peu dans son siège)* au rapatriement forcé de milliers de citoyens polonais, déplacés par les autorités américaines une fois que la guerre en Europe s'est achevée. Des ennemis innocents du communisme furent renvoyés en Pologne, puis transportés dans des camps russes, pour être asservis et souvent exterminés.

Il attendit une réaction, en vain. Il entendit un clic et se demanda si quelqu'un d'autre avait écouté leur conversation.

— Comment pouvez-vous être aussi mal informé, Rosenevski ? fit le sénateur McCarthy, brusquement agressif. Vous osez m'appeler pour m'affirmer que les Américains, de loyaux soldats des États-Unis, ont envoyé des milliers des vôtres en Russie, et que personne n'a été au courant ? Même un polaque ne pourrait être aussi bête. Je suis contraint de me demander quel genre de personne accepte ces mensonges sans exiger de preuve. Espérez-vous me faire croire que les soldats américains sont déloyaux ? Est-ce ce que vous voulez ? Dites-moi, Rosenevski, quel est le problème de votre peuple ? Êtes-vous trop aveugle pour reconnaître la propagande communiste même quand vous l'avez juste sous le nez ? Êtes-vous obligé de faire perdre le temps d'un sénateur américain débordé à cause d'une rumeur inventée de toutes pièces par la bave rouge de la *Pravda*, simplement pour semer le trouble au sein des communautés immigrées d'Amérique ?

Abel resta assis sans bouger, stupéfait par son emportement. Il était ravi que McCarthy ne puisse pas voir son visage interloqué.

— Sénateur, je suis désolé de vous avoir fait perdre votre temps, déclara-t-il d'un ton calme. Je n'avais pas envisagé les choses ainsi.

— Eh bien, cela servira à vous montrer combien ces salauds de communards peuvent être retors, rétorqua McCarthy, s'adoucissant. Il faut constamment garder un œil sur eux. De toute façon, j'espère que maintenant vous avez davantage conscience des réels dangers que le peuple américain affronte.

— Certes, sénateur. Merci de vous être donné la peine de me parler. Au revoir, sénateur.

— Au revoir, monsieur Rosenevski.

Le petit bruit sec du téléphone n'était pas très différent d'une nouvelle porte que l'on claque.

# 44

William prit conscience qu'il vieillissait lorsque Kate le taquina sur ses cheveux grisonnants. Comme si cela ne suffisait pas, Richard se mit à amener des demoiselles à la maison pour prendre le thé.

William approuvait presque toujours les choix de Richard, peut-être parce qu'elles ressemblaient énormément à Kate, même si selon lui, elle était plus belle à son âge que n'importe quelle jeune fille. Virginia et Lucy, elles aussi des adolescentes, comme la presse commençait à dépeindre leur génération, lui apportèrent beaucoup de bonheur en grandissant dans l'image de leur mère.

Virginia devenait une artiste talentueuse, et les murs de la cuisine et les chambres des enfants étaient tapissés de ses dernières œuvres de génie, comme Richard les décrivait en se moquant. Virginia prit sa revanche le jour où Richard se mit à suivre des cours de violoncelle. Même les domestiques firent des réflexions peu charitables à voix basse dès que l'archet entrait en contact avec les cordes. Lucy les adorait tous les deux, et considérait Virginia, avec un parti pris sans réserve, comme le futur Edward Hopper, et Richard, le futur Casals.

Pour Kate, ses trois enfants étaient tout simplement parfaits. Richard ne tarda pas à faire des progrès en violoncelle pour intégrer l'orchestre de St. Paul's, tandis que l'on trouvait un tableau de Virginia accroché dans le séjour. Mais tous comprirent que Lucy deviendrait la beauté de la famille lorsque, à l'âge de treize ans, elle commença à recevoir des coups de fil de garçons qui jusqu'à présent ne s'intéressaient qu'au base-ball et au kart.

En 1951, Richard se vit proposer une place à Harvard, et bien qu'il ne remportât pas la bourse en mathématiques, Kate s'empressa de faire remarquer à William qu'il avait joué au hockey et au violoncelle pour St. Paul's, ce que son mari n'avait jamais réussi à accomplir. William, secrètement fier des exploits de Richard, marmonna qu'il ne connaissait aucun banquier spécialisé en hockey ou en violoncelle.

Les banques vivaient désormais une période d'expansion, et les Américains commençaient à croire à une paix durable. William dut travailler comme un forcené et, brièvement, la menace d'Abel Rosnovski et les problèmes associés à lui furent relégués au second plan. Jusqu'à...

En 1951, la direction fédérale de l'aviation civile américaine accorda à l'Interstate Airways, une nouvelle compagnie aérienne, une franchise pour des vols entre les côtes Est et Ouest. Celle-ci entra en contact avec la Lesters' Bank afin qu'elle l'aide à réunir les trente millions de dollars nécessaires à la Bourse pour se conformer aux réglementations du gouvernement.

William, qui pensait que soutenir l'aéronautique en plein essor valait le coup, passa une partie considérable de son temps à instituer une offre publique afin de trouver les fonds pour Interstate. La banque mit tous ses moyens financiers au service de la nouvelle compagnie aérienne, et William réalisa que sa réputation personnelle était en jeu lorsqu'il alla chercher les trente millions sur le marché. Les détails de l'offre furent annoncés en juillet et on se jeta sur les actions en quelques jours. On ne tarit pas d'éloges sur William, de toutes parts, pour la façon dont il avait porté le projet à une conclusion si heureuse. Le résultat n'aurait pas pu lui faire plus plaisir, jusqu'à ce qu'il apprenne dans le dernier compte-rendu de Thaddeus Cohen que dix pour cent des titres de la compagnie aérienne avaient été achetés par l'une des sociétés satellites d'Abel Rosnovski.

William comprit que le moment était venu de faire part de ses craintes à Ted Leach et Tony Simmons. Il convoqua Tony à New York où il raconta à ses deux vice-présidents la saga d'Abel Rosnovski et Henry Osborne.

— Pourquoi ne nous en avez-vous pas parlé avant ? s'enquit Simmons.

— J'ai eu affaire à plus d'une centaine de sociétés de la taille du groupe Richmond quand j'étais chez Kane & Cabot, Tony, et bon nombre d'entre elles ont menacé de se venger, ce que je n'ai jamais pris au sérieux. J'ai eu la conviction que Rosnovski m'en voulait encore uniquement quand il a acheté six pour cent des actions de la banque à Susan Lester.

— Pourquoi serait-elle prête à se débarrasser des siennes ? demanda Simmons.

William ignora la question.

— Je n'ai dérangé aucun de vous deux à l'époque, mais lorsqu'il a pris dix pour cent d'Interstate, je me suis dit...

— Il se peut que vous exagériez, rétorqua Leach. Et si tel était le cas, il serait imprudent d'informer le reste du conseil d'administration de vos doutes. La dernière chose que nous désirons, quelques jours après avoir lancé une nouvelle société, c'est bien d'encourager tout le monde à abandonner ses actions.

— Je suis d'accord avec Ted, acquiesça Simmons. Peut-être que le moment est venu pour vous d'approcher personnellement Rosnovski, afin de voir si vous pouvez régler vos différends ?

— Rien ne lui ferait plus plaisir, rétorqua William d'un ton sec. Ainsi, il saura à coup sûr que la banque se sent assiégée.

— Ne pensez-vous pas que son attitude pourrait changer si jamais il apprenait que vous avez vraiment essayé de persuader la banque de soutenir le groupe Richmond ? Sans oublier que...

— Je ne suis pas convaincu que cela change quoi que ce soit...

— Alors, d'après vous, que devrait faire la banque ? demanda Leach. Nous ne pouvons pas empêcher Rosnovski d'acheter des actions Lester s'il peut trouver un acheteur plein de bonne volonté. Si nous envisagions d'acquérir les nôtres, loin de l'arrêter, nous entrerions dans son jeu en faisant monter le prix et en augmentant la valeur de son portefeuille.

— Et n'oubliez pas, les coupa Simmons, que rien ne ferait plus plaisir aux démocrates qu'un scandale bancaire, avec une élection dans quelques mois.

— J'entends bien ce que vous dites, messieurs, lança William, mais j'étais obligé de vous informer de ce que Rosnovski manigançait au cas où il concocterait une autre surprise.

— Je suppose qu'il y a très peu de chances, déclara Simmons, pour que tout cela soit innocent, et qu'il pensait simplement qu'Interstate était un bon investissement.

— Ce n'est tout bonnement pas crédible, Tony. N'oubliez pas que mon beau-père est impliqué lui aussi. Pourquoi, d'après vous, Rosnovski a-t-il embauché Henry Osborne pour commencer ?

— Vous ne pouvez pas vous laisser aller à la paranoïa, William. Je suis sûr que nous trouverons...

— Ne pas me laisser aller à la paranoïa ? aboya William. Tâchez de ne pas négliger le pouvoir que nos statuts octroient à tout actionnaire qui met la main sur huit pour cent des titres de la banque – un article que j'ai initialement inséré pour me protéger d'être destitué du conseil d'administration. Rosnovski possède déjà *six* pour cent, et comme si cela ne suffisait pas, il pourrait liquider Interstate Airways du jour au lendemain tout simplement en vendant toutes ses actions sans prévenir.

— Mais cela ne lui servirait à rien, dit Ted Leach. Au contraire, il risquerait d'y laisser une grosse somme.

— Oui, bien sûr qu'il perdrait de l'argent, s'il abandonnait ses titres d'Interstate, mais cela ne l'ennuierait pas – ses hôtels enregistrent des bénéfices records, et il peut déduire certaines dépenses de ses impôts. En tant que banquiers, notre crédibilité dépend de la confiance volage du public, que Rosnovski peut désormais ébranler quand et comme bon lui semble.

— Du calme, William, dit Simmons. Nous n'en sommes pas encore là. Maintenant que nous savons ce que Rosnovski manigance, nous le garderons à l'œil. La première chose que nous avons à faire, c'est nous assurer que personne ne vend ses actions de Lester's sans faire au préalable une proposition à la banque.

— D'accord, acquiesça Leach. Et je continue à croire que vous devriez parler à Rosnovski en tête à tête. Au moins, ainsi, nous découvririons ses intentions et nous pourrions nous préparer en conséquence.

— Est-ce aussi votre avis, Tony ?

— Oui, je suis d'accord avec Ted. Je pense que nous devrions contacter directement Rosnovski et nous expliquer avec lui.

William resta assis quelques instants sans rien dire.

— Si c'est ce que vous ressentez tous les deux, déclara-t-il enfin, je veux bien essayer. Je ne suis pas d'accord avec vous, mais je suis peut-être trop impliqué personnellement pour juger impartialement les choses. Laissez-moi quelques jours pour y réfléchir, et savoir comment m'y prendre.

Quatre jours plus tard, William donna à sa secrétaire l'ordre de ne l'interrompre sous aucun prétexte. Il savait qu'Abel Rosnovski était assis à son bureau du Baron de New York : il avait posté un homme dans l'entrée de l'hôtel toute la matinée, dont la tâche était de le prévenir à la minute où Rosnovski apparaîtrait. Celui-ci était arrivé à l'hôtel à sept heures vingt-sept, monté directement au quarante-deuxième étage, et on ne l'avait pas vu depuis. William décrocha son téléphone et composa lui-même le numéro.

— Baron New York, que puis-je faire pour vous ?

— M. Rosnovski, je vous prie, dit William nerveusement.

On lui passa une secrétaire.

— M. Rosnovski, s'il vous plaît, répéta-t-il.

Cette fois, sa voix était un peu plus calme.

— De la part de qui ?

— William Kane.

Un long silence s'ensuivit. Ou sembla-t-il simplement long à William ?

— Je vais juste m'assurer qu'il est là, monsieur Kane.

Un autre long silence.

— Monsieur Kane ?

— Monsieur Rosnovski ?

— Que puis-je faire pour vous, monsieur Kane ? fit une voix très calme et mâtinée d'un léger accent.

William baissa les yeux sur les notes écrites sur le bloc devant lui. Il entendait battre son cœur.

— Les participations que vous détenez dans la banque Lester's m'inquiètent quelque peu, monsieur Rosnovski, ainsi que le fait que vous soyez bien placé dans l'une des sociétés que nous représentons. Je me suis dit que le moment était peut-être venu pour nous de nous rencontrer afin de discuter de vos intentions. Il y a aussi une affaire personnelle dont j'aimerais vous informer.

Il avait dit son texte d'un trait.

Encore un long silence. Avait-il été coupé ?

— Sous aucun prétexte, je n'accepterais de vous voir, Kane. J'en sais suffisamment sur vous pour ne pas vouloir entendre vos excuses sur la façon dont vous avez traité Davis Leroy. Je vous conseille de garder les yeux ouverts jour et nuit, ainsi vous apprendrez bien assez tôt quelles sont mes intentions, et elles diffèrent grandement de celles que vous trouverez dans la Genèse. Un jour, vous aurez envie de sauter du dix-septième étage de votre établissement, parce que vous croulerez sous les problèmes avec votre conseil d'administration. N'oubliez jamais, Kane, qu'il ne me faut que deux pour cent de plus des actions de la banque pour invoquer l'article sept, et nous en connaissons tous les deux les conséquences, n'est-ce pas ?

William ne répondit pas.

— Peut-être finiriez-vous alors par comprendre ce que Davis Leroy a ressenti, en se demandant ce que la banque pourrait faire de son avenir. Maintenant à vous de vous interroger sur ce que je ferai du vôtre, une fois que je serai en possession de huit pour cent des titres de Lester's.

Les paroles de Rosnovski glacèrent William, mais il se força à répondre calmement.

— Je peux comprendre ce que vous éprouvez, monsieur Rosnovski, mais je continue à croire qu'il vaudrait mieux que nous nous rencontrions pour discuter de nos différends. Il y a une ou deux choses dont vous n'êtes manifestement pas au courant.

— Comme la façon dont vous avez escroqué Henry Osborne de cinq cent mille dollars, monsieur Kane ?

William resta momentanément sans voix, mais une fois de plus, il parvint à se maîtriser.

— Non, monsieur Rosnovski, ce dont je voulais vous parler n'a rien à voir avec M. Osborne. C'est une affaire personnelle et elle ne concerne que vous seul. Toutefois, je peux vous assurer que je n'ai jamais volé Henry Osborne d'un centime.

— Ce n'est pas ce qu'il prétend. Il affirme que vous êtes responsable de la mort de votre propre mère, simplement parce que vous ne teniez pas à honorer votre dette envers lui. Après la façon dont vous avez traité Davis Leroy, je n'ai aucun mal à le croire.

William n'avait jamais dû se battre si fort pour maîtriser ses émotions – pour qui cet homme se prenait-il ? – et il lui fallut plusieurs secondes pour réussir à lui répliquer :

— Puis-je vous proposer d'éclaircir ce malentendu en nous rencontrant dans un lieu neutre de votre choix, où personne ne nous reconnaîtrait ?

— Il y a un seul endroit où personne ne vous reconnaîtrait, monsieur Kane.

— Où ?

— Au paradis, répondit Abel, et il raccrocha.

# 45

— Passez-moi Henry Osborne immédiatement, demanda Abel à sa secrétaire.

Il tambourina des doigts sur son bureau pendant que la fille mettait presque un quart d'heure à trouver le député Osborne, qui faisait visiter le Capitole à quelques administrés.

— Que puis-je faire pour vous, Abel ?

— Je me suis dit que vous voudriez être le premier à apprendre que Kane sait tout. La bataille se joue désormais au grand jour.

— Comment ça, il sait tout ? Sait-il que je suis impliqué ? demanda Osborne, inquiet.

— Bien sûr. Il est également informé de mes participations dans la banque Lester's et Interstate Airways.

— Comment pourrait-il logiquement être au courant ? Il n'y a que vous et moi qui le sachions.

— Vous, moi et Curtis Fenton, l'interrompit Abel.

— Exact. Mais il n'en parlerait jamais à Kane.

— Il a dû le faire. Sinon je ne vois pas comment il aurait pu l'apprendre. N'oubliez pas que Kane traitait directement avec Fenton quand j'ai acheté le groupe Richmond à sa banque. Ils ont dû garder une espèce de contact.

— Oh mince alors !

— Vous semblez inquiet, Henry.

— Si Kane sait tout, c'est une autre histoire. Je vous avertis, Abel, il n'est pas du genre à perdre.

— Moi non plus. William Kane ne me fait pas peur, pas tant que j'ai tous les atouts en main. Où en sommes-nous donc avec Parfitt ?

— Il est descendu jusqu'à six cent mille dollars ; par conséquent, je pourrais conclure immédiatement l'affaire si vous le souhaitiez.

— Non, je peux attendre. Rien ne presse. Parfitt et Kane ne sont pas précisément les meilleurs amis du monde, et il ne lui vendra donc pas ses deux pour cent. Pour l'instant, nous allons laisser

Kane se demander ce que nous manigançons. Après ma conversation téléphonique avec lui ce matin, je peux vous assurer que, pour reprendre l'expression d'un gentleman, il transpire à grosses gouttes. Mais permettez-moi de vous confier un secret, Henry : je ne transpire pas, parce que je n'ai aucunement l'intention de bouger tant que je ne serai pas complètement prêt.

— Bien, dit Osborne. Je vous informerai s'il se passe quelque chose dont vous devriez vous inquiéter.

— Vous devez vous mettre dans la tête, Henry, que *nous* n'avons aucun souci à nous faire. Nous tenons notre ami M. Kane par les couilles et je compte bien les serrer très, très lentement.

— J'aimerais voir ça, fit Osborne, l'air un peu plus joyeux.

— Parfois, je me dis que vous détestez Kane encore plus que moi.

Osborne rit nerveusement.

— Bon voyage en Europe.

Abel raccrocha, le regard dans le vide, en réfléchissant à ce qu'il allait faire, tapant encore bruyamment des doigts sur le bureau. Puis il décrocha de nouveau le combiné.

— Passez-moi M. Curtis Fenton à la Continental Trust Bank.

Ses doigts continuèrent leur martèlement. Quelques minutes plus tard, le téléphone sonna.

— Fenton ?

— Bonjour, monsieur Rosnovski, comment allez-vous ?

— Je veux fermer tous mes comptes dans votre banque.

Aucune réponse.

— M'avez-vous entendu, Fenton ?

— Oui, fit le banquier stupéfait. Puis-je vous demander pourquoi, monsieur Rosnovski ?

— Parce que Judas n'a jamais été mon apôtre préféré, Fenton, voilà pourquoi. À compter de cet instant, vous ne faites plus partie du conseil d'administration du groupe Baron. Vous recevrez sous peu une confirmation écrite de cette conversation, et des instructions sur l'établissement où vous devrez transférer mes comptes.

— Mais je ne comprends pas, monsieur Rosnovski. Qu'ai-je fait ?

Abel raccrocha au moment où sa fille entrait dans son bureau.

— Ça n'avait pas l'air très agréable, papa, observa-t-elle.

— Ça n'était pas censé l'être, mais cela ne te regarde pas, chérie, répondit Abel en changeant immédiatement de ton. As-tu réussi à trouver les vêtements qu'il te fallait pour ce voyage ?

— Oui merci, papa, mais je ne sais pas ce que l'on porte à Londres ou à Paris. J'espère juste que je ne me suis pas trompée. Je ne voudrais pas faire tache.

— Mais on ne verra que toi, ma chérie ! Tu seras la plus belle que l'Europe ait vue depuis des années. On comprendra bien que tes vêtements ne sont pas sortis d'un carnet de rationnement. Ces jeunes hommes se bousculeront pour toi, mais dommage, ils me trouveront en travers de leur chemin. *(Florentyna rit.)* Allons déjeuner et discutons de ce que nous ferons une fois à Londres.

Dix jours plus tard, après que Florentyna eut passé un long week-end avec sa mère à Chicago, le père et la fille prirent l'avion d'Idlewild à Heathrow. Le vol dura près de quatorze heures, et quand ils arrivèrent au Claridge, la seule chose qu'ils désiraient, c'était dormir longtemps.

Abel effectuait ce voyage pour trois raisons : d'abord pour confirmer les sites des nouveaux hôtels Baron à Londres, Paris et pourquoi pas, Rome. Deuxièmement, pour accompagner Florentyna dans sa première visite en Europe avant qu'elle n'aille étudier les langues modernes à Radcliffe et troisièmement, le plus important, visiter son château en Pologne, et découvrir s'il y avait la moindre chance de prouver qu'il en était le propriétaire.

Tous deux furent enchantés de leur séjour à Londres. Les conseillers d'Abel avaient déniché un site sur Hyde Park Corner, et il ordonna à ses notaires de commencer immédiatement les négociations pour le terrain et les autorisations nécessaires avant que la capitale de l'Angleterre ne puisse se targuer de posséder un Baron.

Florentyna trouva l'austérité du Londres d'après-guerre quelque peu menaçante par rapport à la liberté de sa propre vie. Mais les Londoniens ne semblaient pas se laisser décourager par leur ville endommagée par les combats, se considérant encore comme une puissance mondiale. Elle fut invitée à des dîners, des déjeuners et des bals, et son père ne s'était pas trompé quant à l'effet qu'elle produirait sur les gentlemen anglais. Elle rentrait chaque soir les yeux étincelants et riche d'histoires de nouvelles conquêtes – oubliées pour la plupart le lendemain matin, mais pas toutes : elle ne parvenait pas à se décider entre un lieutenant estonien au service des gardes grenadiers, ou un membre de la Chambre des Lords, prêt à prendre la relève du roi. Elle ne savait pas trop ce qu'il entendait par « prendre la relève », mais dès qu'elle faisait son apparition, il semblait assurément disposé à se relayer auprès d'elle aussi.

À Paris, ils ne ralentirent pas le rythme. Ils parlaient tous les deux un français excellent, et sympathisèrent aussi bien avec les Parisiens qu'avec les Londoniens. Abel et Florentyna descendirent les Champs-Élysées main dans la main, ce qui lui fit penser au jour où il avait descendu l'avenue avec les Français libres. Il tâcha de trouver pourquoi Paris paraissait si différente de Londres. Ce fut Florentyna qui lui donna l'explication : les Allemands n'avaient pas bombardé la ville.

En temps normal, Abel s'ennuyait à la fin de la seconde semaine de n'importe quelles vacances, et commençait à compter les jours qui le séparaient de son retour au travail. Mais pas quand Florentyna l'accompagnait. Elle était devenue le centre de sa vie, ainsi que l'héritière de sa fortune.

Lorsque vint le moment de quitter Paris, aucun des deux ne voulut s'en aller. Ils restèrent quelques jours supplémentaires, se servirent du prétexte qu'Abel négociait pour acheter un hôtel célèbre, mais quelque peu délabré, sur le boulevard Raspail. Il n'informa pas le propriétaire, un certain M. Neuffe, qui semblait, si cela était possible, encore plus mal en point que son établissement, qu'il avait l'intention de démolir le bâtiment et de tout recommencer à zéro. À peine M. Neuffe eut-il signé les papiers qu'Abel ordonna que l'on rase entièrement l'immeuble. N'ayant plus aucune excuse pour rester à Paris, Florentyna et lui partirent pour Rome à contrecœur.

Après la confiance des Anglais et la gaieté des Français, la Ville Éternelle, maussade et délabrée, les déprima. Les Romains estimaient qu'ils n'avaient rien à fêter, beaucoup pensant qu'ils n'avaient pas soutenu le bon camp, tandis que d'autres refusaient d'admettre la défaite. À Rome, Abel ne perçut qu'une instabilité financière surpuissante et décida de reporter ses projets de construction d'un Baron.

Florentyna sentit de nouveau qu'il était de plus en plus impatient de voir son château en Pologne et suggéra donc qu'ils quittent Rome quelques jours plus tôt.

Abel avait eu plus de mal à obtenir un visa pour Florentyna et lui pour traverser la frontière et gagner un pays du rideau de fer que pour décrocher un permis de construire pour un nouvel hôtel de cinq cents chambres à Londres. Un homme moins persévérant aurait abandonné, mais avec les tampons appropriés sur leurs passeports, Abel loua une voiture et tous deux se mirent en route pour Slonim. Une fois à la frontière, ils durent patienter plusieurs heures, et ne furent aidés que par le fait qu'Abel parlait couramment la langue. Si les gardes avaient compris pourquoi son polonais était si bon, ils auraient sûrement réfléchi à deux fois avant de le laisser passer. Il changea cinq cents dollars en zlotys – ce qui, au moins, sembla plaire aux Polonais – et continua sa route. À chaque kilomètre, Florentyna sentit de plus en plus que ce voyage signifiait beaucoup aux yeux de son père.

— Papa, je ne me souviens pas t'avoir vu aussi excité.

— C'est ici que je suis né, expliqua Abel. Après avoir passé tant de temps en Amérique, où les choses évoluent tous les jours, c'est presque irréel d'être de retour dans un endroit où tu as l'impression que rien n'a changé en trente ans.

Alors qu'ils se rapprochaient de Slonim, l'idée de revoir son lieu de naissance redonna le moral à Abel. Près de quarante ans auparavant, il entendait sa voix d'enfant demander au baron si l'heure des peuples submergés en Europe était arrivée et s'il pourrait y faire quelque chose. Des larmes lui montèrent aux yeux quand il songea que cette heure avait été très courte et qu'il avait joué un rôle vraiment insignifiant.

Enfin, ils prirent le dernier virage avant la longue voie d'accès à la propriété du baron. Lorsque Abel reconnut le grand portail en fer qui menait au château, il rit fort d'excitation et arrêta la voiture.

— C'est exactement comme dans mes souvenirs, déclara-t-il. Rien n'a changé. Allons voir la chaumière où j'ai passé les cinq premières années de ma vie – ça m'étonnerait que quelqu'un y vive aujourd'hui. Ensuite, nous visiterons mon château.

Florentyna le suivit quand il descendit d'un pas assuré un sentier étroit qui conduisait à une forêt de chênes et de bouleaux recouverts de mousse et qui n'avaient pas bougé en cent ans. Vingt minutes plus tard, ils débouchèrent sur une petite clairière, et là, devant eux, se dressait la masure du trappeur. Abel s'immobilisa et la contempla. Il avait oublié à quel point sa première demeure était minuscule : neuf personnes avaient-elles réellement pu vivre là-dedans ? Le toit en chaume était délabré, les murs de pierre tout détruits et les fenêtres brisées. Le potager autrefois propre avait disparu parmi les broussailles enchevêtrées. La chaumière était-elle toujours habitée ?

Florentyna prit son père par le bras et le conduisit lentement jusqu'à l'entrée. Comme il ne bougeait pas, elle frappa à la porte. Ils attendirent en silence. Elle recommença, cette fois un peu plus fort, et ils entendirent quelqu'un s'agiter à l'intérieur.

— Oui, oui, fit une voix plaintive en polonais.

Et quelques instants plus tard, la porte s'ouvrit sur une vieille femme, voûtée et mince, tout de noir vêtue. Des cheveux blancs décoiffés s'échappaient de son foulard, et ses yeux gris fatigués regardèrent les visiteurs d'un air absent.

— Ce n'est pas possible, dit doucement Abel en anglais.

— Que voulez-vous ? fit la vieille dame, méfiante.

Elle n'avait pas de dents et la ligne de son nez, de sa bouche et de son menton formaient un arc parfaitement concave.

Abel répondit en polonais.

— Pouvons-nous entrer et vous parler ?

Ses yeux allaient craintivement de l'un à l'autre.

— Vieille Héléna n'a rien fait de mal, geignit-elle d'un ton plaintif.

— Je sais, dit doucement Abel. J'ai une bonne nouvelle pour vous.

La mort dans l'âme, elle ouvrit la porte et les fit entrer dans la pièce froide et vide, mais elle ne leur proposa pas de s'asseoir. Rien n'avait changé : deux chaises, une table et quelque chose qui lui rappela que tant qu'il n'avait pas quitté la chaumière, Abel ignorait ce qu'était un tapis. Florentyna frissonna.

— Je n'arrive pas à allumer le feu, expliqua la vieille dame d'une voix rauque en donnant des coups de canne dans la bûche qui rougeoyait faiblement dans l'âtre. *(Elle fouilla inefficacement à tâtons dans sa poche.)* Il me faut du papier. *(Elle regarda Abel, montrant une lueur d'intérêt pour la première fois.)* Avez-vous du papier ?

Il la fixa.

— Vous souvenez-vous de moi ? demanda-t-il.

— Je ne sais pas qui vous êtes.

— Si, Héléna. Je suis Wladek.

— Vous connaissiez mon petit Wladek ?

— Je *suis* Wladek.

— Oh non, dit-elle d'un ton triste et sans réplique. Il était trop bien pour moi. La marque de Dieu était sur lui. Le baron l'a emmené pour devenir un ange. Oui, il a emporté le tout petit chéri de Matka…

Sa vieille voix se brisa et elle se tut. Elle s'assit, mais les mains ridées et âgées s'agitaient sur ses genoux.

— Je suis revenu, déclara Abel en s'agenouillant devant elle.

La vieille dame l'ignora et continua à marmonner comme si elle était toute seule dans la pièce.

— Ils ont tué mon mari, mon Jasio, et ont emmené tous mes adorables enfants dans des camps, sauf petite Sophia. Je l'ai cachée et ils sont partis.

Sa voix était égale et résignée.

— Qu'est-il arrivé à petite Sophia ? s'enquit Abel.

— Les Russes l'ont volée au cours de l'autre guerre, dit-elle d'un ton terne. *(Abel frissonna. La vieille dame s'arracha à ses souvenirs.)* Que voulez-vous ? demanda-t-elle. Pourquoi me posez-vous ces questions ?

— Je souhaitais vous présenter ma fille, Florentyna.

— J'ai eu une fille qui s'appelait Florentyna autrefois. Mais, aujourd'hui, il n'y a plus que moi.

— Mais je… commença Abel en entreprenant de déboutonner sa chemise.

Florentyna l'arrêta.

— Nous savons, dit-elle en souriant à la femme.

— Comment pouvez-vous être au courant ? Tout cela s'est passé bien avant votre naissance.

— Ils nous l'ont raconté au village, expliqua Florentyna.

— Avez-vous du papier sur vous ? demanda la vieille. J'en ai besoin pour le feu.

Abel, impuissant, regarda sa mère d'adoption.

— Non, répondit-il. Je suis désolé. Nous n'en avons pas apporté.

— Alors que voulez-vous ? répéta la vieille, de nouveau hostile.

— Rien, fit Abel, à présent résigné à l'impossibilité qu'elle se souvienne de lui. Juste vous dire bonjour.

Il extirpa tous les zlotys de son portefeuille, qu'il avait obtenus à la frontière, et les lui donna.

— Merci, merci, dit-elle en acceptant chaque billet, les yeux larmoyants de plaisir.

Abel se pencha pour l'embrasser, mais elle recula.

Florentyna prit le bras de son père, le conduisit hors de la chaumière, sur le sentier dans la forêt en direction de leur voiture.

La vieille les observa par la fenêtre jusqu'à ce qu'elle soit sûre qu'ils aient disparu. Puis elle fit une petite balle des billets qu'elle plaça soigneusement dans l'âtre. Ils s'embrasèrent immédiatement. Elle déposa des brindilles et des bûchettes sur les zlotys en flammes, s'assit auprès du feu, le meilleur depuis des semaines, et se frotta les mains, savourant la chaleur.

Abel garda le silence jusqu'à ce que le portail de fer apparaisse. Puis il promit à Florentyna d'essayer de faire de son mieux pour oublier la chaumière et la femme qui lui avait permis de vivre.

— Tu vas voir le plus beau château du monde.

— Tu devrais arrêter d'exagérer, papa.

— Du monde, répéta-t-il calmement.

Florentyna rit.

— Je te dirai s'il y a une comparaison possible avec Versailles.

Ils remontèrent en voiture et Abel passa le portail, se rappelant le premier véhicule dans lequel il était monté quand on l'avait accompagné dans l'autre sens. Quand ils reprirent lentement en cahotant le chemin sinueux plein de nids-de-poule, de nouveaux souvenirs réapparurent : les jours heureux, enfant, avec le baron et Léon, malheureux dans le donjon sous les Allemands, et le pire jour de sa vie, lorsque les Russes l'avaient arraché à son château adoré, songeant qu'il ne reverrait jamais son chez-lui. Mais aujourd'hui,

Wladek Koskiewicz revenait – revenait pour réclamer ce qui lui appartenait légitimement.

Quand ils tournèrent au dernier virage, Florentyna vit pour la première fois le droit d'aînesse de son père. Abel coupa le moteur et contempla son château. Nul ne parla. Qu'y avait-il à dire ? Ils examinèrent, sous le choc, incrédules, les vestiges de la carcasse de ses rêves, détruite par les bombardements.

Ils descendirent lentement de voiture. Personne ne prit la parole. Florentyna serra la main de son père très très fort alors que les larmes ruisselaient sur ses joues. Un seul mur tenait encore de façon précaire, un semblant de sa gloire passée. Le reste n'était qu'un tas de gravats. Il n'eut pas la force d'évoquer les grands halls, les ailes tentaculaires, les cuisines spacieuses et les chambres luxueuses.

Abel se rendit jusqu'à trois petites buttes, désormais recouvertes d'une épaisse mousse verte, qui représentaient les tombes du baron, de son ami Léon et de son autre Florentyna bien-aimée. Il marqua une pause devant chacune, pensant que Florentyna et Léon devraient être encore en vie aujourd'hui. Il s'agenouilla à leurs côtés. Les visions atroces de leurs derniers instants ressurgirent, vivaces, en lui. Sa fille se tint près de lui, la main sur son épaule, silencieuse.

Un long moment passa avant qu'Abel ne se relève. Ils piétinèrent les ruines ensemble, main dans la main, de gros blocs de pierre brisée qui jalonnaient les endroits où des salons de réception autrefois magnifiques avaient été remplis de rires. Abel ne dit toujours rien. Quand ils descendirent non sans mal dans les donjons, il s'assit par terre dans la petite pièce humide, sous la grille, ou la moitié de grille qui restait encore. Il fit tourner inlassablement le bracelet d'argent à son poignet.

— Voilà où ton père a passé quatre années de sa vie.

— Ce n'est pas possible, répondit Florentyna.

— C'est mieux maintenant que ça l'a été autrefois. Au moins, aujourd'hui, il y a de l'air frais, le chant des oiseaux, le soleil qui brille et un sentiment de liberté. À l'époque, il n'y avait que l'obscurité, la mort, la puanteur de la mort et, pire que tout, l'espoir de la mort.

— Viens papa, partons d'ici. Rester ne servira qu'à faire ressurgir d'autres souvenirs malheureux.

Florentyna conduisit son père réticent à la voiture, et descendit lentement le long chemin. Abel ne regarda pas une seule fois son château en ruine quand il passa le portail de fer pour la dernière fois.

En se rendant à Varsovie, Abel garda le silence, et Florentyna abandonna toute tentative de lui remonter le moral. Lorsqu'il déclara enfin : « Il me reste à présent une seule chose à accomplir dans ma vie », elle se demanda ce qu'il pouvait bien vouloir dire, mais elle ne le poussa pas à s'expliquer. En revanche, elle réussit à l'amadouer pour passer un autre week-end à Londres lors de leur trajet de retour, ce qui, l'espérait-elle, l'aiderait à oublier sa vieille mère adoptive démente et ce qui restait de son héritage.

Ils prirent l'avion pour Londres le lendemain. Une fois qu'ils se furent installés au Claridge, Florentyna alla voir de vieux amis et s'en faire de nouveaux. Abel consulta les journaux qui s'étaient accumulés à l'hôtel en leur absence. Il n'aimait pas savoir que les choses ne s'arrêtaient pas quand il n'était pas là ; cela ne servait que trop à lui rappeler que le monde continuerait à tourner sans lui. Un article du *Times* de la veille attira son attention. Quelque chose s'était bien passé en son absence. Un Vickers Viscount de l'Interstate Airways s'était écrasé juste après le décollage de l'aéroport de Mexico à destination de Panama City. Les dix-sept passagers et membres d'équipage étaient tous morts. Les autorités mexicaines imputaient la faute à Interstate pour le mauvais entretien de l'avion, tandis que la compagnie aérienne tenait la mécanique mexicaine pour responsable. Abel décrocha et demanda à la standardiste une ligne pour l'étranger.

Samedi. Il devait être à Chicago, songea Abel. Il feuilleta son petit répertoire pour trouver son numéro personnel.

— Il y aura une attente d'une demi-heure environ, l'informa une voix dans un anglais très correct.

— Merci, répondit Abel, et il s'allongea sur son lit pour attendre impatiemment.

Le téléphone sonna vingt minutes plus tard.

— Votre appel à l'étranger est en ligne, monsieur, fit la même voix.
— Abel ? C'est vous ? Où êtes-vous ?
— Oui, Henry, c'est moi, je suis à Londres.
— Avez-vous terminé ? fit la fille, de nouveau en ligne.
— Je n'ai pas encore commencé.
— Je suis désolée, monsieur, je voulais dire, avez-vous l'Amérique ?
— Oui, merci. Bon sang, Henry, ils parlent une autre langue ici.
Osborne rit.
— Maintenant, écoutez. Avez-vous entendu parler de cet avion d'Interstate qui s'est écrasé à Mexico ?
— Oui. Mais vous n'avez aucune inquiétude à avoir. L'appareil était bien assuré ; et de fait, la société n'a subi aucune perte. Et les actions n'ont perdu que quelques cents.
— L'assurance est le cadet de mes soucis. Ce pourrait être l'occasion idéale de découvrir si la constitution de M. Kane est vraiment robuste.
— Je ne comprends pas, Abel. Que voulez-vous dire ?
— Écoutez attentivement, et je vais vous expliquer clairement ce que j'attends de vous lundi matin à l'ouverture de la Bourse. Je serai de retour à New York mardi pour diriger moi-même le dernier mouvement.
Osborne écouta consciencieusement les instructions d'Abel. Vingt minutes plus tard, il raccrocha.
Il avait terminé.

# 46

William comprit qu'il n'était pas au bout de ses peines avec Abel Rosnovski lorsque Curtis Fenton l'appela pour l'avertir que le baron de Chicago fermait tous les comptes bancaires du groupe chez Continental Trust, et l'accusait de déloyauté et de conduite contraire à l'éthique.

— Je pensais avoir fait ce qu'il fallait en vous informant par écrit des acquisitions de Rosnovski chez Lester's, dit le banquier d'un ton mécontent, et voilà qu'en fin de compte, je perds l'un de mes plus importants clients. Je ne sais pas comment mon conseil d'administration réagira.

William calma légèrement Fenton en lui promettant qu'il parlerait à ses supérieurs à la Continental Trust. Ce que Rosnovski ferait par la suite lui causait toutefois plus d'inquiétude.

Un mois s'écoula avant qu'il ne le découvre. William consultait son courrier du matin lorsqu'il reçut un appel de son courtier, qui lui apprit que quelqu'un avait mis en vente des titres d'Interstate Airways pour un million de dollars. Il lui répondit que son fonds en fidéicommis allait les racheter et le courtier passa un ordre d'achat immédiat. À deux heures cet après-midi-là, d'autres furent vendus pour un million de dollars. Avant que William n'ait la possibilité de réagir, le prix s'effondra. Quand la Bourse de New York ferma à trois heures, l'action d'Interstate Airways avait perdu un tiers de sa valeur.

À dix heures et dix minutes le lendemain matin, William reçut un appel de son courtier, maintenant dans tous ses états. D'autres titres d'Interstate avaient été vendus dès l'ouverture pour un million de dollars. L'agent annonça que le tout dernier dumping avait fait tomber les vendeurs en avalanche. Des courtiers avec des ordres de vente d'Interstate accouraient à la Bourse de toutes parts et l'action ne s'écoulait plus qu'à quelques cents. Pas plus tard que la veille, Interstate était coté à quatre dollars et demi.

William ordonna à Alfred Rodgers, le secrétaire général, de convoquer une réunion du conseil pour le lundi suivant. Avant, il devait confirmer qui était responsable du dumping de l'action. Non pas qu'il ait beaucoup de doutes. Le mercredi après-midi, il dut abandonner toute tentative pour essayer de sauver Interstate en achetant toutes les actions vendues. À la clôture, ce jour-là, la COB, la commission américaine des opérations de Bourse, annonça qu'elle allait ouvrir une enquête sur toutes les transactions d'Interstate. William savait que le conseil d'administration de Lester's devrait maintenant décider s'il devait soutenir la compagnie aérienne pendant les trois à six mois qu'il faudrait à la COB pour terminer son instruction ou laisser la société faire faillite. Chaque alternative semblait extrêmement préjudiciable, tant pour le portefeuille de William que pour la réputation de la banque.

William ne fut nullement étonné lorsque Thaddeus Cohen appela pour lui confirmer que l'entreprise qui avait écoulé à bas prix les actions d'Interstate d'une valeur totale de trois millions de dollars n'était autre que celle qui servait de façade à Abel Rosnovski. Jeudi matin, un porte-parole de Guaranty Investment Corporation rédigea une déclaration qui expliquait les raisons de la vente : l'avenir d'Interstate Company les avait beaucoup inquiétés suite à l'annonce détaillée et réfléchie du gouvernement mexicain sur la médiocrité de ses procédures et équipements d'entretien.

— « Détaillée et réfléchie », fulmina William, outré. Les dirigeants mexicains n'ont pas fait d'annonce moins responsable depuis qu'ils ont affirmé que Speedy Gonzales remporterait le cent mètres aux jeux Olympiques d'Helsinki.

Les médias couvrirent un maximum le communiqué de presse de Guaranty Investment, et vendredi, la direction fédérale de l'aviation civile américaine interdit de vol tous les avions d'Interstate tant qu'elle n'avait pas mené d'enquête approfondie sur les procédures et équipements d'entretien de la société.

William était sûr et certain qu'Interstate n'avait rien à craindre d'une telle inspection, mais cette interdiction de vol était désastreuse pour ses réservations à court terme. Aucune compagnie aérienne ne pouvait laisser ses appareils au sol : elles ne gagnent de l'argent que lorsqu'ils volent. Pour aggraver les problèmes de William, d'autres grandes entreprises que représentait la banque réfléchissaient désormais à ce qu'elles allaient faire. La presse n'avait pas tardé à rappeler à ses lecteurs que Lester's était le souscripteur d'Interstate Airways.

Au grand étonnement de William, les titres d'Interstate se mirent à remonter vendredi en fin d'après-midi. Il ne lui fallut pas bien longtemps pour deviner pourquoi – supposition que Thaddeus Cohen lui confirma ultérieurement. L'acheteur était Abel Rosnovski. Il avait écoulé ses actions Interstate au plus bas prix et voilà qu'il les rachetait en petites quantités tant qu'elles étaient en Bourse. La mort dans l'âme, William secoua la tête d'admiration. Rosnovski se faisait un pactole personnel tout en le ruinant, tant financièrement que de réputation sur Wall Street. William calcula que même si le groupe Baron avait risqué plus de trois millions de dollars, il pourrait bien finir par réaliser un énorme bénéfice.

Lorsque le conseil d'administration se réunit lundi, William expliqua toute l'histoire qui se cachait derrière sa bagarre avec Rosnovski et donna sa démission. Le conseil la refusa, et on ne procéda pas non plus à un scrutin. Toutefois, certains membres du conseil, les plus jeunes, faisaient des messes basses, et William savait que si Rosnovski réattaquait, ses collègues ne montreraient peut-être pas une deuxième fois la même tolérance envers lui.

Le conseil entreprit ensuite de réfléchir pour décider si la banque devrait continuer à soutenir Interstate Airways. Tony Simmons les convainquit que les conclusions de l'enquête de la direction fédérale de l'aviation civile américaine seraient en faveur d'Interstate, et que, en temps et heure, l'institution finirait par récupérer tout son argent. Il dut avouer à William après la réunion que cela ne servirait qu'à aider Rosnovski sur le long terme, mais la banque n'avait pas le choix si elle souhaitait protéger sa réputation.

En l'occurrence, Simmons avait doublement raison. Quand la COB publia ses conclusions, elle déclara Lester's « au-dessus de tout reproche » bien qu'elle ne fût pas tendre envers la Guaranty Investment Corporation. Lorsque les transactions reprirent le lendemain, William ne fut pas surpris de voir les actions d'Interstate en hausse constante. En quelques semaines, elles retrouvèrent leur valeur de quatre dollars et demi.

Thaddeus Cohen informa William que le principal acquéreur était une fois de plus Abel Rosnovski.

— C'est exactement ce qu'il me faut en ce moment, lança William. Non seulement toute cette transaction lui fait-elle réaliser de gros bénéfices, mais voilà qu'il peut répéter l'exercice dès que cela lui chante.

— En réalité, rétorqua Thaddeus Cohen, c'est précisément ce qu'il vous faut.

— Que voulez-vous dire, Thaddeus ? Je ne vous ai jamais entendu parler par énigmes.

— Rosnovski vient de commettre sa première erreur de jugement. Il a enfreint la loi, de fait c'est maintenant à votre tour de le poursuivre. Si ça se trouve, il ne comprend même pas que ce dans quoi il est impliqué est illégal car il le fait pour toutes les mauvaises raisons.

— Je ne vois toujours pas de quoi vous voulez parler.

— Simple, répondit Cohen. Comme vous êtes obsédé par Rosnovski – et lui, par vous –, il semblerait que vous ayez tous les deux fermé les yeux sur l'essentiel : si vous vendez des titres dans l'objectif de faire s'écrouler le marché, afin de racheter ces mêmes actions au plus bas et de réaliser un bénéfice, vous transgressez le règlement 10b-5 de la COB, et vous vous rendez coupable de fraude. Il n'y a aucun doute dans mon esprit que faire un profit rapide n'était pas l'intention initiale de Rosnovski ; en réalité, nous savons tous qu'il voulait seulement vous embarrasser. Mais qui va le croire s'il affirme qu'il a écoulé les actions au prix bas parce qu'il pensait qu'Interstate n'était pas fiable, puis les a rachetées quand elles ont atteint leur niveau le plus bas ? Réponse : personne – et sûrement pas la COB. Je vous ferai parvenir un compte-rendu écrit détaillé d'ici demain, qui explique toutes les implications légales.

— Merci, dit William, soulagé pour la première fois depuis des mois.

Le compte-rendu de Thaddeus Cohen atterrit sur son bureau à neuf heures le lendemain matin et une fois que William eut réfléchi à ses conséquences, il convoqua une réunion du conseil d'urgence. Les directeurs tombèrent d'accord sur la ligne de conduite à adopter, et Thaddeus Cohen reçut l'ordre d'envoyer une copie de son rapport au service des fraudes de la COB.

— Et si nous faisions parvenir un exemplaire au *Wall Street Journal* ? suggéra Simmons.

— Ce ne sera pas nécessaire, assura le secrétaire général au conseil. Quelques minutes après que le compte-rendu aura atterri sur le bureau de la COB, vous pouvez être sûr et certain que quelqu'un l'aura divulgué au *Journal*. On ne les appelle pas la passoire des opérations de Bourse pour rien.

Les membres du conseil rirent pour la première fois de la journée.

En l'occurrence, Alfred Rodgers avait raison, parce que le *Wall Street Journal*, mercredi matin, publia à la une un éditorial qui n'eût pas été plus efficace si Thaddeus Cohen l'avait dicté en personne.

Celui-ci détaillait le règlement 10b-5 de la COB et un dirigeant expliquait que c'était exactement le genre d'affaires qui faisait jurisprudence et que le président Truman recherchait. Un dessin humoristique montrait Truman en train de prendre un homme d'affaires en flagrant délit.

William sourit en lisant l'article, sûr et certain que c'était la dernière fois qu'il entendait parler d'Abel Rosnovski.

Abel se renfrogna et tambourina des doigts sur son bureau, pendant que Henry Osborne lisait l'article une deuxième fois.

— Les gars à Washington ne pourront pas résister à ouvrir une enquête, surtout si l'on peut en tirer un avantage politique.

— Mais, Henry, vous savez parfaitement que je n'ai pas vendu Interstate pour m'en mettre plein les poches vite fait, déclara Abel. Je n'avais absolument aucun intérêt à réaliser un bénéfice.

— Je le sais, mais essayez donc de convaincre le comité financier du Sénat que le baron de Chicago n'était pas intéressé par un gain pécuniaire, que tout ce qu'il désirait vraiment, c'était régler une rancune personnelle contre William Kane, et ils vous riront au nez.

— Mince. Que dois-je donc faire maintenant ?

— D'abord, vous devriez faire profil bas jusqu'à ce que tout cela se soit tassé. Commencez à prier pour qu'un scandale plus important éclate et qu'il occupe Truman, ou que Washington soit tellement préoccupé par l'élection qu'il n'ait pas le temps de demander une enquête en urgence. Avec un peu de chance, l'administration pourrait même tout laisser tomber. Quoi que vous fassiez Abel, n'achetez pas d'actions qui aient un rapport quelconque avec Lester's ou vous risqueriez de vous retrouver avec une très grosse amende au minimum. Laissez-moi voir ce que je peux réussir à obtenir des démocrates à Washington.

— Rappelez au bureau de Truman que j'ai donné cinquante mille dollars pour financer sa campagne au cours de la dernière élection, et que je ferai la même chose pour Stevenson.

— Je l'ai déjà fait, répondit Henry. En fait, je vous conseillerais d'offrir aussi cinquante mille aux républicains.

— Ils font toute une montagne d'une taupinière, rétorqua Abel.

— Une taupinière que Kane transformera en montagne si nous lui laissons une demi-chance, répliqua Osborne.

Abel continuait de tambouriner des doigts sur la table.

SEPTIÈME PARTIE

# 1952-1963

# 47

Le rapport trimestriel de Thaddeus Cohen démontra qu'Abel Rosnovski avait cessé d'acheter ou de vendre des actions dans toute société affiliée de Lester's. Apparemment, il concentrait toute son énergie à construire de nouveaux hôtels en Europe. Cohen estimait que Rosnovski faisait profil bas jusqu'à ce que la COB ait pris une décision à la suite de son enquête sur Interstate.

À plusieurs reprises, des représentants de la COB avaient rendu visite à William à la banque. Il leur avait parlé avec une grande franchise, mais ils ne révélèrent jamais comment leur enquête progressait, ou n'insinuèrent pas qui était responsable de l'effondrement des titres. La COB finit par conclure son instruction et remercia William pour sa collaboration. Il supposa qu'il devrait attendre quelques mois avant qu'elle ne publie ses conclusions.

Alors que l'élection se rapprochait, et que Truman commençait à passer de plus en plus pour un « canard boiteux » de président, William se mit à craindre que Rosnovski s'en soit très bien sorti. Il ne pouvait s'empêcher de se dire que Henry Osborne avait dû pouvoir tirer quelques ficelles au Congrès et se rappela que Cohen avait autrefois souligné une note sur une donation de cinquante mille dollars du groupe Baron au fonds de campagne de Truman. Il ne fut pas étonné de lire dans le dernier compte-rendu de Cohen que Rosnovski avait de nouveau offert cinquante mille dollars à Adlai Stevenson, le candidat démocrate à la présidentielle. Mais il fut choqué d'apprendre qu'il avait également fait don de cinquante mille dollars au fonds de campagne d'Eisenhower. Cohen avait souligné le deuxième chiffre.

William n'avait jamais envisagé de soutenir quiconque ne basant pas sa campagne électorale sur les principes du programme républicain. Il désirait qu'Eisenhower, le candidat compromis qui avait émergé au premier tour à la Convention de Chicago, batte Stevenson, bien qu'une administration républicaine soit moins apte à mettre la pression pour ouvrir une enquête sur la manipulation d'actions.

Lorsque le général Dwight D. Eisenhower fut élu trente-quatrième président des États-Unis le 4 novembre 1952, William supposa que Rosnovski avait échappé à toute accusation. Il espérait simplement que l'expérience le persuaderait de ne pas se mêler des affaires de Lester's à l'avenir.

Pour William, la seule petite compensation due à l'élection fut que Henry Osborne perdit son siège au Congrès au profit d'un républicain. Il se trouvait que le rival d'Osborne était resté suspendu aux basques d'Eisenhower. Thaddeus Cohen tendait à croire qu'Osborne n'exercerait plus la même influence sur Abel Rosnovski maintenant qu'il n'était plus en fonction. À Chicago, on racontait que depuis que la deuxième épouse riche d'Osborne avait divorcé, il s'était remis à jouer et accumulait les dettes dans toute la ville. William se détendit pour la première fois depuis longtemps, et attendit avec impatience l'ère de prospérité et de paix qu'Eisenhower promit dans son discours d'inauguration.

Au cours des premiers mois d'administration du nouveau président, William oublia les menaces de Rosnovski, supposant qu'il avait tiré la leçon. Il confia à Thaddeus Cohen qu'il pensait que c'était la dernière fois qu'ils entendaient parler d'Abel Rosnovski. Cohen se garda de tout commentaire, mais on ne lui en avait pas non plus demandé.

William consacra tous ses efforts à construire Lester's, tant de taille que de réputation, de plus en plus conscient qu'il le faisait désormais aussi bien pour lui que pour son fils. Certains des plus jeunes membres du conseil d'administration de la banque avaient déjà commencé à l'appeler « le vieux ».

— Ça devait bien arriver, observa Kate.

— Alors pourquoi ça ne t'est pas arrivé à toi ? demanda-t-il galamment.

Kate sourit.

— Maintenant je sais que tu as signé des tas de contrats avec des hommes vaniteux.

William rit.

— Et une femme magnifique.

Comme Richard allait fêter son vingt et unième anniversaire dans quelques mois seulement, William révisa la clause de son testament. Il mit cinq millions de dollars de côté pour Kate, deux millions de dollars pour chaque fille et laissa le reste de la fortune familiale à Richard, constatant avec amertume le trou que grèveraient les droits de succession, en dépit d'une majorité républicaine dans les deux chambres. Il légua également un million de dollars à Harvard.

Richard avait tiré parti du temps passé à Harvard. Au début de sa dernière année, non seulement semblait-il destiné à décrocher son diplôme avec mention très honorable, mais il s'adonnait aussi au violoncelle dans l'orchestre de l'université, et était deuxième lanceur dans l'équipe de base-ball. Comme Kate aimait à le demander rhétoriquement, combien d'étudiants jouaient-ils au base-ball contre Yale le samedi après-midi, et pratiquaient-ils le violoncelle le dimanche soir dans la salle de concerts de Lowell ?

La dernière année de Richard passa beaucoup trop vite, et lorsqu'il quitta Harvard armé d'une licence en mathématiques, d'un violoncelle et d'une batte de base-ball, tout ce qui lui manquait avant de se présenter à l'École de commerce située sur l'autre rive de la rivière Charles, c'étaient de bonnes vacances. Il partit à La Barbade avec une fille qui s'appelait Mary Bigelow, dont ses parents ignoraient totalement l'existence. Miss Bigelow avait étudié la musique, entre autres choses, à Vassar, et quand ils revinrent deux mois plus tard,

Richard décida de la présenter à son père et à sa mère. William pensa le plus grand bien de Miss Bigelow, après tout, elle était la petite-nièce d'Alan Lloyd.

Richard entama ses études de troisième cycle à la Harvard Business School le 1er octobre 1954, après avoir élu résidence à la Maison rouge. La première chose qu'il fit fut de jeter tous les meubles en rotin de son père, et d'enlever la tapisserie impression cachemire que Matthew Lester avait autrefois trouvée si à la mode. La bergère à oreilles en cuir de son grand-père survécut. Il installa un téléviseur dans le salon, une table en chêne dans la salle à manger, un lave-vaisselle dans la cuisine et, plus qu'occasionnellement, Miss Bigelow dans la chambre.

# 48

Abel raccourcit un voyage en Europe en novembre 1952 dès qu'il apprit la nouvelle de la crise cardiaque fatale de David Maxton. Il assista aux funérailles à Chicago avec George et Florentyna, et annonça ensuite à Mme Maxton qu'elle serait la bienvenue dans n'importe quel Baron du monde pour le reste de sa vie. Elle ne comprit pas pourquoi M. Rosnovski s'était montré si généreux.

Lorsque Abel rentra à New York le lendemain, il fut ravi de trouver sur son bureau du quarante-deuxième étage un rapport de Henry Osborne indiquant que l'administration Eisenhower ne semblait pas intéressée par la poursuite d'une enquête sur Interstate Airways, sûrement parce que les actions avaient récupéré leur valeur depuis plus d'un an. Le vice-président d'Eisenhower, Richard M. Nixon, paraissait plus impliqué dans la chasse aux communistes fantômes que Joe McCarthy avait manqués.

Abel passa les deux années suivantes à enchaîner les traversées de l'Atlantique tout en poursuivant la construction de son empire à l'étranger. Son seul regret était que les Européens ne puissent pas construire de nouveaux hôtels à un rythme que le Nouveau Monde estimait tout à fait normal.

Florentyna inaugura le Baron de Paris en juillet 1953 et celui de Londres en décembre 1954. D'autres se trouvaient à divers stades de développement à Bruxelles, Rome, Amsterdam, Genève, Édimbourg, Cannes et Stockholm, faisant tous partie d'un programme d'expansion sur dix ans.

Abel avait tant de délais à respecter qu'il n'avait guère le temps de penser à William Kane. Il n'avait plus essayé d'acheter de titres de la Lester's Bank, ou de ses filiales, bien qu'il ait conservé six pour cent des actions de la banque, dans l'espoir d'avoir encore l'opportunité de donner un nouveau coup à Kane, dont il ne se remettrait pas aussi facilement. La prochaine fois, se promit Abel, il veillerait à ne pas enfreindre involontairement la loi. Il aurait été le premier à avouer, au moins à George, que Curtis Fenton ne l'aurait jamais laissé commettre une erreur aussi stupide.

Abel avait déjà suggéré à Florentyna d'intégrer le conseil d'administration quand elle quitterait Radcliffe à la fin de l'année scolaire. Il avait décidé qu'elle passerait responsable de toutes les boutiques de ses hôtels et qu'elle consoliderait leur achat, car elles-mêmes devenaient bien vite un empire à elles toutes seules.

Cette perspective enthousiasma Florentyna, mais elle insista pour suivre une formation extérieure avant de rejoindre son père. Elle ne pensait pas que son don naturel pour le design, la coordination des couleurs et l'organisation puissent se substituer à l'expérience. Abel lui proposa d'aller se former en Suisse, chez M. Maurice, dans la célèbre école hôtelière de Lausanne. Florentyna rechigna à cette idée ; elle lui expliqua qu'elle tenait à travailler deux ans dans un magasin de New York avant de décider si elle voulait ou non devenir responsable des boutiques du groupe Baron. Elle était bien déterminée à se faire embaucher à sa juste valeur. « Et pas uniquement parce que je suis la fille de mon père », l'informa-t-elle. Abel approuva complètement.

— Une boutique à New York ? Ça peut facilement s'arranger, dit-il. Je passerai un coup de fil à Walter Hoving et tu pourras commencer chez Tiffany's.

— C'est exactement ce que je refuse de faire, rétorqua Florentyna qui montrait qu'elle avait hérité du côté têtu de son père. Quel est l'équivalent d'un serveur débutant au Plaza ?

— Vendeuse dans un grand magasin, répondit Abel en riant.

— Alors, voilà le travail que je vais rechercher.

Abel retrouva son sérieux.

— Tu plaisantes ? Avec un diplôme de Radcliffe, et tous les voyages que tu as faits, tu souhaites être une vendeuse anonyme ?

— Commencer comme serveur anonyme au Plaza ne t'a pas empêché de construire l'un des groupes hôteliers qui marchent le mieux au monde, répondit-elle.

Abel savait qu'elle avait gagné. Il n'avait qu'à regarder dans les yeux gris acier de sa fille magnifique pour comprendre qu'elle avait pris sa décision, et qu'il aurait beau tenter de la persuader tant qu'il voudrait, manière douce ou non, rien ne la ferait changer d'avis.

Une fois diplômée de Radcliffe, Florentyna passa un mois en Europe avec son père, pendant que celui-ci contrôlait la progression des derniers hôtels Baron. Elle inaugura officiellement celui de Bruxelles, où elle fit la conquête d'un jeune et beau président-directeur général qu'Abel accusait de sentir l'ail. Elle dut le laisser tomber trois jours plus tard, quand ils en arrivèrent au stade du baiser, mais n'avoua jamais à son père que l'ail en était la raison.

Lorsque Abel et elle rentrèrent à New York, elle postula immédiatement pour le poste vacant (ainsi que le qualifiait l'annonce classée) de « vendeuse débutante » chez Bloomingdale's. Sur le dossier de candidature, elle prétendit s'appeler Jessie Kovats, bien consciente que nul ne lui ficherait la paix s'ils apprenaient qu'elle était la fille du « baron de Chicago ».

En dépit des protestations de son père, elle quitta sa suite du Baron de New York et se mit à chercher un logement. Une fois de plus, Abel capitula et lui offrit un appartement, petit, mais élégant, sur la 57e Rue, près de l'East River, en guise de cadeau pour son vingt et unième anniversaire.

Florentyna s'était résolue depuis longtemps à taire à ses amis qu'elle allait travailler chez Bloomingdale's. Elle craignait qu'ils ne veuillent tous lui rendre visite au magasin, et découvrent sa couverture en quelques jours, ce qui l'empêcherait d'être traitée comme n'importe quelle stagiaire. Lorsque ses camarades l'interrogeaient, elle leur répondait qu'elle aidait à faire tourner les boutiques des hôtels de son père. Aucun ne douta de sa réponse.

Après avoir achevé la formation que proposait l'établissement, Jessie Kovats – il lui fallut un moment pour s'habituer à ce nom – commença au rayon cosmétiques. Les vendeurs de Bloomingdale's travaillaient par paire et Florentyna en tira immédiatement profit en choisissant de faire équipe avec la plus paresseuse. Cet arrangement convenait à toutes les deux, car le choix de Florentyna, une blonde dénommée Maisie, n'avait que deux centres d'intérêt dans la vie : l'horloge, quand ses aiguilles indiquaient dix-huit heures, et les hommes. Le premier l'occupait une seule fois par jour, et le second, toute la journée.

Les deux filles ne tardèrent pas à devenir camarades, sans être exactement amies. Florentyna apprit beaucoup de Maisie : comment ne pas travailler sans que le chef de rayon s'en aperçoive ou comment se faire draguer.

Les bénéfices du rayon cosmétiques augmentèrent considérablement après les six premiers mois que les collègues passèrent ensemble, même si Maisie avait consacré plus de temps à essayer les produits qu'à les vendre. Elle pouvait se faire les ongles pendant deux heures. Florentyna, en revanche, avait découvert son don naturel pour la vente – et cela lui plaisait énormément. Après quelques semaines seulement, le chef de rayon estima qu'elle était aussi expérimentée que de nombreux employés qui travaillaient pour la société depuis des années.

Lorsque Florentyna fut transférée au rayon « Better Dresses », Maisie la suivit sur consentement mutuel, et passa le plus clair de son temps à essayer les vêtements pendant que Florentyna les vendait. Maisie savait attirer les hommes – même ceux accompagnés de leurs épouses ou petites amies – d'un seul regard. Une fois qu'ils étaient pris au piège, Florentyna intervenait et leur vendait quelque chose. Peu s'en tiraient le portefeuille inexploité.

Les bénéfices des six mois suivants chez Better Dresses avaient augmenté de vingt-deux pour cent, et le chef de rayon en conclut que les deux filles travaillaient bien ensemble. Florentyna ne dit rien pour le contredire. Si d'autres vendeuses se plaignaient toujours du peu de travail que fournissaient leurs partenaires, Florentyna ne cessait de vanter Maisie comme la collègue idéale, qui lui avait tant appris sur le fonctionnement d'un grand magasin. Elle ne parla pas des conseils utiles que Maisie lui prodigua également sur la façon de traiter les clients amoureux transis.

Le plus beau compliment qu'une employée pût recevoir chez Bloomingdale's, c'était qu'on lui demande de servir à l'un des premiers comptoirs face à Lexington Avenue, et, de ce fait, de faire partie des premiers visages que le public voyait en entrant dans le bâtiment. Il était rare qu'une fille soit invitée à y travailler si elle n'était pas dans le magasin depuis au moins cinq ans. Maisie était employée chez Bloomingdale's depuis ses dix-sept ans, soit depuis plus de cinq ans, lorsque Florentyna acheva sa première année. Mais leur record de ventes ensemble était tellement impressionnant que le directeur décida de les mettre toutes les deux à l'essai au rayon papeterie, au rez-de-chaussée. Maisie fut incapable de tirer le moindre avantage personnel du rayon papeterie, car si lire ne l'intéressait pas le moins du monde, écrire était le cadet de ses soucis. Florentyna ignorait, après avoir passé un an avec elle, si elle savait lire ou écrire. Quoi qu'il en soit, ce nouveau poste plut énormément à Maisie qui se délectait de l'attention supplémentaire que cela lui apportait. Florentyna soupçonnait certains hommes d'entrer acheter du papier à lettres rien que pour draguer Maisie.

Abel avoua à George qu'il s'était faufilé chez Bloomingdale's en cachette une fois et avait observé Florentyna travailler, et il devait reconnaître qu'elle était très douée. Elle était indubitablement la fille de son père, et il ne doutait pas qu'elle n'ait aucun mal à se charger des responsabilités qu'il avait prévues pour elle.

Florentyna passa ses six derniers mois à Bloomingdale's au rez-de-chaussée, responsable de six comptoirs et désormais chef de rayon junior. Ses tâches comprenaient le contrôle des stocks, la gestion des caisses, et la responsabilité de dix-huit vendeurs. Bloomingdale's avait déjà décidé que Jessie Kovats constituait la candidate idéale au poste de futur chef de rayon.

Elle n'avait pas encore informé ses collègues qu'elle partirait à la fin de l'année rejoindre son père en tant que vice-présidente du groupe Baron. Alors qu'elle allait bientôt quitter le magasin, elle commença à se demander ce qu'il adviendrait de la pauvre Maisie après son départ. Celle-ci supposait que Jessie était à Bloomingdale's pour la vie – comme tout le monde, non ? Florentyna envisagea même de lui offrir un travail dans l'une des boutiques du Baron de New York. Tant qu'elle restait derrière un comptoir où les hommes pouvaient dépenser de l'argent, Maisie constituait un atout.

Un après-midi où Maisie servait un client – elle travaillait désormais dans les gants, les écharpes et les chapeaux de laine –, elle prit Florentyna à part et lui désigna un jeune homme qui rôdait près des gants et feignait d'en essayer plusieurs paires.

— Comment le trouves-tu ? demanda-t-elle en gloussant.

Florentyna jeta un œil sur la dernière cible de Maisie, avec son manque d'intérêt habituel, mais cette fois, elle dut reconnaître que le type était plutôt séduisant.

— Une seule chose les intéresse, Maisie, dit Florentyna.

— Je sais, rétorqua-t-elle. Et il pourra l'avoir.

— Je suis sûre qu'il serait enchanté de l'apprendre, répondit Florentyna en riant avant de servir une cliente qui s'impatientait devant l'indifférence de Maisie.

Celle-ci en profita pour courir s'occuper du jeune homme. Florentyna les observa du coin de l'œil. Elle fut amusée de constater qu'il ne cessait de lui jeter des coups d'œil nerveux, vérifiant sûrement que le chef de rayon n'espionnait pas Maisie. Celle-ci gloussait bêtement, et le client s'en alla avec des gants en cuir bleu foncé.

— S'est-il montré à la hauteur de tes espérances ? s'enquit Florentyna, quelque peu envieuse de sa dernière conquête.

— Il ne m'a même pas demandé de sortir avec lui. Mais je suis sûre qu'il reviendra, ajouta-t-elle, tout sourire.

Sa prédiction s'avéra juste, parce que le lendemain, il revint et on le vit essayer d'autres gants, l'air encore plus gêné que la veille.

— Je suppose que tu ferais mieux d'aller le servir, suggéra Florentyna.

Maisie s'éloigna précipitamment et docilement. Florentyna faillit éclater de rire quand quelques minutes plus tard, le jeune homme en fut quitte pour une nouvelle paire de gants bleu foncé.

— Et de deux, déclara Florentyna. Au nom de Bloomingdale's, je crois que je peux dire qu'il te mérite.

— Mais il ne m'a toujours pas demandé de sortir avec lui !

— Quoi ? fit Florentyna, faussement incrédule. Ce doit être un fétichiste du gant.

— C'est très décevant. Parce que je suis sûre qu'il est chouette.

— Oui, il n'est pas mal.

Le lendemain, lorsqu'il arriva, Maisie se précipita pour aller le servir, abandonnant un client en plein milieu de sa phrase. Florentyna s'empressa de la remplacer, et une fois de plus, les épia du coin de l'œil. Cette fois, le client et la vendeuse semblaient en pleine conversation.

— Ça doit être sérieux, observa Florentyna, une fois qu'il repartit avec une nouvelle paire de gants bleu marine en cuir.

— Oui, je crois, répondit Maisie, mais il ne m'a toujours pas donné de rendez-vous. Écoute, s'il revient demain, pourrais-tu le servir ? Je pense qu'il a peur de me le demander en face. Peut-être que ce sera plus facile d'organiser quelque chose par ton intermédiaire.

Florentyna rit.

— Une Viola pour ton Orsino[15].

— Quoi ?

— Rien. Le plus grand défi consistera à savoir si j'arrive à lui vendre une paire de gants de cuir bleu.

Le jeune homme poussa les portes à la même heure exactement le lendemain matin et se dirigea immédiatement vers les gants. Florentyna le trouvait pour le moins constant.

Maisie lui asséna un petit coup dans les côtes. Florentyna décida que le moment était venu de s'amuser.

— Bonjour, monsieur.

— Oh bonjour, dit celui-ci, surpris.

Ou était-il simplement déçu de se retrouver avec Florentyna ?

— Puis-je vous aider ?

— Non – enfin oui. Je voudrais des gants, ajouta-t-il, peu convaincant.

15. Allusion à la pièce de Shakespeare, *La Nuit des rois*, où Viola, déguisée en homme, se présente à la cour d'Orsino sous le nom de Césario et tombe secrètement amoureuse d'Orsino qui lui propose de devenir son page.

— Bien, monsieur. Avez-vous pensé au bleu foncé ? En cuir ? Je suis sûre que nous avons votre taille. À moins que nous n'en ayons plus.

Le garçon la scruta d'un air méfiant quand elle les lui tendit. Il les essaya. Ils étaient un peu trop grands. Florentyna lui donna une autre paire. Ils étaient un peu trop petits. Il regarda en direction de Maisie. Celle-ci était entourée d'un océan de clients, mais elle restait à flot, sans couler, car elle trouvait le temps de lui jeter un coup d'œil et de lui sourire. Il ne lui rendit pas son sourire. Florentyna lui tendit une autre paire de gants qui lui allait parfaitement.

— Je pense que c'est ce que vous cherchiez, lança-t-elle.

— Non, pas vraiment, répondit-il, visiblement embarrassé.

Florentyna décida que le moment était venu de mettre un terme au supplice de ce pauvre type. Baissant la voix, elle dit :

— Je vais voler au secours de Maisie. Pourquoi ne l'invitez-vous pas ? Je suis sûre qu'elle serait aux anges.

— Oh, non, fit rapidement le jeune homme. Ce n'est pas avec elle que je veux sortir, mais avec vous.

Florentyna en resta muette. Le garçon semblait rassembler son courage.

— Accepteriez-vous de dîner avec moi ce soir ?

Elle s'entendit répondre oui.

— Puis-je venir vous chercher chez vous ?

— Non, rétorqua-t-elle d'un ton ferme. *(La dernière chose qu'elle désirait était qu'il passe chez elle, où n'importe qui comprendrait qu'elle n'était pas vendeuse.)* Retrouvons-nous au restaurant, ajouta-t-elle.

— Où souhaiteriez-vous aller ?

Elle tâcha de trouver rapidement un endroit pas trop ostentatoire.

— Allen's, sur la 73e et la 3e ? tenta-t-il.

— Oui, très bien, répondit Florentyna, qui pensa que Maisie aurait beaucoup mieux géré la situation.

— Vers huit heures ?

— Vers huit heures, acquiesça-t-elle.

Le jeune homme repartit, tout sourire. Maisie observa qu'il n'avait pas acheté de gants.

Florentyna passa beaucoup de temps à choisir la robe qu'elle porterait. Elle voulait être sûre que la tenue ne hurlait pas « Bergdorf Goodman ». Elle avait acquis une petite garde-robe spécialement pour Bloomingdale's, mais à usage strictement professionnel, et elle n'avait jamais rien mis de cette sélection le soir. Si son cavalier – grands ciels, elle ne connaissait même pas son nom ! – pensait qu'elle était vendeuse, elle ne devait pas lui enlever ses illusions. En vérité, elle avait même hâte de le revoir.

Elle sortit de son appartement sur la 57e Rue Est peu avant huit heures, mais elle ne trouva pas de taxi tout de suite.

— Allen's, s'il vous plaît, demanda-t-elle au chauffeur.

— Bien sûr, mademoiselle.

Florentyna arriva au restaurant avec quelques minutes de retard. Elle chercha le jeune homme du regard. Debout au bar, il agitait la main. Il s'était changé et avait enfilé un pantalon en flanelle grise et un blazer bleu. Très Ivy League, songea Florentyna, bien que la description que Maisie avait faite de lui, de « sexy », lui aille comme un gant.

— Je suis désolée d'être en retard, commença Florentyna.

— Ce n'est pas important. Ce qui l'est, c'est que vous soyez venue.

— Vous croyiez que je ne viendrais pas ?

— Je n'en étais pas sûr. *(Il sourit.)* Je suis désolé, je ne connais pas votre nom.

— Jessie Kovats. Et le vôtre ?

— Richard Kane, répondit le jeune homme en lui tendant la main.

Elle la prit et il la tint un peu plus longtemps que nécessaire.

— Et que faites-vous quand vous n'achetez pas de gants chez Bloomingdale's ? le taquina-t-elle.

— Je suis à la Harvard Business School.

— Je suis surprise qu'ils ne vous aient pas appris que la plupart des gens n'ont que deux mains.

Il rit et lui sourit d'une façon si détendue et amicale qu'elle souhaitait tout recommencer à zéro et lui confier qu'elle était étonnée qu'ils ne se soient jamais rencontrés à Cambridge lorsqu'elle était à Radcliffe.

— Et si l'on s'asseyait ? proposa-t-il en la conduisant à une table.

Florentyna leva les yeux sur le menu inscrit sur un tableau noir.

— Steak Salisbury ? demanda-t-elle.

— Un hamburger, ni plus ni moins, répondit Richard.

Ils gloussèrent tous les deux, comme deux personnes qui ne se connaissent pas, mais qui en meurent d'envie.

Florentyna s'était rarement sentie aussi bien. Richard parlait de New York, de théâtre, de musique – manifestement son premier amour – avec une telle grâce et un tel charme qu'il la mit vite à l'aise. Il avait beau penser qu'elle était vendeuse, il la traitait comme si elle venait d'une des plus vieilles familles de Boston. Lorsqu'il l'interrogea, elle se borna à lui raconter qu'elle était polonaise, vivait à New York avec ses parents et que son père travaillait dans un hôtel. À mesure que la soirée avançait, elle trouva le subterfuge de plus en plus difficile. Mais, songea-t-elle, il y a peu de chances que nous nous revoyions.

Quand aucun des deux ne put avaler plus de café, Richard demanda l'addition. Il voulut savoir dans quelle partie de la ville Florentyna habitait.

— 57e Rue Est, rétorqua-t-elle sans réfléchir.

— Alors, je vais vous raccompagner chez vous, dit-il en lui prenant la main.

Ils remontèrent la Cinquième Avenue sans se presser, regardèrent les vitrines des magasins, rirent et bavardèrent. Lorsqu'il l'interrogea sur ses projets d'avenir, elle répondit simplement : « Un jour, j'aimerais travailler dans une boutique sur la Cinquième Avenue. » Aucun des deux ne remarqua les taxis vides qui les dépassaient.

Il leur fallut près d'une heure pour parcourir les seize pâtés de maisons, et Florentyna faillit lui avouer la vérité à son sujet. Quand ils parvinrent sur la 57e Rue, elle s'arrêta devant un vieil immeuble, à une centaine de mètres du sien.

— Voilà où habitent mes parents, déclara-t-elle.

Richard sembla hésiter, puis lui lâcha la main.

— J'espère que nous nous reverrons, dit-il.

— J'aimerais bien, répondit-elle d'un ton poli et détaché.

— Demain ? demanda-t-il timidement.

— Demain ? répéta-t-elle.

— Et si nous allions voir Bobby Short au Blue Angel ? *(Il lui reprit la main.)* C'est un peu plus romantique qu'Allen's.

Florentyna fut momentanément déconcertée. Il n'y avait aucun lendemain dans les projets qu'elle nourrissait pour Richard.

— Uniquement si vous le voulez, ajouta-t-il avant qu'elle ne puisse se ressaisir.

— J'adorerais, dit-elle d'un ton calme.

— Je dîne avec mon père, mais si je passais vous prendre à neuf heures ?

— Non, non. Je vous retrouverai là-bas. Ce n'est pas loin.

— Neuf heures demain soir alors. *(Il l'embrassa délicatement sur la joue.)* Bonne nuit, Jessie, lança-t-il avant de disparaître dans l'obscurité.

Une fois hors de sa vue, Florentyna se dirigea lentement vers son appartement, regrettant tous ces pieux mensonges. Mais cela pourrait bien se terminer dans quelques jours, même si elle espérait le contraire.

Florentyna quitta Bloomingdale's à la minute où le magasin ferma – la première fois en près de deux ans qu'elle s'en allait avant Maisie. Elle prit un long bain, enfila sa plus jolie robe et partit pour le Blue Angel sans se presser. Lorsqu'elle arriva, Richard l'attendait devant le vestiaire. Il lui tendit la main quand ils se rendirent dans la salle de bar où la voix de Bobby Short flottait dans la pièce enfumée. « *Are you telling me the truth or is it just another lie ?*[16] »

Short leva une main en direction de Florentyna en signe de reconnaissance. Elle feignit de ne pas s'en rendre compte. Il avait été invité-vedette au Baron à deux ou trois reprises, et jamais elle n'aurait cru qu'il se souviendrait d'elle. Richard, qui avait remarqué son geste, regarda autour d'eux pour voir qui Short saluait. Florentyna s'assit dos au piano pour s'assurer que cela ne se reproduirait pas.

16. Litt. : « Me dis-tu la vérité ou est-ce un autre mensonge ? »

Richard commanda une bouteille de vin sans lâcher sa main, puis l'interrogea sur sa journée. Elle ne voulait pas lui parler de cela, mais lui dire la vérité.

— Richard, il y a quelque chose que je dois…

— Salut Richard !

Un homme grand et beau se tenait près de la table.

— Salut Steve. Permets-moi de te présenter Jessie Kovats, Steve Mallon. Steve et moi étions à Harvard ensemble.

Florentyna les écouta bavarder des Yankees de New York, du handicap de golf d'Eisenhower, et de la raison pour laquelle Yale allait de mal en pis. Steve finit par s'en aller sur un gracieux « Ravi d'avoir fait votre connaissance, Jessie ».

Florentyna avait laissé passer sa chance.

Richard entreprit de lui parler de ses projets une fois qu'il aurait terminé son école de commerce. Il espérait intégrer Lester's, la banque de son père, à New York. Elle avait déjà entendu ce nom quelque part, mais elle n'arrivait pas à se souvenir du contexte. Sans savoir pourquoi, cela l'inquiéta.

Ils passèrent une longue soirée à rire, à manger, à bavarder, et à rester assis main dans la main en écoutant Bobby Short. Alors qu'ils rentraient ensemble, Richard s'arrêta à l'angle de la 57e et l'embrassa pour la première fois. Quand un premier baiser l'avait-il autant marquée ? Lorsqu'il la laissa dans l'ombre de la 57e Rue, elle se rendit compte que, cette fois, il n'avait pas évoqué de suite. Toute cette non-aventure la rendait légèrement mélancolique.

Maisie fut aux anges le lendemain matin quand on livra un gros bouquet de roses au magasin, mais déçue en constatant que la carte était adressée à Jessie Kovats, avec une invitation à dîner de Richard. Elle feignit de s'en moquer.

Florentyna et Richard passèrent la majeure partie du week-end ensemble : un concert, un film, même les New York Knicks, tous les prétextes étaient bons. Une fois le week-end terminé, Florentyna fut désagréablement consciente qu'elle avait raconté tant de mensonges sur elle-même que leurs nombreuses incohérences avaient vraisemblablement dû laisser son ami perplexe. Il devenait de plus en plus difficile de lui relater une autre histoire, totalement différente, mais vraie.

Lorsque Richard retourna à Harvard dimanche soir pour commencer un nouveau trimestre, elle se persuada que sa tromperie était sans importance, car leur histoire s'était achevée naturellement. Après tout, il rencontrerait sûrement une gentille fille de Radcliffe. Mais il l'appela chaque jour de la semaine et revint la voir à New York ce week-end-là. Après un autre mois, Florentyna comprit que cela ne s'arrêterait pas aussi facilement qu'elle l'avait cru. En fait, elle savait qu'elle tombait amoureuse de lui. Une fois qu'elle l'eut admis, elle décida que cela ne pouvait plus attendre. Ce week-end, elle lui dirait la vérité.

# 49

Richard rêvassa pendant tout son cours magistral du matin.

Il était tellement amoureux de cette fille qu'il ne parvenait même pas à se concentrer sur les accords de Bretton Woods. Comment pourrait-il annoncer à son père qu'il avait l'intention d'épouser une Polonaise qui travaillait au rayon gants, écharpes et chapeaux de laine chez Bloomingdale's ? Il ne comprenait pas pourquoi Jessie était si peu ambitieuse alors qu'elle était vraiment brillante. Il restait convaincu que si elle avait eu les mêmes chances que lui, elle ne se serait pas retrouvée chez Bloomingdale's. Richard décida que son père et sa mère devraient apprendre à vivre avec sa décision parce que ce week-end, il la demanderait en mariage.

Chaque fois que Richard arrivait chez ses parents à New York le vendredi soir, il allait toujours acheter quelque chose chez Bloomingdale's, en général dont il n'avait pas besoin, simplement pour que Jessie sache qu'il était rentré à New York – ces dix dernières semaines, il avait offert une paire de gants à chaque membre de sa famille lointaine, dont certains qu'il n'avait pas vus depuis des années. Ce vendredi, il annonça à sa mère qu'il sortait chercher des lames de rasoir.

— Ce n'est pas la peine, chéri, tu peux prendre celles de ton père.

— Non, non, c'est bon. Il m'en faut. Nous n'utilisons pas la même marque de toute façon, ajouta-t-il mollement.

Il parcourut presque en courant les huit pâtés de maisons jusqu'à Bloomingdale's, et réussit à entrer juste au moment où les portes se fermaient. Il savait qu'il verrait Jessie à dix-neuf heures trente, mais il ne pouvait résister à l'envie de la regarder tout simplement. Steve Mallon lui avait confié que l'amour était pour les pauvres pigeons, et Richard avait écrit sur son miroir à raser embué : « Je dois être sans le sou. »

Mais ce soir, Jessie demeurait introuvable. Maisie, assise dans un coin, se limait les ongles et Richard lui demanda si sa collègue était encore là. Maisie leva les yeux, comme s'il avait interrompu la tâche la plus importante de sa journée.

— Non, elle vient de partir, elle n'a pas dû aller bien loin.

Richard sortit sur Lexington Avenue en courant. Il chercha Jessie parmi les visages des passants qui rentraient chez eux en se pressant et la remarqua sur le trottoir d'en face, filer en direction de la Cinquième Avenue. De toute évidence, elle n'allait pas chez elle. Quand elle arriva à la librairie Scribner's sur la 48e Rue, il s'arrêta et la regarda entrer. Richard était perplexe. Si elle voulait quelque chose à lire, elle aurait pu le trouver chez Bloomingdale's. Il vit Jessie bavarder avec un vendeur qui la laissa quelques minutes avant de revenir avec deux livres. Il parvint tout juste à distinguer leurs titres. *La Crise économique de 1929* de John Kenneth Galbraith, et *Derrière le Rideau de fer* de John Gunther. Jessie signa en échange des ouvrages, ce qui étonna encore plus Richard : pourquoi une vendeuse posséderait-elle un compte chez Scribner's ? Et comme elle sortait, il se cacha derrière un pilier.

— Qui *est*-elle ? demanda-t-il à voix haute en l'observant entrer chez Bendel's.

Le portier la salua d'un air respectueux, ce qui donna à Richard la nette impression qu'il la connaissait. Une fois de plus, il regarda par la vitre, tandis que des employées pétrifiées s'affairaient autour d'elle avec le plus grand respect. Une femme d'un certain âge apparut avec un paquet, que Jessie attendait à l'évidence. Elle l'ouvrit, pour révéler une robe de soirée simple, mais stupéfiante. Jessie sourit et opina quand la vendeuse rangea la tenue dans une boîte marron et blanc, articula un « merci » et se tourna vers la porte sans rien signer. Richard était tellement hypnotisé par toute cette scène qu'il l'évita de justesse lorsqu'elle sortit sur le trottoir et sauta dans un taxi.

Il en prit un lui aussi et demanda au chauffeur de suivre le véhicule. Comme ils passaient devant le petit immeuble où ils se séparaient en temps normal, il commença à se sentir mal. Pas étonnant qu'elle ne l'ait jamais invité à rentrer. Le taxi de Jessie continua sur quelques mètres et s'arrêta devant un bâtiment moderne avec portier en uniforme, qui avança, la salua et vint lui ouvrir. Richard n'était plus médusé, mais en colère. Il sortit du véhicule d'un bond et entreprit de se diriger vers la porte par laquelle elle avait disparu.

— Cela fera cinquante-neuf cents, mec, fit une voix derrière lui.

— Oh désolé, dit Richard.

Et il jeta cinq dollars au chauffeur, sans attendre sa monnaie.

— Merci, mec, fit celui-ci. J'en connais un qui a de la veine, aujourd'hui.

Richard bouscula le portier qui protesta et parvint à rattraper Florentyna juste au moment où elle entrait dans l'ascenseur. Elle le regarda d'un air interdit, incapable de parler.

— Qui es-tu ? demanda-t-il, alors que la porte de la cabine se refermait.

— Richard, bafouilla-t-elle. J'allais tout te dire, mais je n'ai jamais réussi à trouver le bon moment.

— Mais oui, c'est ça, tu allais tout me dire ! répéta-t-il en la suivant jusque chez elle. Me faire marcher pendant trois mois avec un tas de mensonges. Bon, l'heure de vérité est enfin arrivée.

Florentyna, qui n'avait jamais vu Richard en colère, se doutait bien que cela devait très rarement se produire. Il la bouscula brusquement quand elle poussa la porte, et passa l'appartement en revue. Au bout du couloir d'entrée, il y avait un grand séjour agrémenté d'un joli tapis oriental et de meubles chics. Une superbe horloge de grand-père faisait face à une petite table sur laquelle trônait un vase de fleurs fraîches. La pièce était magnifique, même par rapport à la maison de Richard.

— Bel appartement que tu as là pour une vendeuse, observa-t-il. Je me demande lequel de tes amants le paie.

Florentyna virevolta sur elle-même et le gifla si fort que sa paume l'élança.

— Comment oses-tu ! lança-t-elle. Sors de chez moi !

Quand elle s'entendit prononcer ces mots, elle se mit à pleurer. Elle ne voulait pas qu'il s'en aille – jamais. Richard la prit dans ses bras.

— Oh mon Dieu, je suis désolé. Je t'ai dit quelque chose d'affreux. S'il te plaît, pardonne-moi. C'est juste que je t'aime tant, et je pensais que toi aussi, et voilà que je découvre que je ne sais rien de toi.

— Richard, moi aussi je t'aime et je suis navrée si je t'ai fait du mal. Je ne voulais pas te mentir. Il n'y a personne d'autre – je te le promets.

Sa voix se brisa.

— Je l'ai mérité, dit-il, et il l'embrassa sur le front.

Ils s'étreignirent un moment sans parler puis s'affalèrent sur le canapé et ne bougèrent plus. Doucement, il lui caressa les cheveux, jusqu'à ce que ses larmes se calment. Elle passa ses doigts dans le trou entre les deux boutons de sa chemise. Richard ne semblait pas prêt à faire le prochain pas.

— As-tu envie de coucher avec moi ? demanda-t-elle d'un ton calme.

— Non, répondit-il. De rester éveillé avec toi.

Sans rien ajouter, ils se déshabillèrent lentement et firent l'amour pour la première fois, délicatement et timidement, de peur de se faire du mal, désireux de se plaire. Enfin, Florentyna laissa tomber sa tête sur son épaule.

— Je t'aime, dit Richard. Depuis la minute où j'ai posé les yeux sur toi. Veux-tu m'épouser ? Je me moque bien de qui tu es, Jessie, ou de ce que tu fais, mais je sais que je dois passer le reste de ma vie avec toi.

— Je veux t'épouser moi aussi, Richard, mais d'abord, tu dois connaître la vérité.

Elle drapa la veste de son amant sur leurs corps nus et entreprit de tout lui raconter. Elle finit par lui expliquer pourquoi elle travaillait chez Bloomingdale's. Quand elle eut terminé son histoire, il ne dit rien.

— Tu ne m'aimes déjà plus ? demanda-t-elle. Maintenant que tu sais qui je suis vraiment ?

— Chérie, fit Richard d'un ton très calme. Je dois t'avouer quelque chose. Mon père déteste le tien.

— Comment ça ?

— La seule fois où j'ai entendu le nom de ton père dans notre maison, il est devenu fou furieux et a affirmé que l'unique objectif d'Abel Rosnovski dans la vie était de détruire la famille Kane.

— Quoi ? Mais pourquoi ? dit Florentyna, choquée. Je n'ai jamais entendu parler de lui. Comment se connaissent-ils même ? Tu dois te tromper.

Ce fut au tour de Richard de raconter à la jeune femme tout ce que sa mère lui avait confié au fil des années sur la vendetta qui opposait leurs pères.

— Oh mon Dieu, ça doit être le « Judas » qu'il a cité quand il a changé de banque au bout de vingt-cinq ans. Qu'allons-nous faire ?

— Leur dire la vérité à tous les deux, répondit Richard. Que nous nous sommes rencontrés par hasard, sommes tombés amoureux et allons nous marier. Et que rien ne pourra nous faire changer d'avis.

— Attendons quelques jours, proposa-t-elle.

— Pourquoi ? Crois-tu que ton père pourra te dissuader de m'épouser ?

— Jamais, mon chéri, affirma-t-elle en reposant sa tête sur son épaule. Mais trouvons le moyen de le leur annoncer doucement, sans les mettre devant le fait accompli. De toute façon, cela ne leur tient peut-être pas autant à cœur que tu le penses. Après tout, tu as dit que cette histoire avec la compagnie aérienne remontait à plusieurs années.

— Si, ça continue à leur tenir à cœur, je te le promets. Mon père serait blême s'il nous voyait ensemble, quant à imaginer que nous allons nous marier…

— Raison de plus pour attendre un petit moment avant de leur annoncer la nouvelle. Cela nous laissera le temps de décider de la meilleure façon de le faire.

Il l'embrassa de nouveau.

— Je t'aime, Jessie.

— Florentyna.

— Voilà autre chose à laquelle je devrai m'habituer. Je t'aime, Florentyna.

Durant les quatre semaines suivantes, Florentyna et Richard apprirent tout ce qu'ils purent sur la vendetta qui opposait leurs pères :

Florentyna en prenant l'avion pour Chicago afin de questionner sa mère, qui fut étonnamment bavarde sur le sujet, puis en soumettant à son parrain un ensemble de questions choisies avec le plus grand soin, qui révélèrent le désespoir de George quant à ce qu'il décrivait comme « l'obsession de ton père » ; Richard, grâce au classeur de son père et à une longue conversation avec sa mère qui lui expliqua clairement que la haine était réciproque. Il devint plus évident à chaque découverte qu'il n'existait aucune méthode douce pour annoncer leur amour.

Richard se donna beaucoup de mal pour faire oublier à Florentyna le problème qu'ils devraient bien affronter un jour. Ils allèrent au théâtre, passèrent un après-midi à faire du patin à roulettes et le dimanche, d'interminables balades dans Central Park, finissant toujours au lit avant la tombée de la nuit. Florentyna accompagna Richard à un match des New York Yankees, « qu'elle ne parvenait toujours pas à comprendre » et à un concert du Philharmonique de New York, qu'elle « adorait ». Elle refusa de croire qu'il jouait du violoncelle jusqu'à ce qu'il donne un récital privé chez elle. Elle l'applaudit avec enthousiasme quand il eut terminé sa suite de Bach préférée.

— Il va bientôt falloir le leur annoncer, déclara-t-il en posant son archet sur la table et en la prenant dans ses bras.

— Je sais. C'est juste que je ne veux pas blesser mon père.

— Moi non plus.

Elle évita son regard.

— Vendredi prochain. Papa sera revenu de Memphis.

— Alors vendredi, acquiesça Richard en l'étreignant si fort qu'elle eut du mal à respirer.

Richard rentra à Harvard lundi matin et ils s'appelèrent tous les soirs, bien résolus à ce que rien ne les arrête.

Vendredi, Richard rentra à New York plus tôt que prévu et resta seul avec Florentyna chez elle tout l'après-midi. À l'angle de la 57^e^ et de Park Avenue, ils s'arrêtèrent au feu qui signalait l'interdiction de traverser et Richard se tourna vers elle et lui demanda une fois de plus si elle voulait bien l'épouser. Il sortit une petite boîte en cuir rouge de sa poche, l'ouvrit et passa un anneau au troisième doigt de sa main gauche, un saphir dans un cercle de diamants, si beau que les larmes montèrent aux yeux de la jeune femme. Il lui allait parfaitement. Les passants les dévisageaient curieusement, collés l'un à l'autre, ignorant le signe vert « Traverser ». Lorsqu'ils finirent par obéir au feu, ils s'embrassèrent avant de se séparer et de partir affronter leurs parents dans des directions opposées. Ils avaient décidé de se retrouver chez Florentyna dès que l'épreuve serait terminée.

Florentyna avança d'un pas résolu en direction de l'hôtel Baron, tâchant de sourire à travers ses larmes, et regardant la bague de temps en temps. Elle était neuve et étrange à son doigt, et elle imagina que les yeux de tous ceux qu'elle croisait seraient attirés par le saphir magnifique, si beau à côté de la bague d'époque qui était auparavant sa préférée. Elle la toucha et découvrit qu'elle lui donnait du courage, bien qu'elle se rendît compte qu'elle marchait de moins en moins vite à mesure qu'elle s'approchait de l'hôtel.

Quand elle parvint à la réception, le réceptionniste lui apprit que son père se trouvait dans son appartement avec George Novak, et appela pour le prévenir qu'elle montait. L'ascenseur arriva bien trop vite au quarante-deuxième étage et Florentyna hésita avant de quitter son cocon. Elle demeura seule un moment dans le couloir puis frappa doucement à la porte. Abel ouvrit immédiatement.

— Florentyna, quelle bonne surprise ! Entre, ma chérie. Je ne m'attendais pas à te voir aujourd'hui.

George Novak, debout près de la fenêtre, contemplait Park Avenue. Il se tourna pour saluer sa filleule. Des yeux, la jeune femme l'implora de partir. S'il restait, elle savait qu'elle perdrait son sang-froid. « Va-t'en, va-t'en, va-t'en », dit-elle dans sa tête. George perçut immédiatement son anxiété.

— Je dois retourner bosser, Abel. Un fichu maharadjah arrive à l'hôtel ce soir.

— Demande-lui de parquer ses éléphants au Plaza, répliqua Abel affablement. Maintenant que Florentyna est ici, reste donc boire un autre verre.

George regarda la jeune fille, mais le message était clair.

— Non, Abel, je dois y aller. Il occupe tout le trente-troisième étage. La moindre des choses, c'est que le vice-président soit là pour l'accueillir. À plus tard, petite Kum, dit-il en l'embrassant sur la joue et en serrant brièvement son bras, presque comme s'il avait deviné qu'elle avait besoin de force.

Dès qu'il fut parti, Florentyna le regretta.

— Comment va Bloomingdale's ? demanda Abel en ébouriffant affectueusement ses cheveux. Leur as-tu déjà signifié qu'ils allaient perdre la meilleure chef de rayon junior qu'ils aient eue depuis des années ? Ils seront sûrement surpris lorsqu'ils apprendront que le prochain job de Jessie Kovats consistera à inaugurer le Baron d'Édimbourg.

Il rit haut et fort.

— Je vais me marier, annonça Florentyna en tendant timidement la main gauche.

Elle ne trouva rien à ajouter, et se contenta donc d'attendre sa réaction.

— C'est un peu soudain, non ? fit Abel, l'air plus que choqué.

— Pas vraiment, papa, je le connais depuis un moment.

— Et moi ? L'ai-je déjà rencontré ?

— Non, papa, pas encore.

— D'où vient-il ? De quel milieu ? Est-il polonais ? Pourquoi n'as-tu jamais parlé de lui, Florentyna ?

— Il n'est pas polonais, papa. C'est le fils d'un banquier.

Abel blêmit et descendit son verre d'un trait. Florentyna comprit exactement ce qui devait se passer dans sa tête quand il se resservit à boire et décida donc de lui avouer rapidement la vérité.

— Il s'appelle Richard Kane.

Abel virevolta d'un coup, face à elle.

— Le fils de William Kane ?

— Oui.

— Comment pourrais-tu ne serait-ce qu'envisager d'épouser le fils de William Kane ? Sais-tu ce que cet homme m'a fait ?

— Je crois, oui.

— Oh que non ! cria Abel qui laissa libre cours à un chapelet de jurons qui semblèrent s'éterniser, et qui ne servit qu'à persuader Florentyna que son père était devenu fou.

En fin de compte, elle l'interrompit.

— Tu ne m'apprends rien.

— *Rien*, jeune fille ? hurla-t-il. Savais-tu que William Kane était responsable de la mort de mon meilleur ami ? Il a poussé Davis Leroy au suicide, et, non content, il a essayé de me pousser à la ruine. Si David Maxton n'était pas venu à ma rescousse, Kane aurait pris tous mes hôtels et les aurait vendus sans hésiter. Où serais-je aujourd'hui s'il avait réussi ? Tu te serais estimée heureuse d'être vendeuse chez Bloomingdale's. As-tu songé à cela, Florentyna ?

— Oui, papa, je n'ai pas pensé à grand-chose d'autre ces dernières semaines. Richard et moi sommes horrifiés par la haine qui existe entre son père et toi. Il l'affronte en ce moment même.

— Eh bien, je peux te dire comment il réagira. Il deviendra fou furieux. Cet homme ne laissera jamais son précieux fils WASP t'épouser, tu ferais donc mieux d'oublier cette idée stupide.

Sa voix n'était plus qu'un hurlement.

— Je ne peux pas, père, répondit-elle d'un ton égal. Nous nous aimons, et nous avons besoin de ta bénédiction, pas de ta colère.

— Tu m'écoutes, Florentyna ! lui ordonna Abel, rouge de fureur. Je t'interdis de revoir ce garçon ! M'entends-tu ?

— Oui, je t'entends. Mais je ne me séparerai pas de Richard parce que tu détestes son père.

Elle se surprit à serrer son alliance bien fort et à trembler légèrement.

— Ça ne se produira pas ! affirma Abel, de plus en plus rouge. Je n'accepterai jamais ce mariage ! Ma propre fille m'abandonne pour le fils de ce salaud de Kane. Je te dis que tu ne l'épouseras pas !

— Je ne t'abandonne pas. Je me serais enfuie avec lui si c'était le cas, mais je ne pourrais jamais épouser personne dans ton dos. *(Elle était consciente du tremblement dans sa voix.)* Mais je suis majeure et je me marierai avec Richard. S'il te plaît, papa, ne veux-tu pas le rencontrer ? Comme cela, tu pourras enfin comprendre ce que je ressens pour lui.

— Il ne mettra pas un pied dans ma maison. Je refuse de faire la connaissance des enfants de William Kane. Jamais, tu m'entends ?

— Alors, tu ne me donnes pas d'autre option que de devoir choisir entre vous.

— Florentyna, si tu convoles avec ce garçon, je te coupe les vivres et te laisse sans le sou. Sans le sou, tu m'entends ? *(Sa voix s'adoucit.)* Fais appel à ton bon sens, ma fille. Tu l'oublieras. Tu es jeune, et il y a des tas d'autres hommes qui donneraient leur bras droit pour se marier avec toi.

— Je ne veux pas des tas d'autres hommes. J'ai rencontré celui que je désire épouser, et ce n'est pas de sa faute si c'est le fils de son père. Aucun de nous deux n'a choisi son père.

— Si ta propre famille n'est pas assez bien pour toi, alors va-t'en, gronda Abel. Et je jure que je refuse que l'on prononce ton nom en ma présence.

Il se retourna et regarda par la fenêtre.

— Papa, nous allons nous marier. Bien que nous ayons tous les deux dépassé le stade d'avoir besoin de ton consentement, nous te demandons tout de même ta bénédiction.

Abel se détourna de la fenêtre.

— Es-tu enceinte ? Est-ce la raison ?

— Non, père.

— As-tu couché avec lui ?

La question ébranla Florentyna, mais elle n'hésita pas.

— Oui, répondit-elle. Plusieurs fois.

Abel leva le bras et la frappa violemment en plein visage. Le sang dégoulina de son menton et elle faillit s'évanouir. Elle s'enfuit de la pièce en courant, et appela l'ascenseur. Il s'ouvrit, et George en sortit. Elle entraperçut le choc sur son visage quand elle s'empressa d'entrer dans la cabine, et appuya frénétiquement sur le bouton de fermeture. Alors que George la regardait pleurer, les portes se refermèrent lentement et elle disparut de sa vue.

Florentyna rentra chez elle en taxi. Sur la route, elle tamponna sa lèvre coupée avec un mouchoir. Richard l'attendait déjà dans l'entrée, tête baissée et l'air piteux.

Elle courut vers lui. Une fois qu'ils furent en haut, elle entra chez elle, où elle se sentait parfaitement en sécurité.

— Je t'aime, Richard.

— Moi aussi, dit-il en la serrant délicatement dans ses bras.

— Je n'ai pas besoin de te demander comment ton père a réagi, fit-elle en s'accrochant désespérément à lui.

— Je ne l'avais jamais vu en colère comme cela. Il a traité le tien de menteur et d'escroc, rien d'autre qu'un immigré polonais qui se donne de grands airs. Il m'a demandé pourquoi je ne voulais pas épouser quelqu'un de mon milieu.

— Et qu'as-tu répondu ?

— Je lui ai dit que l'on ne pouvait pas remplacer quelqu'un de merveilleux comme toi par la fille d'un ami convenable de la famille et là, il a complètement perdu son sang-froid. Il a menacé de me couper les vivres et de me laisser sans le sou si je t'épousais, poursuivit-il. Quand vont-ils comprendre que l'on se moque bien de leur argent ? J'ai essayé de faire appel à ma mère pour qu'elle m'aide, mais même elle n'a pas réussi à calmer la colère de mon père. Il lui a ordonné de sortir. Je ne l'ai jamais vu la traiter de la sorte. Elle pleurait, ce qui n'a fait que renforcer ma détermination. Je suis parti alors qu'il était encore en train de parler. Dieu sait, j'espère qu'il ne s'en prend pas à Virginia et Lucy. Et toi, que s'est-il passé quand tu l'as annoncé à ton père ?

— Il m'a frappée, répondit Florentyna très calmement. Pour la première fois de ma vie. Je crois qu'il me tuera s'il nous trouve ensemble, Richard, chéri, nous devons nous enfuir avant qu'il ne découvre où nous sommes, et il viendra sûrement d'abord ici. J'ai tellement peur.

— N'aie pas peur, Florentyna. Nous partirons ce soir, le plus loin possible, et que tous les deux aillent en enfer !

— Peux-tu faire rapidement tes bagages ?

— Non. Je ne pourrai jamais rentrer chez moi maintenant. Une fois que tu auras pris deux, trois choses, nous nous en irons. J'ai une centaine de dollars sur moi, et mon violoncelle, qui se trouve toujours dans ta chambre. Que dis-tu d'épouser un homme qui possède cent dollars, et dont le futur boulot consistera à jouer de la musique à tous les coins de rue ?

— C'est ce qu'une vendeuse peut souhaiter de mieux, j'imagine, répondit-elle en fouillant dans son sac. Et dire que j'avais rêvé d'être une femme entretenue ! Tu devais sûrement espérer une dot. Bon, j'ai deux cent douze dollars et une carte American Express. Tu me dois cinquante-six dollars, Richard Kane, mais j'accepterai un remboursement d'un dollar par an.

Une demi-heure plus tard, elle avait fini ses bagages. Puis elle s'assit à son bureau et griffonna un mot qu'elle laissa sur sa table de nuit.

Richard héla un taxi. Florentyna fut soulagée de constater qu'il savait garder son calme en cas de crise, et cela lui donna un peu plus d'assurance.

— Idlewild, annonça-t-il après avoir rangé les trois valises de Florentyna et son violoncelle dans le coffre.

À l'aéroport, il réserva deux billets pour San Francisco : ils choisirent la ville du Golden Gate simplement parce qu'elle semblait le point le plus éloigné de New York sur la carte.

À sept heures trente, le 1049 Super Constellation d'American Airlines roula sur la piste avant d'entamer son vol de sept heures. Richard aida Florentyna à attacher sa ceinture. Elle lui sourit.

— Savez-vous combien je vous aime, monsieur Kane ?

— Oui, je crois, madame Kane, répondit-il.

# 50

Abel et George arrivèrent chez Florentyna quelques minutes après leur départ pour l'aéroport.

Abel regrettait déjà le coup qu'il avait porté à sa fille. Il ne voulait pas penser à une vie sans son enfant unique. Si seulement il parvenait à la contacter avant qu'il ne soit trop tard, il pourrait, à force de persuasion, la convaincre de ne pas épouser le fils Kane. Il était prêt à lui offrir n'importe quoi, *n'importe quoi*, pour empêcher leur mariage.

George sonna deux fois, mais personne ne répondit. De fait, Abel se servit de la clé que Florentyna lui avait donnée en cas d'urgence. Ils regardèrent dans toutes les pièces, sans espérer la trouver.

— Elle a déjà dû partir, observa George en rejoignant Abel dans la chambre.

— Oui, mais où ? fit Abel en inspectant les tiroirs vides. Puis il remarqua l'enveloppe sur la table de nuit, qui lui était adressée. Il se rappela la dernière fois où quelqu'un lui avait laissé une lettre près d'un lit où personne n'avait dormi. Il l'ouvrit d'un coup.

*Cher papa,*

*Excuse-moi de m'enfuir, mais j'aime Richard et je ne le laisserai pas tomber en raison de ta haine pour son père. Nous allons nous marier, et rien que tu puisses faire ne nous en empêchera. Si jamais tu essayais de lui faire du mal, d'une façon ou d'une autre, tu me ferais du mal aussi.*

*Aucun de nous n'a l'intention de revenir à New York tant que la vendetta idiote entre notre famille et celle des Kane ne sera pas terminée. Je t'aime plus que tu ne peux l'imaginer, et je n'oublierai jamais tout ce que tu as fait pour moi.*

*Je prie pour que ce ne soit pas la fin de notre relation, mais tant que tu n'auras pas retrouvé tes esprits « Ne cherche jamais le vent dans le champ – il est inutile d'essayer de trouver ce qui est parti ».*

*Ta fille qui t'aime,*
*Florentyna*

Abel s'écroula sur le lit et passa la lettre à George. Lorsque celui-ci l'eut lue, il demanda, en vain :

— Est-ce que je peux faire quelque chose ?

— Oui, George, il faut que je retrouve ma fille. Même si pour cela je vais devoir avoir affaire à ce salaud de Kane. Il n'y a qu'une chose dont je sois sûr : il voudra empêcher ce mariage, quel que soit le sacrifice. Appelle-le.

George mit un certain temps pour localiser le numéro de téléphone personnel de William sur liste rouge. Le gardien de nuit de Lester's finit par le lui donner car il insista en prétextant une urgence familiale. Abel était assis sur le lit, silencieux, la lettre de Florentyna à la main, en train de relire le proverbe polonais qu'il lui avait appris quand elle était petite et qu'elle venait de lui citer. Lorsque George réussit à joindre la résidence des Kane, une voix formelle décrocha.

— Puis-je parler à M. William Kane ? demanda-t-il.

— De la part de qui ?

— M. Abel Rosnovski, répondit George.

— Je vais voir s'il est là, monsieur.

— Je crois que c'était le majordome de Kane. Il est parti le chercher, dit George en passant le combiné à Abel. Celui-ci attendit, tambourinant des doigts sur la table de nuit.

— William Kane à l'appareil.

— C'est Abel Rosnovski.

— Vraiment ? *(Le ton de William était glacial.)* Et quand au juste avez-vous pensé à caser votre fille avec mon fils ? Au moment où, sans aucun doute, vous avez si lamentablement échoué à ruiner ma banque ?

— Ne soyez pas si… *(Abel se maîtrisa.)* Je désire autant que vous empêcher ce mariage. Je n'ai appris l'existence de votre fils pas plus tard qu'aujourd'hui. J'aime ma fille encore plus que je vous hais, et je ne veux pas la perdre. Pourrions-nous nous rencontrer pour trouver une solution tous les deux ?

— Non, répondit William. Je vous ai demandé la même chose autrefois, monsieur Rosnovski, et vous m'avez fait très clairement comprendre quand et où nous nous retrouverions.

— À quoi bon remuer le passé, à présent, Kane ? Si vous savez où ils sont, peut-être pourrions-nous les arrêter. C'est ce que vous désirez aussi. Ou alors, vous êtes si sacrément fier que vous allez rester sans rien faire et regarder votre fils épouser ma fille au lieu d'aider…

On raccrocha quand il prononça le mot « aider ». Abel enfouit son visage entre ses mains, et pleura. George le raccompagna au Baron.

Toute la nuit et le lendemain, Abel se servit de toute l'influence qu'il avait, et du moindre contact qu'il pouvait appeler pour retrouver Florentyna. Il téléphona même à sa mère, qui prit un malin plaisir à lui annoncer que leur fille lui avait parlé de Richard Kane depuis un moment déjà.

— Il avait l'air plutôt bien, déclara-t-elle.

— Sais-tu où ils se trouvent en ce moment ? s'enquit Abel, désespéré.

— Oui, je le sais.

— Où ?

— Débrouille-toi.

On lui raccrocha de nouveau au nez.

Les jours suivants, Abel passa des annonces dans les journaux, et même à la radio. Il tâcha de demander de l'aide à la police, mais celle-ci ne put diffuser qu'un appel général dans la mesure où Florentyna était majeure. Enfin, il se résigna à l'éventualité qu'elle soit mariée au fils Kane quand il la retrouverait.

Il relut sa lettre plusieurs fois, et se résolut à ne jamais faire du mal au fils. Mais le père, c'était une autre histoire. Lui, Abel Rosnovski, s'était pratiquement mis à genoux et avait supplié cet homme, et il ne l'avait pas écouté. Dès que l'occasion se présenterait, il achèverait William Kane une bonne fois pour toutes.

George commença à craindre l'intensité de la détermination de son vieil ami.

— Dois-je annuler ton voyage en Europe ? demanda-t-il.

Abel avait complètement oublié que Florentyna avait prévu de l'accompagner en Europe quand elle aurait eu fini ses deux années chez Bloomingdale's à la fin du mois. Elle allait inaugurer le Baron d'Édimbourg et celui de Cannes.

— Je ne peux pas, répondit-il, bien qu'il se moquât désormais de savoir qui inaugurerait les hôtels ou s'ils ouvriraient tout court. En mon absence, George, continue à chercher Florentyna. Mais si tu la trouves, ne le lui dis pas. Elle ne doit pas croire que je l'espionne, elle ne me le pardonnerait jamais. Tu ferais mieux d'aller voir Zaphia, mais fais attention, parce que tu peux être certain qu'elle profitera de tout ce qui s'est passé.

— Souhaites-tu qu'Osborne s'occupe des actions de Lester's ?

— Non, pas maintenant. Ce n'est pas le moment d'achever Kane. Quand je le ferai, je veux être sûr qu'il ne pourra pas s'en remettre. Laisse Kane tranquille pour l'instant, et applique-toi à retrouver Florentyna.

Trois semaines plus tard, Abel inaugura le Baron d'Édimbourg. L'hôtel, magnifique, trônait sur une colline qui dominait l'Athènes du Nord. Longtemps avant d'ouvrir un nouvel établissement, il vérifiait tout lui-même, car il savait que c'étaient les petites choses qui ennuyaient les clients. Une légère décharge électrique provoquée par les tapis en nylon quand on touchait un interrupteur, un service d'étage qui mettait quarante minutes à se matérialiser, ou des oreillers en mousse qui se relevaient autour des oreilles.

La presse s'était attendue à ce que Florentyna Rosnovski, la fille du baron de Chicago, s'occupe de la cérémonie d'inauguration, et un chroniqueur langue de vipère du *Sunday Express* évoqua la dispute familiale, et raconta qu'Abel n'était pas aussi exubérant et dynamique que d'habitude. Abel nia cette allusion sans convaincre personne, et rétorqua qu'il avait plus de cinquante ans, que ce n'était pas un âge « dynamique ». C'est ce que lui avait conseillé son chargé de relations publiques. La presse ne fut pas persuadée et le lendemain, le *Daily Mail* publia la photo d'une plaque de bronze gravée jetée dans une benne à ordures derrière l'hôtel qui disait :

Le Baron d'Édimbourg
Inauguré par Florentyna Rosnovski
17 octobre 1956

Abel s'envola pour Cannes. Un autre hôtel splendide qui, cette fois, surplombait la Méditerranée, mais cela ne l'aida pas à sortir Florentyna de sa tête. Une autre plaque jetée, cette fois en français.

Il commençait à redouter l'idée de passer le reste de sa vie sans revoir sa fille. Pour tuer sa solitude, il coucha avec des femmes très chères et d'autres plutôt bon marché. Aucune ne lui fit du bien. Le fils de William Kane possédait désormais la seule personne qui comptait réellement pour Abel Rosnovski.

La France ne l'enthousiasmait plus du tout, et une fois qu'il eut fini ce qu'il avait à y faire, il s'envola pour Bonn, où il acheva des négociations pour le site sur lequel il construirait son premier Baron en Allemagne. Il restait en contact régulier avec George par téléphone, mais Florentyna n'avait pas été retrouvée. Et il apprit une nouvelle inquiétante au sujet de Henry Osborne.

— Il s'est encore surendetté auprès des bookmakers, annonça George.

— Je l'ai prévenu la dernière fois que j'étais las de le tirer d'affaire, répondit Abel. Il n'est plus d'aucune utilité à personne depuis qu'il a perdu son siège au Congrès. Je m'occuperai de ce problème en rentrant.

— Il fait des menaces, expliqua George.

— Rien de bien neuf. Ses chantages ne m'ont jamais inquiété dans le passé. Dis-lui que quoi qu'il veuille, cela devra attendre mon retour.

— Quand penses-tu rentrer ?

— Dans trois semaines, quatre au maximum. Je dois voir des sites en Turquie, et en Égypte. Le Hilton et le Marriott ont commencé à construire là-bas et il faut que je sache pourquoi.

Abel passa plus de vingt jours à chercher des emplacements pour des hôtels dans les États arabes. Ses conseillers étaient légion ; la plupart revendiquaient le titre de prince et l'assuraient qu'ils exerçaient une véritable influence en tant que cousin ou ami personnel très proche du ministre clé. Toutefois, il s'avérait ne jamais être le bon ministre, ou un cousin trop éloigné. Abel n'avait rien contre les dessous-de-table, tant qu'ils terminaient entre les bonnes mains et, au Moyen-Orient, les bakchichs semblaient faire partie du monde des affaires. En Amérique, c'était un peu plus discret, mais Henry Osborne avait toujours su de quels fonctionnaires il fallait prendre soin. La seule conclusion solide qu'Abel put tirer, après trente-trois jours dans la poussière, le sable et la chaleur avec un verre de soda mais sans whisky, était que si les prévisions de ses conseillers sur l'importance future des réserves de pétrole du Moyen-Orient étaient correctes, les pays du Golfe voudraient des tas d'hôtels, et le groupe Baron devait faire des projections immédiates s'il ne désirait pas se retrouver loin derrière les autres.

Abel s'envola pour Istanbul, où il trouva immédiatement le site idéal pour en construire un qui surplomberait le Bosphore, à une centaine de mètres seulement de l'ancien consulat britannique. Alors qu'il se tenait sur le terrain stérile de sa toute dernière acquisition, il se rappela la dernière fois qu'il était venu ici. Il agrippa le bracelet d'argent qui lui avait sauvé la vie. Il put entendre une fois de plus les cris de la foule – cela l'effrayait et le rendait encore malade, bien que plus de trente ans soient passés.

Épuisé par ses voyages, Abel prit l'avion pour New York. Durant le vol interminable, il ne cessa de penser à Florentyna. Comme toujours, George l'attendait après les douanes. Son expression ne trahissait rien.

— Quelles nouvelles ? demanda Abel en montant à l'arrière de la Cadillac pendant que le chauffeur déposait ses sacs dans le coffre.

— Des bonnes, et des mauvaises, répondit George en touchant un bouton qui fit remonter un panneau de verre entre le chauffeur et les passagers de la voiture. Florentyna a été en contact avec Zaphia. Elle vit dans une petite maison à San Francisco, avec de vieux amis de Radcliffe.

— Mariée ? s'enquit Abel.

— Oui.

Aucun des deux ne parla pendant un moment.

— Et le fils Kane ?

— Il a trouvé un travail dans une banque. Il paraît que beaucoup ont refusé sa candidature, en partie parce que l'on racontait qu'il n'avait pas achevé son cursus à la Harvard Business School, mais surtout car elles craignaient qu'en l'embauchant, elles ne se mettent son père à dos. Il a fini par être engagé comme guichetier à la Bank of America. Bien en dessous de ce qu'il aurait pu attendre avec ses qualifications.

— Et Florentyna ?

— Elle travaille comme directrice adjointe d'une boutique de mode, Wayout Columbus, près de Golden Gate Park. Elle essaie également d'emprunter de l'argent auprès de plusieurs banques.

— Pourquoi ? A-t-elle des problèmes ? s'enquit Abel, inquiet.

— Non, elle cherche des fonds pour ouvrir son propre commerce.

— Combien demande-t-elle ?

— Elle a besoin de trente-quatre mille dollars pour le bail d'un petit immeuble sur Nob Hill.

Abel songea à ce que George venait de lui apprendre, tapa de ses petits doigts sur la vitre de la voiture.

— Veille à ce qu'elle obtienne cet argent, George. Fais-le passer pour un prêt bancaire ordinaire, et assure-toi que l'on ne puisse pas remonter jusqu'à moi.

— Tout ce que tu veux, Abel.

— Et tiens-moi informé du moindre de ses gestes, même le plus insignifiant.

— Et le garçon ?

— Il ne m'intéresse pas. Et maintenant la mauvaise nouvelle ?

— De nouveaux problèmes avec Henry Osborne. Il semble qu'il accumule les dettes partout en ville. Je suis également persuadé que sa seule source de revenu, désormais, c'est toi. Il continue à proférer des menaces – d'avertir les autorités que tu as fermé les yeux sur des pots-de-vin quand tu as repris le groupe, au début, et de raconter qu'il a arrangé un paiement supplémentaire après l'incendie de l'ancien Richmond à Chicago. Il prétend avoir conservé toutes les informations depuis le jour où il t'a rencontré, et posséder un dossier de dix centimètres d'épaisseur.

— Je m'occuperai de lui demain matin, répondit Abel.

George passa le reste du voyage jusqu'à Manhattan à l'informer des affaires du groupe. Tout allait bien, excepté qu'il y avait eu un rachat du Baron de Lagos après un autre coup d'État. Ceux-ci n'avaient jamais inquiété Abel. Les révolutionnaires découvraient vite qu'ils n'étaient pas des hôteliers, et ils avaient besoin de visiteurs s'ils escomptaient mettre de l'argent dans leurs propres poches.

Le lendemain matin, Henry Osborne vint voir Abel. Échevelé, il paraissait âgé, et son visage autrefois lisse et beau était désormais extrêmement ridé. Il ne fit aucune allusion au dossier de dix centimètres.

— J'ai besoin d'un coup de main pour m'aider à passer une période délicate, déclara Osborne. N'ai pas eu beaucoup de chance.

— Encore, Henry ? Vous devriez vous montrer plus raisonnable, à votre âge. Vous êtes un vrai raté avec les chevaux et les femmes. Combien vous faut-il, cette fois ?

— Dix mille devraient me permettre de tenir.

— Dix mille ! cracha Abel. Pour qui me prenez-vous ? Une mine d'or ? C'était seulement cinq mille, l'autre jour.

— L'inflation, répliqua Henry, qui essaya de rire.

— C'est la dernière fois, vous comprenez ? dit Abel en sortant son carnet de chèques. Venez m'implorer une fois de plus, Henry, et je vous destituerai du conseil d'administration et vous vous retrouverez sans le sou.

— Vous êtes un véritable ami, Abel. Je jure que je ne vous réclamerai plus rien. Plus jamais. *(Il prit un Roméo et Juliette dans la cave à cigares sur le bureau.)* Merci, Abel, vous ne le regretterez pas.

Osborne s'en alla, tirant sur son cigare. Abel attendit que la porte se ferme, appela George. Il apparut quelques minutes plus tard.

— Combien a-t-il demandé cette fois ? s'enquit celui-ci.

— Dix mille, mais je l'ai prévenu que c'était terminé.

— Il reviendra. Je suis prêt à le parier.

— Il n'a pas intérêt. J'en ai fini avec lui. Quoi qu'il ait pu accomplir pour moi dans le passé, maintenant je suis quitte. Du nouveau à propos de ma fille ?

— Elle va bien, mais on dirait que tu as vu juste au sujet de Zaphia. Elle effectue des voyages réguliers sur la côte Ouest pour leur rendre visite.

— Quelle crétine ! lança Abel.

— Mme Kane s'y est aussi rendue quelques fois.

— Et Kane ?

— Aucun signe de fléchissement.

— Au moins une chose que nous avons en commun, observa Abel.

— J'ai obtenu des facilités de crédit pour Florentyna auprès de la Crocker National Bank de San Francisco, poursuivit George. Elle a rendez-vous lundi prochain avec l'organisme. Elle pensera que l'accord est l'une des opérations de prêt habituelles de la banque, sans faveur particulière. En fait, ils lui font payer un demi pour cent de plus que la normale, donc elle n'a aucune raison d'avoir des soupçons. On ne lui précisera pas que tu t'es porté caution.

— Merci, George, c'est parfait. Je te parie dix dollars qu'elle le remboursera en deux ans, et n'aura plus jamais besoin d'emprunter.

— Je parierais cinq contre un qu'elle n'en contractera pas d'autre, rétorqua George. Et si tu essayais plutôt Henry, il est plus du genre à se faire pigeonner.

Abel rit.

— Tiens-moi au courant, George, de tout ce qu'elle fait. Tout.

# 51

William resta médusé après avoir lu le compte-rendu trimestriel de Thaddeus Cohen. Pourquoi Rosnovski ne faisait-il rien de son portefeuille chez Lester's ? Il ne lui manquait que deux pour cent des actions, et il pourrait invoquer l'article sept des statuts de Lester's pour exiger une place dans son conseil d'administration. Cela le fit frissonner. C'était difficile de croire qu'il craignait toujours les règlements de la COB, d'autant plus que l'administration Eisenhower n'avait montré aucun intérêt à poursuivre l'enquête initiale.

William fut fasciné d'apprendre que Henry Osborne rencontrait de nouveaux problèmes financiers, et que Rosnovski ne cessait de le tirer d'affaire. Il ne put que se demander pendant combien de temps cela allait continuer, et ce qu'Osborne avait contre Rosnovski qui lui permettait de réclamer toujours plus. Rosnovski avait-il des soucis personnels ? Sa fille avait-elle insisté pour qu'il laisse tomber la vendetta une bonne fois pour toutes ou avait-il lui aussi coupé les vivres à son enfant ? Le dossier de Cohen comprenait également une mise à jour de la situation du groupe Baron. L'établissement de Londres perdait de l'argent, et celui de Lagos avait suspendu ses activités ; sinon, la société continuait son essor, et Rosnovski construisait huit nouveaux hôtels dans le monde entier. William relut la coupure de presse du *Sunday Express* qui racontait que Florentyna Rosnovski n'avait pas inauguré le Baron d'Édimbourg, et il pensa à son fils. Il ferma le rapport et le mit sous clé, dans son coffre-fort.

William s'en voulait d'avoir perdu son sang-froid avec Richard. Bien qu'il refusât qu'il épouse la fille Rosnovski, il regrettait d'avoir tourné le dos aussi irrévocablement à son unique fils. Kate l'avait supplié pour Richard et ils avaient eu une longue et amère dispute, que le temps n'avait pas contribué à résoudre. Kate avait essayé toutes les tactiques, de la persuasion en douceur aux larmes, mais rien n'avait touché William. Virginia et Lucy n'avaient pas besoin de lui rappeler que leur frère leur manquait.

— Il n'y a personne d'autre de critique envers mes tableaux, observa Virginia.

— Tu veux dire, de grossier ? demanda sa mère.

Virgina ébaucha un sourire.

Lucy avait décidé de s'enfermer dans la salle de bains où elle écrivait des lettres en cachette à Richard, qui ne comprenait pas pourquoi elles avaient toujours un aspect mouillé. Aucune des deux n'osait prononcer son nom devant leur père, et cette situation éprouvante créait une scission dans la famille.

William avait essayé de passer plus de temps à la banque, travaillait tard le soir dans l'espoir que cela puisse l'aider. En vain. La banque exigeait de nouveau énormément de lui, au moment même où il sentait le plus qu'il avait besoin de ralentir le rythme. Il avait nommé six nouveaux vice-présidents ces deux dernières années, espérant qu'ils pourraient enlever un peu du poids sur ses épaules. En l'occurrence, l'inverse se produisit. Ils avaient engendré plus de travail, et plus de décisions à prendre pour lui. Le plus brillant d'entre eux, Jake Thomas, qui venait d'intégrer le conseil d'administration, semblait déjà le candidat le plus apte à remplacer William en tant que président si jamais Richard n'abandonnait pas la fille Rosnovski et ne rentrait pas à la maison.

Bien que les bénéfices continuent leur ascension chaque année, William se rendait compte que faire de l'argent pour l'argent ne l'intéressait plus. Peut-être se retrouvait-il à présent confronté au même problème que Charles Lester : il n'avait aucun fils à qui léguer sa fortune et la présidence de la banque.

L'année de leurs noces d'argent, William décida d'emmener sa femme et ses filles en Europe pour de longues vacances, dans l'espoir que cela les aide à chasser Richard de leur tête. Ils prirent un Boeing 707 en direction de Londres pour la première fois et séjournèrent au Savoy, ce qui fit ressurgir de nombreux souvenirs heureux du premier voyage de William en Europe avec Kate.

Ils entreprirent un pèlerinage à Oxford et se rendirent à Stratford-upon-Avon pour voir *Richard III* avec Laurence Oliver. Ils auraient sûrement souhaité que le roi porte un autre nom.

Sur le chemin de retour de Stratford, ils s'arrêtèrent à l'église de Henley-on-Thames où William et Kate s'étaient mariés. Cette fois, la paroisse avait besoin d'un nouvel orgue. Ils auraient bien séjourné au Bell Inn, mais une fois de plus, une seule chambre était disponible. Une dispute éclata entre William et Kate dans la voiture en rentrant à Londres, pour savoir si c'était le révérend Tukesbury ou Dukesbury qui les avait unis. Ils ne parvinrent à aucune conclusion satisfaisante avant d'arriver au Savoy. Sur un point, ils avaient pu s'entendre : le nouveau toit de la paroisse s'était avéré un bon investissement.

William embrassa délicatement Kate en se couchant ce soir-là.

— Les cinq cents livres les mieux investies de ma vie, dit-il.

Une semaine plus tard, ils prirent l'avion pour l'Italie, après avoir visité tout ce qu'un touriste américain qui se respecte est censé voir en Angleterre, et plus encore. À Rome, les filles burent un peu trop de vin italien pour l'anniversaire de Virginia et se rendirent malades, et William mangea trop de bonnes pâtes et grossit de trois kilos. Ils eurent été encore plus heureux si Richard avait été avec eux, et si les filles n'en parlèrent jamais à leur père, elles mouraient d'envie de rencontrer Florentyna qui devait être vraiment exceptionnelle. Une nuit, Virginia pleura et Kate tâcha de la consoler.

— Pourquoi personne n'explique à papa que certaines choses comptent plus que l'orgueil ?

Lorsqu'ils rentrèrent à New York, William était revigoré et impatient de se replonger dans le travail. Il perdit ses trois kilos en quelques semaines.

À mesure que les mois passaient, il sentit la vie retourner à la normale, même si son fils lui manquait énormément. Le sentiment de normalité disparut quand Virginia, tout juste émoulue de Sweet Briar, annonça qu'elle était fiancée à un étudiant de l'université de droit de Virginie qu'elle allait épouser. La nouvelle secoua William.

— Elle est trop jeune, déclara-t-il.

— Elle a vingt-deux ans, répliqua Kate. Ce n'est plus une enfant, William. Que dirais-tu de devenir grand-père ? ajouta-t-elle, regrettant ses paroles à la minute où elle les prononça.

— Comment ça ? fit William, horrifié. Elle n'est pas enceinte, n'est-ce pas ?

— Jamais de la vie ! protesta Kate, puis elle parla plus doucement, comme si elle avait été prise en défaut. Richard et Florentyna ont eu un bébé.

— Comment le sais-tu ?

— Richard m'a écrit pour m'annoncer la bonne nouvelle. Et il a été nommé vice-président de la Bank of America. Le moment n'est-il pas venu de lui pardonner, William ?

— Jamais.

Et il quitta la pièce sans rien ajouter.

Kate poussa un soupir las. Il ne lui avait même pas demandé si son petit-enfant était un garçon ou une fille.

Le mariage de Virginia eut lieu au printemps suivant à Trinity Church, Boston, en un magnifique après-midi de mars. William eut une très bonne opinion de David Telford, le jeune avocat avec qui elle avait choisi de passer le reste de sa vie.

Virginia avait souhaité que Richard soit présent, et Kate avait supplié William de l'inviter à la noce, mais celui-ci avait catégoriquement refusé. Bien que ce soit censé être le plus beau jour de la vie de Virginia, elle aurait rendu tous ses cadeaux pour que son père et Richard posent ensemble sur la photo de famille prise devant l'église. William avait failli accepter, mais il savait que Richard exclurait de venir sans la fille Rosnovski.

Le jour du mariage, il envoya un cadeau et un télégramme à sa sœur. William rangea le paquet non ouvert dans le coffre de sa voiture et refusa qu'on lise le télégramme à la réception.

# 52

Abel était assis à son bureau du Baron de New York, où il devait rencontrer un collecteur de fonds pour la campagne de Kennedy. L'homme avait déjà vingt minutes de retard. Abel tapait impatiemment des doigts sur son bureau, lorsque sa secrétaire entra.

— M. Franck Hogan est arrivé, monsieur.

Abel se leva d'un bond.

— Entrez, monsieur Hogan, dit-il en donnant une tape dans le dos du jeune homme habillé de manière conventionnelle. Comment allez-vous ?

— Désolé, je suis en retard, monsieur Rosnovski, fit la voix indéniablement bostonienne.

— Je n'avais pas remarqué. Puis-je vous offrir à boire ?

— Non merci, monsieur Rosnovski. J'essaie de m'abstenir quand j'ai beaucoup de rendez-vous le même jour.

— Vous avez tout à fait raison. J'espère que ça ne vous dérange pas si je bois quelque chose, dit Abel. Je n'ai pas l'intention de voir grand monde aujourd'hui.

Hogan rit comme un homme qui savait qu'il allait passer la journée à écouter les blagues des autres.

Abel se servit un whisky.

— Maintenant que puis-je faire pour vous, monsieur Hogan ?

— Eh bien, monsieur Rosnovski, nous espérions que le parti pourrait compter une fois de plus sur votre soutien.

— J'ai toujours été un démocrate, comme vous le savez, monsieur Hogan. J'ai appuyé Franklin D. Roosevelt, Harry Truman, et Adlai Stevenson, même si je ne comprenais rien la moitié du temps à ce que Stevenson racontait. *(Les deux hommes rirent jaune.)* J'ai aussi aidé mon vieil ami Dick Daley à Chicago, et j'ai soutenu le jeune Ed Muskie – le fils d'un immigré polonais, vous savez – depuis sa campagne pour devenir gouverneur du Maine en 1945.

— Vous avez été un loyal supporter du parti dans le passé, nul ne peut le nier, monsieur Rosnovski, observa Hogan, sur un ton qui indiquait que le temps légal des bavardages était terminé. Et nous, démocrates, notamment l'ancien député Osborne, nous avons rendu un ou deux services en retour. Je ne crois pas qu'il soit nécessaire que j'entre dans les détails à propos du petit incident avec Interstate Airways.

— C'était voilà fort longtemps, et c'est oublié.

— J'en conviens, dit Hogan. Mais même si je me rends compte que la plupart des multimillionnaires autodidactes se moqueraient bien que l'on fouille dans leurs affaires de trop près, vous comprendrez que nous devrons nous montrer particulièrement prudents, surtout si près de l'élection. Nixon adorerait avoir un scandale à se mettre sous la dent à ce stade de la course.

— Nous nous comprenons très bien, monsieur Hogan. Maintenant que les choses sont dites, quelle somme attendez-vous de ma part pour la campagne ?

— J'ai besoin du moindre penny que je puisse dénicher. *(Le débit de Hogan était heurté et plein d'assurance.)* Nixon réunit beaucoup de partisans dans tout le pays, et la course sera vraiment très serrée, surtout dans votre État de l'Illinois.

— Bien, fit Abel, je soutiendrai Kennedy s'il me soutient. C'est aussi simple que cela.

— Il serait ravi de vous appuyer, monsieur Rosnovski. Nous savons tous que vous êtes un pilier de la communauté polonaise, et le sénateur Kennedy est conscient de votre lutte courageuse au nom de vos compatriotes dans les camps de prisonniers derrière le rideau de fer, sans parler de la guerre que vous avez servie. J'ai l'autorisation de vous informer que le candidat a déjà accepté d'inaugurer votre nouvel hôtel à Los Angeles lors de sa prochaine campagne en Californie.

— C'est une bonne nouvelle, observa Abel.

— Le sénateur connaît aussi votre désir que la Pologne se voie octroyer le statut de nation la plus favorisée dans ses relations commerciales avec les États-Unis.

— C'est tout simplement ce que nous méritons après les sacrifices que nous avons faits dans cette guerre, répondit Abel. *(Il marqua une courte pause.)* Et l'autre petite affaire ?

— Le sénateur Kennedy sonde l'opinion américano-polonaise à ce sujet, mais jusque-là, nous n'avons rencontré aucune objection. Naturellement, il ne pourra pas se décider avant d'être élu.

— Naturellement. Deux cent cinquante mille dollars l'aideraient-ils à prendre sa décision ?

Franck Hogan sourit, mais ne répondit pas.

— Deux cent cinquante mille dollars, alors, répéta Abel. L'argent sera dans votre fonds de campagne d'ici la fin de la semaine, monsieur Hogan.

L'affaire était conclue. Abel se leva derrière son bureau.

— Transmettez, je vous prie, toutes mes amitiés au sénateur Kennedy et dites-lui que je ferai tout ce qui est en mon pouvoir pour m'assurer qu'il devienne le prochain président des États-Unis. Je déteste Richard Nixon depuis la façon méprisable dont il a traité Helen Gahagan Douglas ; et j'ai des raisons personnelles pour ne pas vouloir de Henry Cabot Lodge comme vice-président.

— Je serais ravi de faire passer votre message, lui jura Hogan. Merci pour votre soutien permanent au parti démocrate, et en particulier, à son candidat.

Ils se serrèrent la main.

— Restons en contact, monsieur Hogan. Je ne me déferai pas de cette somme d'argent sans attendre un retour sur investissement.

— Je comprends parfaitement.

Abel l'accompagna jusqu'à l'ascenseur, et, tout sourire, retourna à son bureau. Il décrocha le téléphone.

— Demandez à M. Novak de me rejoindre.

George sortit de son bureau à l'autre bout du couloir quelques instants plus tard.

— Si « Jack » Kennedy devenait président, je crois que ce serait dans la poche, George.

— Félicitations, Abel ! Je suis ravi. Ce sera l'accomplissement de l'un de tes plus grands rêves. Comme Florentyna sera fière de toi !

Il sourit en entendant le nom de sa fille.

— Sais-tu ce que cette petite coquine manigance ? dit-il en riant. As-tu vu le *Los Angeles Times* de vendredi dernier ?

George secoua la tête et Abel lui tendit le journal. Une photo sur une demi-page était entourée d'un cercle rouge. George lut la légende à voix haute : « *Florentyna Kane ouvre sa troisième boutique Florentyna's à L.A.* » Joli cliché, observa George.

— Elle espère en inaugurer une quatrième avant la fin de l'année, lui expliqua Abel. Les Florentyna's deviennent vite à la Californie ce que Balenciaga est à Paris.

George rit en lui rendant le journal.

— J'ai hâte qu'elle ouvre un Florentyna's à New York, probablement sur la Cinquième Avenue. Je parie qu'elle y parviendra dans cinq ans, dix maximum. On parie, George ?

— Je n'ai pas parié la première fois, si tu te souviens bien, Abel. Sinon, j'aurais déjà perdu dix dollars.

Abel leva les yeux, la voix plus calme.

— Crois-tu qu'elle viendra voir le sénateur Kennedy inaugurer le nouveau Baron à Los Angeles, George ?

— Pas si son mari n'est pas invité lui aussi.

— Jamais. Ce garçon n'est rien. J'ai lu ton dernier rapport. Il a quitté la Bank of America pour travailler avec Florentyna, il n'est même pas capable de garder un bon boulot.

— Tu deviens un lecteur très sélectif, Abel. Tu sais que ce n'est pas comme ça que les choses se passent. Kane est responsable des finances de la société, pendant que Florentyna dirige les boutiques. N'oublie pas que Wells Fargo lui a proposé un emploi à la tête de leur département acquisitions, mais Florentyna l'a supplié de refuser pour venir travailler avec elle. Abel, tu vas devoir reconnaître que leur mariage est une vraie réussite. Je sais que c'est dur à avaler pour toi, mais si tu descendais de tes grands chevaux et acceptais de rencontrer ce garçon ?

— Tu es mon meilleur ami, George. Personne d'autre au monde n'oserait me parler de la sorte. Donc, nul ne sait mieux que toi que je ne peux pas descendre de mes grands chevaux, pas tant que ce salaud de William Kane ne me montre pas qu'il est prêt à couper la poire en deux. Je ne me mettrai plus à genoux tant qu'il sera vivant pour s'en délecter.

— Et si tu devais mourir le premier, Abel ? Vous avez exactement le même âge, tous les deux.

— Alors, je serais le perdant, et Florentyna hériterait de tout.

— Tu m'as dit qu'elle n'aurait pas un sou. Tu devais modifier ton testament en faveur de ton petit-fils.

— Je n'ai pas pu le faire, George. Quand le moment est venu de signer le document, je n'ai pas pu le faire. Et ce fichu petit-fils finira par hériter de nos deux fortunes !

Il ôta un portefeuille d'une poche intérieure, fouilla parmi plusieurs vieilles photos de Florentyna et en sortit une plus récente qu'il donna à George.

— Joli petit garçon, observa celui-ci.

— Bien sûr. Sa mère tout craché.

George rit.

— Tu n'abandonnes jamais, n'est-ce pas, Abel ?

— D'après toi, comment l'ont-ils appelé ?

— Comment ça ? Tu le sais très bien.

— D'après toi, comment l'ont-ils appelé ?

— Comment le saurais-je ?

— Découvre-le, dit Abel. Ça m'intéresse.

— Comment suis-je censé m'y prendre ? Les faire suivre pendant qu'ils poussent le landau dans Golden Gate Park ?

— Je suis sûr que tu trouveras une solution, George. Au fait, as-tu eu des nouvelles récentes de Peter Parfitt ?

— Oui, il montre un peu plus d'intérêt à se séparer des deux pour cent de Lester's, mais je ne confierais pas les négociations à Henry. Si ces deux-là s'occupent de la vente, tout le monde se retrouvera dans le coup, sauf toi. Je ferais peut-être mieux de conclure la transaction pour toi ?

— Ne fais rien pour l'instant. En dépit de ma haine pour Kane, je ne veux pas de problèmes tant que nous ne savons pas si Kennedy a remporté l'élection. Si Nixon gagne, j'achèterai les deux pour cent de Parfitt le jour même et exécuterai le plan dont nous avons discuté. Et ne t'inquiète pas pour Henry, je l'ai retiré de l'affaire Kane. À partir de maintenant, je m'en occupe tout seul.

— Si, je suis inquiet, dit George. Il a des dettes envers la moitié des bookmakers de Chicago et je ne serais pas étonné qu'il débarque à New York pour venir quémander d'un jour à l'autre.

— Henry ne me dérangera plus. Je lui ai bien fait comprendre quand je l'ai vu qu'il ne me soutirerait plus un sou. S'il revient mendier, il perdra sa place au conseil d'administration et c'est son unique revenu.

— C'est précisément ce qui m'inquiète, dit George. Et s'il devenait désespéré au point d'aller demander de l'argent à Kane ?

— C'est impossible, George. Henry le déteste encore plus que moi.

— Comment peux-tu en être sûr ?

— La mère de Kane était la seconde épouse de Henry, expliqua Abel, et quand Kane n'avait que seize ans, il a fichu Henry à la porte de sa propre maison.

— Grands dieux, comment as-tu obtenu cette information ?

— Il n'y a rien que je ne sache pas sur William Kane. Ou Henry Osborne, d'ailleurs. Absolument rien. Et je serais prêt à mettre ma main au feu qu'il n'y a rien qu'il ne sache pas sur moi. Il ne nous reste plus qu'à être patients pour l'instant, mais il n'y a aucun risque pour que Henry se transforme en indic. Il mourra avant d'avouer que son vrai nom est Vittorio Togna, et qu'il a fait un tour en prison pour fraude.

— Henry est-il au courant ?

— Non. J'ai gardé cela pour moi pendant des années. Si tu penses qu'un homme peut te menacer dans le futur, George, assure-toi de tout connaître de son passé. Je n'ai jamais fait confiance à Henry depuis le jour où il m'a suggéré d'escroquer Great Western Casualty alors qu'il était encore leur employé, bien que je sois le premier à reconnaître qu'il m'a été très utile au fil des années. Mais je suis aussi sûr et certain qu'il ne me causera aucun souci à l'avenir. Alors, oublions Henry et soyons un peu plus optimistes. Quelle est la date d'achèvement prévue du Baron de Los Angeles ?

— Mi-septembre.

— Parfait. Juste quelques semaines avant l'élection. Lorsque Kennedy inaugurera l'hôtel, cela fera la une de tous les journaux d'Amérique.

Lorsque William rentra à New York après une conférence de banquiers à Washington, il trouva un message sur son bureau lui demandant de rappeler Thaddeus Cohen immédiatement. Ce nom le remplissait toujours d'appréhension ; en effet, Cohen était rarement porteur de bonnes nouvelles.

William ne lui avait pas parlé depuis un moment, parce qu'Abel Rosnovski ne lui avait causé aucun problème depuis la conversation téléphonique avortée la veille du mariage de Richard et Florentyna, plus de quatre ans auparavant. Les rapports trimestriels successifs avaient juste confirmé que Rosnovski n'essayait ni d'acheter ni de vendre aucune action de la banque. Quoi qu'il en soit, William appela Cohen sur sa ligne privée. L'avocat l'informa qu'il était tombé sur une information dont il ne souhaitait pas discuter au téléphone. William l'invita à passer le voir dès que possible.

Cohen arriva au bureau de William quarante minutes plus tard. William l'écouta dans un silence attentif.

Lorsqu'il eut terminé, William dit :

— Votre père n'aurait jamais approuvé ce genre de méthodes.

— Le vôtre non plus, rétorqua Cohen. Mais ils n'étaient pas confrontés à des types comme Abel Rosnovski.

— Qu'est-ce qui vous fait croire que votre plan va marcher ?

— Voyez l'affaire Sherman Adams. Seulement mille six cent quarante-deux dollars en notes d'hôtel et un manteau en vigogne, mais cela a beaucoup embarrassé l'administration, parce qu'Adams était un assistant du Président. Nous savons que Rosnovski aspire à plus que cela. Il devrait donc être bien plus facile de le faire tomber.

— Combien cela va-t-il me coûter ?

— Vingt-cinq mille tout au plus, mais je devrais pouvoir négocier beaucoup moins.

— Comment vous assurer que Rosnovski ne s'apercevra pas que je suis impliqué ?

— Je me servirai d'une tierce personne en guise d'intermédiaire, et il ne connaîtra même pas votre nom.

— Et s'il s'avère que vos informations sont justes, que me recommanderez-vous d'en faire ?

— Nous les enverrons toutes au bureau du sénateur Kennedy avant de les divulguer à la presse. Cela devrait mettre définitivement un terme aux ambitions de Rosnovski. À la minute où il aura perdu toute crédibilité, il n'aura plus l'influence qu'il possédait et il ne pourra pas invoquer l'article sept des statuts de Lester's, même s'il contrôle bien huit pour cent du portefeuille.

— Possible, mais uniquement à condition que Kennedy devienne président, observa William. Et que se passerait-il si Nixon gagnait ? Il est bien en tête dans les sondages. Et pouvez-vous imaginer l'Amérique mettre un catholique à la Maison-Blanche ?

— Qui sait ? fit Cohen. Mais s'ils le font, pour un investissement de vingt-cinq mille, vous avez une réelle chance d'en finir pour de bon avec Rosnovski.

— Mais uniquement si Kennedy devenait président…

Cohen opina, mais ne dit rien.

William ouvrit le tiroir de son bureau, en sortit un gros carnet de chèques qui portait l'inscription « Compte privé » et écrivit les chiffres deux, cinq, zéro, zéro, zéro. C'était la première fois qu'il voulait voir un démocrate à la Maison-Blanche.

La prédiction d'Abel, qui pensait que l'inauguration du Baron de Los Angeles par Kennedy ferait la une de tous les journaux d'Amérique, s'avéra quelque peu optimiste : le candidat avait des douzaines de manifestations qui l'attendaient à Los Angeles ce jour-là avant d'affronter Nixon dans un débat télévisé le lendemain soir. Toutefois, l'inauguration de l'hôtel fut très bien couverte, et Franck Hogan assura Abel en privé que Kennedy n'avait pas oublié l'autre petite affaire.

Pendant que Kennedy faisait son discours, sans tarir d'éloges sur le baron de Chicago, Abel chercha sa fille des yeux parmi la foule dense, mais il ne la trouva pas.

# 53

Une fois que les résultats de l'Illinois furent vérifiés, John F. Kennedy semblait sûr et certain de devenir le trente-cinquième président des États-Unis. Au siège national du parti démocrate à Times Square où il célébrait la victoire, Abel leva son verre au maire Daley. Il ne rentra chez lui qu'à cinq heures du matin.

— Mince alors, j'ai des tonnes de choses à fêter, dit-il à George. Je serai le prochain…

Il s'endormit avant la fin de sa phrase et George sourit et le mit au lit.

William regarda les résultats des élections dans le calme de son bureau, sur la 68e Rue Est. Après les résultats de l'Illinois, Walter Cronkite déclara que les jeux étaient faits. William décrocha son téléphone et composa le numéro personnel de Thaddeus Cohen.

Tout ce qu'il dit fut : « Il semblerait que les vingt-cinq mille dollars aient été en l'occurrence un sage investissement, Thaddeus. Maintenant, assurons-nous qu'il n'y ait pas de lune de miel pour Rosnovski. Le meilleur moyen d'agir serait quand il partira en Turquie. »

William raccrocha et alla se coucher. Il était déçu que Nixon n'ait pas battu Kennedy, et que son cousin Henry Cabot Lodge ne devienne pas vice-président. Mais, songea-t-il, à quelque chose malheur est bon…

Lorsque Abel reçut une invitation à l'un des bals inauguraux du président Kennedy à Washington D.C., il se rendit compte qu'il n'y avait qu'une personne avec qui il souhaitait partager cet honneur.

Mais après avoir discuté de cette idée avec George, il dut reconnaître que Florentyna n'accepterait jamais de l'accompagner tant que sa vendetta avec Richard n'était pas terminée. Il devrait donc y aller tout seul.

Abel reporta son voyage en Europe et au Moyen-Orient. Il ne pouvait pas manquer l'inauguration, mais il pouvait toujours replanifier l'ouverture du Baron d'Istanbul.

Il avait fait confectionner un nouveau costume bleu marine plutôt conservateur spécialement pour l'occasion, et il réserva la suite Davis Leroy au Baron de Washington pour le jour de la cérémonie. Il observa le jeune président prononcer son discours d'investiture, plein d'espoir et de promesses pour l'avenir.

« *Une nouvelle génération d'Américains – nés dans ce siècle* (Abel était tout juste qualifié), *tempérés par la guerre* (Abel était hautement qualifié), *disciplinés par une paix difficile et amère* (Abel était surqualifié). *Ne vous demandez pas ce que votre pays peut faire pour vous. Demandez-vous plutôt ce que vous pouvez faire pour lui.* »

La foule se leva comme un seul homme, ignorant la neige qui n'avait pas réussi à refroidir l'impact du superbe morceau de rhétorique du nouveau président.

Abel, exalté, rentra à l'hôtel. Il se doucha avant de se changer et d'enfiler une cravate blanche et une queue-de-pie, confectionnées elles aussi spécialement pour l'occasion. Lorsqu'il examina sa silhouette forte dans le miroir, il dut reconnaître qu'il n'était pas au top de l'élégance vestimentaire. Son tailleur avait fait son possible – il lui avait fabriqué trois nouvelles tenues de soirée, toujours plus larges, en cinq ans. Florentyna l'aurait fustigé pour les kilos en trop, et pour elle, il aurait fait des efforts. Pourquoi ses pensées revenaient-elles sans cesse sur sa fille ? Il vérifia ses médailles. D'abord, celle des vétérans polonais, puis les décorations pour services rendus dans le désert et en Europe, et ensuite, ses « médailles couverts », comme il les surnommait, pour service distingué avec des couteaux et des fourchettes.

En tout, sept bals inauguraux avaient lieu à Washington ce soir-là, et l'invitation d'Abel l'orienta vers le DC Armory. Il s'assit dans un coin réservé aux démocrates polonais de New York et Chicago. Ils avaient bien des choses à fêter. Edmund Muskie était au Sénat et dix autres démocrates polonais avaient été élus au Congrès. Personne ne parla des deux républicains polonais qui venaient d'être élus. Abel évoqua joyeusement le passé avec de vieux amis qui faisaient partie de ses membres cofondateurs du Congrès américano-polonais. Tous demandèrent des nouvelles de Florentyna.

D'un seul coup, tout le monde se leva, applaudit et cria. Abel se mit debout pour comprendre la raison d'une telle agitation et vit John F. Kennedy et son épouse glamour entrer dans la salle de bal. Ils restèrent un quart d'heure, discutèrent avec quelques invités triés sur le volet, puis repartirent. Bien qu'Abel ne s'entretînt pas avec le Président, alors qu'il avait quitté sa table et s'était stratégiquement placé sur son chemin, il réussit tout de même à attirer l'attention de Franck Hogan qui partait avec la suite de Kennedy.

— Monsieur Rosnovski. Quelle rencontre fortuite !

Abel aurait bien aimé lui expliquer qu'avec lui, rien n'était fortuit, mais ce n'était ni le moment ni l'endroit. Hogan le prit par le bras et le conduisit rapidement derrière un gros pilier de marbre.

— Je ne peux pas dire grand-chose pour l'instant, monsieur Rosnovski, car je dois rester avec le Président, mais je pense que vous pourrez compter sur un coup de fil de notre part dans un futur proche. Naturellement, le Président a beaucoup de rendez-vous à honorer en ce moment.

— Naturellement, répéta Abel.

— Mais j'espère, continua Hogan, que dans votre cas, tout sera confirmé d'ici fin mars ou début avril. Permettez-moi d'être le premier à vous présenter mes félicitations, monsieur Rosnovski. Je suis convaincu que vous servirez le Président avec distinction.

Abel regarda Hogan détaler littéralement à toutes jambes, pour être sûr de rattraper l'escorte de Kennedy, qui montait déjà dans un parc de limousines, portières ouvertes.

— Tu as l'air content de toi, observa l'un des amis polonais d'Abel en retournant à sa table et en s'asseyant pour attaquer un steak dur, qui aurait été interdit dans un hôtel Baron. Kennedy t'a-t-il invité à devenir son nouveau secrétaire d'État ?

Ils rirent tous.

— Pas encore, répondit Abel. Mais le secrétaire d'État pourrait être mon nouveau chef, ajouta-t-il dans sa barbe.

Il reprit l'avion pour New York le lendemain matin, après avoir visité la chapelle polonaise de Notre-Dame de Czestochowa dans le sanctuaire national. Cela lui fit penser aux deux Florentyna.

C'était la pagaille à l'aéroport de Washington National, et Abel finit par rentrer à New York trois heures plus tard que prévu. George le rejoignit pour dîner et comprit que tout avait dû bien se passer lorsque Abel commanda un magnum de Dom Pérignon.

— Ce soir, c'est la fête, déclara-t-il. J'ai vu Hogan au bal, et mon rendez-vous sera confirmé ces prochaines semaines. L'annonce officielle sera probablement faite peu après mon retour du Moyen-Orient.

— Félicitations, Abel. Personne ne mérite plus cet honneur que toi.

— Merci, George. Je peux t'assurer que ta récompense ne se fera pas attendre parce que quand tout sera officiel, je te nommerai président par intérim du groupe Baron en mon absence.

George se servit une coupe de champagne. Ils avaient déjà bu la moitié de la bouteille.

— Combien de temps comptes-tu t'absenter cette fois, Abel ?

— Seulement trois semaines, je veux vérifier que l'on ne me dévalise pas au Moyen-Orient avant d'ouvrir le Baron d'Istanbul en Turquie. Je m'occuperai de Londres et de Paris en route.

George servit une nouvelle coupe de champagne à Abel.

Abel passa trois jours de plus que prévu en Angleterre à tâcher de régler les problèmes du Baron de Londres avec un directeur qui semblait imputer toutes les difficultés du Baron au syndicalisme britannique. Le Baron de Londres était en l'occurrence l'un des rares échecs d'Abel, bien qu'il ne parvînt jamais à mettre le doigt sur la raison pour laquelle l'hôtel perdait continuellement de l'argent. Il aurait pu envisager de le fermer, mais le groupe Baron devait être présent dans la capitale britannique, même en guise de produit d'appel. Une fois de plus, il licencia le directeur, en nomma un nouveau et prit l'avion pour Paris.

La métropole française présentait un contraste frappant avec Londres. Le Baron de Paris, sur le boulevard Raspail, était l'un de ceux qui marchaient le mieux dans le groupe, et il avait autrefois avoué à Florentyna, un peu comme un parent admet à contrecœur avoir son chouchou, que c'était son hôtel préféré. Tout était exactement comme il l'avait souhaité, et il ne passa que deux jours à Paris avant de s'envoler pour le Moyen-Orient.

Abel possédait désormais des sites dans cinq États du golfe Persique, mais seul le Baron de Riad était en construction. S'il avait été moins vieux, il aurait séjourné quelques années au Moyen-Orient et aurait réglé les choses. Mais il ne pouvait pas supporter le sable ou la chaleur ou encore la difficulté à se procurer un double whisky auprès de quelqu'un qui ne se ferait pas arrêter et il laissa donc la situation entre les mains de ses jeunes vice-présidents adjoints avant de prendre l'avion pour la Turquie.

Abel s'y était rendu plusieurs fois les années passées afin de garder un œil sur l'avancement du Baron d'Istanbul. Pour lui, Constantinople aurait toujours quelque chose d'exceptionnel, tel qu'il se rappelait l'ancienne cité. Il avait hâte d'ouvrir un Baron dans le pays d'où il était parti en bateau pour entamer une nouvelle vie en Amérique.

Avant qu'il ait même commencé à défaire sa valise dans une autre suite présidentielle, Abel trouva quinze invitations qui attendaient une réponse. C'était continuellement la même routine au moment de l'ouverture d'un hôtel : une myriade de pique-assiettes qui espéraient être invités à n'importe quelle soirée d'inauguration surgissait comme par magie. À cette occasion, toutefois, deux cartons surprirent agréablement Abel, car ils provenaient d'hommes que l'on ne pouvait assurément pas taxer de parasites : les ambassadeurs d'Amérique et d'Angleterre. Il était particulièrement difficile de résister à l'invitation à l'ancien consulat britannique : en effet, il n'avait pas mis les pieds dans ce bâtiment depuis quarante ans.

Ce soir-là, Abel fut invité à dîner chez Sir Bernard Burrows, l'ambassadeur de Turquie de Sa Majesté. À sa grande surprise, il se retrouva assis à la droite de l'épouse de l'ambassadeur, un honneur qu'on ne lui avait jamais réservé dans le passé. Une fois le dîner terminé, il observa la tradition britannique désuète où les dames quittent la pièce pendant que les messieurs bavardent de sujets plus importants en fumant le cigare, buvant du porto ou un brandy.

Abel fut prié de rejoindre Fletcher Warren, l'ambassadeur américain, dans l'intimité du bureau de Sir Bernard. Celui-ci prit Warren à partie pour avoir invité le baron de Chicago à dîner avant lui.

— Les Britanniques ont toujours été une race présomptueuse, lança Warren en allumant un gros cigare cubain.

— Quant aux Américains, rétorqua Sir Bernard, ils ne savent pas quand ils sont vraiment vaincus.

Abel écouta les deux diplomates badiner, en se demandant pourquoi on l'avait convié à une petite réunion aussi privée. Sir Bernard lui offrit un verre de porto millésimé, et Warren leva le sien.

— À Abel Rosnovski.

Sir Bernard trinqua lui aussi.

— J'ai cru comprendre que les félicitations étaient de mise, lança-t-il.

Abel rougit et s'empressa de se tourner vers Warren, dans l'espoir qu'il lui donne un coup de main.

— Oh, ai-je vendu la mèche, Fletcher ? dit Sir Bernard. Vous m'aviez affirmé que tout le monde était au courant de la nomination, mon vieux.

— Presque tout le monde, répondit Warren. Non pas que les Anglais soient capables de garder un secret trop longtemps.

— Est-ce la raison pour laquelle vous avez eu un mal de chien à découvrir que nous étions en guerre contre l'Allemagne ? fit Sir Bernard.

— Et avons ensuite pris les choses en main pour nous assurer la victoire.

— Et avez remporté toute la gloire, dit Sir Bernard.

L'ambassadeur d'Amérique rit.

— On m'a garanti que l'annonce officielle se ferait ces prochains jours.

Les deux hommes regardèrent Abel qui garda le silence.

— Alors, permettez-moi d'être le premier à vous féliciter, Votre Excellence, fit Sir Bernard. Je vous souhaite la plus grande réussite dans vos nouvelles fonctions.

Abel rougit en entendant l'appellation qu'il avait si souvent murmurée devant son miroir en se rasant le matin au cours de ces derniers mois.

— Vous allez devoir vous habituer à ce que l'on vous appelle Votre Excellence, vous savez, poursuivit l'ambassadeur britannique. Et à des tas de choses pires que cela. En particulier, toutes ces fichues réceptions auxquelles vous devrez assister jour et nuit. Si vous souffrez d'un problème de poids aujourd'hui, ce ne sera rien comparé à celui que vous aurez quand vous aurez terminé d'exercer vos fonctions. Vous pourriez bien être reconnaissant à vie à la guerre froide. On mange tellement mal dans le bloc Est que vous pourriez même finir par perdre du poids.

L'ambassadeur américain sourit.

— Bravo Abel, et permettez-moi de vous adresser toutes mes félicitations pour votre succès constant. Quand vous êtes-vous rendu en Pologne pour la dernière fois ?

— Je n'y suis retourné qu'une fois, pour une brève visite, il y a quelques années. Depuis j'ai toujours souhaité y revenir.

— Eh bien, vous y rentrerez triomphalement, dit Warren. Connaissez-vous notre ambassade à Varsovie ?

— Non, avoua Abel.

— Plutôt bien située, expliqua Sir Bernard, si l'on se souvient que vous autres coloniaux n'avez pas pu prendre pied en Europe jusqu'à la fin de la Seconde Guerre mondiale. Mais les prestations logement sont épouvantables. Je compte sur vous pour y remédier, monsieur Rosnovski. La seule condition est que vous construisiez un hôtel Baron à Varsovie. C'est la moindre des choses de la part d'un expatrié.

Abel nageait dans l'euphorie, riait et appréciait les blagues idiotes de Sir Bernard. Il savait qu'il avait bu un peu trop de porto, ce qui l'aidait à se sentir bien dans sa peau et dans le monde. Il avait hâte d'annoncer la nouvelle à Florentyna, maintenant que la nomination deviendra bientôt officielle. Elle serait si fière de lui. Il décida sur-le-champ qu'à la minute où il atterrirait à New York, il prendrait l'avion pour San Francisco, et se réconcilierait avec elle. C'était ce qu'il avait toujours désiré faire et enfin, il avait une excuse. Il ne savait pas comment, mais il se forcerait à apprécier le fils Kane. Il devait cesser de dire « le fils Kane ». Comment s'appelait-il ? Richard ? Oui, Richard. Abel sentit le soulagement l'envahir d'avoir fini par se décider.

Une fois que les trois hommes eurent rejoint les dames dans la salle de réception principale, Abel annonça à son hôte :

— Je devrais rentrer, Votre Excellence.

— Rentrer au Baron, fit Sir Bernard. Laissez-moi vous raccompagner à votre voiture, cher ami.

Quand il salua l'épouse de l'ambassadeur à la porte, elle sourit et lança :

— Je sais que je ne suis pas censée être au courant, monsieur Rosnovski, mais toutes mes félicitations pour votre nomination. Vous devez être si fier de retourner dans votre patrie en tant que haut représentant de votre pays d'adoption.

— Oui, répondit simplement Abel.

Sir Bernard l'accompagna sur les marches de marbre jusqu'à la voiture qui l'attendait. Le chauffeur ouvrit la portière.

— Bonne nuit, Rosnovski. Et bonne chance à Varsovie. Au fait, j'espère que vous avez apprécié votre premier repas au consulat britannique.

— J'y ai dîné à de nombreuses occasions, en réalité, Sir Bernard.

— Vous y êtes déjà venu, mon vieux ? Lorsque nous avons consulté le livre d'or, nous n'avons pas trouvé votre nom.

— Non, expliqua Abel. La plupart du temps, je mangeais avec la cuisinière. Ça m'étonnerait qu'ils tiennent un livre d'or en cuisine.

Abel sourit en montant à l'arrière de la voiture. Il voyait bien que Sir Bernard hésitait à le croire.

Quand on le raccompagna au Baron, il tambourina des doigts sur la vitre et fredonna en lui-même. Il aurait bien voulu rentrer en Amérique le lendemain matin, mais il s'imaginait mal annuler le dîner avec Fletcher Warren au consulat d'Amérique le lendemain soir. « Ce n'est pas vraiment le genre de chose qu'entreprend un futur ambassadeur, mon vieux », entendait-il dire Sir Bernard.

Le dîner à l'ambassade américaine s'avéra une autre occasion agréable. Abel dut expliquer aux invités réunis pourquoi il avait mangé dans la cuisine du consulat britannique et ils l'écoutèrent dans une admiration étonnée. Il ignorait si beaucoup le crurent quand il raconta comment il avait failli perdre sa main, mais tous admirèrent le bracelet d'argent, et ce soir-là, tout le monde l'appela « Votre Excellence ».

# 54

Le lendemain, Abel, impatient de rentrer en Amérique, se réveilla tôt.

Le DC8 entra dans Belgrade où il fut interdit de vol pendant seize heures. Le train d'atterrissage semblait défaillant, lui apprit-on. Il s'assit dans la salle d'attente de l'aéroport, sirota du café yougoslave imbuvable, chercha un journal en anglais. Le contraste entre le consulat britannique à Istanbul et un snack-bar dans un pays sous dictature communiste ne lui échappa pas. Enfin, le DC8 décolla, mais fut retardé à Amsterdam. Cette fois, les passagers durent changer d'avion.

Lorsqu'il finit par atterrir à Idlewild, Abel voyageait depuis près de trente-six heures. Il était si fatigué qu'il pouvait à peine marcher. Quand il quitta les douanes, il se retrouva brusquement entouré de journalistes, de flashs d'appareils photo. Immédiatement, il sourit. Il songea que l'annonce avait dû être faite. Maintenant, c'était officiel. Il se tint le plus droit possible et avança lentement et dignement en camouflant sa claudication. Il n'y avait aucun signe de George alors que les cameramen se bousculaient sans cérémonie pour le filmer.

Puis il aperçut George en lisière de la foule, l'air d'assister à des funérailles et non au retour triomphant d'un ami. À la barrière, un journaliste, loin de lui demander ce qu'il pensait d'être le premier Américano-Polonais nommé ambassadeur américain à Varsovie, hurla :

— Que répondez-vous aux accusations ?

Les flashs continuaient à crépiter, et les questions aussi.

— Les accusations sont-elles fondées, monsieur Rosnovski ?

— Combien avez-vous réellement payé le député Osborne ?

— Niez-vous les accusations ?

— Êtes-vous rentré en Amérique pour passer en justice ?

Il hurla à George par-dessus la mêlée :

— Sors-moi de là !

George réussit à le rejoindre puis fendit la foule dans l'autre sens et le poussa à l'arrière de la Cadillac qui les attendait. Abel cacha sa tête entre ses mains alors que les flashs continuaient à crépiter. George cria au chauffeur de démarrer.

— Au Baron, monsieur Novak ?

— Non, à l'appartement de Mlle Rosnovski, sur la 57e Rue Est.

— Pourquoi ? fit Abel.

— Parce que le Baron est infesté de journalistes.

— Je ne comprends pas. À Istanbul, ils me traitent comme si j'étais l'ambassadeur élu et je rentre chez moi pour apprendre que je suis un criminel. Que se passe-t-il, bon sang, George ?

— Veux-tu que je te raconte tout ou préfères-tu attendre d'avoir vu ton avocat ?

— Mon avocat ? Tu as déjà trouvé quelqu'un pour me représenter ?

— H. Trafford Jilks, le meilleur.

— Et le plus cher.

— Je ne pense pas que tu doives te soucier de l'argent dans des moments pareils, Abel.

— Tu as raison, désolé. Où est-il en ce moment ?

— Je l'ai laissé au palais de justice, mais il a promis de nous rejoindre à l'appartement dès qu'il le pourrait.

— Je ne peux pas attendre aussi longtemps, George. Pour l'amour de Dieu, dis-moi ce qui se passe.

George respira profondément.

— Il y a un mandat d'arrêt contre toi.

— Pour quel motif ?

— Corruption de fonctionnaires.

— Je n'en ai jamais corrompu de ma vie, protesta Abel.

— Je sais, mais Henry Osborne, si, et quoi qu'il fît, il raconte maintenant partout que c'était en ton nom ou dans ton intérêt.

— Oh mon Dieu, fit Abel, je n'aurais jamais dû employer cet homme. J'ai laissé notre haine mutuelle pour Kane obscurcir mon jugement. Mais j'ai du mal à croire que Henry leur ait dit quelque chose, parce que lui-même est impliqué.

— Henry a disparu, expliqua George, et la grosse surprise, c'est que d'un seul coup, mystérieusement, toutes ses dettes ont été remboursées.

— William Kane, cracha Abel.

— Nous n'avons rien trouvé qui nous mène à cette conclusion.

— Alors comment les autorités ont-elles mis la main sur ces informations ?

— Apparemment, un paquet mystérieux contenant un épais dossier a été directement envoyé au ministère de la Justice à Washington.

— Posté de New York, j'imagine, suggéra Abel.

— Non. Chicago.

Abel resta silencieux quelques minutes.

— Henry n'a pas pu l'expédier, dit-il enfin. Ça n'est pas logique.

— Comment peux-tu en être aussi certain ? s'enquit George.

— Parce que tu as affirmé que toutes ses dettes avaient été remboursées. Le ministère de la Justice ne débourserait pas cette somme, à moins de penser qu'il va attraper Al Capone. Henry doit avoir vendu son dossier à quelqu'un d'autre. Mais qui ? La seule chose dont nous pouvons être sûrs, c'est qu'il n'aurait jamais donné cette information directement à Kane.

— Directement ?

— Directement, répéta Abel. Peut-être ne l'a-t-il pas vendue directement. Kane aurait pu s'arranger pour qu'un intermédiaire se charge de toute cette affaire, s'il savait déjà que Henry était profondément endetté et que les bookmakers le menaçaient.

— Ça pourrait être juste, Abel, et il ne faudrait sûrement pas être un détective génial pour découvrir l'étendue des problèmes financiers de Henry. N'importe quel pilier de bar de Chicago est au courant. Mais ne tire aucune conclusion avant d'entendre ce que ton avocat a à dire.

La Cadillac s'arrêta devant l'ancien logement de Florentyna, qu'Abel n'avait jamais vendu dans l'espoir que sa fille revienne un jour. H. Trafford Jilks les attendait dans l'entrée. Une fois qu'ils se furent installés dans l'appartement, George servit un grand whisky à Abel. Il le vida d'un trait et donna son verre vide à George, qui le remplit de nouveau.

— Dites-moi le pire, monsieur Jilks, commença Abel. Et ne m'épargnez pas.

— Je suis désolé, monsieur Rosnovski. M. Novak m'a parlé de Varsovie.

— C'est du passé. Nous n'avons donc pas besoin de nous encombrer de « Votre Excellence ». Vous pouvez être sûr que si l'on interrogeait Franck Logan, il ne se rappellerait même pas mon nom. Dites-moi, monsieur Jilks, qu'est-ce que j'encours ?

— Vous êtes inculpé de dix-sept chefs d'accusation de corruption et de subornation de fonctionnaires, dans quatorze États différents. J'ai pris des dispositions temporaires avec le ministère de la Justice pour que vous soyez arrêté ici dans cet appartement demain matin, et il ne verra aucune objection à la mise en liberté provisoire sous caution.

— Très commode, observa Abel. Et s'ils arrivent à prouver les chefs d'accusation ?

— Oh, je pense qu'ils parviendront à en démontrer certains, répondit H. Trafford Jilks d'un air détaché. Mais tant que l'on ne trouvera pas Henry Osborne, ils auront bien du mal à vous coincer sur tous ces chefs d'accusation. Mais je crains que le véritable mal ait déjà été fait, monsieur Rosnovski, que vous soyez reconnu coupable ou pas.

— Je ne le sais que trop, acquiesça Abel en jetant un coup d'œil sur une photo de lui à la une du *Daily News*. Je veux que vous découvriez, monsieur Jilks, qui donc a acheté ce dossier à Henry Osborne. Faites travailler tout le monde que vous pouvez dessus. Mais trouvez-le, et vite, parce que s'il s'avère qu'il s'agit de William Kane, je le démolirai une bonne fois pour toutes.

— Ne vous attirez pas encore plus de problèmes, monsieur Rosnovski, ordonna H. Trafford Jilks d'un ton ferme. Vous êtes suffisamment dans le pétrin comme cela.

— Ne vous inquiétez pas, répondit Abel. Lorsque j'achèverai Kane, ce sera légalement et honnêtement.

— Maintenant, écoutez bien, monsieur Rosnovski. Oubliez William Kane pour l'instant, et commencez à vous soucier de votre futur procès, à moins que vous ne vous moquiez éperdument de passer les dix prochaines années de votre vie en prison. Nous ne pouvons pas faire grand-chose de plus ce soir. J'ai déjà mis plusieurs hommes à la recherche d'Osborne, et je ferai une petite déclaration de presse demain qui niera les accusations, où j'affirmerai que nous avons une explication qui vous disculpera complètement.

— Vraiment ? demanda George, plein d'espoir.

— Non, répondit Jilks, mais cela me laissera le temps de travailler sur notre défense. Lorsque M. Rosnovski aura eu l'occasion de passer en revue la liste de fonctionnaires qu'il est censé avoir subornés, je ne serais pas étonné qu'il n'ait jamais eu de contact direct avec personne sur cette liste. Il est possible qu'Osborne ait joué les intermédiaires, sans jamais mettre M. Rosnovski au courant. Mon boulot consistera donc à prouver qu'Osborne a dépassé son pouvoir de directeur du groupe Baron. Surtout, monsieur Rosnovski, si jamais vous avez rencontré l'une des personnes répertoriées, pour l'amour de Dieu, dites-le-moi, parce que vous pouvez être sûr que le ministère de la Justice les convoquera toutes à la barre. Mais pour l'instant, allez vous coucher et essayez de dormir. Vous devez être épuisé. Je vous verrai demain à la première heure.

Abel fut arrêté dans l'appartement de sa fille à huit heures trente le lendemain matin et conduit par un *marshal* à la Cour fédérale du district sud de New York. Les décorations de la Saint-Valentin aux couleurs vives dans les vitrines des magasins ne firent qu'accentuer son sentiment de solitude. Jilks avait espéré que ses arrangements avaient été discrets de sorte que la presse n'en sache rien, mais lorsque Abel arriva au tribunal, il fut de nouveau assailli par les photographes et les journalistes. Il se fraya un passage à travers la foule hostile, George devant lui et Jilks derrière. Ils s'assirent en silence dans le couloir et attendirent qu'on les appelle.

Après avoir patienté plusieurs heures, on les convoqua enfin ; l'audience, qui ne dura que quelques minutes, fut un peu décevante. L'huissier lut les dix-sept chefs d'inculpation, et H. Trafford Jilks répondit « non coupable » à chacun d'entre eux au nom de son client. Il réclama ensuite la liberté provisoire. Le gouvernement, comme convenu, n'y vit aucune objection. Jilks demanda au juge Prescott au moins trois mois pour préparer sa défense. Le juge fixa la date du procès au 17 mai.

Abel était de nouveau libre : libre d'affronter la presse, leurs questions caustiques et les flashs qui crépitent. Le chauffeur l'attendait dans la voiture en bas des marches, portière arrière ouverte et moteur tournant. Il dut manœuvrer avec beaucoup d'habileté pour éviter les journalistes qui tenaient à leur article. Lorsque le véhicule s'arrêta sur la 57e Rue Est, Abel se tourna vers George et passa son bras sur son épaule.

— Maintenant, écoute, George, tu devras diriger le groupe pendant que je préparerai ma défense. Espérons que tu ne devras pas continuer après ça, ajouta-t-il, essayant de rire.

— Bien sûr que non, Abel. M. Jilks t'aidera à t'en tirer, tu verras. Garde le sourire, dit-il et il laissa les deux autres hommes quand ils entrèrent dans l'immeuble.

— Je ne sais pas ce que je ferais sans George, confia Abel à Jilks lorsqu'ils s'installèrent dans le salon de Florentyna. Nous sommes arrivés sur un bateau ensemble, il y a quarante ans et, depuis, nous avons vécu un tas de choses. Mais il semble que nous ayons du pain sur la planche, alors allons-y, mettons-nous au travail, monsieur Jilks. Avez-vous alpagué Osborne ?

— Non, mais six hommes y travaillent et je crois que le ministère de la Justice en a détaché six autres au moins, nous pouvons donc être sûrs que l'un de nous le trouvera. Non pas que nous souhaitions que l'autre camp le rattrape avant nous.

— Et le type à qui Osborne a vendu le dossier ? demanda Abel.

— J'ai des personnes de confiance à Chicago chargées de lui mettre la main dessus.

— Bien. Maintenant, le moment est venu d'examiner ce dossier de noms que vous m'avez laissé hier soir.

Jilks lut l'acte d'accusation, puis passa en revue, un à un, les chefs d'inculpation. Abel prit des notes.

Après pratiquement trois semaines de rencontres les unes à la suite des autres, Jilks finit par être convaincu qu'Abel ne pouvait rien lui dire de plus. Pendant ces trois semaines, ils ne trouvèrent aucune piste sur l'endroit où était passé Henry Osborne – ni les hommes de Jilks, ni le ministère de la Justice. Ils n'obtinrent pas non plus d'informations sur la personne à qui Henry avait vendu ces informations, et Jilks se demandait si Abel n'avait pas vu juste. Mais ils ne réussirent pas à constituer de lien direct avec William Kane.

Alors que la date du procès approchait, Abel commença à se faire à l'éventualité qu'il puisse effectivement aller en prison. Il avait cinquante-quatre ans et redoutait la perspective de passer les dernières années de sa vie de la même manière que les toutes premières. Comme H. Trafford Jilks le lui fit remarquer, si le gouvernement parvenait à prouver qu'il avait raison, le dossier d'Osborne contenait suffisamment de preuves pour envoyer Abel derrière les barreaux pour très longtemps. Il doutait que n'importe quelle nouvelle entreprise puisse se développer sans le genre d'aide et de petits pots-de-vin aux différentes personnes répertoriées avec une précision aussi écœurante dans le dossier de Jilks. Il pensa amèrement au visage glabre et impassible du jeune William Kane, assis dans son bureau de Boston, sur un tas d'argent hérité, dont les origines douteuses étaient bien enfouies sous des générations de respectabilité.

Un rayon de lumière vint illuminer la tristesse d'Abel. Florentyna écrivit une lettre touchante avec des photos de son fils, l'assurant qu'elle aimait et respectait encore son père, et croyait en son innocence.

Trois jours avant que le procès ne soit censé commencer, le ministère de la Justice retrouva la trace de Henry Osborne à La Nouvelle-Orléans. Il ne l'aurait jamais rattrapé s'il ne s'était pas présenté dans un hôpital local, les deux jambes cassées, pour ne pas avoir honoré plusieurs dettes de jeu. On n'aimait pas ce genre de choses, à La Nouvelle-Orléans. Une fois que l'hôpital eut plâtré Osborne, le ministère de la Justice l'escorta sur un vol de l'Eastern Airlines pour New York.

Le lendemain, Henry Osborne fut accusé de complot d'escroquerie et se vit refuser la liberté provisoire. H. Trafford Jilks demanda la permission de la cour de l'interroger. Le juge accéda à sa requête, mais Jilks ne tira pas grande satisfaction de cet échange d'une heure. Il était évident qu'Osborne avait déjà conclu un marché avec le gouvernement et accepté de témoigner contre Abel en échange de charges moins lourdes.

— M. Osborne trouvera sûrement que les charges retenues contre lui sont étonnamment clémentes, commenta l'avocat d'un ton pince-sans-rire.

— Voilà à quoi il joue, dit Abel. J'écope pour lui et lui, il s'en sort. Maintenant, nous ne saurons jamais à qui il a proposé ce foutu dossier.

— Non, c'était la seule chose dont il était prêt à parler. Il m'a assuré que ce n'était pas William Kane. Il m'a affirmé qu'il ne l'aurait jamais vendu à Kane, quelle que soit son offre. Un homme de Chicago, un dénommé Harry Smith, a payé vingt-cinq mille dollars à Henry pour mettre la main dessus. Croyez-le ou pas, Harry Smith était un nom d'emprunt; il y en a des dizaines dans la banlieue de Chicago, et aucun d'eux ne correspond à la description.

— Trouvez-le, ordonna Abel. Et trouvez-le avant le début du procès.

— Nous travaillons jour et nuit dans ce but, l'assura Jilks. S'il est toujours à Chicago, nous retrouverons sa trace. Osborne affirme que ce prétendu Harry Smith lui a garanti qu'il ne désirait les informations qu'à des fins personnelles, et qu'il n'avait nullement l'intention de les révéler à qui que ce soit au pouvoir.

— Alors pourquoi les voulait-il pour commencer ?

— Nous en avons déduit que c'était pour faire du chantage. Voilà pourquoi Osborne a disparu : il souhaitait vous éviter. En y réfléchissant, monsieur Rosnovski, il pourrait bien dire la vérité. Après tout, le contenu du dossier lui est extrêmement préjudiciable et il a dû être aussi inquiet que vous quand il a appris qu'il se trouvait entre les mains du ministère de la Justice. Pas étonnant qu'il ait essayé de faire profil bas, avant d'accepter de témoigner contre vous une fois qu'ils l'auraient rattrapé.

— Savez-vous, dit Abel, que la seule raison pour laquelle j'ai embauché Osborne, c'était parce qu'il détestait William Kane autant que moi ? Et voilà que Kane en tire parti.

— Il n'existe aucune preuve que M. Kane a été impliqué d'une façon ou d'une autre, déclara M. Jilks.

— Je n'en ai pas besoin.

Le procès fut ajourné à la demande de l'accusation, qui prétexta avoir besoin de plus de temps pour interroger Henry Osborne, désormais leur principal témoin. Trafford Jilks s'y opposa fermement, et informa la cour que la santé de son client, qui n'était plus un jeune homme, se détériorait sous la pression des fausses allégations contre lui. Cet argument n'émut pas le juge Prescott qui accepta la requête de l'accusation et repoussa l'audience quatre semaines plus tard.

Ces vingt-huit jours parurent interminables à Abel et, l'avant-veille de l'ouverture du procès, il se résigna à être reconnu coupable et à affronter une longue peine de prison. Puis l'enquêteur de Jilks à Chicago mit la main sur l'homme qui se faisait appeler Harry Smith. Il s'agissait en réalité d'un détective privé local qui avait utilisé un faux nom sous les ordres stricts de son client, un cabinet d'avocats de New York. Cela coûta mille dollars à Jilks et une journée de plus avant que « Harry Smith » ne révèle que l'entreprise en question était Cohen, Cohen et Yablons.

— Thaddeus Cohen est l'avocat personnel de Kane. Cela remonte à Harvard, expliqua Abel. Et à l'époque, lorsque j'ai racheté le groupe hôtelier à l'établissement de Kane, un certain Thomas Cohen s'était chargé d'une partie de la paperasserie. Pour une raison quelconque, la banque a fait appel à deux avocats pour la transaction.

— Que veux-tu que je fasse de cela ? demanda George à Abel.

— Rien, l'interrompit Trafford Jilks. Nous n'avons pas besoin de nouveaux problèmes avant l'audience. Compris, monsieur Rosnovski ?

— Oui, répondit Abel. Je m'occuperai de Kane une fois le procès terminé. Maintenant, écoutez, monsieur Jilks, et écoutez bien : vous devez retourner voir Osborne immédiatement et lui annoncer que « Harry Smith » a directement transmis le dossier à William Kane. Et que celui-ci s'en sert pour se venger de nous deux, et insister sur « nous deux ». Je vous le promets, lorsque Osborne apprendra cela, il ne dira pas un mot à la barre, quelles que soient les promesses qu'il ait faites au ministère de la Justice. Henry Osborne est le seul homme vivant qui doit détester Kane plus que moi.

— Si ce sont vos instructions, déclara Jilks, qui n'était franchement pas convaincu, je vais m'y conformer, mais je dois vous prévenir, monsieur Rosnovski, qu'Osborne rejette clairement la responsabilité sur vos épaules et jusqu'à aujourd'hui, il ne nous a pas du tout aidés.

— Vous pouvez me croire sur parole, monsieur Jilks. Son attitude changera à la minute où vous lui parlerez de l'implication de Kane.

H. Trafford Jilks obtint la permission de rester dix minutes de plus avec Henry Osborne dans sa cellule. Celui-ci écouta, mais ne dit rien. Jilks estima que cette nouvelle ne produisait aucun effet sur lui, mais décida d'attendre le lendemain matin pour en informer Abel. Il voulait que son client passe une bonne nuit de sommeil avant l'ouverture de son procès.

Quatre heures avant le début de l'audience, Henry Osborne fut retrouvé pendu dans sa cellule par le garde qui lui apporta son petit déjeuner.

Il s'était servi d'une cravate de Harvard.

Le procès s'ouvrit pour le gouvernement sans son témoin clé, et le procureur implora le juge d'un nouveau report. Après avoir écouté un autre discours passionné de H. Trafford sur l'état de santé de son client, le juge Prescott refusa cette requête.

Le public s'enthousiasma pour le procès du baron de Chicago à la télévision et dans les journaux, et au grand désarroi d'Abel, Zaphia était assise au premier rang de la tribune réservée au public, appréciant clairement chaque minute de son malaise. Après neuf jours d'audience, l'accusation comprit que ses arguments n'étaient pas valables et proposa un marché. Durant un ajournement, Jilks informa Abel de leur proposition.

— Ils laisseront tomber les principales charges de corruption si vous plaidez coupable de délit sur deux des chefs d'inculpation mineurs de tentative d'avoir malhonnêtement influencé un fonctionnaire.

— D'après vous, quelles chances ai-je de m'en tirer complètement si je refuse ?

— Cinquante-cinquante, d'après moi, répondit Jilks.

— Et si je ne m'en sors pas ?

— Prescott est coriace. La condamnation serait de six ans minimum, pas un jour de moins.

— Et si j'acceptais le marché et plaidais coupable ?

— Une grosse amende. Je serais étonné que la peine soit plus lourde que cela.

Abel garda le silence quelques minutes, réfléchissant aux alternatives.

— Je vais plaider coupable. Finissons-en une bonne fois pour toutes.

Le procureur informa le juge qu'ils abandonnaient quinze des chefs d'inculpation retenus contre Abel Rosnovski. H. Trafford Jilks se leva et annonça à la cour que son client souhaitait plaider coupable des deux chefs d'accusation de délit restants. Le jury fut dissous. Le juge Prescott se montra intransigeant dans son résumé, expliqua bien clairement à Abel que le droit de faire des affaires n'incluait pas celui de suborner des fonctionnaires. La corruption était un délit, et pire encore lorsqu'un homme intelligent et compétent, qui ne devrait pas s'adonner à des telles bassesses, fermait les yeux. Dans d'autres pays, poursuivit-il d'un ton entendu, donnant une fois de plus l'impression à Abel d'être un pauvre immigré, la corruption a beau être un mode de vie admis, ce n'était pas le cas aux États-Unis d'Amérique. Il le condamna à une peine de six mois avec sursis ainsi qu'à une amende de vingt-cinq mille dollars, plus les frais.

George le raccompagna au Baron où ils burent du whisky dans sa suite pendant plus d'une heure avant qu'Abel ne prenne la parole.

— George, je veux que tu contactes Peter Parfitt et que tu lui paies le million de dollars qu'il réclame pour ses deux pour cent de Lester's. Une fois que je posséderai huit pour cent de la banque, j'invoquerai l'article sept et forcerai William Kane à capituler au sein de sa propre salle de conférences.

George opina tristement, conscient qu'à peine une bataille venait de se terminer, une autre était sur le point de commencer.

Quelques jours plus tard, le ministère des Affaires étrangères annonça que la Pologne s'était vu octroyer le statut de nation la plus favorisée dans le commerce extérieur avec les États-Unis, et que John Moors Cabot serait le prochain ambassadeur américain à Varsovie.

# 55

En une soirée de février glaciale, William Kane s'installa confortablement dans son fauteuil et relut le rapport de Thaddeus Cohen.

Henry Osborne avait remis le dossier qui contenait toutes les informations dont il avait besoin pour achever Abel Rosnovski, empocher ses vingt-cinq mille dollars et disparaître. « Lui tout craché », songea William en rangeant la copie du dossier dans son coffre-fort. Thaddeus Cohen avait envoyé l'original au ministère de la Justice à Washington D.C.

Une fois que Rosnovski était rentré de Turquie, et s'était fait arrêter, William avait attendu qu'il se venge, qu'il écoule aussitôt toutes ses actions Interstate à bas prix. Cette fois, il était prêt. Il avait prévenu son courtier qu'Interstate risquait d'être mis sur le marché en grosses quantités, et ses ordres étaient clairs. Les actions devaient être achetées immédiatement, afin que le prix ne baisse pas. Il était disposé à sortir l'argent de son fonds en fidéicommis en guise de mesure à court terme, pour éviter toute friction à la banque. Il avait également fait circuler une note de service à tous les actionnaires de Lester's, qui les priait de ne pas vendre de titres d'Interstate sans l'avoir consulté au préalable.

Comme les semaines passaient et que Rosnovski ne bougeait pas, William commença à croire que Thaddeus Cohen ne s'était pas trompé en lui certifiant que l'on ne pourrait pas remonter à lui. Rosnovski devait imputer toute la responsabilité à Osborne.

Cohen avait prédit que, avec Osborne en témoin clé de l'accusation, Rosnovski se retrouverait derrière les barreaux pour un long moment, ce qui l'empêcherait d'invoquer l'article sept, et il ne représenterait plus jamais de menace ni pour la banque ni pour William. Ce dernier espérait qu'une inculpation pourrait aussi faire recouvrer ses esprits à Richard et qu'il rentrerait chez lui. Ces révélations sur le père de la fille Rosnovski ne pouvaient que l'embarrasser, et il s'apercevrait que son propre père avait eu raison depuis le début. Le divorce constituerait la défense ultime de William.

Celui-ci aurait réservé un bon accueil à Richard à son retour. Deux places étaient vacantes au conseil d'administration de Lester's, à cause du départ en retraite de Tony Simmons et de la mort récente de Ted Leach. Thaddeus Cohen l'avait également informé que Richard avait réalisé une série de brillantes acquisitions au nom de Florentyna, mais devenir le prochain président de Lester's signifierait sûrement plus pour lui que travailler pour une boutique de robes.

L'autre élément qui encouragea William fut qu'il se moquait éperdument de la nouvelle génération de directeurs. Jake Thomas, le vice-président, restait le favori pour lui succéder en tant que président. Il avait beau être sorti diplômé de Princeton avec mention très honorable, il était tapageur – bien trop, songea William – et beaucoup trop ambitieux, pas du tout l'homme qu'il fallait à la tête de Lester's. William devrait patienter jusqu'à son soixante-cinquième anniversaire, dans onze ans, espérant qu'il pourrait convaincre son fils longtemps avant de le rejoindre à la banque, à New York. Il savait que Kate aurait accepté son retour sous n'importe quelle condition, mais plus les années passaient, plus il devenait difficile de reconnaître son erreur. Heureusement, Virginia, heureuse en mariage, était enceinte. Si Richard refusait de laisser tomber la fille Rosnovski et de rentrer, il léguerait tout à Virginia – à condition qu'elle lui donne un petit-fils.

William était assis à son bureau à la banque lorsqu'il eut sa première crise cardiaque. Elle n'était pas grave, et son médecin l'assura qu'il pourrait vivre encore vingt ans s'il était prêt à ralentir le rythme.

William passa sa convalescence chez lui, autorisant, la mort dans l'âme, Jake Thomas à assumer l'entière responsabilité des décisions bancaires en son absence. Mais il devint vite agité, désobéit aux ordres du docteur et retourna au bureau. Il rétablit rapidement son statut de président, de peur que Thomas ait pris un peu trop de pouvoir durant son rétablissement.

De temps en temps, Kate trouvait le courage de lui suggérer de contacter Richard directement. Mais William demeurait intraitable.

— Il sait qu'il peut revenir quand il le veut. Tout ce qu'il doit faire, c'est mettre un terme à sa relation avec cette femme.

Le jour où Henry Osborne se suicida, William eut sa deuxième crise cardiaque. Kate resta à son chevet toute la nuit, et son obsession du futur procès d'Abel Rosnovski réussit on ne sait comment à le tenir en vie. Il le suivit dans les colonnes du *New York Times* même s'il savait que la mort d'Osborne mettrait brusquement Rosnovski en position de force.

Lorsque celui-ci s'en tira avec une petite peine de six mois avec sursis et une amende de vingt-cinq dollars, William fut tellement affligé que Kate craignit une nouvelle attaque cardiaque. Il n'était pas difficile d'imaginer que le gouvernement avait dû passer un marché avec l'avocat de Rosnovski. Mais quelques jours plus tard, William fut étonné de culpabiliser légèrement, et de se sentir quelque part soulagé que Rosnovski n'ait pas été envoyé en prison.

Une fois le procès terminé, William se moquait bien que Rosnovski écoule ses actions d'Interstate Airways ou pas. Cette fois, il l'attendait. Mais il ne se passait toujours rien, et au fil des semaines, William commença à se désintéresser du baron de Chicago et ne pensa plus qu'à Richard, qu'il mourait désormais d'envie de revoir.

« Le vieil âge et la peur de mourir justifient les brusques changements d'avis », avait-il lu un jour.

Un matin de septembre, il annonça à Kate qu'il avait changé d'avis. Elle ne l'interrogea pas, cela lui suffisait que William accepte enfin de se réconcilier avec son fils.

— Je vais l'appeler immédiatement et les inviter tous les deux à New York, déclara-t-elle.

Et elle fut agréablement surprise que les mots « tous les deux » ne fassent pas piquer de colère à son mari.

— Bien, répondit William d'un ton calme, s'il te plaît, explique à Richard que je veux le revoir avant de mourir.

— Ne sois pas idiot, chéri. Le médecin a affirmé que si tu travaillais moins, tu pourrais vivre encore vingt ans.

— Je désire simplement achever mon mandat de président et que Richard prenne ma place. Cela suffira. Et si tu repartais sur la côte lui dire combien j'aimerais le voir – il hésita avant d'ajouter –, les voir tous les deux.

— Comment ça, « repartais » ? demanda nerveusement Kate.

William sourit.

— Je sais que tu t'es rendue à plusieurs reprises à San Francisco au fil des années, ma chérie. Chaque fois que je partais plus d'une semaine en voyage d'affaires, tu trouvais toujours le prétexte d'aller voir ta mère. Quand elle est morte l'an dernier, tes excuses devinrent de plus en plus improbables. Tu es aussi adorable que le jour où je t'ai rencontrée, mais je crois qu'à cinquante-quatre ans, il n'y a pas de risques que tu prennes un amant. Donc ça n'a pas été trop compliqué de deviner que tu rendais visite à Richard.

— Pourquoi ne m'as-tu pas dit plus tôt que tu le savais ?

— Au fond de moi, j'étais content. Je détestais l'idée que nous perdions contact avec notre fils unique. Comment va-t-il ?

— Tous les deux vont bien, et tu as maintenant une petite-fille, ainsi qu'un petit-fils.

— Une petite-fille, répéta William.

— Oui, elle s'appelle Annabel.

— Et mon petit-fils ? s'enquit-il.

Lorsque Kate lui apprit son nom, il fut obligé de sourire. Ce n'était qu'un demi-mensonge.

— Bien, lança-t-il. Espérons que Richard n'est pas aussi têtu que moi, et acceptera de me voir. Dis-lui que je l'aime.

Il avait autrefois entendu un autre homme déclarer la même chose quand on lui avait annoncé qu'il allait perdre son fils.

Kate n'avait pas été aussi heureuse depuis des années. Elle appela Richard plus tard ce soir-là, pour lui faire savoir qu'elle viendrait très bientôt leur rendre visite et que cette fois, elle apporterait de bonnes nouvelles.

Lorsque Kate revint à New York trois semaines plus tard, elle annonça à William que Richard et Florentyna avaient accepté de leur rendre visite. Elle avait plein d'anecdotes à lui raconter sur leurs succès respectifs, sur le petit-fils de William, le portrait tout craché de son grand-père, sur leur magnifique petite-fille Annabel, et sur Richard, qui avait hâte de retourner à New York pour voir son père et de lui présenter sa femme. William apprécia tout ce qu'il entendit sur Florentyna. Il commençait à craindre que si Richard ne rentrait pas bientôt, il ne le ferait jamais, et la présidence de Lester's tomberait tout cuit dans le bec de Jake Thomas. Il ne voulait pas y penser. Quand il écouta Kate, il se surprit à être heureux, et plus en paix avec lui-même que depuis des années.

William retourna travailler le jeudi suivant, après avoir bien récupéré de sa deuxième crise cardiaque, et estimant avoir désormais une perspective.

À son arrivée, le portier le salua et lui annonça que Jake Thomas l'attendait. William remercia l'employé le plus ancien de la banque – la seule personne qui avait travaillé pour Lester's plus longtemps que lui.

— Rien de si important qui ne puisse attendre, Harry, rétorqua-t-il.

— Non, monsieur.

William longea lentement le couloir jusqu'au bureau du président. Quand il ouvrit sa porte, il trouva Jake Thomas assis dans son fauteuil.

— Ai-je été absent si longtemps ? s'enquit-il en riant. Ne suis-je plus le président du conseil ?

— Bien sûr que si, répondit Thomas en se levant. Bienvenue, William.

Celui-ci n'avait jamais réussi à s'habituer à la façon qu'avaient les plus jeunes d'appeler les autres par leurs prénoms avec une telle nonchalance. Thomas et lui ne se connaissaient que depuis quelques années et l'homme ne devait pas avoir plus de quarante ans.

— Alors quel est le problème ?

— Abel Rosnovski, répondit Thomas, sans expression.

Sa réponse fit l'effet d'un coup de poing à William.

— Que veut-il cette fois ? demanda-t-il d'un ton las. Ne va-t-il même pas me laisser finir mes jours en paix ?

— Il a l'intention d'invoquer l'article sept, et d'organiser une réunion à distance dans le seul but de vous destituer en tant que président du conseil d'administration.

— Il ne peut pas. Il ne possède pas les huit pour cent nécessaires, et les statuts de la banque sont clairs : le président doit être immédiatement informé si une tierce personne entre en possession des huit pour cent des actions.

— Il prétend qu'il détiendra les deux pour cent restant d'ici ce soir, à la fermeture.

— C'est impossible, rétorqua William. Je surveille tous les titres de très près. Personne n'envisagerait de vendre à Rosnovski. Personne.

— Et Peter Parfitt ?

William fit un sourire triomphant.

— J'ai acheté les siens il y a un an, par l'intermédiaire d'un tiers.

Jake parut choqué et aucun des deux ne parla pendant un moment. William réalisa pour la première fois combien Thomas souhaitait le remplacer à la présidence de Lester's.

— Bien, dit Thomas, une fois qu'il eut repris ses esprits. Le fait est que Rosnovski prétend qu'il détiendra huit pour cent ce soir, ce qui lui donnerait le droit d'élire trois directeurs au conseil et de prendre n'importe quelle grande décision de principe pendant trois mois minimum – les dispositions mêmes que vous avez intégrées dans les statuts afin de vous protéger à long terme. Il a également l'intention d'organiser une conférence de presse lundi matin pour exposer ses projets pour l'avenir de la banque. Comme si cela ne suffisait pas, il menace de faire une contre-OPA sur la société si jamais il rencontrait la moindre opposition. Il a clairement expliqué qu'une seule chose le ferait changer d'avis.

— Laquelle ?

— Que vous présentiez votre démission en tant que président.

— C'est du chantage ! protesta William, qui criait presque.

— Peut-être, mais si vous n'avez pas démissionné d'ici lundi, il a l'intention d'écrire à tous les actionnaires pour réclamer votre départ. Et il a déjà réservé des colonnes dans quarante quotidiens et magazines.

— Est-il devenu fou ? demanda William en sortant un mouchoir de sa poche poitrine pour s'essuyer le front.

— Ce n'est pas tout, poursuivit Thomas. Il exige également qu'aucun Kane ne vous remplace au conseil au cours des dix prochaines années, et que vous n'invoquiez pas une quelconque raison de santé pour justifier votre démission ni en fait aucune autre raison que ce soit.

Thomas lui tendit un document interminable qui portait l'en-tête du groupe Baron.

— Fou, répéta William, une fois qu'il eut passé le contenu en revue.

— Quoi qu'il en soit, j'ai prévu une réunion du conseil pour dix heures demain matin, expliqua Thomas. Nous ne pouvons pas éviter plus longtemps de discuter de ses exigences.

Sans rien dire, il quitta la pièce et ferma doucement la porte derrière lui.

Personne d'autre n'interrompit William de la journée. Il resta seul, assis à son bureau, tâchant de contacter ses administrateurs externes. Mais il ne réussit qu'à parler avec un ou deux; il s'aperçut bien vite qu'il ne pourrait pas s'assurer leur soutien, et que la réunion de demain serait une lutte serrée. Il consulta la liste des actionnaires, et fut sûr et certain qu'aucun ne vendrait ses actions. Il rit en lui-même. Rosnovski tomberait au premier obstacle.

William rentra chez lui tôt cet après-midi et se retira dans son bureau pour réfléchir à une tactique afin de vaincre Rosnovski pour la dernière fois. Il ne se coucha pas avant trois heures du matin, heure à laquelle il sut exactement ce qu'il allait faire.

# 56

William arriva bien préparé à la réunion du conseil, et s'assit dans son bureau où il relut ses notes. Il était persuadé que son plan avait pris la moindre éventualité en compte. À dix heures moins cinq, sa secrétaire l'appela.

— Un certain M. Rosnovski en ligne pour vous, monsieur le président.

— Quoi ?

— M. Rosnovski.

— M. Rosnovski ? *(William répéta le nom, incrédule.)* Passez-le-moi, fit-il d'une voix légèrement tremblante.

— Bien, monsieur.

— Monsieur Kane ?

Ce léger accent que William n'oublierait jamais.

— Oui. Qu'essayez-vous donc de faire cette fois ? demanda-t-il d'un ton las.

— Selon les statuts de la banque, je dois vous informer que je suis en possession de huit pour cent des actions de Lester's, et j'ai l'intention d'invoquer l'article sept, sauf si mes exigences sont satisfaites d'ici lundi midi.

— À qui avez-vous acheté les deux autres pour cent ? bégaya William.

On raccrocha. William regarda la liste des actionnaires et tâcha de trouver qui l'avait trahi. Il tremblait encore lorsque le téléphone sonna de nouveau.

— Les membres du conseil vous attendent, monsieur.

William entra dans la salle de conférences à dix heures trois. Quand il passa la table en revue, il se rendit compte qu'il connaissait très peu la plupart des jeunes directeurs. Mais la dernière fois qu'il avait dû se battre pour devenir président, il n'en connaissait pas plus et il avait tout de même remporté la victoire. Il sourit en lui-même, assez sûr de mettre Rosnovski au pied du mur. Lorsqu'il se leva pour s'adresser au conseil, son discours était bien préparé.

— Messieurs, j'ai requis cette réunion parce que la banque a reçu une demande de la part de M. Rosnovski, du groupe Baron, un criminel reconnu coupable, qui a eu l'audace de me menacer directement, à savoir, qu'il se servirait des huit pour cent qu'il détient dans cette banque pour nous embarrasser. Si sa tactique échouait, il tenterait une contre-OPA, à moins que je ne démissionne en tant que président du conseil, sans donner d'explication. Il ne me reste que neuf ans à ce poste, et si je devais m'en aller avant, ma démission serait très mal interprétée à Wall Street.

Il jeta un coup d'œil sur ses notes.

— Je suis prêt, messieurs, à mettre tout mon actionnariat dans cette banque, et dix millions de dollars supplémentaires de mon fonds en fidéicommis privé à la disposition du conseil, afin de contrer la moindre action de M. Rosnovski, et, de ce fait, d'assurer Lester's contre toute perte financière. J'espère, messieurs, que je peux compter sur votre soutien sans faille. Je suis sûr que vous ne céderez pas à la grossière tentative de chantage de Rosnovski.

Le silence se fit dans la salle. William était certain qu'il avait remporté la victoire jusqu'à ce que Jake Thomas demande si le conseil pouvait l'interroger sur ses relations avec Rosnovski. Cette requête le prit au dépourvu, mais il accepta sans hésiter. Jake Thomas ne lui faisait pas peur.

— Cette vendetta entre M. Rosnovski et vous, déclara Thomas, dure depuis plus de trente ans. Croyez-vous que si nous approuvions votre proposition, cela marquerait la fin de cette histoire ?

— Qu'est-ce que cet homme peut faire d'autre ? Que peut-il faire d'autre ? bafouilla William en cherchant du soutien du regard dans la salle de conférences.

— Nous ne pouvons pas prévoir sa prochaine action, affirma Thomas.

— Et avec les huit pour cent qu'il détient dans cette institution, il peut tous nous tenir en otage, ajouta Hamilton, le nouveau secrétaire général – pas le choix de William, il parlait trop. Tout ce que nous savons, c'est qu'aucun de vous deux ne souhaite mettre un terme à cette vendetta. Bien que vous proposiez dix millions de dollars de vos fonds propres pour protéger la situation financière de la banque, si Rosnovski devait en permanence retarder les décisions de principe, convoquer des réunions par procuration, et organiser des OPA, sans se soucier des intérêts de l'établissement à long terme, cela pourrait provoquer la panique chez nos investisseurs, et nos concurrents risqueraient d'en tirer profit. La banque et ses filiales, envers lesquelles nous avons un devoir fiduciaire en tant que directeurs, seraient au mieux extrêmement embarrassées et au pire, pourraient finir par s'effondrer.

— Non, non, dit William. Avec mon soutien personnel, nous pourrions l'affronter.

— La décision que nous devons prendre aujourd'hui, poursuivit le secrétaire général, qui paraissait aussi bien préparé que William, consiste à déterminer s'il y a des circonstances dans lesquelles le conseil a intérêt à faire front à M. Rosnovski ou si cela ferait de nous des perdants sur le long terme.

— Pas si je couvrais les frais avec mon fonds en fidéicommis personnel, déclara William.

— L'argent n'est pas le seul enjeu, répliqua Thomas. Maintenant que Rosnovski sait qu'il peut invoquer l'article sept, la banque pourrait se retrouver en train de passer tout son temps à essayer de prévoir sa prochaine action.

Thomas attendit que ses paroles fassent leur effet, avant de poursuivre :

— Maintenant, je vais vous poser une question personnelle très sérieuse, monsieur le président, qui tracasse chacun de nous autour de cette table. J'espère que vous serez extrêmement franc lorsque vous répondrez, aussi désagréable cela soit-il.

William leva les yeux, se demandant de quoi il pouvait bien s'agir. De quoi avaient-ils discuté dans son dos ?

— Je répondrai à toutes les interrogations du conseil d'administration. Je n'ai rien à cacher et je n'ai peur de personne.

Il regarda Thomas d'un air entendu.

— Merci, rétorqua celui-ci sans broncher. Monsieur le président, êtes-vous d'une façon ou d'une autre impliqué dans l'envoi d'un dossier au ministère de la Justice à Washington, lequel a provoqué l'arrestation de M. Rosnovski qui a été inculpé de fraude, alors que vous saviez parfaitement qu'il était un actionnaire principal de la banque ?

— Vous a-t-il dit cela ? demanda William.

— Oui, il prétend que vous étiez la seule raison de son arrestation.

William réfléchit brièvement à sa réponse. Il n'avait jamais menti au conseil en plus de vingt-trois ans, et il n'avait pas l'intention de commencer maintenant.

— Oui, c'est vrai, acquiesça-t-il, brisant le silence. Une fois que j'ai reçu les informations, j'ai estimé que ce n'était que mon devoir de les transmettre au ministère de la Justice.

— Comment les avez-vous eues entre les mains ?

William ne répondit pas.

— Je pense que nous connaissons tous la réponse à cette question, monsieur le président, poursuivit Thomas. De plus, vous avez décidé d'agir sans en informer le conseil, en nous faisant courir un danger à tous. À nos réputations, à nos carrières, à tout ce que cette institution représente – tout cela à cause d'une vendetta personnelle.

— Mais Rosnovski essayait de me mettre sur la paille ! protesta William, conscient qu'il criait.

— Donc, pour le ruiner, vous avez risqué la stabilité à long terme de la banque ainsi que sa réputation.

— C'est ma banque, répondit William.

— Ce n'est pas la vôtre, répliqua Thomas d'un ton ferme. Vous possédez huit pour cent des actions, comme M. Rosnovski. Vous êtes peut-être président en ce moment, mais elle ne vous appartient pas pour l'utiliser selon vos lubies personnelles, sans consulter les autres directeurs.

— Alors, je vais demander un vote de confiance au conseil, rétorqua William. Je vais vous prier de me soutenir contre Abel Rosnovski.

— Ce n'est pas un vote de confiance qu'il faudrait, riposta le secrétaire général. Mais savoir si vous êtes la personne indiquée pour continuer à diriger cette banque en les circonstances actuelles. Comprenez-vous ce que je veux dire, monsieur le président ?

— Alors soit, acquiesça William. Le conseil doit décider s'il souhaite mettre un terme à ma carrière en disgrâce après un service de près d'un quart de siècle, ou capituler devant les menaces d'un criminel reconnu coupable.

Jake Thomas gratifia le secrétaire général d'un signe de tête, et des bulletins de vote furent distribués à chaque membre du conseil. William commençait à se dire que tout avait été planifié longtemps avant la réunion. Il passa en revue la tablée de vingt-neuf hommes. Dont beaucoup qu'il avait choisis lui-même. Certains ne laisseraient sûrement pas Rosnovski le destituer de son propre conseil d'administration. Pas maintenant. Pas de cette façon.

Il observa les membres donner leurs bulletins de vote au secrétaire. Puis Hamilton les ouvrit lentement et nota méticuleusement chaque « oui » et chaque « non » dans deux colonnes, sur une feuille de papier devant lui. William constata qu'une liste était beaucoup plus longue que l'autre, mais sans parvenir à déchiffrer laquelle.

Enfin, le secrétaire annonça que toutes les voix avaient été comptabilisées. Il déclara ensuite solennellement que William Kane avait perdu le vote de confiance par dix-sept voix contre douze.

William ne pouvait pas croire ce qu'il entendait. Abel Rosnovski l'avait battu au sein de son propre conseil d'administration. Il réussit à se lever à l'aide de sa canne, mais personne ne parla lorsqu'il quitta la salle de conférences. Il se rendit dans son bureau, prit son manteau et s'arrêta pour jeter un œil au portrait de Charles Lester pour la dernière fois, avant de descendre lentement le long couloir en direction de l'entrée principale.

Harry lui ouvrit la porte et dit :

— Content de vous revoir, monsieur le président. À demain, monsieur.

William réalisa qu'il ne reverrait plus jamais Harry. Il se tourna et serra la main à l'homme qui l'avait orienté vers la salle de conférences vingt-trois ans auparavant.

Harry eut l'air surpris.

— Bonne soirée, monsieur, lança-t-il en le regardant monter à l'arrière de la voiture qui le raccompagnait chez lui.

Lorsque William descendit du véhicule sur la 68e Rue Est, il s'écroula sur le trottoir devant chez lui. Le chauffeur et Kate durent l'aider à gravir les marches de sa demeure. Kate constata qu'il pleurait quand elle le prit dans ses bras.

— Qu'y a-t-il, William ? Que s'est-il passé ?

— Je me suis fait jeter de la banque, sanglota-t-il. Mon propre conseil n'a plus confiance en moi. Qui plus est, ils ont soutenu Rosnovski.

Kate réussit à le mettre au lit et le veilla toute la nuit. Il ne dit rien d'autre. Il ne dormit pas non plus.

L'annonce dans le *Wall Street Journal* le lundi matin suivant fut concise : « William Lowell Kane, le président-directeur général de Lester's Bank, a démissionné suite à la dernière réunion du conseil de vendredi dernier. » Aucune explication n'était donnée sur son départ soudain, et rien ne suggérait que son fils le remplace au conseil. William resta assis dans son lit ce matin-là, conscient que les rumeurs couraient dans tout Wall Street, et que l'on supposerait le pire. Désormais, il s'en fichait éperdument.

Une fois qu'Abel Rosnovski eut lu la même annonce, il décrocha son téléphone, composa le numéro de la banque Lester's et demanda à parler au nouveau président. Quelques minutes plus tard, Jake Thomas répondit.

— Bonjour, monsieur Rosnovski.

— Bonjour, monsieur Thomas. Je vous appelle juste pour confirmer que je transférerai toutes mes actions d'Interstate Airways à la banque ce matin, au prix du marché, et que je vous vendrai personnellement mes huit pour cent, pour la somme de deux millions de dollars.

— Merci, monsieur Rosnovski, c'est très généreux de votre part.

— Inutile de me remercier, monsieur le président, rétorqua Abel. Ce n'est rien de plus que ce que nous avions convenu lorsque vous m'avez cédé vos deux pour cent.

HUITIÈME PARTIE

# 1963-1967

# 57

Abel fut étonné de constater que cet ultime triomphe ne lui procurait que peu de satisfaction. Une victoire à la Pyrrhus.

George tâcha de le convaincre de se rendre à Varsovie pour chercher d'éventuels sites pour le nouveau Baron, mais cela ne l'intéressait pas. En vieillissant, il avait peur de mourir à l'étranger sans avoir revu sa fille Florentyna et pendant des mois, il ne montra que très peu d'intérêt envers les activités du groupe.

Lorsque John F. Kennedy fut assassiné le 22 novembre 1963, Abel déprima encore plus, et commença à craindre pour sa nation d'adoption. En fin de compte, George réussit à le convaincre qu'un voyage ne lui ferait pas de mal, et qu'il pourrait même revenir revigoré.

Abel suivit les conseils de George, et s'envola directement pour Varsovie, ce qu'il pensait ne jamais entreprendre de son vivant. Sa maîtrise de la langue ainsi que le fait qu'il s'était longtemps battu pour la reconnaissance de la Pologne lui permirent de s'assurer un accord confidentiel de la part du gouvernement pour construire le premier Baron en pays communiste. Il fut ravi de devancer Conrad Hilton et Charles Forte en tant que premier hôtelier international derrière le rideau de fer. Mais il ne pouvait s'empêcher de penser... et cela ne s'améliora pas lorsque Lyndon Johnson nomma John Gronowski premier ambassadeur américano-polonais. Mais rien ne semblait plus lui donner de véritable satisfaction. Il avait beau avoir vaincu William Kane, il avait perdu sa fille, et il imaginait que Kane connaissait le même problème avec son fils.

Une fois l'accord de Varsovie signé, il parcourut le monde, séjourna dans ses hôtels existants, assista à la construction de nouveaux et choisit des sites pour ceux qu'il ne verrait peut-être pas de son vivant. À Cape Town, il inaugura le premier Baron d'Afrique du Sud, puis il s'envola pour l'Allemagne où il en ouvrit un autre à Düsseldorf. Il traîna ensuite six mois dans son Baron préféré, celui de Paris, erra dans les rues le jour et se rendit à l'Opéra ou au théâtre la nuit, espérant revivre de joyeux souvenirs des séjours qu'il y avait effectués avec Florentyna.

Enfin, il quitta Paris et rentra en Amérique. Quand il descendit les marches de métal d'un 707 d'Air France à Kennedy Airport, voûté et son crâne chauve coiffé d'un chapeau noir, personne ne le reconnut. George, comme toujours, était là pour l'accueillir, le loyal, l'honnête George, qui semblait un peu plus âgé.

Sur la route de Manhattan, il lui donna des nouvelles du groupe. Les bénéfices continuaient d'augmenter alors que ses jeunes cadres zélés s'ouvraient un chemin dans chaque pays qui comptait dans le monde. Soixante-douze hôtels, avec un personnel de plus vingt-deux mille personnes. Abel n'avait pas l'air d'écouter. Il ne voulait que des nouvelles de Florentyna.

— Elle va bien, déclara George. Elle viendra à New York en début d'année.

— Pourquoi ? s'enquit Abel, brusquement excité.

— Elle inaugure l'une de ses boutiques sur la Cinquième Avenue.

— Cinquième Avenue ? Heureusement que tu n'as pas parié, George.

Celui-ci sourit.

— Le onzième Florentyna's.

— L'as-tu vue, George ?

— Oui, avoua-t-il.

— Va-t-elle bien ? Est-elle heureuse ?

— Tous les deux vont bien, tous les deux sont heureux. Et ils réussissent tellement bien ! Abel, tu devrais être fier d'eux ! Ton petit-fils est un sacré petit gars. Et quant à ta petite-fille, c'est Florentyna tout craché, au même âge.

— Acceptera-t-elle me voir ?

— Accepteras-tu de rencontrer son mari ?

— Non, George, je refuse de faire la connaissance de ce garçon. Pas tant que son père sera encore en vie.

— Et si tu mourais le premier ?

— Il ne faut pas croire tout ce que tu lis dans la Bible, déclara Abel.

Ils rentrèrent à l'hôtel en silence, et Abel dîna seul dans sa suite ce soir-là.

Les six mois suivants, il sortit rarement de sa suite de grand standing.

# 58

Lorsque Florentyna Kane ouvrit sa nouvelle boutique sur la Cinquième Avenue en mars 1967, tout le monde à New York vint participer à la fête, sauf William Kane et Abel Rosnovski.

Kate mit William au lit et le laissa marmonner dans son coin pendant que Virginia, Lucy et elle sortaient assister à l'inauguration. George laissa Abel seul dans sa suite et se mit en route pour la Cinquième Avenue. Il avait essayé de le convaincre de l'accompagner. Abel grommela que sa fille avait réussi à inaugurer dix magasins sans lui, et qu'un de plus, ça ne changerait rien. George lui répondit qu'il était un vieil idiot borné et partit tout seul pour la Cinquième Avenue. Abel savait qu'il avait raison.

Lorsque George arriva, il trouva une boutique moderne et magnifique, aux tapis épais et aux meubles suédois dernier cri – cela lui rappelait la façon dont Abel faisait les choses. Florentyna portait une longue robe de soirée verte, au col montant orné du double F désormais célèbre. Elle offrit une coupe de champagne à George avant de le présenter à Kate et Lucy Kane, qui bavardaient avec Zaphia. Kate et Lucy étaient manifestement très heureuses, et Virgina étonna George en demandant des nouvelles de M. Rosnovski.

— Je lui ai dit qu'il était un vieil idiot borné de manquer une si belle soirée. M. Kane est-il là ? s'enquit-il.

— Non, répondit Kate. Je crains que lui aussi ne soit qu'un vieil idiot borné.

William pestait encore de colère contre le *New York Times*, qui affirmait que Johnson aurait ménagé son adversaire au Vietnam, lorsqu'il plia le journal et se tira hors du lit. Il s'habilla lentement, très lentement, avant de se regarder dans un miroir. On aurait dit un banquier. Il se renfrogna. À quoi d'autre devrait-il ressembler ?

Il descendit l'escalier doucement. Il enfila un lourd pardessus noir et son vieux chapeau mou, prit sa canne de marche noire à la poignée en argent – celle que Rupert Cork-Smith lui avait léguée – et sans trop savoir comment, réussit à sortir dans la rue. C'était la première fois qu'il s'éclipsait seul en trois ans. La domestique fut étonnée de voir M. Kane partir de chez lui non accompagné.

C'était une soirée de printemps d'une douceur inhabituelle, mais William ressentait tout de même le froid pour être resté enfermé si longtemps chez lui. Il lui fallut beaucoup de temps pour se rendre à l'angle de la Cinquième Avenue et la 56e Rue, chaque pas demandant un effort supplémentaire, et quand il y parvint enfin, il constata que la foule de chez Florentyna's se déversait sur le trottoir. Il ne trouva pas la force de se frayer un chemin à l'intérieur, et observa donc de dehors. De jeunes gens, heureux et enthousiastes, se forçaient un passage dans la boutique à la mode de Florentyna Kane. Certaines filles portaient les nouvelles minijupes de Londres. « Et puis quoi encore ? », songea William. Puis il remarqua Richard qui parlait à Kate. Il était devenu un si bel homme – grand, assuré et détendu. Il dégageait une espèce d'autorité qui lui faisait penser à son propre père. Mais avec toute l'agitation et l'animation à l'intérieur du magasin, il ne parvint pas à savoir qui était Florentyna. Il resta debout sur le trottoir pendant près d'une heure, à savourer ces allées et venues, à regretter ces années d'obstination qu'il avait gâchées.

Le vent de mars devenait cinglant sur la Cinquième Avenue. Il avait oublié combien il pouvait être froid. Il remonta son col. Il devait rentrer chez lui, car ils viendraient tous dîner ce soir et il rencontrerait Florentyna et les petits-enfants pour la première fois et se réconcilierait avec son fils bien-aimé. Il avait confié à Kate qu'il avait été un idiot, et implorait son pardon. Tout ce qu'elle avait répondu était : « Je t'aimerai toujours. » Florentyna lui avait écrit. Une lettre si gentille et si généreuse. Elle s'était montrée si compréhensive à propos du passé et terminait par : « J'ai hâte de faire votre connaissance. »

Il doit rentrer à la maison. Kate serait fâchée contre lui si jamais elle apprenait qu'il était sorti seul sous un vent aussi froid. Ils pourraient lui raconter l'inauguration au cours du dîner. Il ne leur dirait pas qu'il était venu – cela resterait toujours son secret.

Alors qu'il allait tourner les talons, il remarqua un vieil homme qui se tenait à quelques mètres, en pardessus noir, le chapeau enfoncé sur la tête, et une écharpe autour du cou. Pas une nuit pour les vieillards, songea William en se dirigeant vers lui. Puis il vit le bracelet en argent à son poignet. En un éclair, tout lui revint ; tout se remit en place pour la première fois. Le thé au Plaza, plus tard dans son bureau à Boston, puis encore sur le champ de bataille en Allemagne, et à présent sur la Cinquième Avenue. L'homme devait se tenir là depuis un moment, car son visage était rougi par le froid. Il fixa William de ses yeux bleus aisément reconnaissables. Ils ne se trouvaient plus qu'à quelques mètres. Quand William passa devant lui, il souleva son chapeau pour saluer le vieillard. Celui-ci lui rendit le compliment et chacun continua sa route sans rien dire.

«Je dois rentrer avant eux», songea William. La joie de voir Richard et ses petits-enfants donnerait un sens à tout. Il devait apprendre à connaître Florentyna, implorer son pardon, et espérer qu'elle comprendrait ce que lui-même avait du mal à appréhender. Une si jolie jeune femme, lui répétait-on.

Quand il parvint sur la 68e Rue Est, il chercha sa clé et ouvrit la porte d'entrée.

— Allumez toutes les lumières, demanda-t-il à la domestique. Et faites du feu pour qu'ils se sentent chez eux. *(Il était très content et très, très fatigué.)* Tirez les rideaux et allumez les bougies sur la table de la salle à manger. Nous avons tant de choses à fêter.

Il avait hâte qu'ils reviennent tous. Il s'assit dans son vieux fauteuil de cuir bordeaux près de l'âtre et songea joyeusement à la soirée qui l'attendait. Les petits-enfants qui l'entouraient, les années à côté desquelles il était passé. Quand son petit-fils avait-il appris à compter ? Au moins, William se dit qu'il avait une chance d'enterrer le passé et de découvrir l'indulgence dans le futur. La pièce était si agréable et si chaude après ce vent froid…

Quelques minutes plus tard, il entendit de l'animation en bas et la bonne vint annoncer à M. Kane que son fils était arrivé. Il se trouvait dans le hall avec Mme Kane, son épouse et deux des enfants les plus adorables que la domestique avait jamais vus. Puis elle détala pour s'assurer que le dîner serait prêt à temps. Il voulait que tout soit parfait ce soir.

Richard entra dans la pièce, Florentyna à son côté. Elle était radieuse.

— Père, dit-il, j'aimerais te présenter ma femme.

William Lowell Kane se serait bien levé pour la saluer, mais il ne pouvait pas le faire. Il était mort.

# 59

Abel déposa l'enveloppe sur sa table de nuit. Il ne s'était pas encore habillé. En ce moment, il se levait rarement avant midi. Il tâcha de poser le plateau du petit déjeuner par terre, mais ce mouvement exigeait bien trop de dextérité pour son vieux corps raide. Il finit inévitablement par le faire tomber dans un grand bruit. Il reprit l'enveloppe et lut la lettre d'accompagnement pour la deuxième fois.

« M. Curtis Fenton, ancien directeur de la Continental Trust Bank, LaSalle Street, Chicago, nous a chargés de vous envoyer la lettre ci-jointe lorsque certaines circonstances se seraient produites. Veuillez accuser réception de ce courrier en signant l'exemplaire ci-joint et en nous le retournant dans l'enveloppe timbrée. »

— Satanés avocats, jura Abel et il ouvrit l'enveloppe.

*Cher monsieur Rosnovski,*

*Cette lettre a été confiée à mes avocats jusqu'à aujourd'hui pour des raisons que vous comprendrez dès que vous la lirez.*

*Lorsqu'en 1951 vous avez clôturé tous vos comptes à la Continental Trust après plus de vingt ans passés dans cette institution, je fus naturellement très tourmenté et inquiet. Mon inquiétude n'était pas liée au fait que je perdais l'un de nos plus grands clients de valeur, aussi triste cela fût-il, mais parce que vous pensiez que je m'étais comporté de façon déshonorante. Ce que vous ignoriez à l'époque, c'est que j'avais des instructions spécifiques de la part de votre commanditaire, de ne pas vous révéler certaines informations.*

*La première fois que vous m'avez rendu visite à la banque en 1929, vous m'avez demandé une aide financière afin de rembourser la dette contractée par M. Davis Leroy pour que vous puissiez prendre possession des hôtels qui constituaient alors le groupe Richmond. Je me suis personnellement intéressé à votre affaire, car j'estimais que vous aviez un don exceptionnel pour la carrière que vous aviez choisie. Cela m'a apporté une grande satisfaction d'observer avec l'âge que ma confiance n'avait pas été mal placée. Mais en vérité, j'ai été incapable de trouver un commanditaire, bien que j'aie contacté plusieurs financiers de renom. Je pourrais ajouter que je me suis aussi senti responsable de votre situation fâcheuse, vous ayant conseillé d'acheter vingt-cinq pour cent du groupe Richmond à ma cliente, Mlle Amy Leroy, alors que je n'étais pas au courant des difficultés financières que rencontrait M. Leroy à cette époque. Mais je m'égare.*

*J'avais abandonné tout espoir de vous trouver un commanditaire lorsque vous êtes venu me rendre visite ce lundi matin. Je me demande si vous vous rappelez ce jour aussi bien que moi ? Trente minutes seulement avant votre rendez-vous, j'ai reçu un coup de fil d'un financier prêt à avancer l'argent nécessaire. Comme moi, il éprouvait une grande confiance en vos aptitudes. Sa seule stipulation, comme je vous l'avais conseillé à l'époque, était qu'il insistait pour rester anonyme en raison d'un conflit potentiel entre ses intérêts professionnels et privés. Les conditions qu'il proposait, vous permettant de gagner un contrôle ultime du groupe Richmond, étaient selon moi extrêmement généreuses, et, légitimement, vous en avez pleinement profité. En effet, votre commanditaire fut ravi lorsque vous avez été en mesure, grâce à votre diligence et au dur travail que vous avez fourni, de rembourser son investissement initial avec intérêt.*

*J'ai perdu contact avec vous deux après 1951, mais peu après avoir pris ma retraite, j'ai lu une histoire pénible dans les journaux concernant votre commanditaire, ce qui m'a poussé à vous écrire ce courrier, au cas où je mourrais avant l'un de vous.*

*Je ne vous écris pas pour vous prouver mes bonnes intentions dans cette affaire, mais afin que vous ne continuiez pas à vivre sous l'illusion que votre bienfaiteur était M. David Maxton du Stevens Hotel. M. Maxton était l'un de vos grands admirateurs, mais il n'a jamais contacté la banque à ce titre. Le gentleman qui a cru en vous, et en l'avenir du groupe Baron, était William Lowell Kane, l'ancien président de la banque Lester's, New York.*

*J'ai supplié M. Kane de vous informer de son implication personnelle, mais il a refusé de rompre la clause dans son document de fidéicommis qui stipulait qu'aucun bénéficiaire ne devrait avoir connaissance des investissements du fidéicommis de sa famille, en raison du conflit que cela pourrait provoquer à la banque. Après que vous avez eu remboursé l'emprunt et qu'il a été avisé de l'association de Henry Osborne avec le groupe Baron, il est devenu encore plus inflexible pour que vous ne soyez pas au courant.*

*J'ai laissé des instructions afin que ce courrier soit détruit si jamais vous mouriez avant William Kane. Dans ces circonstances, il recevra une lettre similaire, qui explique que vous ignorez totalement sa générosité personnelle.*

*Quel que soit celui qui recevra un courrier de ma part, cela a été un privilège de vous avoir servis tous les deux.*

*Je vous prie d'agréer l'expression de mes sentiments distingués,*
*Curtis Fenton*

Abel décrocha le téléphone sur sa table de nuit.

— Trouvez-moi George, dit-il. Il faut que je m'habille.

# 60

Grand-mère Kane aurait apprécié le beau monde qui assista aux funérailles de William Lowell Kane. Trois sénateurs, cinq députés, deux évêques, la plupart des présidents des grandes banques et le rédacteur en chef du *Wall Street Journal*, tous étaient présents. Jake Thomas et chaque directeur du conseil d'administration de Lester's étaient là eux aussi, têtes inclinées en signe de prière à un Dieu en qui William n'avait jamais cru. Richard et Florentyna se tenaient d'un côté de Kate, Virginia et Lucy de l'autre.

La foule en deuil ne remarqua pas particulièrement les deux vieillards assis au fond de la cathédrale, têtes également baissées, comme s'ils ne faisaient pas partie du cortège. Ils étaient arrivés avec quelques minutes de retard et étaient vite partis à la fin du service. Florentyna reconnut la claudication quand le plus petit des deux s'empressa de s'en aller, et en glissa un mot à Richard. Mais ils n'en dirent rien à Kate.

Le lendemain, Kate écrivit aux deux hommes pour les remercier. Elle n'avait pas eu besoin qu'on le lui dise.

Quelques jours plus tard, le plus grand des deux rendit visite à Florentyna dans sa boutique sur la Cinquième Avenue. Il avait appris par hasard qu'elle repartait pour San Francisco et il fallait qu'il la voie avant son départ. Elle écouta soigneusement sa requête et l'accepta avec joie.

Richard et Florentyna Kane arrivèrent à l'hôtel Baron le lendemain après-midi. George Novak les attendait dans l'entrée pour les accompagner au quarante-deuxième étage.

Après dix ans, Florentyna eut du mal à reconnaître son père. Il était assis dans son lit, des lunettes demi-lune qui tenaient sur le bout de son nez, toujours sans oreiller, mais souriant d'un air de défi. Ils évoquèrent les jours heureux, et tous deux rirent un peu et pleurèrent beaucoup.

— Vous devez nous pardonner, Richard, dit Abel. Nous autres Polonais sommes une race sentimentale.

— Je sais. Mes enfants sont à moitié polonais, répondit Richard.

Plus tard ce soir-là, ils dînèrent ensemble – un succulent rôti de veau, approprié pour le retour de la fille prodige, déclara Abel.

Il discuta du présent, évita le passé et lui expliqua comment il envisageait l'avenir du groupe.

— Il nous faudrait l'une de tes boutiques dans chaque hôtel, suggéra-t-il à Florentyna.

Elle rit et accepta.

Il parla à Richard de la tristesse que lui inspirait la vendetta de longue date avec son père, et que cela ne lui avait jamais traversé l'esprit, même une minute, que William Kane ait pu être son bienfaiteur, et qu'il aurait aimé avoir une chance, juste une, de le remercier personnellement.

— Il aurait compris, dit Richard.

— Votre père et moi nous sommes rencontrés, vous savez, avoua Abel.

Florentyna et Richard le dévisagèrent, surpris.

— Oh oui, nous nous sommes croisés sur la Cinquième Avenue. Il était venu espionner l'inauguration de ta nouvelle boutique. Il a soulevé son chapeau pour me saluer. C'était suffisant, tout à fait suffisant.

Abel demanda une chose à Florentyna : que Richard et elle l'accompagnent dans son voyage pour Varsovie, dans quelques mois, pour l'ouverture du tout dernier Baron.

— Imaginez-vous, dit-il, de nouveau excité, en tambourinant des doigts sur la petite desserte, le Baron de Varsovie ! Si ce n'est pas un hôtel que seul le président du groupe Baron peut inaugurer...

Les mois suivants, les Kane rendirent régulièrement visite à Abel, et de nouveau, Florentyna se rapprocha de son père.

Abel en vint à admirer Richard et le bon sens qui tempérait les ambitions de sa fille. Il adorait son petit-fils. Et la petite Annabel était – quelle était cette affreuse expression moderne ? – c'était « un phénomène » ! Abel avait rarement été plus heureux de toute sa vie, et il mit sur pied des projets élaborés pour son retour triomphant en Pologne où il ouvrirait le Baron de Varsovie.

La présidente du groupe Baron inaugura celui de Varsovie six mois plus tard que la date initialement prévue. Les contrats de travaux publics étaient aussi en retard à Varsovie que dans toute autre partie du monde.

Dans son premier discours en tant que présidente du groupe, Florentyna Kane déclara à ses invités que la fierté que lui inspirait cet hôtel magnifique se mêlait à la tristesse que son père n'ait pu être présent pour lancer lui-même le Baron de Varsovie.

Dans son testament, Abel avait tout laissé à Florentyna, à la seule exception d'un petit legs. L'inventaire décrivait le cadeau comme un bracelet d'argent lourdement gravé, rare et de valeur inconnue, qui arborait la légende « Baron Abel Rosnovski ».

Le bénéficiaire était son petit-fils, William Abel Kane.

*Impression réalisée par*

*La Flèche*
pour le compte
des Éditions First
en octobre 2010

N° d'impression : 60769